HISTOIRE DU QUÉBEC CONTEMPORAIN

Paul-André Linteau — René Durocher — Jean-Claude Robert

HISTOIRE DU QUÉBEC CONTEMPORAIN

★

De la Confédération à la crise

(1867-1929)

BORÉAL EXPRESS

Distribution:
Diffusion Dimédia
539, boulevard Lebeau,
Ville Saint-Laurent,
Québec

Photo de la couverture: Une rue de Montréal au début du 20e siècle (Archives de la Commission de transport de la communauté urbaine de Montréal).

ISBN 2-89052-007-2
Dépôt légal: 3e trimestre 1979
Bibliothèque nationale du Québec

et j'ai hâte à il y a quelques années
l'avenir est aux sources

Gaston Miron

Présentation

L'histoire du Québec contemporain connaît, depuis une vingtaine d'années, une vogue croissante. L'engouement pour la Nouvelle-France qui a longtemps caractérisé notre historiographie a cédé le pas à un intérêt grandissant pour l'histoire plus récente, auquel n'est sans doute pas étranger le réveil politique des années 1960.

Or tous ceux qui se sont lancés dans ce champ nouveau de l'évolution du Québec après la Confédération déplorent l'absence d'un livre offrant une vue d'ensemble de la période. Notre expérience d'enseignants et de chercheurs nous a amenés à constater la nécessité d'un ouvrage qui rejoindrait également les citoyens qui, sans être spécialistes, voudraient comprendre le Québec actuel en approfondissant son histoire plus récente.

Certes, il existe des synthèses, mais celles qui ont été publiées jusqu'à maintenant couvrent une vaste période, débutant avec la Nouvelle-France, et l'époque contemporaine y fait figure de parent pauvre. L'*Histoire de la province de Québec* de Robert Rumilly, vaste chronique en 41 volumes, ne saurait tenir lieu de synthèse. Il y a eu ces dernières années, des études sectorielles, mais pas de véritable vue d'ensemble. C'est donc cette tâche que nous avons tenté de réaliser.

L'histoire que nous écrivons s'intéresse à l'évolution dans le temps, mais elle n'est pas un recueil de dates ou une galerie de portraits. Nous cherchons à comprendre et à expliquer les grands phénomènes et les transformations majeures qui ont marqué la société québécoise. C'est une histoire qui se veut ouverte sur l'apport de l'ensemble des sciences humaines et qui veut rendre compte d'interprétations différentes.

Notre approche est territoriale: nous nous intéressons aux phénomènes qui sont survenus sur le territoire du Québec, aux hommes et aux femmes qui l'ont habité. Tout au long, le mot Québécois est donc employé dans un sens très précis. Il désigne tous les résidents du Québec, que leur ancêtre soit venu du nord-ouest, il y a quelques milliers d'années, qu'il soit arrivé de France à l'époque de Jean Talon, qu'il soit un Écossais ayant traversé l'Atlantique en 1780, ou un Irlandais fuyant la Grande Famine ou encore un Juif tentant d'échapper aux persécutions de certains pays d'Europe de l'Est. Nous n'écrivons donc pas l'histoire des Canadiens français, bien qu'ils tiennent une grande place dans cette étude. Nous n'écrivons pas non plus une histoire du Canada. Certes les événements canadiens ne manquent pas d'influencer le cours de l'histoire québécoise. Mais nous nous contenterons de signaler ici leurs effets sur le Québec; les lecteurs intéressés trouveront dans les nombreux livres d'histoire du Canada des informations plus complètes sur le contexte canadien. La collection *Canadian Centenary Series* s'avère un précieux complément à ce travail.

Nous nous intéressons ici au Québec contemporain. Pour nous, la période contemporaine débute avec l'industrialisation qui provoque des transformations majeures dans les domaines socio-économique, politique, idéologique et culturel. Ce processus se manifeste à partir du milieu du 19e siècle à Montréal et un peu plus tard dans les autres centres. Le régime confédératif marque par ailleurs une étape importante dans l'orientation de la société québécoise. Nous avons donc retenu 1867 comme point de départ, sans en faire une coupure absolue. Tous les événements n'ont pas la même périodisation et nous n'hésitons pas au besoin à retourner quelques années ou quelques décennies en arrière.

Il s'agit ici d'un travail de synthèse. Depuis une quinzaine d'années, des historiens et des spécialistes des sciences humaines ont écrit un grand nombre d'articles, de thèses ou de volumes portant sur des aspects particuliers de notre histoire. Certains d'entre eux ont accompli un travail considérable. Nous pensons en particulier à Jean Hamelin, qui par son double rôle de chercheur et d'animateur a, plus que tout autre, contribué à l'essor de la recherche sur le Québec contemporain. Nous nous appuyons sur les travaux de ces prédécesseurs, mais également sur les résultats de nos propres recherches. L'occasion que nous avons eue d'enseigner l'histoire contemporaine du Québec à un grand nombre d'étudiants universitaires, nous a aidés à acquérir une vue d'ensemble des problèmes. Aussi, sur plusieurs questions, sommes-nous amenés à formuler des interprétations nouvelles et à ouvrir d'autres perspectives.

Notre effort de synthèse est cependant limité par l'état de l'historiographie. L'intérêt pour l'histoire contemporaine au Québec étant relativement jeune, certains champs restent encore inexplorés. C'est ainsi, par exemple, qu'on ne sait à peu près rien de l'histoire de la ville de Québec entre 1870 et 1930, des conditions réelles de vie dans les campagnes à l'époque de la première guerre mondiale ou de l'état du personnel enseignant au tournant du siècle. Il n'était évidemment pas question pour nous de réaliser des enquêtes poussées dans tous les domaines encore mal connus et notre synthèse reflète l'état actuel des connaissances.

Malgré les lacunes de la recherche, l'histoire du Québec est à la fois riche et complexe et l'ampleur du travail nous a amenés à le diviser en deux tomes. Le premier traite de la période 1867-1929. Il couvre une époque de transformations profondes qui voit la société rurale québécoise devenir une société industrielle. Le pays s'équipe en infrastructures (voies ferrées, routes, ports). Le téléphone, l'électricité, l'automobile et de nombreuses autres inventions viennent bouleverser la vie quotidienne. Grâce à une scolarisation plus poussée, les moyens de communication de masse se développent: presse à grand tirage, revues, catalogues et, en fin de période, la radio. Les conditions de travail et d'existence du Québécois de 1929 sont bien différentes de celles qui prévalaient en 1867. Le choix de 1929 comme date terminale de ce premier volume se justifie aisément, car cette année marque un peu la fin d'une époque. Les deux décennies suivantes sont secouées par la crise économique et la seconde guerre mondiale, qui seront le point de départ de nouvelles transformations économiques, sociales et politiques. Nous en parlerons dans un second tome qui nous permettra de mener cette histoire du Québec contemporain jusqu'à nos jours.

Nous avons choisi d'aborder notre sujet par thèmes plutôt que de le traiter en fonction d'une chronologie courte. Cette méthode a l'avantage de permettre un examen beaucoup plus systématique et cohérent de chaque dimension de la vie d'une société. Nous avons par ailleurs indiqué aussi souvent que possible les influences qui se manifestent d'un thème à l'autre. Nous avons donc divisé notre période en deux sous-périodes: 1867-1896 et 1896-1929. Pour chacune d'elles nous abordons successivement l'économie, la société, le politique, la culture et les idéologies. Cependant, l'évolution du territoire et les phénomènes de population ont un rythme plus long et nous avons préféré les aborder en une seule fois pour l'ensemble de la période 1867-1929.

Parce qu'il s'agit d'un ouvrage de synthèse, on n'y trouve pas de notes en bas de pages. À la fin des chapitres, une bibliographie indicative renvoie aux principaux textes parus sur la question. Ce n'est là qu'un point de départ et le lecteur intéressé trouvera dans les ouvrages cités des pistes qui lui permettront de pousser plus loin ses connaissances. Quant aux illustrations, nous ne les avons pas placées là seulement pour enjoliver le volume. Nous considérons les dessins, les gravures et les photos anciennes comme des témoignages qui aident à comprendre une époque. Ces illustrations éclairent le texte et lui apportent souvent un complément.

Ce livre est le fruit d'un véritable travail collectif. Le plan de l'ouvrage a été conçu et élaboré en équipe. La répartition des textes à écrire s'est faite en tenant compte des goûts et des spécialités de chacun ainsi que de leur disponibilité; la participation au travail de rédaction a donc été variable d'un auteur à l'autre. Mais tous les textes ont ensuite été revus, discutés et corrigés en équipe. Cette collaboration a été fructueuse et stimulante pour chacun de nous.

Au départ, notre collègue Robert Comeau était membre du groupe et a participé à nos premières discussions sur le plan de l'ouvrage. Mais il a dû par la suite se retirer du projet et n'a pas participé à la rédaction du livre. Nous avons par ailleurs fait appel à deux collaborateurs extérieurs pour traiter de la production culturelle. François-Marc Gagnon, historien de l'art, a rédigé les parties concernant la peinture et la sculpture; Sylvain Simard a écrit les textes sur l'histoire littéraire, qui est son domaine de spécialisation. Nous les remercions bien vivement d'avoir accepté de relever ce défi dans un court délai.

Nous tenons à remercier nos collègues qui nous ont aidés de diverses façons, en particulier Normand Séguin et Fernand Harvey qui ont lu attentivement et annoté notre manuscrit, ainsi que Jean-Paul Bernard et Marta Danylewicz, qui en ont commenté certaines parties. Nos remerciements vont aussi à notre éditeur, Antoine Del Busso, qui nous a appuyés à toutes les étapes de la réalisation de l'ouvrage.

Paul-André Linteau
René Durocher
Jean-Claude Robert

Juin 1979

PREMIÈRE PARTIE

ESPACE ET POPULATION 1867-1929

La terre, les hommes; derrière la banalité même de ces deux données se profilent de lentes évolutions et se tissent d'innombrables liens qui auront de l'effet sur la vie de la collectivité. La plus grande lenteur des transformations qui modèlent l'espace et façonnent les populations peut, à première vue, donner à croire que ce sont là des éléments acquis et immuables de la vie des sociétés. Il nous faut donc arriver à saisir le sens et le rythme des mouvements pour mieux éclairer leur influence réciproque. Montréal est à égale distance de la Floride et de la pointe de l'Ungava; elle est plus près de New York que de Sept-Iles. Cette simple question de distances nous amène à nous interroger sur le poids de la géographie dans l'évolution du Québec.

Dans notre survol de l'espace québécois, nous essaierons d'abord de le caractériser par rapport à l'ensemble du continent nord-américain pour analyser ensuite les grands éléments de la formation du paysage québécois. Dans un deuxième chapitre, nous étudierons l'évolution de la population. Même si dans ce domaine les rythmes d'évolution sont plus rapides, il nous importe d'arriver à bien cerner les caractères permanents de la population et de voir les changements qui sont plus conjoncturels. Enfin, après avoir montré comment a évolué la population du Québec, nous en verrons les grandes composantes aux plans ethnique et linguistique, particulièrement importantes ici. Ainsi nous aurons fait un tour d'horizon des parties qui forment la base de la société québécoise.

CHAPITRE PREMIER

L'ESPACE QUÉBÉCOIS

Avant d'aborder la géographie du Québec, il importe de la situer dans son contexte plus global. Cette question mérite un examen particulier, car, longtemps replié sur ses caractères spécifiques et sa culture originale en Amérique du Nord, le Québec concevait son passé uniquement en rapport avec lui-même, sans liens avec l'extérieur autres que ponctuels ou accidentels. Pourtant la morphologie de son territoire est dominée par les grands éléments géologiques du continent.

UNE TERRE D'AMÉRIQUE

Quatre formations rocheuses principales structurent le relief de l'Amérique. De l'est à l'ouest, on traverse d'abord la chaîne des Appalaches, qui barre la plaine côtière du nord de la Georgie au Saint-Laurent, qu'elle longe avant de s'affaisser dans le fleuve en Gaspésie. Les Appalaches forment la limite naturelle de la plaine centrale américaine. Les Rocheuses ferment l'autre côté de la plaine. Cette dernière formation traverse l'ensemble du continent américain, s'étendant de la Terre de Feu à l'Alaska. Enfin, avant d'accéder aux rives du Pacifique, on trouve la chaîne côtière. Notons que ces trois premiers systèmes de relief sont orientés grossièrement nord-sud. Le quatrième, le Bouclier canadien, s'étend dans une direction différente. Situé au nord de la plaine centrale, il a la forme d'un fer à cheval contournant la baie d'Hudson.

Outre le relief, le réseau hydrographique a joué un rôle extrêmement important dans l'histoire nord-américaine: les fleuves et les rivières ont

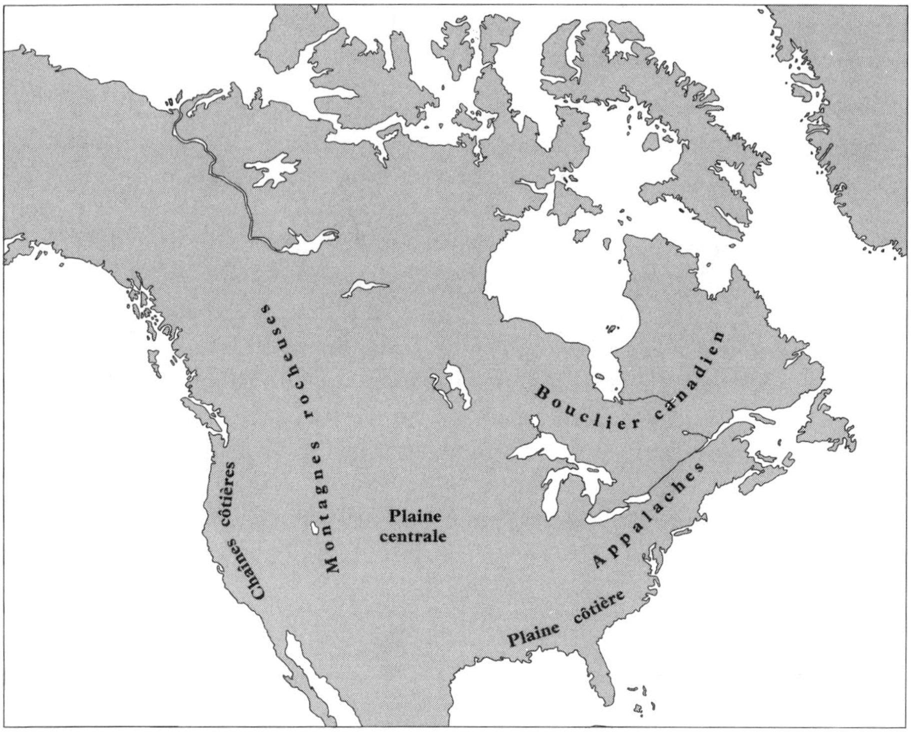

Les régions naturelles de l'Amérique du Nord

formé, dès le début de l'implantation européenne, les voies d'accès privilégiées vers l'intérieur. Deux grands fleuves dominent le réseau, le Saint-Laurent au nord et le Mississipi au sud. Le premier draine à lui seul les trois cinquièmes du bassin atlantique. Les deux fleuves prennent leur source dans la région des Grands Lacs, qui constitue le pivot central du réseau hydrographique. Il est donc possible de remonter le Saint-Laurent de l'Atlantique vers l'intérieur, puis de passer par un réseau de portages d'un système à l'autre au moyen d'affluents et de rejoindre par le Mississipi le golfe du Mexique. A côté de ces grands fleuves, il y en a d'autres, de moindre débit ou de moindre longueur, mais qui ont joué le même rôle. Citons par exemple l'Hudson, qui se jette dans l'Atlantique à New York et qui traverse les Appalaches.

Le relief et l'hydrographie déterminent, à l'échelle continentale, de grandes régions naturelles, qui sont définies par des caractères morphologiques communs. On en compte sept en Amérique du Nord: la plaine côtière, les Appalaches, la plaine centrale, les Rocheuses, la chaîne côtière, le Bouclier canadien et la vallée du Saint-Laurent. Le territoire du Québec occupe la partie basse de la vallée du Saint-Laurent et il s'étend au nord sur le Bouclier canadien et au sud sur les Appalaches. L'importance pour l'histoire du

Québec de ces caractères physiques a été fondamentale pour son économie et même pour le type de société qui s'y est installée.

Deux éléments géographiques, l'axe du Saint-Laurent et les régions de l'Amérique du Nord, ont servi de support à deux positions historiographiques différentes, la thèse laurentienne et la thèse Faucher, que nous verrons plus en détail dans une autre section de cet ouvrage. Disons pour le moment que la thèse laurentienne voit dans la vallée du Saint-Laurent des lignes de force est-ouest déterminantes, qui expliqueraient tout le développement économique et social du Canada. La thèse Faucher, postulant le développement économique inégal des régions de l'Amérique du Nord en fonction de l'état de la technologie et de la répartition des ressources, met l'accent sur le poids des influences continentales. Complémentaires dans une certaine mesure, ces deux thèses illustrent bien, à notre avis, la double influence que subit le Québec: tout en étant intégré par le Saint-Laurent à un axe économique est-ouest, il n'en est pas moins influencé par les tensions créées par l'existence des autres axes, continentaux ceux-ci, qui l'attirent fortement vers le sud.

UN PAYS À OCCUPER

Le territoire du Québec ne constitue pas une entité invariable; il s'est formé en plusieurs étapes et l'évolution de son occupation amène la formation de régions et progressivement leur différenciation.

Des frontières en mouvement

Au moment de la Confédération de 1867, le Québec se voit reconnaître la totalité du territoire du Bas-Canada tel que défini par l'ancienne constitution. Sans entrer dans les détails, précisons qu'à cette époque le Québec ne comprend que la partie sud du territoire actuel; ni l'Abitibi, ni le Nouveau-Québec, ni le Labrador n'en font partie. Cette dernière région se trouve d'ailleurs annexée à Terre-Neuve depuis 1809.

Un an après la Confédération, le gouvernement canadien récupère les territoires de la partie nord du Canada qui avaient été concédés à la compagnie de la baie d'Hudson. Il remettra graduellement une partie de ces territoires aux provinces; pour le Québec, le transfert se fait en deux étapes. Lors de la première, en 1898, il reçoit d'Ottawa la région de l'Abitibi jusqu'à la rivière Eastmain et il perd une portion de territoire du côté nord-est. La seconde étape, celle de 1912, permet au Québec d'agrandir son territoire jusqu'au détroit d'Hudson; le district de l'Ungava (le Nouveau-Québec) fait

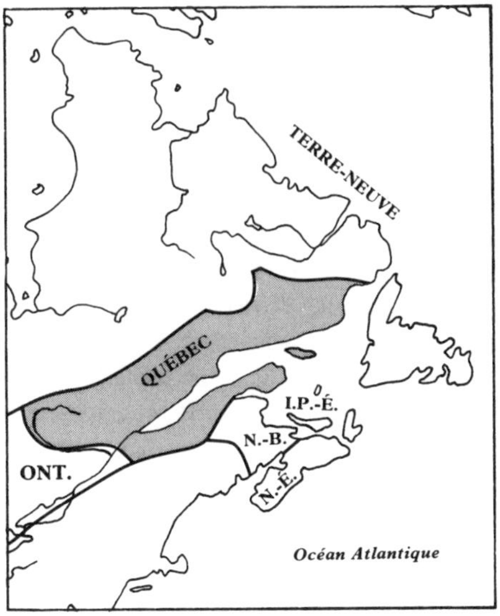

1867

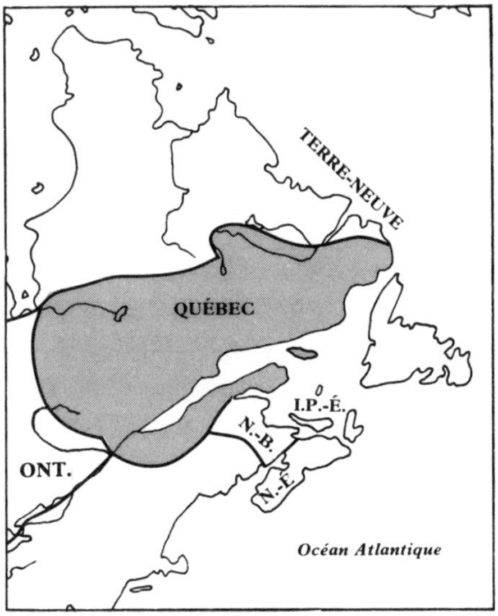

1898

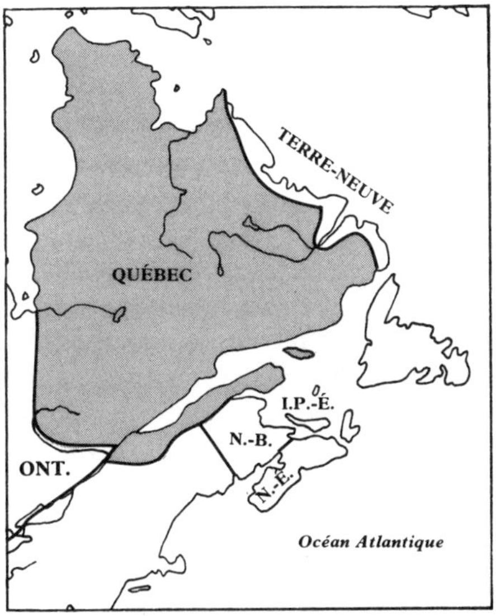

1912

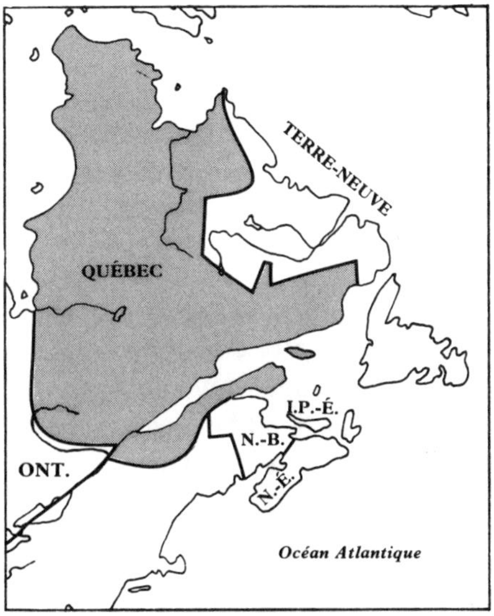

1927

L'évolution des frontières du Québec, 1867-1927

maintenant partie intégrante du territoire. La seule question en suspens demeure la frontière avec le Labrador. C'est un problème relativement complexe qui repose sur des divergences de définitions.

Les textes les plus anciens, datant de 1763, attribuent à Terre-Neuve la côte du Labrador. La difficulté surgit au moment de définir précisément ce que comprend cette côte. Le différend est finalement porté devant le Conseil privé de Londres, qui décide en 1927 que la frontière correspond à la ligne de partage des eaux. Terre-Neuve se voit attribuer un territoire immense d'environ 290 000 km^2. La côte ainsi délimitée s'enfonce loin à l'intérieur des terres, atteignant, dans sa partie la plus large, 724 km. Cette décision soulève encore des débats, le Québec voulant la remettre en question.

Il importe de souligner que dans tous les cas, les additions ou les soustractions au territoire québécois ont toujours été imposées par des gouvernements extérieurs, qu'il s'agisse de celui de Londres ou de celui d'Ottawa; en d'autres termes, le Québec n'a jamais véritablement eu de contrôle direct sur la formation de son territoire. De plus, dans certains cas, il est manifeste que le gouvernement central a beaucoup hésité avant de permettre toute extension de ce territoire. Par exemple, à la fin des années 1880, la correspondance de sir John A. Macdonald révèle qu'il n'aurait aucune objection à une extension des frontières de l'Ontario mais qu'en faisant de même pour le Québec, il risquerait de créer un bloc français entre l'Ontario et l'Atlantique. Il écrit: « Je n'ai rien contre les Français en tant que Français ou en tant que catholiques — mais l'obstacle causé par l'introduction des lois françaises et du code civil serait très grand ». La question du Labrador montre également la réticence du gouvernement fédéral à l'endroit de l'extension des frontières du Québec; rappelons qu'en 1927 c'est lui qui devait défendre les intérêts du Québec et du Canada contre les revendications de la colonie britannique qu'était encore Terre-Neuve.

Le territoire du Québec ainsi défini est cependant immense: 1 550 000 kilomètres carrés, soit trois fois la superficie de la France. Le territoire habité en permanence est beaucoup plus restreint, puisqu'il se réduit à une bande de terre de part et d'autre du Saint-Laurent, correspondant à environ un dixième de la superficie totale.

Six régions naturelles

Les régions naturelles du Québec sont déterminées par une structure morphologique très simple, composée de trois éléments: le Saint-Laurent, avec au sud les Appalaches et au nord le Bouclier canadien. À ces conditions morphologiques correspondent aussi des conditions climatiques; généralement plus on monte du Saint-Laurent vers les formations rocheuses, plus la température moyenne baisse. L'incidence fondamentale dans ce cas porte sur la durée de la saison végétative, soit le nombre de jours sans gelées.

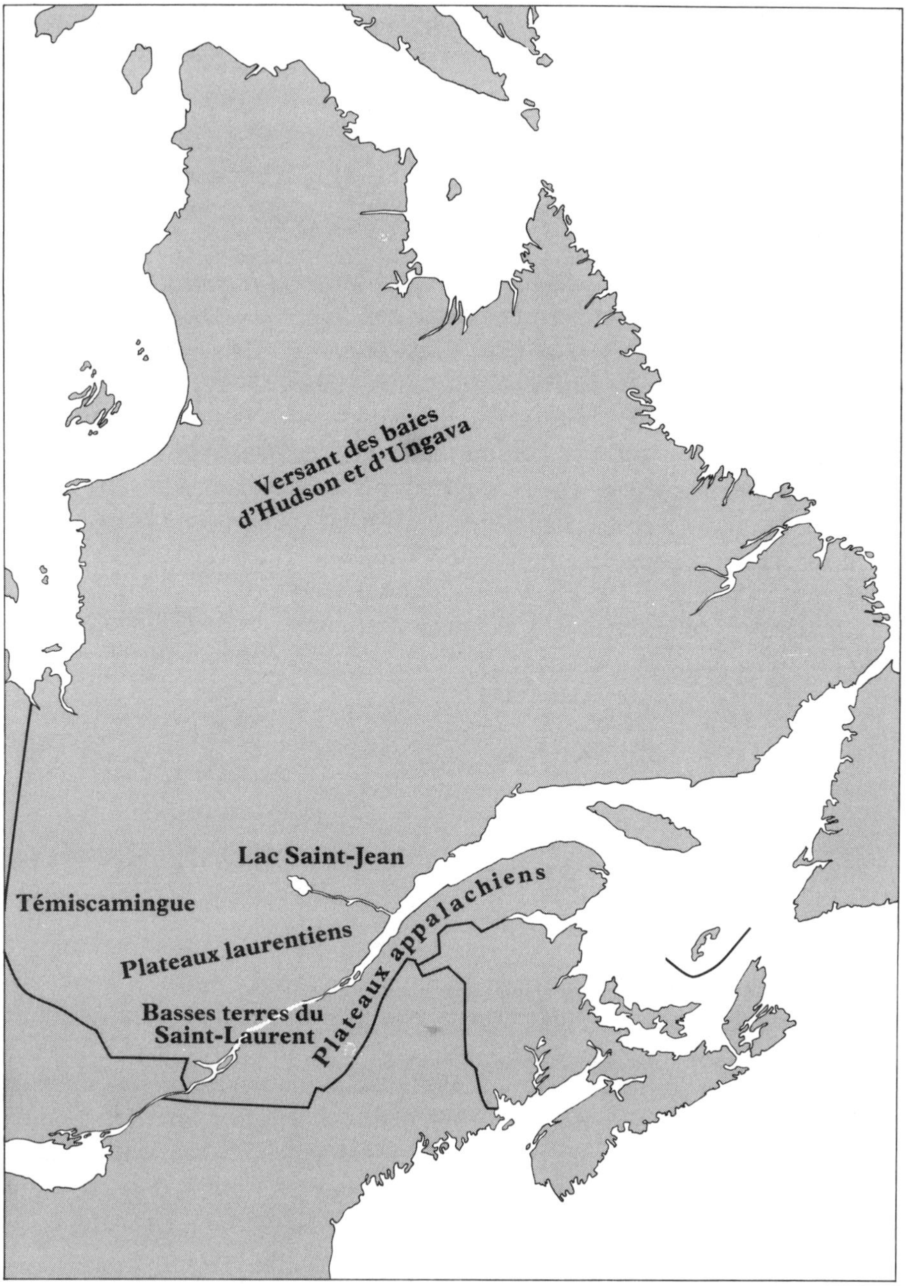

Les régions naturelles du Québec

L'agriculture, activité fondamentale, peut difficilement se pratiquer avec un nombre de jours sans gelées inférieur à 100; or, au Québec, dès que l'on monte sur les plateaux, qu'il s'agisse des Appalaches ou du Bouclier canadien, ce nombre tombe rapidement en deçà de ce minimum. Les conditions climatiques indiquent donc qu'on peut difficilement pratiquer le même type d'exploitation agricole dans ces régions que dans la plaine.

Le Québec compte six régions naturelles. Les *basses terres du Saint-Laurent* forment la première; elles s'étendent depuis la pointe de Vaudreuil vers l'est, bornées au nord par les contreforts du Bouclier canadien, les Laurentides, et au sud par les Appalaches. Il s'agit d'une région où la morphologie crée les conditions propices à l'agriculture et au transport. La seconde région, celle des *plateaux laurentiens*, correspond aux contreforts du Bouclier canadien. Elle est marquée par le caractère de cette vieille formation rocheuse, c'est-à-dire par un relief assez érodé. La troisième région, les *plateaux appalachiens*, est située dans la partie sud du Québec et s'étend de la frontière américaine dans la région de Sherbrooke à la Gaspésie; son relief est plus accidenté que l'autre région de plateaux. Les quatrième et cinquième régions doivent leurs formes à des accidents géologiques d'origine glaciaire; il s'agit de deux profondes échancrures pratiquées dans le Bouclier canadien par la glaciation, la dépression du *Lac Saint-Jean* et le *Témiscamingue*. Les matériaux qu'ont laissés les glaciers en font des zones propices à l'agriculture. La dernière est celle du *versant des baies d'Hudson et d'Ungava du Bouclier canadien*; elle forme la plus vaste des régions du Québec qu'elle traverse en arc de cercle du sud-ouest au nord.

LA STRUCTURATION DE L'ESPACE

L'implantation humaine dans les régions naturelles entraîne graduellement une différenciation de l'espace habité. Une région naturelle peut contenir plusieurs régions habitées différentes, qui tireront leur individualité de caractères spécifiques liés au mode et au moment de la première occupation humaine. L'empreinte principale est celle de l'activité économique dominante de l'époque; par la suite, les changements survenus dans la base économique toucheront toutes les régions mais leurs effets se feront sentir différemment de l'une à l'autre.

Ainsi le phénomène d'urbanisation touchera graduellement l'ensemble des régions québécoises mais les changements varieront: de nouvelles zones urbaines surgissent à certains endroits et ailleurs l'agriculture est sensiblement modifiée, même à distance de ces zones.

Le Québec a connu ce processus de différenciation spatiale; il existe sur son territoire des régions dotées d'une individualité propre. Pensons ici à la Beauce, à la Gaspésie ou au Saguenay-Lac Saint-Jean, pour n'en nommer que trois. La délimitation des régions pose un certain nombre de problèmes.

Un relief appalachien, le mont Orford. (Éditeur officiel du Québec)

Il y a d'abord la dimension historique; un espace qui était considéré comme une région au 19e siècle peut avoir été englobé dans un territoire plus grand au siècle suivant. On trouve également une dimension liée à la perception des habitants; pour ces derniers, telle ou telle paroisse fait partie ou non de la région. Il y a aussi le cas des sous-régions: quand on parle de la Beauce, englobe-t-on la vallée de l'Etchemin voisine? Enfin il y a tout le poids des pratiques administratives: on a divisé le Québec en dix régions qui ne correspondent pas nécessairement à d'autres définitions. L'exemple des Cantons de l'Est nous permet d'illustrer ce problème. Historiquement, la région des Cantons de l'Est est limitée à quelques comtés autour de Sherbrooke. Graduellement cependant on y englobe d'autres régions telles les Bois-Francs, la zone qui séparait la Beauce des Cantons de l'Est, etc. Il y a donc un certain flottement autour d'une définition actuelle des Cantons de l'Est. Compte tenu de ces problèmes, nous n'essaierons pas de définir avec précision les contours des régions; la carte permet toutefois de les situer approximativement. Il est plus important de bien saisir la façon dont ce processus s'est effectué, car le même phénomène qui est à la base de la formation des régions est responsable de leur degré d'articulation ou d'inarticulation à l'ensemble du Québec à un moment quelconque de son histoire.

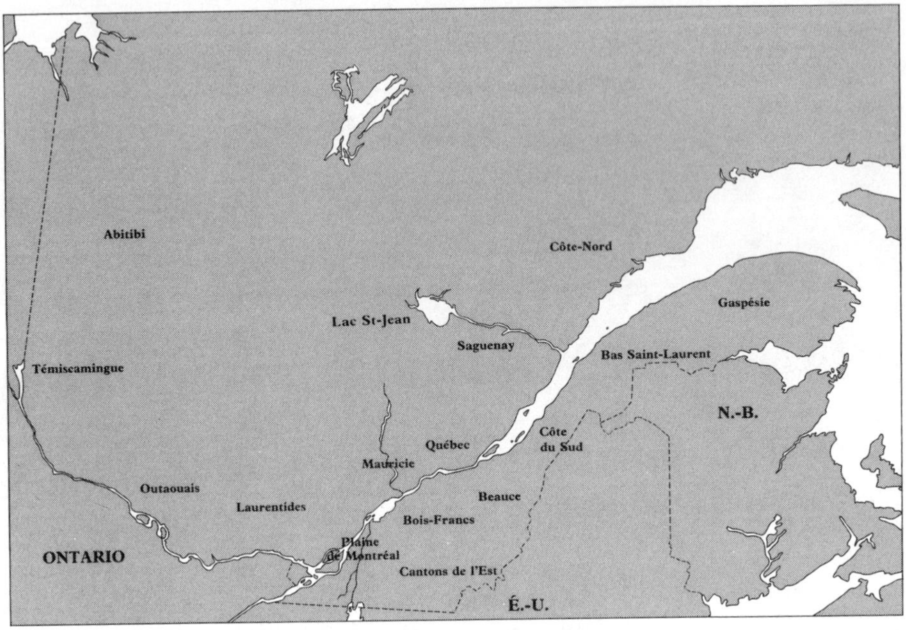

Les régions habitées du Québec

La première grande période d'installation et de structuration du territoire québécois commence au 18e siècle et dure jusqu'en 1820 environ; elle porte l'empreinte de l'agriculture. Nous écartons ici la traite des fourrures, puisqu'elle est liée à une occupation du sol de type plutôt nomade et qu'elle n'implique pas une intervention humaine dans le paysage. L'agriculture est fort différente; elle provoque une modification profonde de l'espace: des arbres sont abattus, des chemins tracés, des bâtiments construits. Cette période est caractérisée par un certain nombre de phénomènes: la division des basses terres de la vallée du Saint-Laurent en seigneuries, la façon dont ces seigneuries se développent et le type d'agriculture qu'on y pratique. La division d'une partie du territoire en seigneuries crée, dans le centre du Québec, une zone homogène en déterminant uniformément le mode d'implantation, donc la forme du paysage. Lorsque le territoire est découpé en seigneuries, on suit à peu près un même modèle; sa forme est généralement rectangulaire et par un de ses petits côtés, elle aboutit à un cours d'eau. Ainsi les seigneuries se découpent de part et d'autre du Saint-Laurent et de certains de ses affluents comme le Richelieu. Il ne faut pas oublier qu'au début de l'occupation du Québec, les cours d'eau, de quelque taille qu'ils soient, forment le réseau de base des communications. Cette contrainte détermine également la forme des terres concédées et leur orientation. L'accès au cours d'eau étant fondamental, on tentera de le permettre à un plus grand nombre de censitaires, en découpant un premier rang de terres en rectangles étroits prenant sur la berge par un de

Paysage caractéristique de la plaine près de Saint-Barthélémy.

leurs petits côtés et s'allongeant vers l'intérieur de la seigneurie. Lorsque ce premier rang est entièrement concédé, on recommence à l'arrière du premier et ainsi de suite jusqu'à ce qu'on atteigne le haut de la seigneurie. Cependant, dans ces cas, il faudra que tous les habitants des nouveaux rangs construisent ensemble le chemin de rang de manière à permettre les communications; on tracera également au moins un chemin de ligne, perpendiculaire aux chemins de rang ce qui permettra aux divers rangs de communiquer entre eux et d'aboutir au cours d'eau qui borne l'avant de la seigneurie.

Le rang forme une des unités élémentaires de la société québécoise; la forme même des terres et la facilité des communications font que les habitations se construisent toutes au même bout des terres, près du rivage. Ainsi, les maisons seront voisines les unes des autres, séparées par la largeur de la terre, ce qui donnera naissance à la forme particulière d'habitat rural québécois. Cette allure typique de quasi village-rue qui s'allonge le long d'un cours d'eau a été signalée par plus d'un observateur. Sur les rangs de l'arrière, on reproduit le même modèle ou on prend assez tôt l'habitude de créer les rangs doubles. Cette variation consiste à regrouper face à face les habitations de deux rangs sur un seul chemin.

Ce type d'occupation du sol détermine le paysage de cette zone du Québec: terres étroites et allongées, maisons et bâtiments de fermes construits près de la route et à proximité les uns des autres, réseau de chemins de rang et de chemins de lignes systématique. Le développement et l'implantation des villages à partir de la fin du 18e siècle ponctuera le paysage d'agglomérations. Le type d'agriculture laisse aussi sa marque; ainsi la culture des céréales entraîne la disparition rapide des forêts dans l'aire seigneuriale.

La seconde période importante pour la formation des régions est celle de la montée de la colonisation agricole sur les plateaux. À partir de 1820, sous la pression de la poussée démographique dans les seigneuries, il se produit un phénomène de débordement des vieilles paroisses vers les plateaux laurentiens et appalachiens. Ce mouvement possède un caractère particulier en ce qu'il bénéficie d'une activité d'appoint importante, celle de la coupe du bois, qui exercera une influence déterminante sur l'agriculture et le mode de vie. En rapport avec la première période, nous relevons une autre différence, cette fois au niveau de l'occupation du sol. Après la conquête, on ne crée pratiquement plus de seigneuries, les territoires qui sont situés hors de l'aire seigneuriale sont découpés en cantons et les terres s'y trouvant doivent être achetées. Au moment où la population canadienne-française déborde de la zone seigneuriale vers les cantons, elle transpose dans ceux-ci le type de découpage et d'occupation du sol des seigneuries. À l'origine, les terres dans les cantons sont plutôt de forme carrée et les bâtiments sont habituellement construits assez loin de la route. On peut voir ce type de paysage rural en Ontario et dans les zones du Québec où les colons d'origine britannique se sont installés. À ces premiers caractères s'ajoutent un type d'agriculture qui s'est très rapidement tourné vers l'élevage et un type d'architecture rurale différent. Le transfert du système de rang signifie donc des terres plus étroites, sans l'être autant que dans les seigneuries, et surtout, l'organisation de l'habitat sur le rang.

Le type d'agriculture qui se pratique sur les plateaux constitue un autre élément de différenciation; le climat et une activité complémentaire, la coupe du bois, interviennent pour imposer leur marque au paysage. La durée de la saison végétative se trouve réduite dès que l'on aborde ces territoires d'où une pression bien définie sur le genre de culture qu'on peut y faire. Quant au rôle de l'activité forestière, nous aurons l'occasion d'y revenir plus en profondeur, mais soulignons immédiatement son impact sur l'agriculture, particulièrement à cause des liens de dépendance qui s'établissent entre les deux.

De 1850 jusqu'à 1900 environ, on finit d'occuper les plateaux et on commence aussi à peupler les deux dépressions dans le Bouclier canadien, le Témiscamingue et le Saguenay-Lac Saint-Jean. Les caractères de l'implantation sont les mêmes, c'est-à-dire contraintes climatiques sur l'agriculture et activité forestière complémentaire. Enfin, après 1900, on commence à s'intéresser au versant opposé du Bouclier canadien, celui qui s'oriente vers la baie d'Hudson; c'est la colonisation de l'Abitibi, où l'agriculture sera très rapidement inféodée à l'exploitation minière.

Cette photo aérienne de la région de Joliette illustre le découpage des rangs. Notons d'abord la forme caractéristique des lots, très étroits et allongés, ainsi que la présence de boisés, relégués souvent au bout des terres. Au premier plan, à gauche, on aperçoit un rang double, caractérisé par des bâtiments érigés des deux côtés du chemin et vers le centre, on peut voir un rang simple. (Ministère des Terres et Forêts, Service de la cartographie)

Les Laurentides dans la région de Saint-Sauveur-des-Monts.

C'est ainsi que se distinguent les régions du Québec; les zones que nous venons de définir — l'aire seigneuriale, les cantons, les plateaux, les deux dépressions et l'Abitibi — se sont formées à partir d'une activité économique de base, l'agriculture. L'implantation à une échelle plus vaste d'une nouvelle activité économique destinée à supplanter la première accentuera les variations régionales.

À l'intérieur des grandes zones que nous avons définies, les régions se développent lentement, indépendamment les unes des autres; un peu en fonction de l'agriculture qui s'y pratique et qui constitue l'activité économique dominante. Dans la mesure où cette agriculture devient autosuffisante, les régions ont encore moins de contact entre elles. Seule une activité économique commune à plusieurs régions et qui est dirigée et organisée à partir d'un point central peut, à la longue, articuler les régions d'abord directement à ce point et par la suite, les unes avec les autres. Au 19e siècle, l'exploitation forestière est la seule activité susceptible de créer cette articulation: dirigée à partir de la ville de Québec, elle commande une activité commune à plusieurs régions. Cependant, comme l'activité forestière n'est pas dominante dans l'économie du Québec, dans la mesure où d'autres activités occupent une majorité de producteurs, le niveau d'articulation des régions au centre et entre elles reste faible.

C'est la modification des structures du capitalisme, inséparablement liée au double mouvement d'urbanisation et d'industrialisation qui entraînera graduellement une plus grande articulation des régions. Le développement du capitalisme industriel tend en effet à intégrer davantage de secteurs à l'économie tout en concentrant les centres de décision dans un petit nombre d'endroits. Une modification importante se produit au cours du dernier tiers du 19e siècle, alors qu'on met en place un nouveau réseau de transport. On favorise ainsi l'articulation des régions dont l'agriculture ou l'industrie sont liées aux marchés urbains ou d'exportation; inversement, on contribue à marginaliser celles dont les activités économiques ne se greffent pas à ces marchés.

Le phénomène d'articulation débouche sur celui de la polarisation, c'est-à-dire la création d'un centre urbain qui contrôle la plus grande partie de l'activité économique dans les diverses régions. La ville de Montréal assume rapidement ce rôle par le marché de consommation et d'exportation qu'elle représente ainsi que par la concentration sur son territoire des centres de décision économique. Toutefois la suprématie de Montréal ne doit pas masquer l'action d'autres centres polarisateurs de moindre envergure mais non négligeables. Le second en importance est la ville de Québec, qui polarise ses régions limitrophes et dans une certaine mesure celles qui sont situées en aval sur le fleuve. Enfin, deux centres polarisateurs hors du Québec jouent un rôle important pour certaines régions, les villes d'Ottawa et de Toronto. La première pour la région québécoise de l'Outaouais et la seconde pour la région de l'Abitibi-Témiscamingue, à cause principalement des activités minières.

Ainsi à partir de la Confédération on assiste à une double évolution. D'abord les frontières du Québec délimitent un territoire de plus en plus grand et ensuite, les diverses régions, nées et façonnées par l'histoire de l'occupation du territoire, tendant à s'articuler de plus en plus entre elles en fonction du développement économique.

Orientations bibliographiques

Blanchard, Raoul. *Le Canada français.* Montréal, Librairie Arthème Fayard (Canada) Ltée, 1960. 314p.

Gourou, Pierre, Fernand Grenier et Louis-Edmond Hamelin. *Atlas du monde contemporain.* Montréal, Éditions du Renouveau pédagogique, 1967.

Le Québec tel quel. Québec, ministère des Communications, 1973. 254p.

CHAPITRE 2

LA POPULATION

Entre 1760 et 1960, la population mondiale s'est multipliée par trois, celle de souche européenne par cinq et celle de souche française au Canada par quatre-vingts et ce, malgré un faible apport de l'immigration et une forte émigration vers les États-Unis. Ce taux d'accroissement, en apparence phénoménal, a amené plusieurs commentateurs à évoquer la proverbiale fécondité du peuple canadien-français et le miracle de sa survivance.

En 1871, lors du premier recensement tenu après la Confédération, les quelque 60 000 Canadiens français de 1760 sont devenus un peuple de 1 082 940, soit 31,1% de la population du nouveau Dominion. La très grande majorité des Canadiens d'origine française (85,5%) réside au Québec. Il y en a donc un peu plus de 150 000 qui habitent dans les autres provinces canadiennes. De plus, on estime que de 1840 à 1870 environ 200 000 Québécois (très majoritairement francophones) ont déjà émigré aux États-Unis.

De 1760 à 1850, la population canadienne-française double environ tous les vingt-cinq ans; pourtant, certains ne manquent pas de s'inquiéter de sa faiblesse numérique relative et d'en redouter les conséquences socio-économiques et politiques. Pendant le 19e siècle, les Canadiens français se perçoivent comme majoritaires sur leur territoire du Bas-Canada et ils tiennent à le demeurer. C'est pourquoi les dirigeants politiques protestent contre l'immigration massive en provenance de la Grande-Bretagne après 1815, de même qu'ils dénoncent l'accaparement des terres par les

Britanniques. Dans un cas comme dans l'autre ils craignent d'être submergés par les métropolitains; ils exigent que la Grande-Bretagne leur reconnaisse une place prépondérante dans les institutions politiques coloniales.

Les concepts de majorité et de minorité sont constamment présents dans les débats politiques qui opposent Canadiens français et Britanniques dans le Bas-Canada des années 1830. Après la Rébellion de 1837, Lord Durham, appuyant le point de vue de la minorité, recommande dans son célèbre rapport d'unir le Bas et le Haut-Canada (Ontario) afin, notamment de mettre en minorité les Canadiens français. L'historien François-Xavier Garneau ne peut manquer, comme la plupart de ses compatriotes des années 1840-1850, d'être traumatisé par cette politique exprimée avec une franchise brutale. Le thème du « petit peuple minoritaire » revient à plusieurs reprises dans son *Histoire du Canada.* Cette question du « nombre » sera jugée déterminante dans l'histoire du peuple canadien-français comme nous le rappelleront les historiens et les hommes politiques de chaque génération. Nous reviendrons sur ce deuxième point dans le prochain chapitre, en étudiant la structuration ethnique et linguistique. Il importe d'abord d'analyser les facteurs internes et externes de l'évolution de l'ensemble de la population québécoise et non seulement du groupe canadien-français.

* * *

De 1871 à 1931, la population du Québec passe de 1 191 516 à 2 874 662 habitants, tandis que celle du Canada progresse de 2 497 741 à 7 502 124 (tableau 1). La population du Québec évolue moins rapidement que celle du Canada, sauf dans la dernière décennie de la période étudiée. Le Québec qui représentait 32,4% de la population du Canada en 1871, n'en compte plus que 27,6% en 1931. Bref, les Québécois progressent numériquement mais dans un monde qui croît plus rapidement.

Tableau 1
Population du Québec et du Canada moins le Québec, 1871-1931

Année	Québec		Canada moins le Québec	
	Population	Accroissement décennal (%)	Population	Accroissement décennal (%)
1871	1 191 516	7,2	2 497 741	17,9
1881	1 359 027	14,1	2 965 783	18,7
1891	1 488 535	9,5	3 344 704	12,8
1901	1 648 898	10,8	3 722 417	11,3
1911	2 005 776	21,6	5 200 867	39,7
1921	2 360 510	17,7	6 427 439	23,6
1931	2 874 662	21,8	7 502 124	16,7

Source: M.C. Urquhart et K. Buckley, *Historical Statistics of Canada*, 14.

Dans l'ensemble, nous pouvons dire que le Québec et le reste du Canada connaissent une progression lente dans les dernières décennies du 19e siècle et une augmentation beaucoup plus rapide dans les trois premières du 20e. Ainsi de 1871 à 1901 la population du Québec s'accroît d'un faible 38,2% et celle du reste du Canada de 49,0%; de 1901 à 1931 la progression est de 74,8% pour le Québec et de 101,5% pour le reste du Canada. L'augmentation ou la diminution d'une population dépendent, d'une part, de l'accroissement naturel (natalité et mortalité) et, d'autre part, du mouvement migratoire (immigration et émigration) que nous examinerons successivement.

L'ACCROISSEMENT NATUREL

Une population féconde

Le Québec bénéficie d'un taux de natalité (rapport des naissances à l'ensemble de la population) élevé au cours de la période que nous étudions, comme nous pouvons le constater en établissant une comparaison avec le taux de l'Ontario. La meilleure estimation des taux de natalité que nous connaissions pour le Québec et l'Ontario est celle qui a été proposée par Jacques Henripin (tableau 2).

Tableau 2
Taux de natalité pour mille habitants
Québec et Ontario, 1866-1930

Période	Québec	Ontario
1866-1876	43,2	44,8
1876-1886	42,0	37,2
1886-1896	39,3	31,3
1896-1906	38,3	28,8
1906-1916	38,0	29,1
1916-1926	36,3	26,3
1926-1930	30,5	21,0

Sources: J. Henripin, *Tendances et facteurs de la fécondité au Canada*, 370; J. Henripin, « Québec and the Demographic Dilemma », dans D.C. Thomson, *Quebec Society and Politics*, 163.

Dans les deux provinces on observe une baisse importante des taux de natalité de 1866 à 1930. La baisse est cependant beaucoup plus forte en Ontario, en particulier dans les dernières décennies du 19e siècle. Le taux de natalité est une mesure simple qui rend compte d'une manière grossière de l'intensité de la procréation chez les couples d'une population donnée. Le taux de natalité ne tient pas compte de la composition par âge et par sexe de la population qui peut influer grandement sur la reproduction d'une population. On peut éviter, en bonne partie, cet écueil par l'utilisation d'une mesure beaucoup plus raffinée qu'on appelle *le taux global de fécondité générale*. Il s'agit dans ce dernier cas de calculer le nombre annuel des naissances pour 1 000 femmes en âge de procréer, c'est-à-dire, pour fins statistiques, âgées de 15 à 49 ans (tableau 3).

Tableau 3
Taux de fécondité générale
(nombre annuel de naissances
pour 1 000 femmes âgées de 15 à 49 ans),
Québec et Ontario, 1871-1931

Année	Québec	Ontario
1871	180	191
1881	173	149
1891	163	121
1901	160	108
1911	161	112
1921	155	98
1931	116	79

Source: J. Henripin, *Tendances et facteurs de la fécondité au Canada*, 21.

La tendance à la baisse observée précédemment dans l'évolution du taux de natalité se confirme par l'étude du taux global de fécondité générale. À noter, cependant, la résistance tenace du taux de fécondité québécois qui de 1871 à 1921 ne baisse que de 14% tandis qu'en Ontario la baisse est de 49%. La fécondité a diminué un peu plus rapidement de 1871 à 1891 que durant les autres décennies, sans doute à cause de la conjoncture économique difficile. Il est probable que cela est dû à une baisse de la nuptialité, la tendance étant à retarder les mariages en période de crise. Dans l'ensemble cependant, le comportement démographique des Canadiens français semble répondre moins rapidement à la conjoncture économique, du moins jusqu'à la décennie 1920.

Ces taux globaux masquent certaines réalités comme, par exemple, les différences entre Canadiens français et Canadiens d'origine britannique. D'une manière générale, nous savons que les premiers ont une fécondité plus élevée. À défaut de pouvoir analyser l'évolution de chacun des groupes

Une famille nombreuse au début du siècle. (Alex. Girard, *La province de Québec*, 1905)

ethniques du Québec, nous limiterons notre étude au cas des Canadiens de langue maternelle française du Québec. Les démographes J. Henripin et Y. Péron ont dressé un tableau fort intéressant de la fécondité de ce groupe suivant son type d'habitat et son âge (tableau 4).

De ce tableau, il ressort que les femmes de langue maternelle française du Québec vivant sur une ferme et âgées de plus de 65 ans en 1961, donc nées avant 1897, ont eu en moyenne 8,3 enfants, ce qui est presque autant que leurs ancêtres du 18e siècle! La même catégorie de femmes nées vers 1913 ont eu en moyenne 7,3 enfants. L'ensemble des femmes de langue maternelle française du Québec nées vers 1915 (âgées de 45 à 49 en 1961) ont eu, en moyenne, 4,3 enfants. C'est un nombre très élevé, comme le remarquent les deux auteurs, puisque 48% d'entre elles vivaient dans des villes de plus de 100 000 habitants et 12% seulement sur des fermes. Pour atteindre les moyennes mentionnées dans le tableau, il fallait de nombreuses familles de 15 ou 20 enfants. On comprend que certains aient parlé de fécondité proverbiale. Il ne fait pas de doute que la pratique du catholicisme ait influencé profondément la fécondité des Canadiens français. Henripin et Péron ont pu écrire: « Peut-être nulle part dans le monde, l'idéal catholique d'une nombreuse famille a-t-il été observé avec plus d'efficacité. » Mais les pressions cléricales n'expliquent pas tout. En milieu agricole, les enfants sont un investissement et fournissent une main-d'oeuvre à bon marché alors qu'en milieu urbain ils représentent des coûts additionnels pour la famille. Au caractère rural du Québec et au retard en éducation de sa population s'ajoute la propagande nationaliste en faveur de la « revanche des berceaux ».

Du berceau à la tombe

Les statistiques relatives à la mortalité sont très déficientes avant 1921. Pour la période 1884-1930, nous disposons de statistiques cohérentes pour l'ensemble du Québec qui nous permettent de suivre l'évolution de ce phénomène (tableau 5).

Globalement, la baisse de 22,3 pour mille à 13,5 pour mille en 45 ans est assez importante. Contrairement à la natalité qui a baissé davantage avant

Tableau 4
Nombre d'enfants nés vivants par femme déjà mariée (de langue maternelle française) suivant le type d'habitat et l'âge, Québec, 1961

Âge en 1961	Ensemble du Québec	Urbain	Rural non agricole	Rural agricole
65 ans et +	6,40	5,90	7,25	8,32
60-64 ans	5,59	4,95	6,59	8,18
55-59 ans	5,06	4,33	6,06	7,82
50-54 ans	4,58	3,82	5,51	7,52
45-49 ans	4,31	3,56	5,46	7,27
40-44 ans	4,34	3,66	5,59	6,86

Source: J. Henripin et Y. Péron, « La transition démographique », dans H. Charbonneau, *La population du Québec*, 40.

Tableau 5
Taux annuels moyens de mortalité pour 1 000 personnes au Québec, 1884-1930

Période	Taux	Période	Taux
1884-1885	22,3	1906-1910	18,5
1886-1890	21,9	1911-1915	17,4
1891-1895	21,9	1916-1920	18,0
1896-1900	21,6	1921-1925	12,9
1901-1905	18,7	1926-1930	13,5

Source: J. Henripin et Y. Péron, « La transition démographique... », dans H. Charbonneau, *La population du Québec*, 44.

1891, c'est à partir de 1901 que la mortalité commence à diminuer. La baisse sensible dans les années 1920 indique que les efforts tardifs, mais réels, pour améliorer les conditions sanitaires au Québec portent fruit.

Les séries dont nous disposons ne nous permettent pas de comparer systématiquement le Québec et l'Ontario ou encore les Canadiens d'origine française et ceux d'origine britannique. Nous savons cependant que le taux de mortalité (rapport des décès à l'ensemble de la population) est plus élevé chez les premiers que chez les seconds. Nous en avons un indice certain dans les statistiques de 1926 à 1930 puisque le taux de mortalité dans l'ensemble de la population québécoise est de 13,5 pour mille tandis que de celui des seuls Québécois d'origine française est de 14,2 pour mille.

On observe aussi une évolution significative dans les causes de décès. Dans le derniers tiers du 19e siècle, les maladies contagieuses exercent des ravages, notamment à Montréal. En 1885-86, par exemple, une épidémie de variole fait plus de 3 000 morts dans la métropole. Même si à l'époque la vaccination est connue, la population canadienne-française refuse de recourir à l'application de cette technique. En 1901, le gouvernement québécois autorise les municipalités qui le désirent à rendre la vaccination obligatoire, mais peu d'entre elles le font. Ce n'est que deux ans plus tard, après une nouvelle épidémie, que le gouvernement oblige les municipalités à vacciner la population. Après 1918, on ne recense qu'un seul cas de décès dû à la variole ce qui montre bien que la mesure est efficace. Il est en ainsi pour la diphtérie qui continue à faire des victimes après même que le traitement préventif soit parfaitement connu et appliqué avec succès ailleurs.

La tuberculose qu'on appelle à l'époque « peste blanche » ou « consomption » dévaste le Québec puisqu'elle fait en moyenne 3 000 morts annuellement, après 1901. Pendant la période, Montréal détient la palme parmi les grandes villes d'Amérique du Nord. Les moyens pour diminuer radicalement les ravages exercés par cette maladie sont parfaitement connus au début du 20e siècle comme le montre bien le Rapport de 1909 de la Commission royale d'enquête sur la tuberculose. Malgré les recommandations précises et pertinentes de la Commission, ce n'est qu'une quinzaine d'années plus tard qu'on entreprend de lutter sérieusement contre ce fléau qui coûte inutilement des dizaines de milliers de vies humaines, en particulier chez les démunis où les conditions de vie malsaines créent un milieu propice au développement de cette maladie. On observe, par exemple, qu'en 1921 le quartier ouvrier de Saint-Denis a un taux de 202 pour 100 000 habitants alors que dans le quartier bourgeois de Saint-George le taux est quatre fois moindre, soit 50 pour 100 000.

La mortalité infantile, c'est-à-dire le décès d'enfants nés vivants, entre 0 et 12 mois, est une des composantes majeures de mortalité à l'époque. Entre 1901 et 1929, la mortalité infantile est responsable de 12,6% à 17,0% de tous

Lors de l'épidémie de variole en 1885, le conseil municipal de Montréal décrète la vaccination obligatoire. Devant la résistance d'une partie de la population canadienne-française, les forces de l'ordre doivent intervenir pour faire appliquer la mesure. (Collection Walker, Musée McCord)

les décès au Québec. Le taux de mortalité infantile est si scandaleusement élevé qu'on peut dire qu'au début du 20e siècle, Montréal est une des villes les plus meurtrières dans le monde, alors que plus du quart des enfants meurent avant d'avoir atteint l'âge d'un an.

Le problème de la mortalité infantile demeure l'un des plus graves pour l'ensemble du Québec, notamment dans les villes où il est toujours plus élevé que dans les campagnes, à cette époque; mais l'écart se rétrécit à la fin des années 1920. Une grande partie de cette mortalité est attribuée aux maladies gastro-intestinales. Entre 1906 et 1915, d'après l'historien Terry Copp, 42% de tous les décès d'enfants de 0 à 2 ans à Montréal sont dus à ce qu'on appelait la « diarrhée infantile »; en 1927 cette maladie est encore responsable de 33% des décès chez ce même groupe. Ces affections dépendent, en bonne partie, de la mauvaise qualité de l'eau et du lait consommés à Montréal.

En 1914, s'il semble que le problème de l'eau soit à peu près réglé avec l'ouverture d'une usine de filtration, il faut attendre une dizaine d'années avant que la pasteurisation du lait ne soit généralisée. La mise sur pied, peu avant la première guerre, de centres de puériculture appelés « Gouttes de lait » où l'on distribue du lait non contaminé, des soins médicaux et des conseils aux mères, a des effets bénéfiques remarquables. En 1914, on calcule que les enfants inscrits dans ces « Gouttes de lait » ont un taux de mortalité quatre fois moindre que ceux qui ne le sont pas. Les médecins responsables du Bureau d'hygiène du Québec et du Service de santé de Montréal sont très conscients de la gravité de la situation et ne manquent pas de proposer des remèdes pour éviter cette effroyable calamité. Dès 1914, par exemple, le Service de santé de Montréal prépare un règlement rendant obligatoire la pasteurisation du lait. À cause de l'incurie des dirigeants, ce règlement ne sera adopté qu'en 1925.

Tableau 6
Mortalité infantile
(taux pour 1 000 naissances vivantes),
Québec et ville de Montréal, 1871-1929

Période	Ensemble du Québec	Montréal
1871	150,0	294,0
1891	179,4	212,7
1900-1904	143,0	274,9
1905-1909*	152,5	268,6
1910-1914	170,0	220,2
1915-1919	147,0	183,0
1920-1924	134,0	160,6
1925-1929	126,2	126,9

* Statistiques pour les seules années 1906, 1908, 1909.

Sources: J. Hamelin et Y. Roby, *Histoire économique du Québec, 1851-1896*, 55; G. Langlois, *Histoire de la population canadienne-française*, 263-264; A. Groulx, *Union médicale du Canada*, 1943, 1415.

À la fin des années 1920, enfin, on assiste à une amélioration sensible de la situation, notamment à Montréal. Pourtant, encore en 1929 Montréal ne dépense que $0,39 per capita pour la santé publique, c'est-à-dire la moitié de ce que dépensent douze autres grandes villes nord-américaines; on note une amélioration à la toute fin de la période alors que la métropole a porté ce montant à $0,64, en 1931. Malgré tout, de 1925 à 1929 le taux de mortalité infantile à Montréal baisse, passant de 160,6 pour mille en 1920-24 à 126,8 pour mille en 1925-29. C'est un progrès, mais comparé aux autres grandes villes, Montréal reste en retard. Cependant, une simple politique de santé publique ne peut résoudre entièrement ce problème qui dépend en grande partie des conditions socio-économiques: qualité de l'habitat, conditions de travail, insuffisance de revenu, éducation, etc., comme nous le verrons plus loin.

De la fin du 19e siècle au début du 20e, les épidémies, les maladies contagieuses et la tuberculose reculent lentement de même que la mortalité infantile. Cependant, on voit progressivement augmenter la proportion de décès dus aux maladies de dégénérescence tels le cancer (7% des décès en 1931) et les affections cardiaques (10,1% en 1931) qui prendront de plus en plus d'importance par la suite.

La transition démographique

Dans tous les pays, l'industrialisation et l'urbanisation provoquent une modification importante des comportements démographiques. Ce passage de la démographie de l'ère pré-industrielle à celle de l'époque industrielle a été qualifié de révolution ou transition démographique.

Selon Hubert Charbonneau, le Québec a vécu, des origines à 1875, une période de stabilité démographique caractérisée par une natalité, une fécondité et une nuptialité élevées qui permettaient à la population de doubler tous les 25 ans malgré une mortalité assez forte. À partir de 1875, s'ouvre une deuxième phase où on assiste à une baisse des taux de natalité et de mortalité. La transition démographique qui se poursuit jusqu'en 1930 et au-delà présente quelque originalité au Québec. En effet, selon le modèle habituel le mouvement de baisse apparaît d'abord dans les taux de mortalité à cause de la réduction des épidémies et l'amélioration des conditions sanitaires. Cette baisse de la mortalité est suivie plus ou moins rapidement d'une chute de la natalité. Au bout du processus les taux de natalité et de mortalité se retrouvent à un niveau beaucoup plus bas qu'au point de départ.

La transition au Québec s'est faite d'une manière un peu différente puisque la natalité et la mortalité ont diminué à peu près parallèlement, et aussi parce que cette baisse a été plus lente qu'ailleurs.

L'enseignement de l'Église catholique sur la limitation des naissances, le niveau d'instruction de la population et la propagande nationaliste en faveur de la « revanche des berceaux » sont quelques-uns des facteurs qui ont ralenti la chute de la natalité. De même la mortalité est restée fort élevée en raison de l'imprévoyance et de la négligence des dirigeants incapables de prendre des mesures efficaces pour réduire la mortalité infantile et les ravages de la tuberculose. Quoi qu'il en soit, la transition s'est faite comme ailleurs. Et le Québec contemporain, dans une troisième phase, adoptera le régime démographique commun au monde occidental industrialisé.

De 1867 à 1930, malgré cette transition démographique, le Québec conserve un rythme d'accroissement naturel élevé. À la fin du 19e siècle, le taux de natalité se situe autour de 39 et le taux de mortalité autour de 22, tandis que dans la période 1900-1920 ces taux sont d'environ 37 et 18 et dans la décennie 1920-1930 de 33 et 13. Ceci permet de dégager des excédents substantiels d'environ 17 à 20 pour mille. Pourtant l'accroissement total de la

La pyramide des âges au Québec, 1871, 1901, 1931
(en % de la population totale)

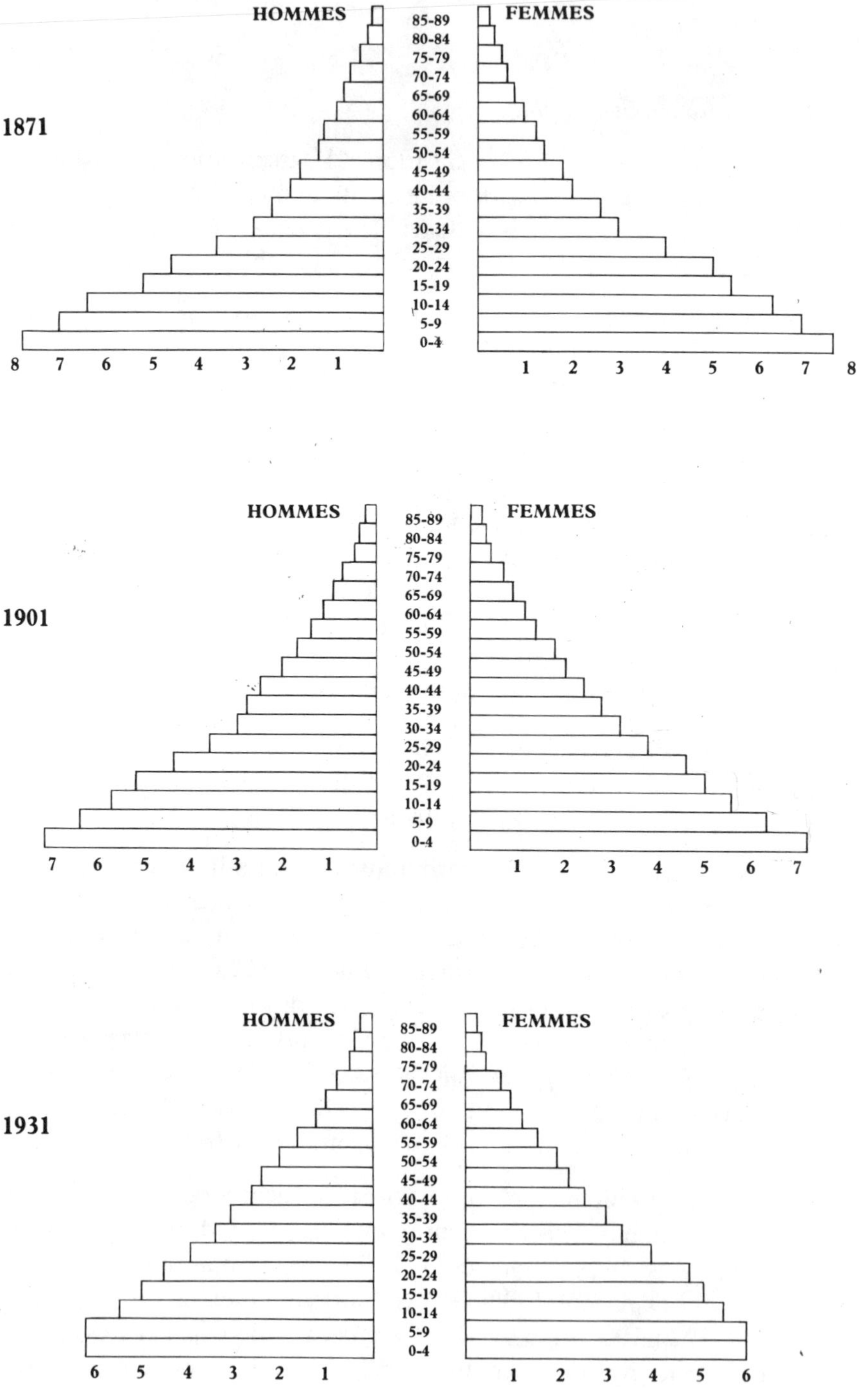

population québécoise (tableau 1) ne correspond pas à ce rythme d'accroissement naturel, surtout dans la période 1871-1901. La différence vient, à n'en pas douter, des mouvements migratoires.

LES MOUVEMENTS MIGRATOIRES

La « grande hémorragie »

Pour chacune des décennies de la période 1871 à 1931, le solde migratoire est négatif au Québec. Plus de personnes quittent donc le Québec qu'il n'y en a qui s'y établissent. Les contemporains non seulement constatent le phénomène mais ils sont véritablement traumatisés par l'ampleur du mouvement d'émigration vers les États-Unis qui affecte les Canadiens français. Le célèbre curé Labelle déclare que l'émigration sera « le cimetière de la race ». Au 20e siècle, le géographe Raoul Blanchard, à l'instar de ses prédécesseurs, parle d'hémorragie et de dilapidation des excédents démographiques.

Le phénomène de l'émigration a une réelle ampleur qui semble justifier les cris d'alarme des élites canadiennes-françaises. En effet, de 1840 à 1930 plus de 900 000 Québécois ont dû quitter leur pays (tableau 7). La grande majorité de ces émigrants (entre les quatre cinquièmes et les deux tiers selon les années) sont canadiens-français.

Dès les années 1830 un certain nombre de Québécois franchissent la frontière canado-américaine pour travailler à la fenaison dans le Vermont ou à l'abattage du bois dans le Maine. Cette première émigration est saisonnière ou temporaire, mais après 1860 elle prend une nouvelle ampleur avec le développement industriel des États-Unis. L'émigration devient permanente, pour un très grand nombre, et elle touche davantage des familles que des individus. On en a une indication en examinant les pyramides des âges de 1871 et 1901 qui ne témoignent pas d'irrégularités qui seraient causées par un départ massif de jeunes hommes. Ceci s'explique fort bien par le fait que la majorité des émigrants trouvaient des emplois dans les usines de textiles de la Nouvelle-Angleterre qui employaient hommes, femmes et enfants.

La période critique de cette émigration se situe, comme l'indique le tableau 7, dans les trois dernières décennies du 19e siècle alors que le Québec perd environ 10% de sa population. Au début du 20e siècle, le nombre de départs reste élevé, malgré une plus forte croissance économique du Québec, mais il représente un pourcentage moindre de la population totale. La crise économique des années 1930 mettra fin brusquement à ce mouvement suite à la décision du gouvernement américain de restreindre sévèrement l'immigration.

Les contemporains tentent d'analyser les causes de ce mouvement qui leur paraît désastreux. Pour certains, l'hémorragie vient du manque de terres et des déficiences de l'agriculture. On blâme fréquemment le gouvernement

Tableau 7
Émigration nette vers les États-Unis; nombres approximatifs, Canada et Québec, 1840-1940

	Canada*		Québec		Québec/
Période	En milliers	% de la popul.	En milliers	% de la popul.	Canada (%)
1840-1850	75	4,3	35	5,4	47
1850-1860	150	7,0	70	7,8	47
1860-1870	300	10,7	100**	—	—
1870-1880	375	11,0	120	10,1	32
1880-1890	450	11,3	150	11,3	33
1890-1900	425	9,7	140	9,6	33
1900-1910	325	6,4	100	6,0	31
1910-1920	259	4,0	80	4,0	32
1920-1930	450	6,0	130	5,6	29
1930-1940	25	0,3	—	—	—
1840-1940	2 800	—	925	—	32

* Pour la période pré-confédérative: Amérique du Nord britannique; après 1867: territoire du Canada actuel moins Terre-Neuve.

** Ce chiffre n'est qu'une hypothèse plausible; l'auteur ne dispose pas de données pour cette période.

Source: Y. Lavoie, « Les mouvements migratoires des Canadiens entre leur pays et les États-Unis au XIXe et au XXe siècles », dans H. Charbonneau, *La population du Québec*, 78.

pour l'insuffisance de chemins, pour son préjugé en faveur des marchands de bois et des spéculateurs. D'aucuns reprochent à l'habitant de se laisser séduire par les attraits illusoires de la ville ou de succomber à des goûts de luxe malsains. En 1868, un comité de l'assemblée législative émet l'opinion, souvent reprise par la suite, que les deux principales causes de cette inquiétante situation sont l'absence de manufactures et le manque de connaissances agricoles. Les dirigeants politiques québécois ont tendance à se reposer sur l'initiative privée et sur le gouvernement fédéral pour développer le commerce et l'industrie, mais ils tentent par divers moyens de moderniser l'agriculture. Par la suite, le gouvernement, malgré des moyens très limités, se lance dans une audacieuse politique ferroviaire dont les retombées, espère-t-on, freineront l'immigration vers les États-Unis. Ces mesures seront fort insuffisantes et on peut même se demander si, dans certains cas, elles ne favorisent pas l'exode rural. Dans leur *Histoire économique du Québec*, Jean Hamelin et Yves Roby ont d'ailleurs émis l'hypothèse que la modernisation de l'agriculture libérait de la main-d'oeuvre et que celle-ci n'avait d'autre choix que d'émigrer pour survivre.

Au début du 20e siècle, les gouvernements libéraux de Parent, Gouin et Taschereau, voient dans le développement des ressources naturelles et l'industrialisation la solution à ce problème. Les investissements étrangers sont perçus comme une bénédiction puisqu'en important des capitaux on évite d'exporter des Québécois. Quant au clergé, il prône avec insistance, tout au long de la période, l'ouverture de nouvelles régions de colonisation qui pourraient absorber les surplus démographiques des vieilles paroisses.

Même si les Québécois de l'époque n'en sont pas parfaitement conscients, le mouvement d'émigration ne se limite pas au Québec. Le Canada dans son ensemble est lourdement affecté (tableau 7). C'est d'autant plus désastreux que toute sa politique est orientée vers le peuplement du pays. Plus encore, entre 1846 et 1914, 60 000 000 d'émigrants quittent l'Europe; 60% d'entre eux viennent aux États-Unis, 11% au Brésil, et seulement 8,7% au Canada.

Selon Albert Faucher, la mécanisation de l'agriculture et les nouvelles techniques de transport, chacune à leur façon, favorisent les déplacements massifs de population au cours de ces années. Les États-Unis, avec leurs terres de bonne qualité et leur potentiel économique remarquable, attirent la plus grande partie des émigrants. Ceux-ci, sauf exception, quittent leur pays d'abord pour des raisons économiques et les Québécois obéissent, eux aussi à cette impulsion. En outre, si on replace le Québec dans son contexte nord-américain, on constate, dit Faucher, qu'il est une région marginale dans un espace économique où existent des inégalités de développement et de niveau de vie. Pendant que les travailleurs de la Nouvelle-Angleterre se déplacent vers les centres industriels du Mid-West, les Québécois en difficulté ou qui espèrent améliorer leurs conditions de vie se dirigent vers la Nouvelle-Angleterre qui leur offre des emplois industriels. Ces « Chinese of the East », ainsi qu'on appellera les Canadiens français, sont habitués à un bas niveau de vie et acceptent les emplois à bas salaire requérant peu de qualifications qu'on leur offre dans les usines de textiles ou de chaussures.

Plusieurs autres facteurs favorisent cette émigration vers le sud. Le Bouclier canadien rend l'expansion vers le nord ou l'ouest difficile et oriente la migration le long de la plaine laurentienne dans la direction sud-ouest. La frontière canado-américaine est très perméable et, grâce à l'orientation d'une bonne partie du réseau ferroviaire, il est facile pour les Québécois d'émigrer dans les États américains situés à quelques dizaines ou centaines de kilomètres. C'est ainsi qu'Albert Faucher par son approche continentaliste insiste sur les facteurs géo-économiques et met en relief les disparités interrégionales comme explication fondamentale de cet épisode important de l'histoire du Québec.

L'émigration massive a évidemment fait perdre au Québec une partie importante de sa population. En 1901 on peut dire qu'il y a presqu'autant de Canadiens français hors du Québec qu'à l'intérieur. Nul doute que l'exode a été massif et qu'on s'en inquiétait à juste titre. D'autre part, c'est pratiquement inévitable dans le contexte de l'époque. Tout compte fait, les Canadiens français trouvent à proximité un exutoire où leur concentration est telle que leur adaptation est moins pénible. Dans plusieurs villes de la Nouvelle-Angleterre, ils ont leurs paroisses, leurs écoles et leurs journaux. Il est à noter cependant que cet attachement des Franco-américains à leur identité française a impliqué pour eux un coût en termes de promotion sociale comme l'a montré Léon Bouvier en comparant l'évolution de groupes irlandais, polonais, italiens et canadiens-français immigrés aux États-Unis. Même si on n'a jamais fait une telle étude pour les émigrants francophones du Québec vers les autres provinces du Canada à l'époque que nous étudions, on peut se demander s'il n'en fut pas de même pour ceux qui refusaient de s'assimiler rapidement au groupe dominant.

Cette émigration massive contribue à alléger la pression démographique qui s'exerce sur le Québec. Il faut bien voir qu'une croissance naturelle élevée comme celle du Québec comporte des coûts importants: construction de logements, éducation, santé, création d'emplois; ceci implique un accroissement de la formation du capital équivalant à la croissance démographique. On peut penser que sans l'émigration, le niveau de vie des Québécois aurait été encore plus bas et la misère plus répandue.

L'appel de la ville et des terres neuves

La population québécoise se déplace aussi vers les autres provinces du Canada de même que d'une région à l'autre du Québec. Au début, le clergé en particulier tente de décourager l'émigration. Peu à peu il doit s'y résigner et il tente d'orienter ou tout au moins d'encadrer le mouvement en envoyant des prêtres auprès des Franco-américains. Il essaie d'inciter ceux qui doivent partir à se diriger vers l'Ouest du Canada. Cette propagande a peu d'effet. Arthur Silver a tenté d'expliquer le peu d'empressement des Canadiens français à s'exiler dans l'Ouest par leur conservatisme et leur peur de l'aventure. Quand on sait que Winnipeg est à quelque 3 200 kilomètres et la frontière canado-américaine à environ 60 kilomètres de Montréal on hésite à recourir à de telles explications de type psychologique. Les facteurs géo-économiques invoqués par Faucher sont infiniment plus convaincants.

Quoi qu'il en soit, en 1901, selon Hamelin et Roby, on ne dénombre que 84 465 Québécois, francophones et anglophones, établis dans les autres provinces. De ce nombre, 61 776 résident en Ontario, 17 315 dans l'Ouest et 4 293 au Nouveau-Brunswick. L'émigration vers les autres provinces se dirige surtout vers l'Ontario où se développent des communautés canadiennes-françaises dans quelques comtés du sud-ouest et dans l'est près de la frontière Québec-Ontario. Lorsque les Québécois émigrent vers le nord de l'Ontario, le curé Labelle, visionnaire toujours prêt à s'enflammer, se prend à rêver avec quelques autres d'un Royaume du Nord majoritairement français qui relierait le nord du Québec à Winnipeg! Quant à la colonisation de nouvelles régions du Québec prônée par certaines élites, elle n'a qu'un succès mitigé puisque, selon Hamelin et Roby, de 1851 à 1901 environ 50 000 Québécois seulement s'orientent dans cette voie.

Tableau 8
Distribution territoriale de la population, Québec, 1871, 1901 et 1931

	1871		1901		1931	
Région	Nombre	%	Nombre	%	Nombre	%
Gaspésie et Bas Saint-Laurent	134 001	11,2	172 815	10,5	270 363	9,4
Saguenay et Lac-Saint-Jean	22 980	1,9	37 028	2,3	105 977	3,7
Région et ville de Québec	236 563	19,9	268 595	16,3	400 256	13,9
Trois-Rivières et Mauricie	98 294	8,3	124 328	7,5	193 173	6,7
Cantons de l'Est	138 960	11,7	208 164	12,6	281 494	9,8
Région de Montréal (moins l'île)	352 673	29,6	358 936	21,8	422 560	14,7
Ile de Montréal	153 516	12,9	371 086	22,5	1 020 018	35,5
Outaouais	54 439	4,6	89 998	5,5	114 357	4,0
Abitibi-Témiscamingue	—	—	6 685	0,4	44 301	1,5
Côte-Nord et Nouveau-Québec	—	—	11 263	0,7	22 161	0,8

Sources: Recensement du Canada, 1901, I, 4 et 5; *Annuaire du Québec* 1955, 46-47.

En fait, la grande majorité des Québécois qui se déplacent ailleurs que vers les États-Unis émigrent vers les villes du Québec. Puisque l'urbanisation est étudiée dans un autre chapitre, qu'il nous suffise d'indiquer ici que la population urbaine représente 22,8% de la population totale en 1871 et 63,1% en 1931. C'est l'île de Montréal qui absorbe la plus grande partie de cette population en passant de 153 516 habitants à 1 020 018; elle rassemble 12,9% de la population du Québec en 1871 et 35,5% en 1931. La population québécoise s'avère très mobile et l'ensemble de ces mouvements migratoires aboutit à un immense brassage de population qui provoque des changements profonds dans la distribution des Québécois sur leur territoire (tableau 8). De 1871 à 1901, la population du Saguenay-Lac Saint-Jean augmente de 61,1%, celles des Cantons de l'Est de 49,8%, celle de l'île de Montréal de 141,7%, celle de l'Outaouais de 65,3%. La Gaspésie et le Bas Saint-Laurent de même que la Mauricie augmentent leur population de plus de 25%, ce qui est inférieur à la moyenne du Québec. La région et la ville de Québec n'augmentent que d'un faible 13,5% tandis que la région de Montréal (moins l'île) subit le choc de l'exode rural avec une minime augmentation de 1,8% de sa population en 30 ans. De 1901 à 1931, le Saguenay-Lac Saint-Jean qui s'industrialise voit sa population augmenter de 186,2%, l'île de Montréal de 174,9%, l'Abitibi-Témiscamingue de 562,7% et la Côte-Nord-Nouveau-Québec de 96,8%. La Gaspésie augmente de 56,4%, la région et la ville de Québec font mieux que dans la période précédente avec 49,0%, Trois-Rivières et la Mauricie obtiennent une augmentation de 55,3%. Comme l'augmentation moyenne au Québec est de 74,3%, ces trois régions n'arrivent pas tout à fait à suivre le rythme et elles représentent une proportion moindre de l'ensemble. Les Cantons de l'Est avec 35,2% d'augmentation et l'Outaouais avec 27,0% n'arrivent plus à se maintenir au-dessus de la moyenne nationale comme c'était le cas dans la période précédente. Quant à la région de Montréal (hors de l'île), son augmentation se limite à 17,7%, ce qui est tout de même plus que dans les trois dernières décennies du 19e siècle.

Les immigrants

De 1871 à 1901, il vient au Canada selon les relevés officiels quelque 1 550 154 immigrants. Nous savons cependant que des centaines de milliers d'entre eux n'y restent pas en permanence, soit qu'ils retournent dans leur pays d'origine, soit qu'ils utilisent le Canada comme étape vers les États-Unis.

Nous ne disposons pas de données pour le Québec, pendant cette période, mais il est certain qu'il a eu sa part de ces milliers d'immigrants. La plupart d'entre eux viennent des Iles britanniques ou des États-Unis. Très peu sont originaires d'autres pays: 1,6% à 2,2% de la population totale est d'origine ethnique autre que française ou britannique. Ce pourcentage ne donne qu'une indication très approximative, car les gens d'origine ethnique « autre » ont pu immigrer au Québec avant 1871. Ajoutons qu'en 1851 il y a environ 10,4% de la population québécoise qui est née à l'étranger tandis qu'en 1901 ce groupe ne représente plus que 5,5%. Tout cela tend à démontrer que le Québec attire peu d'immigrants dans les trois dernières décennies du 19e siècle.

De 1901 à 1931 avec le rétablissement de la prospérité économique, le Canada attire un très grand nombre d'immigrants. Pendant ces trente années, il entre au Québec 684 582 étrangers, dont 292 296 dans les seules années 1910 à 1915 inclusivement. Pourtant, pendant cette période 1901-1931, le solde migratoire du Québec est négatif. Selon N. Keyfitz, les émigrants sont au nombre de 822 582 et ceci ne tient compte que des personnes âgées de dix ans et plus. C'est dire que plusieurs milliers

Immigrants à Québec, 1911. (Archives publiques Canada, PA10270)

d'immigrants n'ont fait que transiter au Québec. Certains s'y sont établis cependant puisque la population née à l'étranger représente 5,5% de la population en 1901, tandis que, trente ans plus tard, on en compte 250 095, soit 8,7%. On arrive à la même conclusion en examinant la composition ethnique de la population québécoise puisque, de 1901 à 1931, la proportion de ceux qui ne sont pas d'origine française ou britannique passe de 2,2% à 6,0%. Donc, non seulement le Québec profite de l'immigration pendant cette période, mais sa population se diversifie comme nous le verrons plus loin.

La constitution de 1867 stipule que l'immigration constitue un domaine à juridiction partagée entre le fédéral et les provinces mais il est précisé aussi qu'en cas de conflit entre les deux niveaux de gouvernement le fédéral a prééminence.

Au lendemain de la Confédération, le Québec essaie d'exercer son activité dans ce domaine en retenant les services de quelques agents à l'étranger et en publiant des brochures à l'intention des futurs immigrants. En 1875, pour des raisons financières et à cause de la conjoncture économique, il abandonne à toutes fins pratiques son action directe dans ce domaine. Il se contente d'un sous-agent au bureau fédéral d'immigration en Angleterre jusqu'en 1883 et de quelques actions sporadiques.

Le gouvernement canadien, de son côté, se montre fort actif dans le domaine de l'immigration qui constitue pour lui une priorité. De 1871 à 1901, il réussit à attirer près de 1,5 millions d'immigrants, mais comme environ 2 millions de personnes quittent le Canada sa politique ne paraît guère couronnée de succès, du moins jusqu'au début du 20e siècle, alors que la conjoncture s'améliore. Le gouvernement fédéral, avec l'appui des compagnies de chemin de fer et de navigation qui y trouvent leur profit, attire des centaines de milliers d'immigrants chaque année. Les immigrants se recrutent non seulement en Grande-Bretagne, mais à peu près dans toutes les régions de l'Europe centrale et orientale ainsi qu'aux États-Unis.

Les syndicats canadiens, qui pour la seule année 1913 voient arriver plus de 400 000 immigrants, dénoncent l'ampleur du mouvement. Les travailleurs craignent que cet afflux massif de main-d'oeuvre exerce une influence négative sur les salaires. D'autres redoutent les difficultés à intégrer ces nouveaux venus à la vie canadienne. Les Chinois, les Japonais, les Noirs suscitent une vive hostilité et on met en oeuvre une politique visant à en limiter strictement le nombre. Il est même arrivé dans l'Ouest de voir sur les devantures de certains établissements des écriteaux où l'on pouvait lire « No English need apply ». Le refus s'adressait en particulier aux Britanniques tout à fait démunis chassés par les difficultés économiques en Angleterre dans les années 1907-1908.

Dans cette même veine, certains nationalistes canadiens-français tels Henri Bourassa et Armand Lavergne protestent contre la piètre sélection des immigrants et dénoncent l'absence quasi totale d'immigrants belges et français. Pour eux, cette politique menace l'équilibre ethnique anglo-français du pays. Dans ce contexte, il n'est pas étonnant qu'on puisse déceler aussi bien chez les Canadiens français que chez les Canadiens d'origine britannique des signes de racisme et de xénophobie.

Le Québec voit cependant d'un oeil favorable les efforts du gouvernement fédéral pour rapatrier les Canadiens établis aux États-Unis. Si au 19e siècle les résultats ne sont guère encourageants, la situation s'améliore au 20e siècle, surtout dans les années 1920. Au total, on estime que de 1900 à 1940 le gouvernement du Canada a réussi à rapatrier plus de 400 000 Canadiens auxquels s'ajoutent quelques dizaines de milliers d'immigrants américains nés de parents canadiens. Nous ignorons combien de Canadiens français font partie de ce contingent. Cependant, nous savons que parmi les immigrants américains recensés en 1931 au Canada, 55 000 sont d'origine française.

Le gouvernement québécois essaie lui aussi à divers moments de participer à cette politique de rapatriement; dès 1871, il délègue un prêtre recruteur au Massachussets. De 1875 à 1879 il dépense un peu plus de $100 000 à cette fin mais les résultats sont décevants. Pendant une dizaine d'années, surtout à l'époque de Mercier et de son sous-ministre de l'agriculture, le curé Labelle, on tente à nouveau d'attirer des Français et des Belges au Québec. Les quelques milliers qu'on réussit à recruter ne représentent qu'une infime minorité parmi les immigrants qui entrent au Canada. En 1928, le gouvernement québécois esssaie de rapatrier des Franco-Américains mais comme par le passé les espoirs seront déçus car à la fin de 1931 on n'avait recruté que 9 920 candidats et on avait dépensé de 1928 à 1931 près de $400 000 pour ce programme de rapatriement. Au total, la politique d'immigration n'a guère servi les intérêts du Québec qui d'ailleurs était plus préoccupé de retenir sa population que d'attirer des nouveaux venus.

De 1871 à 1931 les mouvements migratoires se sont soldés par des bilans négatifs mais en contrepartie le taux d'accroissement naturel est très élevé. L'augmentation de la population québécoise provient surtout de sa croissance naturelle tandis que celle de l'Ontario reçoit un apport important de l'immigration. La population québécoise a vieilli quelque peu, comme l'indique la configuration de la pyramide des âges de 1931 comparée à celle de 1871, mais il reste qu'elle est plus jeune que celle de l'Ontario. Ce phénomène a une assez grande importance au point de vue économique. La structure par âge de l'Ontario est plus favorable que celle du Québec puisqu'elle compte des effectifs plus importants dans sa population active, c'est-à-dire dans le groupe d'âge de 15 à 64 ans. En 1931, il y a 392 personnes actives pour 1 000 habitants en Ontario contre 357 au Québec. Ceci a pour effet comme l'a bien montré J. Henripin d'abaisser le revenu per capita au Québec si on le compare avec celui de l'Ontario.

De 1871 à 1931 le comportement démographique du Québec tend à se rapprocher du comportement général de l'Amérique du Nord. Son retard à le faire lui a été profitable sur le plan ethnique, du moins au point de vue quantitatif; reste à savoir si ce fut aussi avantageux quant à la qualité de la vie de ses habitants.

Orientations bibliographiques

Bouvier, Léon F. « La stratification sociale du groupe ethnique canadien-français aux États-Unis », *Recherches sociographiques*, 5, 3 (sept.-déc. 1964): 371-379.

Charbonneau, Hubert. *La population du Québec: études rétrospectives*. Montréal, Boréal Express, 1973. 110p.

Copp, Terry. *Classe ouvrière et pauvreté*. Montréal, Boréal Express, 1978. 213p.

Faucher, Albert. « L'émigration des Canadiens français au XIXe siècle: position du problème et perspectives », *Recherches sociographiques*, 5, 3 (sept.-déc. 1964): 277-318.

Groulx, Adélard. « La mortalité maternelle et la mortalité infantile à Montréal », *Union médicale du Canada* (déc. 1943): 1415-1417.

Hamelin, Jean. « Québec et le monde extérieur », *Annuaire du Québec 1968-1969.* (Québec, Éditeur officiel, 1970): 2-36.

Hamelin, Jean et Yves Roby. *Histoire économique du Québec 1851-1896.* Montréal, Fides, 1971. Chap. 2.

Henripin, Jacques. *Le coût de la croissance démographique*, Montréal, PUM, 1968. 43p.

Henripin, Jacques. « Population et main-d'oeuvre », André Raynauld, *Croissance et structure économiques de la province de Québec*, (Québec, ministère de l'Industrie et du commerce, 1961): 247-267.

Henripin, Jacques. « Quebec and the Demographic Dilemma of French-Canadian Society », Dale C. Thomson, dir., *Quebec Society & Politics*, (Toronto, Mc Clelland and Stewart, 1973): 155-166.

Henripin, Jacques. *Tendances et facteurs de la fécondité au Canada.* Ottawa, Bureau fédéral de la statistique, 1968. 425p.

Langlois, Georges. *Histoire de la population canadienne-française.* Montréal, Éditions Albert Lévesque, 1935. 309p.

Morin, Rosaire. *L'immigration au Canada.* Montréal, Action nationale, 1966, 172p.

Silver, Arthur I. « French Canada and the Prairie Frontier, 1870-1890 », *Canadian Historical Review*, 50, 1 (mars 1969): 11-36.

Télé-Université. *Histoire du Québec d'aujourd'hui: Population et société.*

CHAPITRE 3

LES GROUPES ETHNIQUES ET LINGUISTIQUES

La nature même des rapports entre Canadiens français et Canadiens anglais dans l'ensemble du Canada et au Québec nous amène à prêter attention à la structuration ethnique du Québec, au poids démographique et à l'évolution de chaque groupe.

LA STRUCTURATION ETHNIQUE

Lors des débats autour de la Confédération, le thème majorité-minorité prend encore une fois une grande importance. Les Canadiens français avaient été mis en minorité avec l'Union des deux Canadas en 1840-1841 et d'aucuns craignent que l'union de toutes les colonies britanniques d'Amérique du Nord, qui accentuera leur faiblesse numérique, n'ait des conséquences politiques néfastes pour la collectivité. Les défenseurs du projet estiment, au contraire, que la nouvelle union, étant de type fédéral, donnera plus de force politique aux Canadiens français. Ils prétendent que la seule alternative c'est l'annexion aux États-Unis où les francophones seraient complètement submergés.

Certains porte-parole de la minorité britannique du Bas-Canada sont inquiets de l'avenir car, avec le nouveau régime, les Britanniques dépendront, du moins pour certains aspects de leur vie collective, d'une majorité canadienne-française. Ainsi, comme nous le verrons par la suite, on prévoira de solides garanties constitutionnelles visant à les protéger.

Il n'en sera pas de même pour les 150 000 Canadiens français hors du Québec qui seront soumis aux aléas des politiques de leurs provinces respectives majoritairement anglophones. Ce groupe de francophones se verra brimer dans ses droits scolaires et linguistiques. Ce sera le cas au Nouveau-Brunswick, au Manitoba, dans les territoires du Nord-Ouest — lorsqu'on y découpera les provinces de Saskatchewan et d'Alberta — et en Ontario. Même si ces querelles ethniques ne se résument pas, loin de là, à un conflit majorité-minorité, cette dimension numérique en constitue un élément fondamental.

La loi du Manitoba de 1870 favorable à l'égalité des francophones et des anglophones est votée lorsque les deux groupes sont à peu près égaux en nombre, mais les droits des francophones sont abolis dans les années 1890 lorsque ceux-ci ne constituent plus qu'environ un septième de la population. De même, en Ontario, la crise entre les deux groupes éclate lorsque les Franco-ontariens en quelques décennies (1881-1911) passent de 5 à 10% de la population totale de la province.

Le poids du nombre

La minorité canadienne-française continue cependant à croire à la possiblité d'un Canada franco-anglais. L'évolution démographique globale du Canada de 1871 à 1931 est relativement satisfaisante si l'on examine le pourcentage de la population que représente le Québec dans le Canada ou le nombre de Canadiens français dans la population totale (tableau 1).

Tableau 1
Population du Québec, du Canada et des Canadiens français, 1871-1931

Année	Canada	Québec	Québec/ Canada (%)	Canadiens français	Canad. fr./ Canada (%)
1871	3 869 257	1 191 516	32,3	1 082 940	31,1
1881	4 324 810	1 359 029	31,4	1 298 929	30,0
1891	4 833 239	1 488 535	30,8	—	—
1901	5 371 315	1 648 898	30,7	1 649 371	30,7
1911	7 206 643	2 005 776	27,8	2 061 719	28,6
1921	8 787 949	2 360 510	26,9	2 452 743	27,9
1931	10 376 786	2 874 662	27,7	2 927 990	28,2

Source: Recensements du Canada.

Les Canadiens français grâce à leur forte fécondité ont réussi à faire contrepoids aux mouvements d'immigration qui leur ont été défavorables. Jusqu'en 1901 leur proportion oscille entre 30 et 31%. Avec la vague d'immigration du début du siècle, on constate une baisse d'environ 2%. Le rapport entre la population du Québec et celle du Canada suit le même mouvement, avec une baisse un peu plus marquée. Au total, malgré l'expansion territoriale du Canada et l'afflux d'immigrants, le Québec et les Canadiens français au cours de ces six décennies ont presque réussi à maintenir leur importance numérique relative.

En outre, la proportion des Canadiens français vivant à l'extérieur du Québec monte régulièrement, passant de 14,2% en 1871 à un maximum de 22,9% en 1921, pour commencer à décliner par la suite. Ce phénomène appuiera la thèse d'un grand Canada français, véhiculée par l'idéologie nationaliste.

En 1871, 85,2% de tous les Canadiens d'origine française habitent au Québec tandis qu'en 1931 ce chiffre a diminué à 77,5%. Certes le Québec reste le « foyer du Canada français », mais les 658 788 Canadiens français hors du Québec ne peuvent laisser indifférent. Quant aux Franco-américains, on ne peut plus croire comme au 19e siècle qu'ils font encore partie du Canada français même si en certains milieux on suit avec beaucoup d'intérêt les querelles entre Irlandais catholiques et Franco-américains en Nouvelle-Angleterre.

La mesure des effectifs d'un groupe par son origine ethnique — c'est-à-dire, selon la définition du recensement, la nationalité du premier ancêtre mâle à son arrivée en Amérique — est assez rudimentaire. On obtient une meilleure appréciation lorsqu'on utilise le critère de la langue maternelle définie par le recensement comme étant la première langue apprise et encore parlée par un individu. En effet, il serait discutable d'inclure parmi les effectifs français des gens qui ne parlent plus cette langue.

Alors qu'au Québec il existe une très forte corrélation entre origine ethnique française et langue maternelle française, ce n'est pas tout à fait le cas pour les groupes français hors du Québec. Le recensement de 1931 nous révèle que sur les 658 798 Canadiens d'origine française hors du Québec, 99 552 n'ont plus comme langue maternelle le français. Ceci nous donne une indication sur le phénomène d'assimilation qui s'exerce sur ces minorités françaises qui s'affaiblissent dans un environnement anglophone.

La composition ethnique

La situation au Québec semble plus favorable aux Canadiens français puisque pendant la période étudiée leur proportion se maintient autour de 80% (tableau 2).

Nous avons donné les relevés pour 1851 et 1861 même s'il est impossible de distinguer entre origine britannique et autres origines. Ces deux décennies nous montrent un Québec qui n'est qu'aux trois quarts français; à partir de ce niveau minimum les Canadiens français vont raffermir leur emprise sur le territoire québécois. En un demi-siècle ils ont fait des progrès passant de 75,2 à 80,2%. Puis il y aura stabilisation pendant une vingtaine d'années, à une époque où l'immigration est intense, avant de baisser à 79%.

Tableau 2
Répartition de la population québécoise selon l'origine ethnique, 1851-1931

	Français		Britanniques		Autres	
Année	Nombre	%	Nombre	%	Nombre	%
1851	669 528	75,2	—	—	—	—
1861	847 615	76,2	—	—	—	—
1871	929 817	78,0	243 041	20,4	18 658	1,6
1881	1 075 130	79,1	260 538	19,1	23 359	1,8
1901	1 322 115	80,2	290 169	17,6	36 614	2,2
1911	1 606 535	80,1	318 799	15,9	80 442	4,0
1921	1 889 269	80,0	356 943	15,1	114 453	4,9
1931	2 270 059	79,0	432 726	15,0	171 877	6,0

Source: Annuaires du Québec.

Le groupe britannique

Certaines régions du Québec ont d'abord été colonisées par des Britanniques venus directement de Grande-Bretagne ou après un détour par les États-Unis, comme ce fut le cas des Loyalistes et d'agriculteurs américains à la recherche de bonnes terres. Ils se sont d'abord installés dans les villes de Québec et de Montréal. Avec la venue des Loyalistes puis surtout de la grande vague d'immigration après 1815, on en retrouve de fortes concentrations dans les Cantons de l'Est, l'Outaouais, la Gaspésie et dans la plaine au sud de Montréal.

La métropole anglaise ayant dirigé vers les Cantons de l'Est les Britanniques, il n'est pas étonnant qu'en 1851 ceux-ci y forment 66% de la population. Mais à compter de cette époque les Canadiens français se dirigent de plus en plus vers cette région et dès 1871 ils y sont majoritaires. En 1901 ils constituent 73% de la population; seuls les comtés de Brome, Missisquoi et Stanstead ont une majorité de Britanniques. Ceux-ci tentent de réagir en créant des sociétés de colonisation pour attirer des compatriotes sur ce territoire mais sans grand succès. Les entreprises industrielles qui s'installent dans les villes des Cantons amènent avec elles un personnel d'origine britannique ce qui renforce ce groupe dans des villes comme Granby, Waterloo et Magog. Mais les besoins en main-d'oeuvre attirent les francophones si bien qu'en 1931 les Canadiens français forment 84% de la population et ils dominent en nombre partout sauf dans Brome. Les 52 000 Britanniques se concentrent dans les villes de la région (17 000) et en quelques endroits particuliers tels Lennoxville où ils ont fondé une université (Bishop), North Hatley ou près des lacs Massawippi ou Memphrémagog où le tourisme leur permet de survivre. Les 35 000 ruraux britanniques des Cantons constituent une population vieillissante car les jeunes émigrent. Faute de relève les plus âgés vendent leurs terres à des Canadiens français et se retirent dans les villages.

Pour certains Britanniques, ce renversement démographique foudroyant sera perçu comme une conspiration de l'Église catholique. Robert Sellar dans l'ouvrage *The Tragedy of Quebec: The expulsion of its protestant farmers* dénonce avec virulence cette invasion canadienne-française. Il n'est pas le premier à le faire. Ainsi en 1876, le *Daily Witness*, un journal de Montréal, critique le gouvernement québécois qui avait voté $50 000 pour le rapatriement des Franco-américains. Selon ce journal, cet argent servait en fait à recruter des colons canadiens-français des vieilles paroisses pour les installer dans les Cantons et l'auteur de l'article ajoute: « No English, Irish, Scotch or German need apply ».

L'Outaouais de 1851 pourrait être qualifié de petite Irlande, au dire de Raoul Blanchard, puisque les Irlandais constituaient presque 50% de la population et qu'au total les Britanniques comptent pour 70%. Dès 1881, les Canadiens français, attirés par les chantiers, deviennent majoritaires et en 1931 ils représentent 70% de la population. Les Britanniques ont mieux résisté que dans les Cantons de l'Est, sans doute parce que l'immigration britannique s'y est poursuivie plus tard.

En Gaspésie, dès le début du 19e siècle, les Britanniques sont majoritaires. Cette population est formée de Loyalistes et d'immigrants de Grande-Bretagne. Quelques marchands venus des îles anglo-normandes tels les Robin domineront le secteur des pêcheries. Mais peu à peu les Canadiens français du bas du fleuve viendront se joindre à leurs compatriotes et aux Acadiens déjà établis pour finalement faire de la Gaspésie une région française à 80% en 1931.

Dans la plaine au sud de Montréal en 1851, on trouve 41 000 Britanniques; dans les comtés de Huntingdon et de Beauharnois on dénombre des groupes importants d'Écossais. En 1931 les Canadiens français se sont imposés dans tous les comtés et leurs effectifs sont de 238 000 contre 22 000 Britanniques.

Les Britanniques refluent vers Montréal. En 1871, 22,5% de tous les Britanniques du Québec résident sur l'île de Montréal, en 1901 c'est 39,3% tandis qu'en 1931 ce chiffre monte à 61,0%. Il ne reste que 168 947 Britanniques hors de l'île de Montréal perdus dans une masse de 1 665 232 Canadiens français. Ils conservent la majorité uniquement dans les comtés de Pontiac, Huntingdon et Brome.

Ce groupe britannique dont nous venons de parler n'est pas un bloc homogène. Il est formé d'Anglais, d'Écossais, d'Irlandais, de Gallois, de natifs des possessions britanniques et d'Américains, même si dans le recensement, ces derniers ne sont pas dénombrés comme tel au point de vue ethnique puisqu'ils doivent déclarer l'origine de leur ancêtre paternel à son arrivée en Amérique. Si on examine l'évolution des trois premiers groupes (tableau 3) qui sont de loin les plus importants numériquement, on constate que chacun d'eux a son rythme d'évolution propre.

Tableau 3
Proportion de Québécois d'origine anglaise, écossaise et irlandaise (%), 1871, 1901 et 1931

Origine	1871	1901	1931
Anglais	5,9	7,0	8,2
Écossais	4,2	3,6	3,0
Irlandais	10,4	7,0	3,8

Sources: H. Charbonneau et R. Maheu, *Les aspects démographiques de la question linguistique*; *Recensements du Canada.*

En 1871, les Irlandais qui représentent 10,4% de la population du Québec, forment plus de la moitié des effectifs britanniques; mais ils ne représentent plus que le quart de ces derniers en 1931. C'est dire qu'un très grand nombre d'entre eux ont émigré vers l'Ontario et les États-Unis.

Les Irlandais sont venus surtout dans la première moitié du 19e siècle, chassés de leur pays par la misère qui y règne, accentuée dans les années 1840 par la Grande Famine. Ils arrivent au Québec très démunis et sont avec les Canadiens français les premiers prolétaires du Québec. On les retrouve très nombreux dans les chantiers de construction de canaux et de chemins de fer, dans l'industrie forestière, dans les ports de Québec et de Montréal et autour du canal Lachine. Les Irlandais, pour des raisons qui tiennent à leur histoire et au facteur religieux, n'entretiennent pas toujours les relations les plus cordiales avec les autres Britanniques. D'autre part, même si le catholicisme devrait les rapprocher des Canadiens français, la langue les en sépare. La concurrence sur le marché du travail tend à opposer ces deux groupes. Les

Canadiens français, en émigrant des campagnes vers les villes, disputent aux Irlandais les emplois de manoeuvres. Cette rivalité dégénère en conflits ehniques marqués de batailles, aussi bien dans les ports que dans les chantiers. L'Église catholique du Québec tentera tant bien que mal d'apaiser la rivalité entre les deux groupes. Les Irlandais de Montréal auront leur paroisse (Saint Patrick) desservie par des prêtres de leur nationalité et à compter de 1888 le Collège Sainte-Marie donne un cours complet en anglais pour desservir cette population. En 1899, des Jésuites anglophones fondent le collège Loyola.

Si, au Québec, les deux groupes réussissent à coexister pacifiquement, dans ce cadre institutionnel de l'Église catholique, ce n'est pas le cas en Ontario et en Nouvelle-Angleterre où catholiques irlandais et canadiens-français s'opposent avec vigueur pour le contrôle des églises et des écoles. Au niveau individuel, la communauté de religion a favorisé les mariages entre Irlandais et Canadiens français, provoquant ainsi un phénomène d'assimilation qui a pu jouer dans les deux sens. Au début du 20e siècle, les Québécois d'origine irlandaise ont réussi globalement à améliorer leur sort.

Les Écossais commencent à s'installer au Québec dès la conquête et dominent rapidement l'activité commerciale. Mais il ne faudrait pas croire que tous les Écossais sont, comme les McTavish ou les McGillivray, des magnats de la fourrure. On retrouve au sein de ce groupe de nombreux agriculteurs. Raoul Blanchard rapporte même le cas de ces Écossais du comté d'Argenteuil qui sont repoussés vers les plateaux où ils pratiquent l'élevage pendant que les Canadiens français occupent les meilleures terres.

Le pourcentage d'Écossais diminue au Québec, alors que celui des Anglais augmente considérablement, représentant plus de la moitié des effectifs britanniques à la fin de la période. En nombre absolu, les Québécois d'origine anglaise passent de 69 822 à 234 739 en 1931. On connaît mal l'histoire de ce groupe au Québec. Il faut toutefois éviter de l'assimiler à la bourgeoisie. S'il est vrai que cette dernière est dominée par le bloc anglo-écossais, l'émigration anglaise vers le Québec a aussi touché toutes les classes. Il y a ces pauvres des grandes villes anglaises et ces orphelins que les sociétés charitables expédient au Canada pour réduire le fardeau social en Angleterre. Il y a les nombreux travailleurs spécialisés, dans des domaines comme le fer et l'acier ou le matériel de transport. Il y a également bon nombre d'agriculteurs.

Anglais et Écossais sont séparés des Canadiens français par la langue et la religion et dans la mesure du possible chaque groupe crée son propre réseau institutionnel et réduit les contacts au minimum. Dans une ville comme Québec où 92% de la population est francophone en 1931, les anglophones ont leur journal, leur high school, leurs organisations volontaires et plusieurs, comme le dit Blanchard, ne daignent même pas parler français. Mais contrairement à ce qui se passait entre Irlandais et

Canadiens français, la concurrence entre ceux-ci et les Anglo-écossais n'est pas directe. Les élites des deux groupes maintiennent l'harmonie d'autant plus facilement qu'il apparaît normal que la minorité anglophone soit dominante dans la mesure où elle n'attaque pas directement les us et coutumes de la majorité.

* * *

Même si en nombre absolu les effectifs des groupes ethniques autres que français et britannique sont peu nombreux, passant de 18 658 en 1871 à 171 877 en 1931 (tableau 4) ils constituent une véritable mosaïque. Dans les premières trente années, leur nombre double à peine tandis que dans les trente suivantes, coïncidant avec la vague d'immigration du début du siècle, il arrive presque à quintupler.

Tableau 4
Les groupes ethniques d'origine autre que française et britannique au Québec, 1871, 1901, 1931

Origine	1871	1901	1931
Amérindiens	6 988	10 142	12 312
Inuit	—	—	1 159
Allemands	7 963	6 923	10 616
Juifs	74	7 607	60 087
Italiens	539	2 805	24 845
Autres	3 094	9 137	62 858
TOTAL	18 658	36 614	171 877

Sources: H. Charbonneau et R. Maheu, *Les aspects démographiques de la question linguistique*, 309, 311 et 314.

En 1871 la composition ethnique n'est guère diversifiée: les Amérindiens et les Allemands forment 80% des groupes autres que français ou britanniques. En 1901 les Juifs et les Italiens prennent quelque importance et les quatre principaux groupes représentent 75% de l'ensemble. Trente ans plus tard, alors que les Indiens et les Allemands n'ont guère progressé, les Juifs et les Italiens voient leurs effectifs augmenter considérablement. La diversité ethnique du Québec s'est élargie puisque les quatre principaux groupes ne représentent plus que 63% de l'ensemble du groupe « autre ». Pour compléter le tableau, en 1931, on pourrait mentionner 18 autres groupes ethniques qui ont de 1 600 à 9 500 membres.

Un groupe de Montagnais à la Pointe Bleue vers 1890 (Archives nationales du Québec, N675-6)

Les Amérindiens et les Inuit

Même si les Amérindiens, tout au long de la période étudiée, ne représentent qu'environ 0,5% de la population totale du Québec, ils ont droit à une attention particulière en raison de leur titre d'autochtones. À l'arrivée des Blancs, on estime qu'environ 220 000 Amérindiens habitaient le territoire actuel du Canada. Le choc provoqué par l'arrivée des Européens fut tel qu'on a cru en certains milieux que les indigènes allaient pratiquement disparaître. Au recensement de 1901, on ne dénombre que 93 460 Amérindiens au Canada et cette régression démographique indique bien les difficultés subies par ces premiers habitants du territoire.

Au Québec le nombre d'Amérindiens est relativement peu élevé puisqu'en 1901 les 976 Métis et les 9 166 Amérindiens ne représentent plus que 2,8% et 9,8% de l'ensemble de ces deux groupes au Canada. Il en va de même en 1931 puisque les 13 471 Amérindiens et Inuit constituent 10,5% de la population autochtone du Canada.

La grande majorité des Indiens du Québec vivent dans des réserves disséminées sur l'ensemble du territoire. Les plus fortes concentrations d'Indiens sont situées dans le nord du Québec, où ils vivent de la chasse, mais on en retrouve aussi à proximité des villes de Québec et de Montréal (Lorette, Caughnawaga et Oka).

Au recensement de 1931, on dénombre 1 159 Inuit résidant tous dans le nord du Québec et vivant principalement de la pêche. Les Inuit forment un groupe homogène tant par l'habitat que par le genre de vie et ont moins de contact avec les Blancs que les Indiens. Ces derniers sont au nombre de 12 312 et ils se divisent en deux grandes familles: Algonquins et Iroquois, elles-mêmes subdivisées en plusieurs tribus: Naskapis, Cris, Montagnais, Micmacs, Hurons, etc. Plusieurs de ces tribus ont des modes de vie assez différents et cela contribue à les isoler les uns des autres. Ainsi les Cris et les Montagnais de la Côte-Nord continuent la vie de leurs ancêtres orientée vers la chasse. Leur saison de chasse se poursuit pendant 8 à 10 mois. Lorsqu'ils quittent la réserve ils n'y laissent que les vieillards amenant femmes et enfants. Cette existence précaire provoque entre autres une mortalité infantile élevée. Les Micmacs de Bonventure, eux, vivent comme les Blancs et pratiquent la pêche et l'agriculture. Les Iroquois de Caughnawaga à proximité de la métropole subissent lourdement l'influence de la ville. Plusieurs d'entre eux oeuvrent dans la construction soit à Montréal, soit en Ontario ou aux États-Unis. Ceux qui restent sur la réserve, ne pratiquant guère l'agriculture, tentent de vivre du tourisme. Bref le groupe indien n'est guère homogène et sa faible croissance démographique témoigne d'une manière éloquente de sa misère et de sa vulnérablité.

Les Amérindiens du Québec n'entretiennent guère de rapports avec le gouvernement québécois pendant la période étudiée. Il est vrai qu'au terme de la Constitution ils dépendent du gouvernement fédéral. La loi des Indiens de 1876 dictera pour de nombreuses décennies la ligne de conduite du gouvernement fédéral vis-à-vis les Amérindiens. Cette législation très paternaliste repose sur le postulat qu'il faut protéger les Amérindiens contre les Blancs en les parquant dans des réserves où l'on essaiera progressivement de les « civiliser ». Le système des réserves, qui existait dans les faits avant 1867, prend une nouvelle ampleur avec la négociation de plusieurs traités entre le gouvernement fédéral et diverses tribus indiennes en Ontario et dans le territoire de l'Ouest entre 1871 et 1923. Par ces traités, les Amérindiens cèdent au gouvernement fédéral d'immenses territoires en retour de droits garantis sur leurs réserves et quelques très maigres avantages matériels. Même s'il existait au Québec de nombreuses réserves dont certaines remontent au régime français, aucun traité n'avait été négocié avec les autochtones du Québec. En 1912 lorsque l'Ungava (Nouveau-Québec) est intégré au Québec, il est stipulé dans l'entente fédérale-provinciale que le gouvernement québécois devra négocier avec les Amérindiens l'extinction de leurs droits sur ce territoire. Le gouvernement Gouin et les gouvernements subséquents, par indifférence ou incurie, négligeront de s'acquitter de ce devoir. Cette question des droits des Amérindiens et des Inuit se posera avec force à l'occasion de l'aménagement de la Baie James dans les années 1970.

Les Allemands

Du milieu du 18e siècle à la Confédération, il est venu beaucoup d'Allemands dans les colonies anglaises d'Amérique du Nord puisqu'en 1871 on en dénombre 202 991 au Canada, dont 158 608 en Ontario et 31 942 en Nouvelle-Écosse. Au Québec, même s'il n'y a que 7 963 Allemands, ils constituent le groupe ethnique le plus important après les Canadiens français et les Britanniques.

Les Allemands se sont établis dans les endroits où prédominait l'élément britannique: on en trouve 1 315 à Montréal, 3 023 dans quatre comtés des Cantons de l'Est, 862 dans l'ouest du Québec et 500 dans trois des comtés de la plaine au sud de Montréal. De 1871 à 1931, très peu d'entre eux choisiront le Québec car on n'en dénombre que 10 616 à cette dernière date.

Les Juifs

En 1871, seulement 74 Québécois se déclarent d'origine ethnique juive mais 579 se disent de religion juive. Que l'on prenne l'une ou l'autre mesure, ce sont dans l'ensemble des effectifs assez restreints. Ces Juifs dont les ancêtres avaient pour la plupart émigré de Grande-Bretagne ou des États-Unis sont surtout actifs dans le commerce et se retrouvent principalement dans les rangs de la bourgeoisie.

Bien différente est l'immigration qui commence vers la fin du siècle. À cette époque, un grand nombre de Juifs, victimes de persécutions en Russie, émigrent vers l'Amérique et certains d'entre eux s'orientent vers le Québec. En 1900 on estime à 6 000 le nombre de Juifs russes établis à Montréal ce qui porte l'effectif total de ce groupe au Québec à 7 607 en 1901. Dans les trois décennies qui suivent, plusieurs milliers de Juifs quittent l'empire austro-hongrois et la Pologne si bien qu'en 1931 le Québec compte 60 087 habitants d'origine juive, dont les quatre cinquièmes sont à Montréal. À partir du début du siècle ils représentent donc le plus important groupe ethnique qui ne soit ni français ni britannique. À Montréal les Juifs sont, de 1911 à 1931, entre 6 et 7% de la population de la métropole; leur concentration dans certains quartiers leur permet très tôt de faire élire des représentants de leur communauté aux parlements d'Ottawa et de Québec de même qu'au conseil municipal.

Cette immigration de la fin du 19e et du début du 20e siècle a des caractéristiques sociales différentes de la précédente. Les Juifs qui arrivent alors sont des gens démunis qui sont en grand nombre employés dans l'industrie du vêtement; certains se lancent en affaires comme boutiquiers ou regrattiers. À la différence des autres groupes d'immigrants, ceux-ci peuvent s'appuyer sur des organismes de protection que les Juifs ont mis sur pied en Europe à la suite d'expériences séculaires de persécution; ces organismes sont présents à Montréal. Les Juifs impriment leur marque au Québec principalement dans deux domaines: le syndicalisme d'une part et le commerce et la finance d'autre part.

Les Italiens

L'ascension du groupe italien se fait surtout au début du 20e siècle. Mais déjà en 1893 il y en a environ 1 400 à Montréal. Le chanoine Bruchési, qui parle leur langue, obtient pour eux la création d'une « mission » laquelle, en 1905, deviendra la paroisse du Mont-Carmel. En 1911, on en fondera une seconde desservie par des pasteurs italiens. C'est dire que l'Église catholique — comme ce fut le cas avec les Irlandais — essaie de respecter les particularités ethniques de sa clientèle. Dans l'ensemble, les Québécois d'origine française et ceux d'origine italienne entretiennent de bonnes relations comme on peut le voir par la propension de ces derniers à choisir, à l'époque, le français comme langue d'usage ou par les nombreux mariages entre membres des deux communautés. Plusieurs facteurs contribuent à rapprocher les deux groupes: catholicisme, culture latine, implantation dans les mêmes quartiers à Montréal, situation voisine dans l'échelle socio-économique.

Les Italiens qui arrivent au début du siècle occupent surtout des emplois de manoeuvres. Ils sont exploités férocement non seulement par les capitalistes canadiens mais aussi par certains de leurs compatriotes. Le plus célèbre est sans doute ce Cordosco qui joue le rôle d'entremetteur entre les compagnies ferroviaires et les immigrants qu'il fait venir par milliers en leur promettant des emplois moyennant une substantielle commission qu'il extorque à ses compatriotes sans défense. À la fin des années 1920, Mussolini, au pouvoir en Italie depuis 1922, veut étendre sa protection à la diaspora italienne et cela aura pour effet de diviser la communauté de Montréal. Certains de ceux qui suivront le Duce et sa doctrine fasciste auront des ennuis graves avec le gouvernement canadien un peu plus tard au cours de la Deuxième Guerre mondiale.

Montréal, ville cosmopolite

Un trait caractéristique de tous les groupes ethniques autres que français et autochtone est leur forte concentration sur l'île de Montréal (tableau 5). L'industrialisation du Québec jointe à l'exode rural attirera les Canadiens français vers les villes où ils deviendront la majorité. Dans la métropole où se concentre la plus grande partie de l'activité économique, ils n'arrivent guère à dépasser 60% (tableau 6), notamment parce que les Britanniques et les groupes ethniques « autres » y concentrent très fortement la plus grande partie de leurs effectifs (tableau 5).

Au milieu du 19e siècle les Canadiens français étaient minoritaires à Montréal et même dans la ville de Québec ils ne constituaient que 60% de la population. Le reflux vers Montréal des Britanniques et la concentration des groupes « autres » dans cette même ville a pour effet de façonner une métropole cosmopolite haute en couleur. Aux quartiers massivement français de l'Est, s'ajoutent des quartiers aux allures victoriennes, des quartiers juifs, un Griffintown irlandais, un quartier chinois et un ghetto noir dans le quartier Saint-Antoine près de la gare Bonaventure où plusieurs membres de ce groupe trouvent à s'employer.

Tableau 5
Répartition des effectifs des groupes ethniques entre l'île de Montréal et le reste du Québec, 1871, 1901, 1931

	1871		1901		1931	
Origine	Ile de Montréal	Reste du Québec	Ile de Montréal	Reste du Québec	Ile de Montréal	Reste du Québec
Française	9,3	91,7	17,4	82,6	26,6	73,4
Britannique	22,6	77,4	39,3	60,7	61,0	39,0
Autre	12,7	87,3	44,3	55,7	78,7	21,3
Pop. totale	12,0	88,0	21,9	78,1	35,9	64,1

Source: H. Charbonneau et R. Maheu, *Les aspects démographiques de la question linguistique.*

Tableau 6
Composition ethnique de la population de l'île de Montréal, 1871, 1901, 1931

	1871		1901		1931	
Origine	Nombre	%	Nombre	%	Nombre	%
Française	86 846	60,3	230 217	63,9	604 827	60,2
Britannique	54 824	38,1	113 897	31,6	263 779	26,3
Autre	2 374	1,6	16 233	4,5	135 262	13,5
Total	144 044	100,0	360 347	100,0	1 003 868	100,0

Source: H. Charbonneau et R. Maheu, *Les aspects démographiques de la question linguistique*, 369.

Le groupe canadien-français

Au milieu du 19e siècle les Canadiens français forment les trois quarts de la population totale du Québec et ils sont concentrés dans la zone seigneuriale de la vallée du Saint-Laurent. La situation qui prévaut vers 1851 est ainsi décrite par le géographe Raoul Blanchard: « Le groupe canadien-français a l'air d'être enserré, enfermé par le cordon britannique tendu autour des établissements du fleuve et que renforcent certains noeuds épais, l'Ottawa, le sud-ouest de Montréal, les Cantons de l'Est, tandis qu'au coeur même du dispositif français les deux villes sont fortement entamées. Mais l'expansion canadienne-française, elle aussi, est en pleine action; elle va faire sauter toutes les barrières, envahir la Province toute entière, s'épancher même au-delà. »

À partir des années 1840-1850, les vieilles paroisses ne peuvent plus absorber les abondants surplus démographiques de la prolifique population canadienne-française et celle-ci s'infiltre dans les zones occupées par les Britanniques. En 1901, les Canadiens français sont devenus majoritaires dans les Cantons de l'Est de même que dans l'Outaouais, une région anglo-irlandaise depuis 1880. Parallèlement, ils s'installent dans les nouvelles régions ouvertes à la colonisation: Saguenay-Lac Saint-Jean, Témiscamingue, nord de Montréal. En 1931, les Canadiens français ne sont minoritaires que dans 3 comtés (Brome, Huntingdon et Pontiac); partout ailleurs ils dominent numériquement et dans 36 des 74 comtés du Québec ils représentent plus de 95% des effectifs. Au total, le Québec constitue la province la plus homogène du Canada.

L'ÉVOLUTION LINGUISTIQUE

Les recensements canadiens comportent deux rubriques sur l'aspect linguistique de la population. Depuis le recensement de 1901 on interroge les Canadiens sur leur connaissance de l'anglais et du français, les deux langues officielles. Pour les fins du recensement, les seules personnes bilingues sont celles qui déclarent pouvoir entretenir une conversation en anglais et en français; ainsi un Canadien qui parle l'italien et le français est classé comme unilingue. La deuxième rubrique a trait à la langue maternelle de la population c'est-à-dire la première langue apprise et encore parlée au moment du recensement. Cette question est apparue pour la première fois en 1921 et ne touchait que les personnes âgées de 10 ans et plus. Au recensement de 1931 on effectue ce dénombrement pour l'ensemble de la population en prenant pour acquis que les enfants de moins de 10 ans ont pour langue maternelle celle qui est parlée par leurs parents à la maison.

L'information relative à la langue maternelle, mise en rapport avec l'origine et la langue des répondants, est fort intéressante car elle permet d'esquisser la mesure de phénomènes tels l'assimilation d'un groupe par l'autre, les transferts linguistiques des divers groupes ethniques et la force d'attraction comparée de l'anglais et du français.

Le recensement de 1931 nous révèle que dans chacune des provinces du Canada, sauf le Québec dont nous reparlerons, il y a moins de Canadiens de langue maternelle française que d'origine française. Cela signifie que plusieurs Canadiens d'origine française ne parlent plus le français ou encore que ce n'est pas la première langue qu'ils ont apprise. Poussant l'analyse un peu plus loin, on découvre que 127 086 Canadiens d'origine française ont pour langue maternelle l'anglais et que 5 210 déclarent une autre langue maternelle que le français ou l'anglais. Bref, le groupe français, hors du Québec, a perdu de fait 20% de ses effectifs.

Au Québec, la situation des Canadiens d'origine française est différente de ce qu'elle est dans les autres provinces puisque le nombre de personnes de langue maternelle française est supérieur à celui d'origine ethnique française. D'autre part, il y a moins de personnes de langue maternelle anglaise et de langues « autres » que d'origine ethnique britannique et d'origines « autres » (tableau 7).

Tableau 7
Langue maternelle des groupes ethniques au Québec, 1931

Origine ethnique	Anglais	Français	Autre	TOTAL
Britannique	406 833	24 465	1 428	432 726
Française	12 653	2 256 741	665	2 270 059
Autres	10 127	10 987	150 356	171 470
TOTAL	429 613	2 292 193	152 449	2 874 255

Source: H. Charbonneau et R. Maheu, *Les aspects démographiques de la question linguistique*, 258.

S'il y a plus de personnes de langue maternelle française que de personnes d'origine française comme c'est le cas en 1931 au Québec, cela signifie que les Canadiens français restent fidèles à leur langue et même qu'ils réussissent à la transmettre à des personnes d'origines ethniques britannique ou autres. En fait, on constate que seulement 12 653 Canadiens français ont pour langue maternelle l'anglais et 665 une langue « autre » soit une très faible proportion du groupe, environ 0,6%. D'autre part, 24 465 personnes d'origine britannique et 10 987 des groupes ethniques « autres » ont pour langue maternelle le français. Le bilan est donc positif pour la langue française: 35 452 gains contre 13 318 pertes.

Du côté de la langue anglaise, le solde est légèrement négatif (3 113). Il est étonnant de noter que les Canadiens français ont réussi à assimiler deux fois plus de Britanniques que ceux-ci de Français, 24 465 contre 12 653. Le fait s'explique assez bien par l'isolement des Britanniques dans les régions rurales du Québec et probablement par les mariages entre Français et Irlandais catholiques d'où les O'Neil, Johnson et Ryan qui sont devenus des Québécois de langue maternelle française, même si aux fins du recensement leur origine ethnique demeure britannique. Cependant le groupe britannique n'a rien d'un groupe faible et on le voit par sa capacité d'absorber les membres des groupes « autres ». En effet, sur les 21 114 membres des groupes « autres » qui ont comme langue maternelle l'une des deux langues officielles, 10 127 ont choisi l'anglais et 10 987 le français. Les Canadiens français qui sont 79% de la population totale attirent 52% des nouveaux Québécois et les Britanniques qui ne sont que 15% en attirent 48%. C'est là un indice de la grande force d'attraction de l'anglais.

Les groupes « autres » sont perdants dans ces échanges avec un solde négatif de 19 021. Si le nombre de gens qui ont déclaré une langue maternelle autre reste assez élevé c'est que l'immigration a été intense dans les trois premières décennies du siècle. Ce sont leurs enfants ou leurs petits enfants qui déclareront comme langue maternelle le français ou l'anglais. Les divers groupes ethniques manifestent une propension plus ou moins grande à choisir le français. Ainsi en 1931, on note que 77% des Italiens et 41,8% des Allemands le choisissent tandis que c'est le cas de seulement 7,5% des Néerlandais et 18,2% des Juifs.

La force d'attraction de l'anglais nous est aussi révélée par l'analyse des données relatives aux langues officielles. L'auteur de l'introduction au recensement de 1901 ne doutait pas de cette force lorsqu'il écrivait: « comme l'anglais est aujourd'hui, dans une large mesure, la langue du commerce dans le monde entier, il est également désirable de connaître le nombre de citoyens d'origine française qui peuvent le parler ».

Des quatre recensements de 1901 à 1931 se dégagent quelques constantes à propos du bilinguisme au Canada. D'abord le taux de bilinguisme, c'est-à-dire le rapport entre le nombre de personnes pouvant parler le français et l'anglais sur la population, n'est pas très élevé. Les taux sont pour chacun des recensements: 13,9%, 7,4%, 16,7% et 15,1%. En 1911, sans doute à cause de l'immigration intense d'allophones, le taux baisse, puis en 1921 il a plus que doublé sous l'effet probablement de la Première Guerre mondiale avant de revenir en 1931 à un niveau assez près de celui du début du siècle. Dans chacun des recensements où il est possible de le calculer, le bilinguisme des Canadiens d'origine française est presque dix fois plus grand que celui des Canadiens d'origine britannique.

Le Québec est de loin la province la plus bilingue du pays avec un taux de 29,3% en 1931 (tableau 8).

Tableau 8
Répartition de la population québécoise selon les langues officielles parlées, 1931

Langue	Nombre	%
Anglais seulement	395 995	13,8
Français seulement	1 615 155	56,2
Anglais et français	842 369	29,3
Ni anglais ni français	20 736	0,7

Source: H. Charbonneau et R. Maheu, *Les aspects démographiques de la question linguistique*, 24.

Selon des calculs effectués par Charbonneau et Maheu pour obtenir des pourcentages standardisés, comparables d'un recensement à l'autre, 23,3% des Québécois d'origine britannique sont bilingues tandis que 30,6% de ceux d'origine française le sont en 1931. Dans toutes les autres provinces, la minorité présente toujours un taux de bilinguisme beaucoup plus élevé que la majorité et cela se comprend. Au Québec, même si les Britanniques sont plus bilingues que leurs compatriotes des autres provinces, il n'en reste pas moins que la majorité française l'est davantage. On devine pourquoi les Québécois francophones acceptent ou sont contraints en si grand nombre de parler l'anglais lorsqu'on découvre la corrélation très forte qui existe entre le bilinguisme et la vie économique au Québec. Charbonneau et Maheu ont montré qu'au Québec les hommes sont plus bilingues que les femmes simplement parce qu'ils sont plus nombreux sur le marché du travail. La proportion de bilingues à chaque groupe d'âge varie de manière très significative selon les sexes et les groupes d'âges. Ainsi en 1931, les garçons et les filles ont à peu près le même taux de bilinguisme de 0 à 14 ans; de 15 à 19 ans qui est l'âge d'entrée sur le marché du travail le taux passe de 21 à 36% chez les garçons et de 20,5 à 33% chez les filles; de 20 à 34 ans il montera jusqu'à 50% chez les hommes et seulement à 36% chez les femmes puis il redescendra progressivement tout en restant beaucoup plus élevé pour les hommes car ils sont plus nombreux sur le marché du travail et ils ont besoin de l'anglais pour obtenir des promotions. C'est pourquoi, même s'il n'y a au Québec que 432 726 Québécois d'origine britannique, la langue anglaise est parlée par 1 238 364 Québécois.

Les statistiques, pour éloquentes qu'elles soient, ne disent pas tout. Il est bien connu que pendant la période étudiée l'anglais jouit d'un énorme prestige. L'élite canadienne-française prêche la nécessité de l'anglais et se targue de bilinguisme. Un observateur étranger, André Siegfried, est choqué par le caractère anglais affiché par Québec et Montréal, au début du siècle. Il observe qu'à Québec « l'anglais semble être la langue des dirigeants et le français celle des inférieurs ». À Montréal, écrit-il: « certains étrangers peuvent y séjourner des semaines entières, y fréquenter les hôtels, les banques, les magasins, les gares, sans se douter le moins du monde que la ville est en grande majorité française. La société britannique affecte de l'ignorer et elle vit et se comporte comme si elle n'avait pas de voisins. Cent mille des siens regardent Montréal comme leur appartenant. » Comment expliquer ce phénomène? « Considérez les *civil servants* des Indes et vous comprendrez mieux les maîtres du Canada » de conclure Siegfried. La situation qui prévaut dans les petites villes du Québec ne paraît guère meilleure. À Sherbrooke, en 1912, alors que la population est très majoritairement francophone, non seulement le conseil municipal délibère en anglais mais tous les fonctionnaires municipaux sont anglophones et ne parlent que leur langue. À l'école technique de Shawinigan, l'essentiel des études consiste à apprendre l'anglais qui est le seul moyen pour un travailleur canadien-français d'obtenir une promotion dans les grandes usines de la ville. Jusqu'en 1925, nous rappelle Michel Brunet, les chèques émis par le gouvernement provincial sont rédigés en anglais seulement.

Au 19e siècle, quelques francs-tireurs comme Arthur Buies, Jules-Paul Tardivel et Edmond de Nevers pour n'en mentionner que quelques-uns, essaient tant bien que mal de dénoncer cette déchéance du français mais sans grand succès. Au début du 20e siècle, le combat pour la défense du français prend plus d'ampleur et s'appuie sur des mouvements comme la Société du Bon parler français, la Ligue nationaliste canadienne, l'ACJC, la Ligue des droits du français et l'Action française. Les principales revendications de ces organisations qu'on qualifie de nationalistes se regroupent autour de trois thèmes: respect des droits scolaires et linguistiques des minorités françaises, application du bilinguisme à Ottawa et présence équitable des Canadiens français dans la fonction publique fédérale et finalement refrancisation du Québec.

Sur le premier point, ils verront tour à tour la Saskatchewan, l'Alberta, l'Ontario et le Manitoba mettre en vigueur des législations qui briment sérieusement les minorités françaises. Toutefois en 1927, après 15 ans de combats acharnés, ils auront la satisfaction de voir l'Ontario abroger le célèbre règlement 17.

Quant au bilinguisme fédéral, le seul résultat se ramène à deux petites victoires puisqu'il fait son apparition sur les timbres d'accise en 1923 et sur les timbres postaux en 1927.

Le caractère anglais de Montréal est particulièrement évident dans l'affichage. (Archives de la ville de Montréal, 38-406)

Finalement leurs efforts pour refranciser la langue des Québécois et le visage de leur pays ne semblent guère couronnés de succès car leur combat est toujours à recommencer. La seule victoire importante — encore qu'elle soit modeste — sera le vote de 1910 de ce qu'on a appelé « la loi Lavergne ».

Armand Lavergne, jeune député élu à Ottawa en 1904 et disciple d'Henri Bourassa, propose à deux reprises un projet de loi pour rendre obligatoire le français dans les services publics. Même si son projet est appuyé par une pétition signée par 433 845 personnes, il n'est pas accepté par la Chambre des communes. Élu député à Québec, il revient à la charge en 1909. Ce n'est qu'à sa deuxième tentative, l'année suivante, que le projet est accepté. Il a réussi, avec l'appui de l'opinion publique, à surmonter les réserves des libéraux apeurés à l'idée de déplaire aux milieux d'affaires anglophones. La loi prévoit que les compagnies de chemins de fer, de navigation, de téléphone, de télégraphe et d'électricité devront utiliser au Québec le français et l'anglais dans leurs communications avec le public.

Si ces modestes victoires témoignent en faveur de l'ardeur de ces défenseurs du français, elles indiquent aussi l'état d'infériorité et le peu de prestige dont jouit la langue de la majorité des Québécois.

Orientations bibliographiques

Arès, Richard. *Les positions ethniques, linguistiques et religieuses des Canadiens français à la suite du recensement de 1971.* Montréal, Bellarmin, 1975. 210p.

Brunet, Michel. *Québec/Canada anglais. Deux itinéraires, un affrontement.* Montréal, HMH, 1968.p. 185-204.

Charbonneau, Hubert, dir. *La population du Québec: études rétrospectives.* Montréal, Boréal Express, 1973. 110p.

Charbonneau, Hubert et Robert Maheu. *Les aspects démographiques de la question linguistique.* Synthèse (S 3) réalisée pour le compte de la Commission d'enquête sur la situation de la langue française et sur les droits linguistiques au Québec. Québec, Éditeur officiel, 1973. 438p.

Sellar, Robert. *The Tragedy of Quebec. The Expulsion of its Protestant Farmers.* Toronto, University of Toronto Press, 1974. 374p.

DEUXIÈME PARTIE

LA PÉRIODE 1867-1896

A. L'ÉCONOMIE

Pendant les trente premières années du régime confédératif, l'économie du Québec subit des transformations profondes. La date du début de la période est d'ailleurs un peu arbitraire puisque certaines mutations, comme l'industrialisation, se manifestent dès les années 1850, alors que d'autres, comme la montée de la production laitière, n'apparaissent que dans les années 1870-1880. L'année 1867 n'est cependant pas sans signification puisque la création, par la Confédération, d'un marché intérieur élargi et d'une entité économique nouvelle, conditionne de manière décisive l'évolution postérieure du Québec.

Deux domaines de l'économie québécoise retiendront particulièrement notre attention: la production agricole et la production industrielle. Mais auparavant il importe de préciser un certain nombre d'éléments du contexte général; ce sera l'objet du premier chapitre. Il faut d'abord rappeler le poids économique de ces deux grands ensembles dont le Québec fait partie: l'Empire britannique et la Confédération canadienne. Il y a lieu aussi d'évoquer deux grandes thèses historiographiques qui tentent d'expliquer l'évolution économique du Canada. En outre il faut indiquer les rythmes de la conjoncture à laquelle est soumis le Québec. Dans un second chapitre, nous préciserons l'importance de certains facteurs internes: le marché intérieur, le réseau de communication, en particulier les chemins de fer, les institutions commerciales et financières, les politiques économiques du gouvernement du Québec et des municipalités.

Le troisième chapitre est consacré à la production agricole et forestière. Ces deux secteurs occupent encore, dans l'économie québécoise de la période, une place prépondérante. La majorité de la population active y est employée. L'agriculture québécoise qui était en crise profonde au milieu du 19e siècle s'oriente vers une nouvelle voie grâce à la spécialisation de la production et à la modernisation des techniques. La forêt fournit le principal produit d'exportation et représente la base du développement des régions situées à la périphérie. Dans ces zones de colonisation, agriculture et forêt sont liées par des liens de dépendance dans le cadre du système agro-forestier.

Le quatrième chapitre aborde la production industrielle. En ce domaine, les transformations de l'économie québécoise sont radicales et modifient l'espace d'une façon plus visible. Commencée à Montréal, l'industrialisation diffuse graduellement ses effets sur l'ensemble du territoire de sorte qu'à la fin du siècle la grande industrie est solidement implantée. Il en résulte une accélération du processus d'urbanisation et un poids accru de la région de Montréal dans l'économie québécoise.

CHAPITRE 4

LE CONTEXTE GÉNÉRAL DU DÉVELOPPEMENT ÉCONOMIQUE

LE CADRE IMPÉRIAL ET CANADIEN

L'évolution économique du Québec entre 1867 et 1896 s'explique en partie par des facteurs internes à la société québécoise mais en partie aussi par son insertion dans les grands courants économiques qui se manifestent à l'échelle mondiale. Particulièrement importantes à cet égard, à la fin du 19e siècle, sont la montée des impérialismes et l'articulation de toutes les parties de la planète à des blocs économiques dominés par un petit nombre de puissances impérialistes, au premier rang desquelles se place la Grande-Bretagne.

Entre Londres et New York

Au milieu du 19e siècle, la Grande-Bretagne atteint une position dominante, même hégémonique dans l'économie mondiale. Elle est devenue une grande nation industrielle, exportant partout à travers le monde ses biens manufacturés. Sa technologie est en avance sur celle des autres pays et sa marine lui assure la domination du commerce international.

Si la Grande-Bretagne exporte les produits de ses usines, elle doit importer en grande quantité des matières premières. À l'exception du fer et du charbon, la Grande-Bretagne est mal équipée en ressources naturelles.

Pouvant de moins en moins nourrir sa population, elle doit faire venir de l'étranger ses denrées agricoles. Elle doit aussi importer d'autres matières premières comme le bois et le coton. Ce dernier est particulièrement important puisque les textiles représentent les principaux produits de l'industrie britannique. Ainsi la Grande-Bretagne achète des matières premières et vend en retour des produits manufacturés. Ce système d'échanges fonctionne d'abord au sein de l'Empire.

L'Empire britannique s'est constitué graduellement au cours du siècle précédent. On y distingue deux sortes de colonies. D'une part les « colonies blanches », ou de peuplement, installées principalement dans le nord de l'Amérique, en Océanie et dans le sud de l'Afrique. D'autre part, les autres colonies, comme l'Inde, déjà peuplées d'autochtones et qui, à cause de leur population considérable, sont surtout intéressantes comme marché pour l'industrie britannique. L'administration des premières coûte cher et, à partir du milieu du siècle, Londres assouplit ses liens politiques en accordant une certaine autonomie aux coloniaux. Dans le cas du second type de colonie, la métropole maintient une domination beaucoup plus directe.

À côté de cet empire formel il y en a un autre, plus informel, selon l'expression de Hobsbawm, que la Grande-Bretagne domine économiquement sans le contrôle direct des administrations coloniales. Il s'agit dans ce cas surtout de l'Amérique du Sud et de l'Asie, qui ont été amenées dans l'orbite britannique au cours du 19e siècle.

À partir de 1873, la situation de l'Angleterre sur l'échiquier mondial se modifie. La montée d'autres grandes nations industrielles — principalement la France, l'Allemagne et les États-Unis — fait apparaître une concurrence qui érode l'hégémonie britannique. La Grande-Bretagne voit donc se ralentir le rythme de croissance de ses exportations de biens manufacturés. Comme elle continue d'importer à un niveau élevé, elle équilibre sa balance de paiements avec les revenus des capitaux et des services qu'elle fournit à l'étranger. Ainsi l'exportation des capitaux devient une donnée fondamentale de l'impérialisme britannique à la fin du 19e siècle. Une part croissante de ces capitaux est dirigée soit vers les colonies blanches, devenues les *Dominions*, soit vers l'Amérique latine.

L'hégémonie britannique est aussi remise en cause d'une autre façon. Les autres nations industrialisées voudront, elles aussi, se bâtir un empire colonial pour s'assurer un approvisionnement de matières premières et pour se créer un marché d'exportation. C'est l'époque de la « course aux colonies » qui aboutit au partage de l'Afrique et de l'Asie. Cette situation force la Grande-Bretagne à resserrer les liens au sein de son Empire et à contrôler politiquement certains pays qui, jusque là, faisaient partie de son empire informel. Les colonies deviennent ainsi un élément important des luttes entre les grandes puissances capitalistes.

De ces nouveaux empires en formation, celui des États-Unis affecte plus directement le Canada et le Québec. Jusqu'à la fin du siècle, l'impérialisme américain prend la forme de l'expansionnisme territorial qui se fait surtout au détriment du Mexique et secondairement de la Grande-Bretagne (territoire de l'Orégon). En 1898, toutefois, les États-Unis obtiennent leurs premières colonies en s'emparant des restes de l'empire espagnol, en Amérique (principalement Cuba) et dans la région du Pacifique (les Philippines). Les Américains arrivent sur le tard dans cette course aux colonies et leur empire formel restera de dimensions restreintes. Cependant leur empire informel s'étend considérablement au tournant du siècle surtout en Amérique latine où les intérêts américains dominent l'économie de plusieurs pays et où s'installent des régimes politiques sympathiques aux États-Unis.

Dans le cadre de l'Empire britannique le Canada a, comme les autres colonies, une fonction précise: fournir la métropole en matières premières et constituer un marché pour ses produits manufacturés. C'est d'ailleurs son rôle depuis la Nouvelle-France. Le poisson, la fourrure, le bois et le blé ont été successivement ou simultanément les grands produits d'exportation du Canada et une base essentielle de son économie.

À l'époque de la Confédération, la situation évolue. Le pays s'est peuplé et l'économie s'est diversifiée. L'assouplissement des contraintes politiques et économiques au sein de l'Empire britannique permet un certain développement autochtone. Les liens économiques avec les États-Unis prennent de plus en plus d'importance par rapport à ceux qui existent avec la Grande-Bretagne. Ces changements sont lents et, à bien des égards, l'économie canadienne reste une économie de type colonial. Il n'est pas possible d'isoler les données sur le Québec puisque les statistiques des échanges extérieurs concernent tout le Canada mais il est évident que le Québec s'insère dans ce courant d'ensemble.

Pendant la période que nous étudions, la balance commerciale du Canada est généralement déficitaire, la valeur des importations dépassant celle des exportations. Le Canada continue d'être un exportateur de matières premières: les produits animaux et agricoles et le bois représentent plus des trois quarts de la valeur des exportations. Il y a là des éléments qui ont subi une certaine transformation, comme le bois scié ou les produits laitiers, mais celle-ci reste à un niveau primaire. Le principal client du Canada est le Royaume-Uni qui, en 1896, achète 57% de la production exportée; il est suivi par les États-Unis (34%); le marché est donc peu diversifié.

La Grande-Bretagne est toutefois en perte de vitesse comme fournisseur puisque sa part des importations canadiennes en 1896 (31%) est inférieure à celle des États-Unis (51%). Pendant cette période, le Canada importe surtout des fibres et des textiles, des produits agricoles et des produits du fer.

Si la domination de la Grande-Bretagne dans l'échange des marchandises est de moins en moins grande, il n'en est pas de même pour les capitaux. Entre 1867 et 1900, l'investissement étranger au Canada passe de $200 millions à $1 305 millions. La part de la Grande-Bretagne décline, passant de 92 à 82%, mais elle reste toujours dominante. Les Britanniques font surtout de l'investissement indirect au Canada en achetant principalement des obligations des compagnies de chemins de fer et des gouvernements. L'investissement américain, encore peu important en 1867 ($15 millions) atteint $205 millions en 1900, soit 16% du total. Il s'agit surtout, dans ce cas, d'investissements directs dans les entreprises. Pour le capital américain, ce n'est qu'un modeste début. Après 1900, l'impérialisme économique de ces deux grandes puissances, manifesté par leurs exportations de capitaux, deviendra beaucoup plus net au Canada.

Le projet de la bourgeoisie canadienne

Au milieu du 19e siècle, une bourgeoisie canadienne se développe et s'affirme de plus en plus. Au départ elle était une créature de la bourgeoisie britannique. Dans la seconde moitié du siècle, cette emprise extérieure se double d'une dépendance croissante envers la bourgeoisie américaine. Dans ce contexte, la bourgeoisie canadienne a du mal à affirmer son autonomie. Elle tente tout de même de consolider son pouvoir économique et de l'étendre au delà des frontières du Canada central.

La bourgeoisie canadienne peut explorer trois avenues. Elle peut viser l'important marché britannique mais elle se heurte à la concurrence de nombreux autres pays. Il faut donc obtenir de la métropole qu'elle réduise cette concurrence en accordant une protection douanière aux produits importés de ses colonies. Or Londres a précisément éliminé une telle politique en établissant graduellement le libre-échange dans les années 1840 et les tentatives subséquentes du Canada pour obtenir une préférence tarifaire dans l'Empire échouent. Une autre direction est possible: viser un marché nord-américain en pleine expansion. Il faut pour cela que le Canada et les États-Unis s'octroient des concessions tarifaires réciproques. L'expérience est tentée avec le Traité de Réciprocité, signé en 1854; les droits de douane entre les deux pays sont supprimés, pour les matières premières et les produits agricoles. Pendant une dizaine d'années, le volume des échanges entre les deux pays s'accroît mais sous les pressions des industriels américains, de plus en plus protectionnistes, le gouvernement des États-Unis annonce en 1865 qu'il n'a pas l'intention de renouveler le traité qui expire ainsi en 1866. Dans les années qui suivent, le gouvernement canadien tente, mais sans succès, de faire revivre le traité de réciprocité.

Une troisième solution s'impose alors à la bourgeoisie canadienne: imiter les États-Unis et construire un vaste marché intérieur protégé de la concurrence étrangère. Pendant la seconde moitié du 19e siècle, une stratégie

L'entrée du canal Lachine (Archives de la ville de Montréal, 38-1791)

sera mise en place pour réaliser cet objectif économique. Elle implique la participation de l'État, contrôlé par cette même bourgeoisie et comporte trois éléments principaux: l'extension du marché intérieur, l'établissement d'une infrastructure qui facilitera les échanges et l'élaboration d'une politique tarifaire qui appuiera l'industrialisation.

Pour assurer un développement minimum, il importe d'accroître le nombre de consommateurs et de producteurs en agrandissant le territoire et en augmentant la population. L'extension géographique du marché se fait en cinq étapes. La première remonte à 1840 alors qu'on a unifié le Haut et le Bas-Canada (Ontario et Québec). Ce Canada-Uni devient la base sur laquelle on greffera de nouveaux territoires. D'abord à l'est, où la Confédération de 1867 permet d'ajouter au Canada-Uni deux provinces de l'Atlantique (Nouveau-Brunswick et Nouvelle-Écosse) et quelques centaines de milliers de consommateurs. Ensuite à l'ouest et au nord alors qu'en 1869 le gouvernement du Canada obtient, de la Compagnie de la Baie d'Hudson, la terre de Rupert et les Territoires du Nord-Ouest. Il s'agit d'un espace immense, qu'habitent les Amérindiens, les Métis et les Inuit. On espère répéter au Canada l'expérience des États-Unis où le peuplement des Plaines de l'Ouest constitue un important moteur de développement. Cette expansion vers l'ouest doit se compléter d'un accès au Pacifique; d'où les négociations qui aboutissent, en 1871, à l'entrée dans la Confédération canadienne de la Colombie britannique. L'expansion territoriale est complétée quand l'Ile-du-Prince-Édouard joint les rangs de la Confédération, en 1873. Ainsi, en moins d'une décennie, tous les territoires britanniques d'Amérique du Nord, à l'exception de Terre-Neuve, ont été réunis dans une même structure économique et politique.

Ce marché agrandi, il faut aussi l'étendre démographiquement. Là encore l'exemple américain sert de modèle. On tente de stimuler l'immigration européenne en distribuant du matériel publicitaire et en accordant des primes aux entreprises qui transportent des immigrants; on donne gratuitement une terre (*homestead*) au colon qui s'établit dans l'Ouest. Ces mesures ne sont cependant mises en place que lentement et donnent peu de résultats avant la fin du siècle.

Pour unifier ce marché très dispersé géographiquement et pour attirer de nouveaux habitants dans les régions peu peuplées, il faut une infrastructure de transports: axe fluvial et réseaux ferroviaires. L'axe du Saint-Laurent et des Grands Lacs est depuis longtemps la principale voie de communication. La navigation y est cependant parsemée d'embûches et dès la première moitié du siècle la bourgeoisie montréalaise met tout en oeuvre pour le canaliser. Cela est important pour faire de Montréal le principal relais entre l'intérieur du continent nord-américain et les ports européens. L'Union de 1840 permet l'uniformisation et l'organisation du réseau de canaux, travail qui est terminé en 1848. Plus tard, dans la seconde moitié du 19e siècle, on agrandira les différents canaux, sans modifier la structure du réseau.

Après 1850, le chemin de fer devient l'instrument principal d'unification des territoires. Laissons de côté le grand nombre de lignes secondaires ou locales pour nous en tenir aux réseaux majeurs. Le Canada en construit trois en une trentaine d'années. Le premier, celui du Grand-Tronc, vise à renforcer l'union du Haut et du Bas-Canada: terminé en 1854, il relie Sarnia en Ontario à Rivière-du-Loup au Québec. Le second, l'Intercolonial, vient appuyer l'expansion vers l'est, au moment de la Confédération; construit entre 1867 et 1872, il relie le Québec, le Nouveau-Brunswick et la Nouvelle-Écosse. Le troisième, le Pacifique-Canadien, s'articule à l'expansion vers l'Ouest: terminé en 1885, il relie les provinces centrales à l'océan Pacifique.

Notons au passage que le gouvernement canadien joue un rôle important dans le financement de ces grands travaux: il prend à sa charge les canaux et l'Intercolonial et il subventionne généreusement les entreprises privées propriétaires des deux autres chemins de fer.

Donald Smith pose le dernier boulon du chemin de fer du Canadien Pacifique en 1885 (Archives publiques Canada, C3693)

Avec le refus des Américains d'ouvrir leur marché, le gouvernement canadien est amené à imposer des droits de douane plus élevés sur les produits fabriqués à l'étranger. Pour le gouvernement, un tel tarif a un double objectif: procurer des revenus à l'État fédéral et protéger les industries canadiennes contre la concurrence. Un premier tarif avait été mis en place sous l'Union, en 1857. Il était encore peu protectionniste et visait surtout à procurer des revenus accrus à l'État. À la suite de la crise de 1873-1878, le gouvernement fédéral en vient à imposer en 1879 un tarif protectionniste qui taxe la plupart des produits manufacturés importés à un taux d'environ 25 à 30%. Ce tarif élevé est en vigueur pendant le reste de la période.

Voilà donc mis en place les éléments qui vont former ce qu'on a appelé la « politique nationale ». Leur interaction doit, en principe, entraîner un développement considérable. Le tarif protège l'industrie et, par les revenus qu'il procure au gouvernement fédéral, permet de subventionner la construction ferroviaire. Le chemin de fer facilite la mise en valeur de nouveaux territoires, permet la distribution des produits de l'Ouest vers les ports et, via le réseau fluvial, vers les marchés d'exportation. L'ouverture de nouveaux territoires (surtout l'Ouest) crée un marché pour l'industrie, assure la rentabilité des chemins de fer et plus généralement stimule la croissance de l'économie canadienne.

Une telle politique devrait donc donner à la bourgeoisie canadiennne une plus grande autonomie. Il ne faut pas oublier cependant qu'elle répond aussi aux besoins de la bourgeoisie métropolitaine qui, pour hausser ses profits, cherche à exporter des capitaux.

Cette « politique nationale » de développement économique est graduellement mise en place dans les premières années du régime confédératif et même dans la période antérieure. Quels sont les effets de son application? Cette question est au coeur des grands débats historiographiques canadiens.

Les historiens n'ont pas mis longtemps à reconnaître que cette politique n'a guère eu de succès entre 1873 et 1896. Les travaux historiques menés par la Commission Rowell-Sirois, dans les années 1930, concluent à l'échec relatif de la « politique nationale » pour cette période. On y constate que le peuplement de l'Ouest, qui constituait une pièce fondamentale de ce projet, s'est fait à un rythme très lent, ce qui réduit l'utilisation et la rentabilité des chemins de fer et limite la croissance de la production industrielle. Cette interprétation a été remise en cause dans les années 1960. Le débat porte sur le niveau de développement économique du Canada et sur l'ampleur de ce qu'on a appelé la *Great Depression* de la période 1873-1896; nous y reviendrons plus loin.

Ces historiens ne remettent pas en cause la politique de développement elle-même. Ils constatent simplement que des conditions économiques défavorables l'ont empêché de produire les résultats escomptés avant 1896. Cependant, depuis quelques années, d'autres historiens ont soulevé le problème de la nature de cette politique et de ses effets. Ils ont constaté que son application n'a pas nécessairement mené à la réalisation des objectifs visés.

Parmi ces critiques, il faut relever les noms de John H. Dales et d'Alfred Dubuc qui, dans les années 1960, ont formulé plusieurs réserves à l'endroit de la politique nationale. Ils ont d'abord remis en cause la relation harmonieuse devant exister entre les divers éléments de cette politique. Par exemple, les investissements massifs dans les chemins de fer, en canalisant l'épargne de ce côté, ont pu freiner plutôt que stimuler la croissance du secteur manufacturier. Au niveau régional la politique adoptée n'a pas permis un fonctionnement harmonieux des diverses parties du Canada; en favorisant la spécialisation des régions, elle a accentué les disparités régionales et la concentration des pouvoirs économiques aux mains des grandes institutions du Canada central.

La politique tarifaire est plus particulièrement visée. On a souligné entre autres l'ambiguïté d'un tarif qui devait à la fois procurer des revenus au gouvernement et protéger l'industrie locale. Par ailleurs, en soutenant des entreprises non compétitives, on a sacrifié la qualité à la quantité et si l'on a réussi à élever le revenu national global, c'est au prix d'une baisse de niveau de vie, encourageant ainsi paradoxalement l'émigration vers les États-Unis. La demande de travailleurs consécutive aurait pu entraîner une hausse des salaires et donc du niveau de vie; on a préféré une politique d'immigration massive exerçant une pression à la baisse sur les salaires. En outre, le tarif a permis une pénétration accrue du capital américain au Canada. Ne pouvant écouler sur le marché canadien leurs produits fabriqués aux États-Unis, les entrepreneurs américains ont choisi d'installer des filiales au Canada.

Ces éléments critiques, et d'autres, permettent à plusieurs auteurs de déclarer que la politique nationale n'a pas réalisé ses objectifs et qu'elle a provoqué un développement anarchique, plutôt qu'harmonieux, du Canada.

L'ensemble des éléments formant la « politique nationale » décrits plus haut, ont un impact considérable sur le Québec. Stratégiquement situé au sein de l'ensemble canadien, et de son réseau de transport, le Québec renferme, avec l'Ontario, l'une des plus fortes concentrations de population de ce vaste marché intérieur et l'une des deux zones de concentration industrielle. D'ailleurs, pendant la période qui nous occupe, Montréal est encore le coeur de l'économie canadienne. La grande bourgeoisie y est fortement implantée et là sont installées les grandes institutions qui soutiennent la « politique nationale », notamment la Banque de Montréal et le Canadien Pacifique. Il faut cependant évaluer les effets spécifiques des politiques canadiennes de développement sur le Québec. Là aussi, les avis sont partagés.

Dans sa thèse sur *La politique nationale et le développement industriel du Québec, 1870-1910*, Jean-Yves Rivard se penche particulièrement sur les effets de la politique tarifaire, qu'il estime très positifs. Il déclare que « la politique tarifaire a permis, en longue période, le développement, ou du moins la survivance de plusieurs des industries importantes du Québec ». Il constate que cette politique a permis l'émergence de grandes entreprises là où auparavant n'existaient que de petits établissements d'envergure locale. Dans leur *Histoire économique du Québec*, Hamelin et Roby partagent le même avis. Ils voient dans le tarif douanier de 1879 un facteur important de l'industrialisation du Québec.

Si, globalement, cette politique a permis une croissance industrielle du Québec on peut s'interroger sur ses effets au niveau régional et au niveau des contrôles. Il faut aussi tenir compte des autres éléments de cette politique: construction ferroviaire et peuplement de l'Ouest. Dans « L'évolution économique du Canada et du Québec depuis la Confédération », François-Albert Angers s'est, quant à lui, penché sur une autre dimension de la « politique nationale », la politique d'investissements. Il déclare que l'accent mis sur l'Ouest a ralenti le développement économique du Québec en détournant au profit du premier des investissements qui revenaient au second. D'ailleurs, si l'on excepte le cas de Montréal, le Québec a beaucoup moins profité que l'Ontario des investissements dans les chemins de fer. L'historien Gaétan Gervais calcule qu'entre 1867 et 1896, le Québec ne reçoit que 13,8% de toutes les subventions fédérales aux chemins de fer alors que l'Ontario en reçoit 28%. La politique nationale semble avoir accentué l'écart entre Montréal et le reste du Québec, provoquant ainsi d'importantes inégalités de développement. Ronald Rudin a montré que les grandes banques de Montréal ne s'intéressent pas au développement du Québec et préfèrent investir en Ontario et dans l'Ouest. À long terme, en accentuant la concentration des entreprises, la politique nationale a pu contribuer à une certaine marginalisation de la bourgeoisie canadienne-française.

De façon générale, les critiques formulées par John H. Dales et Alfred Dubuc pour l'ensemble du Canada s'appliquent également au Québec. Pensons aux effets sur l'émigration qui, entre 1870 et 1900, touche 10% de la population québécoise. Au Québec la « politique nationale » a donc favorisé un certain développement mais il s'agit d'un développement peu harmonieux qui a maintenu ou accentué la marginalisation de certaines régions.

DEUX INTERPRÉTATIONS DU DÉVELOPPEMENT CANADIEN

Au delà du débat historiographique sur la « politique nationale », deux thèses cherchent à expliquer globalement l'histoire du développement économique du Canada, et partant du Québec. Nous en avons déjà signalé l'existence lors de l'étude des aspects géographiques. Il importe maintenant d'examiner d'un peu plus près la thèse laurentienne et la thèse Faucher.

La thèse laurentienne

La thèse laurentienne constitue la plus importante de toutes les théories appliquées au développement du Canada. Elle a dominé sans partage pendant longtemps toute l'interprétation de l'histoire économique et sociale du Canada. Comme toutes les thèses historiographiques, elle est intimement liée à la société qui l'a inspirée et ne peut se comprendre sans une connaissance des problèmes socio-politiques que vivait le Canada au moment de son élaboration. Ses antécédents se situent au moment où le Canada connaît la première grande crise de son histoire, consécutive à l'exécution de Louis Riel en 1885. À cette époque, un profond malaise, à la fois politique et économique, règne dans le nouveau *Dominion.*

C'est dans ce contexte que paraît à Toronto en 1891 l'essai de Goldwin Smith intitulé *Canada and the Canadian Question* qui fait la démonstration de la fragilité du Canada. Le Canada y apparaît comme une création artificielle parce qu'il cherche à substituer à des lignes de force dominantes sud-nord une seule ligne qui serait orientée est-ouest. L'auteur voit donc le Canada comme une absurdité géographique destinée tôt ou tard à disparaître et à se fusionner avec les États-Unis. Quelques années plus tard, en 1906, le politicologue français André Siegfried reprendra une partie de l'argumentation de Smith.

En réaction à cette thèse, on verra surgir une théorie qui tentera d'expliquer que non seulement le Canada n'est pas une aberration géographique mais qu'en plus sa réalisation s'inscrit dans la finalité de sa géographie. La thèse laurentienne considère que la vallée du Saint-Laurent, par le système de mise en valeur qu'elle suppose, fonde l'existence du Canada comme économie puis comme pays. Elle sera formulée pour la première fois dans les travaux d'Harold A. Innis et de W.A. Mackintosh, dès les années 1920; Donald F. Creighton est probablement l'historien de l'économie canadienne le plus connu qui l'ait utilisée; la parution de sa magistrale étude de 1937, *The Commercial Empire of the St. Lawrence, 1760-1850*, consacre la thèse laurentienne comme élément d'explication fondamental du passé canadien.

Tous les historiens de l'économie se sont plus ou moins réclamés de cette thèse; plus près de nous, Fernand Ouellet, dans son *Histoire économique et sociale du Québec 1760-1850*, s'en inspire. Cependant depuis quelques années la thèse perd graduellement son rôle de commun dénominateur chez les historiens; on lui reproche de plus en plus son caractère téléologique, c'est-à-dire le parti pris évident de fabriquer une histoire qui porte en germe tous les éléments de sa finalité et qui est déterminée par elle. Ainsi l'histoire du Canada apparaissait comme une belle continuité, de la période de la traite des fourrures avec Champlain jusqu'au Dominion du Canada dont il fallait resserrer l'unité au moment de la Seconde Guerre mondiale.

Résumée dans ses grandes lignes, la thèse fait de la vallée du Saint-Laurent une sorte de système constitué autour d'un *staple*, c'est-à-dire une ressource naturelle facilement exploitable et trouvant preneur sur le marché mondial — d'où l'importance du réseau de transport. L'exploitation de ce *staple*, que Gilles Bourque nomme « produit générateur », crée des capitaux qui, investis dans le système, assurent la croissance de l'économie. Le développement économique du Canada aurait ainsi reposé sur l'exploitation successive de quelques ressources: produits de la pêche, fourrure, bois et blé.

C'est la bourgeoisie canadienne — essentiellement montréalaise et torontoise — qui soutient par ses projets le système du Saint-Laurent. Quand disparaît le commerce des fourrures comme activité dominante, elle se tourne vers l'exportation du bois et du blé. Mais elle ne s'arrête pas là: très tôt au 19e siècle, elle cherche à contrôler l'ensemble des échanges extérieurs. La croissance du Mid-West américain, par exemple, en stimulant les activités d'import-export, l'amène à promouvoir la canalisation du Saint-Laurent puis la construction de chemins de fer. Plus tard, devant l'insuccès relatif de ces diverses mesures, la bourgeoisie cherchera par la Confédération à créer un marché intérieur lui assurant des bases économiques solides.

Fait remarquable, dans tous ces projets successifs, c'est la vallée du Saint-Laurent, de l'Atlantique aux Grands Lacs, qui forme la base territoriale du système; même l'expansion vers l'Ouest ne fera que traduire un volonté d'articuler les nouveaux territoires à l'axe principal, au moyen surtout du chemin de fer. Les centres directeurs de l'économie ont d'ailleurs toujours été situés sur des points stratégiques de la vallée du Saint-Laurent: Québec, jusqu'au 19e siècle, Montréal et enfin Toronto, qui établira sa domination vers le milieu du 20e siècle.

Tels sont donc les principaux éléments de cette interprétation. Si nous nous interrogeons sur sa valeur pour l'histoire du Québec, nous sommes amenés à faire un certain nombre de réserves. En premier lieu, cette thèse vise d'abord et avant tout à expliquer le développement interne du Canada, plus particulièrement l'articulation des différentes régions qui le composent. Dans sa vision de l'évolution de l'économie canadienne, elle ne s'attache qu'aux phénomènes de désenclavements régionaux; c'est-à-dire ce qui met en relation les régions les unes avec les autres. Pourtant il se produit durant toute l'histoire du Canada une succession de phénomènes inverses d'enclavement ou de faiblesse d'articulation comme par exemple ce que Fernand Ouellet appelle le décrochage de l'agriculture du Bas-Canada avant 1850. L'impuissance de la thèse à expliquer ces événements en constitue une faiblesse. D'autre part, dans l'optique laurentienne, le Québec n'a d'intérêt que comme élément du système plus global et on risque alors de réduire le « pays utile » aux seules villes de Montréal et de Québec.

Le développement interne du Québec est également éludé par la thèse laurentienne. Elle n'explique aucunement la croissance de l'économie ou de la société québécoise; précisons au passage que cette critique vaut pour toutes les régions du Canada, puisque la thèse ne s'intéresse vraiment qu'aux articulations des régions entre elles. Enfin, comme l'accent est mis sur un seul produit générateur, tout déplacement de l'aire de provenance de ce produit ou tout changement de produit venant d'une région différente entraîne un déplacement géographique de l'intérêt historique et une sous-estimation relative de l'importance économique des autres régions.

Elle permet donc de mettre en évidence les projets de la bourgeoisie canadienne, ses réalisations et surtout la manière dont elle est arrivée à ses fins. Elle permet aussi de justifier son projet économique au nom des intérêts supérieurs d'un nationalisme canadien. Derrière cette thèse se profile également un portrait ambigu de la bourgeoisie canadienne. Le modèle implicite qui a été appliqué à cette classe correspond au type d'entrepreneur dynamique qu'on retrouve dans le développement de l'économie britannique. Certains auteurs contestent cette application au cas canadien, faisant valoir que les marchands et les fabricants canadiens n'ont pas toujours su faire preuve du même dynamisme. C'est là une question qui reste encore à débattre.

D'autre part, si la notion d'espace économique ne manque pas d'intérêt, il ne faut pas perdre de vue qu'elle ne se résume pas à la seule dimension géographique: le type d'activité dominante et les moyens de transport, entre autres, en constituent également des variables importantes. Dans ce sens, toute modification de l'économie ou des moyens de transport entraîne obligatoirement une redéfinition de l'espace économique.

Enfin, si nous analysons la thèse du *staple* en tant que théorie de développement économique nous arrivons rapidement à la conclusion qu'elle ne constitue justement pas une théorie capable d'expliquer le développement; tout au plus pouvons-nous dire qu'il s'agit d'une théorie purement descriptive qui repose sur un événement historique, c'est-à-dire l'exploitation successive d'une série de produits principaux. La preuve en est dans le caractère d'extrême dépendance de l'économie canadienne à l'époque des fourrures par exemple, ou à celle du commerce du bois. Les véritables facteurs de développement économique sont à chercher ailleurs et sont extérieurs à l'économie canadienne. Par exemple, le flot migratoire qui atteint le Canada entre 1815 et 1860 est beaucoup plus le résultat des difficultés économiques de l'Irlande et de l'Angleterre que celui du dynamisme interne de l'économie canadienne.

D'autres limites de la thèse apparaissent si l'on considère qu'elle ne tient aucun compte de la diversification économique et qu'elle semble de plus en plus difficile à utiliser après 1850. En fait, elle correspond à la description de la base de l'économie canadienne avant cette date: celle d'une économie de cueillette, qu'il s'agisse de fourrure, de bois et même de blé, puisque dans ce cas, la première exploitation agricole de cette céréale s'apparente, par ses techniques rudimentaires, à de la simple cueillette.

En conclusion, la thèse laurentienne est intéressante par la mise en lumière du rôle de la bourgeoisie des villes de Montréal et de Toronto dans la création et le développement de l'économie canadienne mais elle ne peut prétendre tout expliquer et surtout pas le développement d'une économie complexe.

La thèse Faucher

Du nom d'un de ses auteurs, Albert Faucher, historien économiste de l'Université Laval, cette thèse a été exposée pour la première fois en 1952 dans une communication préparée en collaboration avec Maurice Lamontagne, de la même institution. Par la suite A. Faucher a repris seul certains des éléments pour les expliciter.

Faucher, qui fut étudiant d'Harold Innis à Toronto, oppose à la thèse laurentienne une vision continentale qui postule le caractère déterminant de la technologie sur le développement économique. À son avis, la croissance ou la stagnation d'un espace économique donné repose en dernière analyse sur l'état de la combinaison technologie-ressources naturelles. Il se forme ainsi des espaces économiques dont les frontières ne coïncident pas nécessairement avec celles des entités politiques. Ceci l'amène à distinguer quatre grands espaces économiques nord-américains: le Québec et les Maritimes, la Nouvelle-Angleterre et les États de l'Atlantique moyen, l'Ontario et le Mid-West américain, le Nord-Ouest et l'Ouest canadien et américain. L'inégalité de ces espaces en termes de ressources naturelles et l'évolution générale de la technologie expliquent leurs rythmes de croissance différents.

Ainsi, pour Faucher, l'histoire économique de l'Amérique du Nord est marquée par le déplacement du centre de gravité des villes portuaires vers l'intérieur. Les villes portuaires de l'est avaient vu leur prospérité fondée sur une économie dominée par le commerce, où les transports maritimes jouaient un rôle fondamental. Avec l'industrialisation, le fer et le charbon deviennent les éléments clés de la croissance économique, de sorte que les pôles de développement se déplacent vers les régions de l'intérieur qui possèdent ces minerais. Au début du 20e siècle, le charbon et le fer sont en partie remplacés par l'électricité et les nouveaux alliages, ce qui permet l'essor de régions mieux dotées sous ce rapport.

Dans cette conjoncture, le Québec qui, avant 1866, vit une ère commerciale caractérisée par la prédominance du commerce et une technologie reposant sur l'eau et le vent, subit un ralentissement de croissance durant la seconde période. Celle-ci, qui, selon Faucher, dure de 1866 en 1911, consacre le triomphe de la machine à vapeur et du fer, ce qui place à l'écart un Québec mal pourvu en fer et en charbon. À partir de 1911, débute une nouvelle ère au cours de laquelle le Québec pourra se développer à un rythme accru parce qu'il possède un des éléments de la nouvelle combinaison ressources-technologie, la production hydro-électrique. Soulignant que le Québec ne réagit pas différemment des autres régions de l'espace économique dont il fait partie, Faucher en conclut que son industrialisation n'est que la manifestation locale, régionale, d'une évolution économique séculaire à l'échelle nord-américaine.

Cette thèse a joué un très grand rôle dans l'historiographie québécoise. Albert Faucher dépasse l'explication traditionnelle de l'infériorité économique des Canadiens français qui privilégiait les facteurs culturels et replace le Québec dans son cadre continental nord-américain.

Cependant on peut lui reprocher certaines lacunes. Son analyse des facteurs de production tend à surestimer les ressources naturelles et la technologie au détriment d'autres facteurs tout aussi importants, qu'il s'agisse de la main-d'oeuvre ou des capitaux. Le facteur culturel est évacué un peu rapidement, car une croissance économique est inséparable des éléments de la société où elle agit. Albert Faucher sous-estime l'ampleur et l'effet de l'industrialisation du Québec dans la seconde moitié du 19e siècle et la périodisation qu'il retient est remise en cause par les recherches les plus récentes. De plus, il exagère l'importance de la métallurgie du fer dans l'industrialisation, tout en négligeant l'industrie du fer et de l'acier implantée à Montréal.

UNE CONJONCTURE DIFFICILE

Dans cet ouvrage, nous insisterons sur l'évolution des structures de l'économie du Québec, telles l'industrialisation ou la spécialisation de l'agriculture. En ce domaine, les transformations majeures ne se font pas d'un seul coup, elles s'étalent sur une longue période et se réalisent par étapes. Elles sont affectées par les mouvements de la conjoncture économique dont les cycles peuvent en ralentir ou en accélérer le rythme.

Il existe divers types de cycles économiques mais les historiens se sont surtout intéressés à deux d'entre eux: les cycles à long terme et les cycles à court terme. On distingue, dans l'histoire des pays capitalistes, des cycles à long terme qui s'étalent sur près d'un demi-siècle. Pour la période qui nous intéresse, on peut relever un cycle de cette nature qui s'étend de 1850 à 1896. Il se décompose en deux phases: une première, de hausse des prix, qui va de 1850 à 1873 et une autre, de baisse des prix, qui dure de 1873 à 1896. L'histoire du Québec de 1867 à 1896 se situe donc presque entièrement dans cette deuxième phase.

Cette tendance à long terme est périodiquement perturbée par des cycles à plus court terme ayant chacun des phases de hausse et de baisse. Dans leur *Histoire économique du Québec*, Hamelin et Roby en ont relevé cinq pour la période 1867-1896 (tableau 1).

Sans examiner en détail chacun de ces cycles, soulignons en premier lieu la plus grave crise économique de la période, celle de 1873 à 1879. Il s'agit d'une crise d'envergure internationale qui débute avec la faillite de banques autrichiennes et américaines. Le Québec commence à en subir les contrecoups en 1874. Le système bancaire canadien est sérieusement ébranlé. La plupart des banques traversent de graves difficultés; certaines — la Mechanics, la Stadacona, la Consolidated — font faillite; plusieurs autres doivent suspendre leurs paiements pendant un certain temps et même, comme la Banque Jacques-Cartier, procéder à une réorganisation financière. De nombreuses entreprises font faillite. Des industriels doivent réduire ou même suspendre pendant un certain temps leur production. Le chômage est élevé et les employeurs réduisent les salaires; à Québec, en 1878, une telle mesure provoque une grève des travailleurs de la construction qui dégénère en émeute. Cette crise amène employeurs et travailleurs à réclamer une politique tarifaire qui protégerait l'industrie canadienne. Comme le soulignent Hamelin et Roby, « la crise de 1873-1879 marque profondément la société québécoise. [...] Elle amorce des orientations nouvelles: la fermeture des marchés extérieurs et le dumping ont suscité un mouvement protectionniste tenace; les besoins en beurre et en fromage relativement stables du marché anglais orientent l'agriculture québécoise vers l'industrie laitière ». Ce sont là des orientations que nous examinerons plus bas.

Tableau 1
Les cycles économiques au Québec, 1862-1896

Cycle	Hausse	Baisse
1862-1869	1862-1867	1867-1869
1870-1879	1870-1873	1873-1879
1880-1885	1880-1882	1882-1885
1886-1891	1886-1888	1888-1891
1891-1896	1891-1894	1894-1896

Source: J. Hamelin et Y. Roby, *Histoire économique du Québec*, 84-97.

Soulignons également la phase de reprise qui suit cette longue crise. Quoique brève (1880-1882), cette phase amorce une vague d'industrialisation au Québec. L'adoption d'une nouvelle politique douanière par le gouvernement Macdonald, en 1879, stimule les implantations industrielles, en particulier dans le secteur du textile. La reprise des travaux de construction du Canadien Pacifique et un certain élan de la colonisation au Manitoba ont des effets positifs sur la demande.

Au-delà de ces périodes de crise et de prospérité se pose le problème de la tendance à long terme qui, de 1873 à 1896, est dans une phase de baisse des prix. Les historiens divergent d'opinion sur l'interprétation de ce phénomène. Certains qualifient de « grande dépression » l'ensemble de cette période; d'autres y voient au contraire des progrès significatifs grâce à la mise en place d'une économie industrielle. C'est un des grands débats au sein de l'historiographie canadienne et nous allons tenter de présenter brièvement les positions des uns et des autres.

Pour un grand nombre d'historiens canadiens, la période 1873-1896 est celle des espoirs déçus. Les objectifs économiques de la Confédération semblent ne pas se réaliser. La population s'accroît à un rythme lent et, qui plus est, au-delà d'un million de Canadiens émigrent aux États-Unis. La colonisation de l'Ouest qui devait accentuer les liens économiques est-ouest et stimuler la production du Canada central, tarde à se faire. Le processus d'industrialisation semble ne se réaliser que lentement. Cette lenteur de la croissance canadienne est mise en rapport avec le dynamisme américain à la même époque: là l'expansion vers l'Ouest se fait à un rythme trépidant, le pays s'industrialise rapidement et des millions d'immigrants s'y installent. On compare également cette période avec celle qui suit, de 1896 à 1914, alors que le Canada connaît une forte croissance et semble enfin réaliser les objectifs de la Confédération; la période antérieure apparaît d'autant plus sombre que la suivante est brillante. Cette interprétation de la « grande dépression » est dominante dans l'historiographie canadienne jusque dans les années 1960.

Le premier à la remettre en cause a été l'économiste Gordon Bertram. Ce dernier s'est intéressé à la production industrielle et il a fait valoir qu'entre 1870 et 1890, le Canada a connu une croissance industrielle substantielle, bien que d'un rythme inférieur à celui de la période 1900-1910. Pour Bertram, il n'y a pas de rupture brusque en 1896. Des études historiques récentes tendent à confirmer son hypothèse. Dans le cas du Québec, Hamelin et Roby, sans s'insérer directement dans le débat sur l'interprétation de la « grande dépression », n'en ont pas moins présenté un ensemble de faits qui illustrent l'ampleur de l'industrialisation des années 1880.

Il est maintenant reconnu que les trois dernières décennies du 19e siècle n'ont pas été aussi noires qu'on l'avait d'abord cru. Le Québec a connu alors une industrialisation significative ainsi qu'une transformation profonde de son agriculture. La croissance économique de cette époque reste cependant inférieure à celle des États-Unis pendant la même période ou à celle que connaîtra le Québec entre 1896 et 1914; elle est en outre insuffisante — en termes de création d'emplois — pour retenir les surplus de population.

Orientations bibliographiques

Angers, François-Albert. « L'évolution économique du Canada et du Québec depuis la Confédération », *Revue d'histoire de l'Amérique française*, XXI, 3a (1967): 637-655.

Bertram, Gordon W. « Economic Growth in Canadian Industry, 1870-1915: The Staple Model », W.T. Easterbrook et M.H. Watkins, dir., *Approaches to Canadian Economic History*, (Toronto, McClelland and Stewart, 1967): 74-98.

Caves, Richard F. et Richard H. Holton. *The Canadian Economy. Prospect and Retrospect*. Cambridge, Harvard University Press, 1961. 676p.

Creighton, Donald G. *The Commercial Empire of the St. Lawrence, 1760-1850*. Toronto, Ryerson Press, 1937. 441p.

Dales, J.H. *The Protective Tariff in Canada's Development*. Toronto, University of Toronto Press, 1966. 168p.

Dubuc, Alfred. « Développement économique et politique de développement: Canada 1900-1940 », Robert Comeau, dir., *Économie québécoise*, (Montréal, PUQ, 1969): 175-217.

Easterbrook, W.T. et Hugh G.J. Aitken. *Canadian Economic History*. Toronto, Macmillan, 1967. 606p.

Faucher, Albert et Maurice Lamontagne. « Histoire de l'industrialisation », René Durocher et Paul-André Linteau, dir., *Le retard du Québec et l'infériorité économique des Canadiens français*, (Montréal, Boréal Express, 1971): 25-42.

Faucher, Albert. *Histoire économique et unité canadienne*. Montréal, Fides, 296p.

Faucher, Albert. *Québec en Amérique au XIXe siècle. Essai sur les caractères économiques de la Laurentie*. Montréal, Fides, 1973. 247p.

Gervais, Gaétan. *L'expansion du réseau ferroviaire québécois (1875-1895)*. Thèse de Ph.D. (histoire), Université d'Ottawa, 1978. 538p.

Grimal, Henri. *De l'empire britannique au Commonwealth*. Paris, Armand Colin, 1971. 416p.

Hamelin, Jean et Yves Roby. *Histoire économique du Québec, 1851-1896*. Montréal, Fides, 1971. 436p.

Hobsbawm, Eric J. *Industry and Empire*. Londres, Weidenfeld and Nicolson, 1968. 336p.

Mackintosh, W.A. *Le fondement économique des relations entre le Dominion et les provinces*. Étude préparée pour la Commission royale des relations entre le Dominion et les provinces. Ottawa, Imprimeur du roi, 1939. 111p.

Rapport de la Commission royale des relations entre le Dominion et les provinces. Volume I: *Canada: 1867-1939*. Ottawa, 1940. 285p. (Rapport Rowell-Sirois).

Rivard, Jean-Yves. *La politique nationale et le développement industriel du Québec, 1870-1910*. Thèse de M.A. (sciences économiques), Université de Montréal, 1960. 108p.

CHAPITRE 5

LES FACTEURS INTERNES DU DÉVELOPPEMENT ÉCONOMIQUE QUÉBÉCOIS

Ce sont les secteurs agricole et industriel qui dominent le paysage économique québécois entre 1867 et 1896. Pour comprendre leur évolution, il importe d'examiner quelques éléments du contexte proprement québécois: le marché intérieur, le réseau de transport, les instruments commerciaux et financiers et les politiques économiques.

UN MARCHÉ EN EXPANSION

Dans le Québec du dernier tiers du 19e siècle, la croissance de la production agricole et industrielle s'appuie sur une expansion du marché intérieur. En principe, le Québec profite de l'accès au marché canadien étendu que procure le régime confédératif. Les agriculteurs et industriels québécois peuvent vendre dans les provinces de l'Atlantique, en Ontario et dans l'Ouest. En contrepartie, les produits des autres régions du Canada ont accès au Québec. L'accent mis par les historiens sur le développement de l'Ouest a parfois fait oublier l'importance de ce marché québécois. Or, comme l'indiquent Hamelin et Roby, les transformations de celui-ci ont été déterminantes dans l'industrialisation du Québec. Rappelons-nous qu'entre 1867 et la fin du siècle, le Québec rassemble plus de 30% des consommateurs canadiens. Ce marché québécois est d'ailleurs en pleine expansion, aux niveaux géographique et démographique, tout en se transformant qualitativement.

Géographiquement, il s'étend dans toutes les directions. On assiste à l'ouverture de nouvelles régions sous la poussée de la colonisation et de l'exploitation du bois. Les zones encore inhabitées de la plaine du Saint-Laurent, surtout du côté des Bois-Francs, sont occupées. Des régions comme le Témiscamingue, le Saguenay-Lac Saint-Jean, le Témiscouata sont ouvertes au peuplement permanent. Le marché s'accroît aussi au plan démographique puisque, malgré les nombreux départs vers les États-Unis, la population du Québec augmente de 38,3% entre 1871 et 1901; une hausse peu spectaculaire mais qu'il ne faut pas pour autant négliger.

Plus importante reste encore la transformation qualitative de ce marché. La spécialisation intègre de plus en plus les Québécois à l'économie de marché: de petits producteurs indépendants visant à une certaine autosuffisance, ils se sont transformés à la fois en producteurs spécialisés et en consommateurs. Ainsi l'urbanisation (la population urbaine augmente de 140,6% entre 1871 et 1901) accroît le nombre de consommateurs de biens manufacturés et en même temps crée un débouché pour les produits de l'agriculteur qui est incité à mieux organiser sa production. Le monde rural est affecté également; Hamelin et Roby indiquent que la spécialisation agricole fournit des revenus accrus qui permettront aux ruraux d'acheter les produits qu'ils ont cessé de fabriquer.

Ces transformations se font de façon lente et graduelle, avec un rythme variable selon les régions. On est loin de la croissance rapide de certains États américains à la même époque. Il y a tout de même une expansion du marché qui permettra d'appuyer une croissance de la production et une diversification de l'industrie.

Mais encore faut-il pouvoir rejoindre de façon efficace les consommateurs. Dans les dernières décennies du siècle, un réseau de communication amélioré, de nouveaux modes de distribution et de nouvelles techniques de vente permettent la mise en marché sur une plus grande échelle des produits de l'industrie mécanisée. Voyons d'un peu plus près ces transformations.

LE RÉSEAU DES TRANSPORTS

L'intensification des échanges, dans un pays aussi vaste que le Québec, s'appuie sur l'amélioration des moyens de communication. Les routes, les rivières et les voies ferrées sont mises à contribution. Toutefois en cette seconde moitié du 19e siècle le rail jouit de la faveur populaire. Le chemin de fer devient le principal moyen de transport en même temps qu'un secteur d'investissement privilégié.

La fièvre des chemins de fer

La mise en service de ce nouveau moyen de transport représentait une percée technologique importante. Pour la première fois de l'histoire, l'homme avait trouvé une façon rapide de voyager sur un parcours terrestre. La réduction draconienne du temps de déplacement des hommes et des marchandises était une transformation majeure. En outre, le train, moins soumis que ses concurrents aux variations climatiques, assurait une régularité d'approvisionnement inconnue jusque-là. Par sa taille, par son réseau de gares et d'installations, par le nombre de ses employés, par sa structure financière (société par actions), la compagnie ferroviaire inaugurait l'ère de la grande entreprise.

Le Québec avait été un pionnier en ce domaine puisque le premier service de train dans les colonies britanniques d'Amérique du Nord, inauguré en 1836, joignait La Prairie à Saint-Jean. Cette avance avait été de courte durée. La fièvre ferroviaire de la fin des années 1840 et du début des années 1850 avait atteint beaucoup plus l'Ontario que le Québec.

En 1867, le réseau québécois est encore peu développé avec seulement 925 km de voie ferrée alors que l'Ontario en possède déjà plus du double (2 241 km). Il se réduit à une ligne principale, le Grand-Tronc, et à quelques petites lignes au sud et au sud-est de Montréal.

Le Grand-Tronc domine vraiment le paysage ferroviaire. Formée en 1853, cette compagnie avait acquis quelques lignes existantes et avait construit d'autres tronçons pour mettre en place une voie principale reliant Sarnia, en Ontario, à Rivière-du-Loup, au Québec. La construction est terminée en 1860. Au Québec la voie du Grand-Tronc suit la rive nord du Saint-Laurent, de la frontière de l'Ontario jusqu'à Montréal. De là elle traverse le fleuve sur le pont Victoria (ouvert en 1859) et s'éloigne de la rive sud du Saint-Laurent en passant par Saint-Hyacinthe et Richmond. À ce dernier endroit, un important embranchement, passant par Sherbrooke, relie la voie principale à la ville de Portland, dans le Maine (É.-U.), qui devient ainsi le port d'hiver de Montréal. De Richmond, la ligne du Grand-Tronc remonte jusqu'à Lévis, puis longe le fleuve jusqu'à Rivière-du-Loup. Un autre embranchement joint Arthabaska à la rive sud du fleuve, en face de Trois-Rivières.

Au sud et au sud-est de Montréal, plusieurs petites lignes relient la métropole à la frontière des États-Unis, où elles se raccordent aux lignes américaines se dirigeant vers New York et Boston. Ces voies forment un réseau ferroviaire dans l'axe du Richelieu et du lac Champlain; c'est d'ailleurs la seule région du Québec où on trouve une concentration significative de voies ferrées si l'on excepte le chemin de fer Saint-Laurent et Industrie d'une longueur de 19 km qui relie le village d'Industrie (Joliette) à Lanoraie. Fonctionnant seulement pendant l'été, il sert surtout au transport du bois.

Cet ensemble de voies ferrées est bien insuffisant pour le Québec. Seule Montréal est avantagée dans ce système. La métropole occupe un point stratégique sur la voie principale du Grand-Tronc et peut étendre son emprise sur le Canada central. Elle est aussi en relation étroite avec les villes de la côte est des États-Unis par des lignes qui deviennent la voie royale de l'émigration des Canadiens français vers la Nouvelle-Angleterre. Ces voies ont été conçues principalement pour le trafic interprovincial et international et leurs propriétaires se préoccupent peu du développement local ou régional. Certes, les centres situés le long de la voie, comme Saint-Hyacinthe et Lévis, en bénéficient mais l'effet de cette croissance est limité. Des villes importantes comme Québec ou Trois-Rivières, sont tenues à l'écart et de vastes régions — la rive nord, l'Outaouais, la Beauce — n'ont aucun chemin de fer. Le long des voies principales, les embranchements sont peu nombreux et, à l'exception de la vallée du Richelieu, il n'y a nulle part de véritable réseau ferroviaire.

Au début de l'époque confédérative, cette insuffisance d'équipement ferroviaire suscite des réactions chez les dirigeants politiques et les hommes d'affaires québécois. La fin des années 1860 est témoin du lancement de nouveaux projets de construction ou de la réactivation de quelques autres dont les plans dormaient sur les tablettes. Le gouvernement du Québec choisit de participer au financement de ces entreprises et il élabore peu à peu une véritable politique d'aide aux chemins de fer. Les liens étroits entre le personnel politique et les entrepreneurs en construction ferroviaire facilitent les choses. La crise économique de 1873-1879 compromet plusieurs des projets, mais la reprise, vers 1880, et un effort gouvernemental accru permettront de les compléter pour l'essentiel.

Ces projets sont de deux types. Il y a d'abord les chemins de fer régionaux. On les appelle chemins de colonisation car ils sont orientés vers les zones neuves où ils répondent aux besoins du commerce du bois et de la colonisation. Ces chemins de fer constituent un instrument privilégié de développement dans certaines régions périphériques. Ils sont construits avec une aide substantielle du gouvernement québécois. Il y a d'autre part de nouvelles lignes principales qui résultent le plus souvent d'une initiative fédérale: l'Intercolonial et le Canadien Pacifique. Une exception toutefois, le Québec, Montréal, Ottawa et Occidental (QMOO), construit par le gouvernement du Québec et qui répond à des objectifs beaucoup plus spécifiquement québécois.

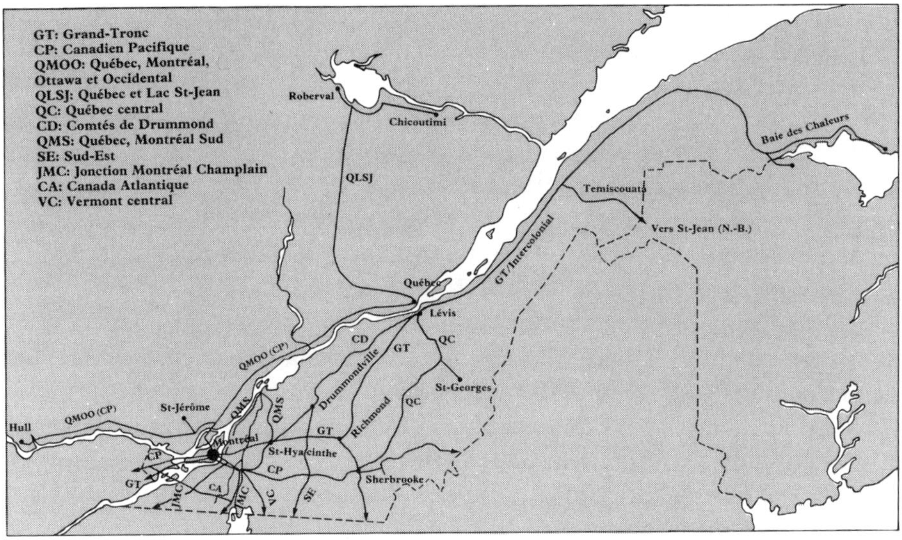

Les principaux chemins de fer au Québec à la fin du 19e siècle

Parmi ces lignes principales, la première à être mise en chantier est celle de l'Intercolonial. Les discussions en vue de relier par chemin de fer les provinces de l'Atlantique au Québec duraient depuis plusieurs années et les représentants du Nouveau-Brunswick et de la Nouvelle-Écosse avaient fait de la construction de cette voie ferrée une condition de leur entrée dans la Confédération. L'Acte de l'Amérique du Nord britannique obligeant le gouvernement fédéral à réaliser le projet, celui-ci entreprend les travaux dès 1868. Construit et administré par le gouvernement, l'Intercolonial est terminé en 1876. Il relie Rivière-du-Loup, terminus du Grand-Tronc, à Halifax, en Nouvelle-Écosse. Sur le territoire québécois, la voie longe le fleuve, passant par Rimouski, puis elle emprunte la vallée de la Matapédia. En 1879, l'Intercolonial est prolongé vers l'ouest par l'achat de la ligne Lévis-Rivière-du-Loup, appartenant au Grand-Tronc. Ainsi, à la fin de la décennie, tout le transport ferroviaire dans l'est du Québec est assuré par une entreprise dont le principal objectif est le transport direct entre Montréal et Halifax; c'est ainsi que l'Intercolonial ne contribue que de façon limitée au développement régional de l'est du Québec. Il y subit d'ailleurs la concurrence du cabotage, très important dans cette région. Les effets positifs les plus directs se manifestent à Rivière-du-Loup, seul centre ferroviaire important. Il faut toutefois reconnaître que l'Intercolonial contribue à briser l'isolement séculaire du Bas-Saint-Laurent et de la Gaspésie.

Plus importante est l'aventure du Québec, Montréal, Ottawa et Occidental. À l'origine de cette entreprise, on trouve deux projets distincts: le chemin de colonisation du nord de Montréal et le chemin de fer de la rive nord. Le premier est lancé en 1869 par le curé Labelle, apôtre de la colonisation dans les Laurentides. En construisant une ligne entre Montréal et Saint-Jérôme, Labelle et ceux qui l'appuient veulent favoriser la colonisation et surtout permettre l'approvisionnement de Montréal en bois de chauffage. Labelle n'hésite pas à poser des gestes spectaculaires. En janvier 1872, il descend à Montréal à la tête d'une caravane de 24 traîneaux chargés de bois de chauffage qu'il distribue aux pauvres et il en profite pour demander à la ville de Montréal de verser un octroi d'un million de dollars à son chemin de fer. Mais, plus que le pittoresque, l'action des financiers s'avère déterminante. Un groupe d'hommes d'affaires ayant à leur tête le richissime armateur Hugh Allan s'associe au projet et en fait celui d'un chemin de fer reliant Montréal et Ottawa par la rive nord du Saint-Laurent avec embranchement vers Saint-Jérôme et devant ultimement s'intégrer au futur chemin de fer du Pacifique. La compagnie du chemin de colonisation du nord de Montréal devient le point de ralliement des intérêts montréalais opposés au Grand-Tronc et, en 1872, la ville de Montréal promet un octroi à l'entreprise. Mais le scandale du Pacifique, qui compromet Allan, et la crise économique qui sévit à compter de 1873 empêchent l'obtention du capital requis en Angleterre et l'entreprise reste en panne.

Le second projet, celui de la rive nord, est l'oeuvre de la bourgeoisie de Québec et vise à relier la capitale à Montréal par la rive nord du Saint-Laurent. Lancé au début des années 1850, il demeure en veilleuse pendant une vingtaine d'années. Réactivée vers 1870, la compagnie tente de mener à bien la construction du chemin de fer. La ville de Québec promet un octroi d'un million de dollars et la compagnie peut compter sur des subventions en terres publiques qui lui avaient été accordées par le gouvernement du Canada-Uni. Or, ce projet menace de créer une sérieuse concurrence au Grand-Tronc. Les représentants de cette dernière entreprise mènent une cabale sur la place financière de Londres en dénigrant la compagnie de chemin de fer de la rive nord. Celle-ci s'avère incapable d'obtenir le capital requis en Angleterre et les maigres fonds dont elle dispose ne lui permettent pas de pousser très loin la construction.

En 1874, le gouvernement du Québec considère comme prioritaire la réalisation de ces deux projets. Devant les échecs répétés des promoteurs pour obtenir un financement à Londres, il décide de prendre l'affaire en main. Les deux projets seront unifiés sous le nom de Québec, Montréal, Ottawa et Occidental et la construction sera sous la responsabilité d'une commission gouvernementale. L'État en assume les frais à l'exception d'une somme de $2,5 millions promise par diverses municipalités dont Montréal et Québec. C'est là une décision audacieuse, en pleine crise économique, alors que les revenus gouvernementaux déclinent. Elle montre toute l'importance qu'attache à cette entreprise l'équipe ministérielle. Les travaux sont menés rondement: la liaison Montréal-Hull est établie en 1877 et celle de Montréal à

Québec en 1879. Le choix du tracé dans la région de Montréal suscite de vives controverses. Doit-on établir la jonction entre les lignes est et ouest à Montréal même ou à Sainte-Thérèse? Dans le second cas, il n'y aurait qu'un embranchement vers Montréal et la ligne principale permettrait d'orienter vers Québec une partie du trafic de l'Ouest. Dans le premier cas, Montréal en profiterait davantage et Québec n'obtiendrait que le trafic local. Le gouvernement choisit le tracé qui favorise Québec, ce qui provoque de vives protestations à Montréal.

Quoi qu'il en soit, le chemin de fer est prêt en 1879. Sa construction a coûté près de $14 millions. Il est à peine terminé que le gouvernement annonce son intention de le vendre à l'entreprise privée. En 1880, Chapleau nomme son ami Louis-Adélard Sénécal gérant du Québec, Montréal, Ottawa et Occidental. Sénécal est un homme d'affaires prospère; il jouera un rôle important dans les transactions qui viennent. Chapleau et Sénécal tentent de vendre le chemin de fer au Canadien Pacifique; mais cette compagnie n'est intéressée qu'à la section Ottawa-Montréal. En mars 1882 une transaction est conclue: le Canadien Pacifique nouvellement formé achète la section Ottawa-Montréal pour $4 millions et un groupe d'hommes d'affaires dirigé par Sénécal achète pour le même montant la section Montréal-Québec. Les réactions sont vives; les adversaires de Chapleau l'accusent de favoriser son ami Sénécal; les partisans de Chapleau sont traités de « sénécaleux ». Sénécal, de son côté, ne perd pas de temps; quelques mois plus tard il vend au Grand-Tronc la majorité de ses actions et réalise un bon profit. La bourgeoisie de Québec proteste énergiquement: par cet achat, le Grand-Tronc a le monopole du transport entre Montréal et Québec, tant sur la rive sud que sur la rive nord et la capitale n'aura aucun lien direct avec le nouveau transcontinental. Les représentants de la région de Québec réclament le transfert au Canadien Pacifique du chemin de fer de la rive nord. Ils exercent des pressions sur le gouvernement fédéral de John A. Macdonald. En 1885, ce dernier oblige le Grand-Tronc à lui vendre la section Montréal-Québec et il la revend ensuite au Canadien Pacifique. Quant au gouvernement du Québec, il a dû vendre, lors de la transaction de 1882, les deux sections à un prix inférieur d'environ $6 millions au coût de la construction. D'autre part il n'a pas obtenu, contrairement aux autres entreprises ferroviaires de cette importance, de subventions du gouvernement fédéral. Les députés québécois à Ottawa font pression et obtiennent en 1884, soit cinq ans après la fin des travaux, que $2,4 millions soient versés par le gouvernement fédéral. Ce qui réduit à un peu plus de $3 millions la valeur du cadeau du Québec au Canadien Pacifique.

Ainsi, la troisième voie principale, le Canadien Pacifique (CPR), constitue d'abord son ossature par l'acquisition du Québec, Montréal, Ottawa et Occidental. C'est là le maillon québécois d'un immense réseau qui, en 1885, joint Montréal à Vancouver. Le projet de construire un

Louis-Adélard Sénécal, 1829-1887, homme d'affaires et promoteur de chemins de fer. (*L'Opinion publique*, 19 février 1880)

transcontinental est élaboré à la suite de l'entrée de la Colombie britannique dans la Confédération, en 1871. Le contrat est accordé en 1873 à un groupe dirigé par Hugh Allan. Mais l'affaire est entourée de malversations dont la révélation provoque le « scandale du Pacifique » et la chute du gouvernement conservateur. Pendant la crise de 1873-1878, le gouvernement libéral décide de construire lui-même certains tronçons de ce transcontinental. De retour au pouvoir, les conservateurs décident de confier le tout à l'entreprise privée, d'autant plus que la situation économique s'est améliorée. C'est ainsi qu'un groupe d'hommes d'affaires montréalais, liés de près à la Banque de Montréal, forment en 1880 une compagnie qui construira et administrera le transcontinental. Ils obtiennent un plantureux contrat leur accordant des octrois de $25 millions, de 25 millions d'acres de terre, des exemptions de taxe à perpétuité, un monopole pour 20 ans dans l'Ouest, etc. Forte de cet appui gouvernemental, la nouvelle compagnie termine la construction du chemin de fer pour ensuite l'exploiter avec profit. Le CPR établit son terminus à Montréal, ce qui réduit presque à néant les prétentions de la bourgeoisie de Québec de détourner à son profit une partie du trafic de l'Ouest. Le tronçon Montréal-Québec acquiert dès lors une fonction surtout régionale tout en permettant un lien plus étroit entre les économies de Québec et de Montréal. Le CPR a certes des visées du côté de la façade Atlantique du continent, mais ce lien ne se fera pas par Québec. La compagnie préfère le tracé le plus direct qui, de Montréal passe par les Cantons de l'Est, puis par le nord du Maine, en territoire américain, pour atteindre St. John, au Nouveau-Brunswick. Cette ligne est inaugurée en 1890.

Les grandes voies ont surtout pour effet d'accentuer l'emprise de la métropole montréalaise sur un vaste hinterland situé en bonne partie à l'extérieur du Québec. D'autres entreprises ferroviaires sont toutefois créées pour tenter de développer des régions du Québec; ce sont les « chemins de colonisation ». Tous ces projets rencontrent de sérieuses difficultés financières, malgré les promesses de subventions gouvernementales, et il faudra plusieurs années pour les exécuter. Pour construire ces chemins de colonisation, les promoteurs cherchent à réduire les coûts et, quand un entrepreneur américain propose en 1868 l'utilisation de rails de bois, il reçoit un accueil enthousiaste. En quelques mois, les projets de « chemins à lisses de bois » se multiplient. Une première expérience, au nord de Québec, refroidit les ardeurs. Après un an de service, on se rend compte que les rails résistent mal aux rigueurs du climat et qu'ils deviennent rapidement inutilisables. On en revient donc au procédé conventionnel.

Le cas le plus connu est celui du chemin de fer de Québec et du Lac Saint-Jean. L'entreprise commence avec le chemin à lisses de Québec à Gosford. Longue de 40 km, la voie est inaugurée en 1870 et permet d'approvisionner la capitale en bois de chauffage et de construction. L'échec des lisses de bois provoque la faillite de l'entreprise. Elle est réorganisée en 1880 dans le but de relier Québec au Lac Saint-Jean. Après de nombreuses difficultés de financement, la voie principale atteint Roberval en 1888. Un embranchement vers Chicoutimi est terminé en 1892. Sa construction, qui aura coûté près de $8,7 millions, est subventionnée à 45% par les gouvernements provincial, fédéral et municipal. Tout en facilitant le désenclavement de la région, ce chemin de fer sera un instrument privilégié pour la bourgeoisie de Québec, lui permettant d'annexer à son hinterland le Saguenay-Lac Saint-Jean et d'imposer sa domination économique à la bourgeoisie locale.

L'autre chemin de fer d'importance est celui du Québec Central qui établit une liaison Lévis-Sherbrooke via la Beauce. À l'origine il y a deux entreprises distinctes: le Lévis et Kennebec dont la ligne relie Lévis à Saint-

Joseph de Beauce en 1876 et le Québec Central dont la construction commence en 1870 et qui joint Sherbrooke à Beauce-Jonction en 1880. L'année suivante, cette entreprise fait l'acquisition du Lévis et Kennebec et le réseau porte dès lors le nom de Québec Central. Un embranchement vers Lac Mégantic est ouvert à la circulation en 1895. Ainsi le Québec Central est présent dans le nord de la Beauce et dans la partie orientale des Cantons de l'Est.

D'autres compagnies ferroviaires construisent des voies dans diverses régions du Québec. Il y a, par exemple, le chemin de fer de la baie des Chaleurs qui passe le long de la baie, reliant l'Intercolonial à Gaspé. Sa construction débute en 1882 et dure plusieurs années; les transactions louches qui accompagnent le projet mènent au « scandale de la baie des Chaleurs » qui provoque la chute du gouvernement Mercier. Il y a également un ensemble de petites compagnies, lancées par des promoteurs différents, qui construisent des lignes dans la région des Laurentides, entre Hawkesbury et Québec, comme le chemin de fer des Basses Laurentides, le Grand Nord ou le Chateauguay et Nord; au début du 20e siècle, ces lignes seront intégrées au réseau du Canadien Nord. Quant à la rive sud du Saint-Laurent, elle est dotée de plusieurs petites lignes, principalement dans la vallée du Richelieu et dans les Cantons de l'Est; certaines de ces constructions se font avec l'appui d'entreprises ferroviaires américaines qui veulent un accès au marché québécois. C'est ainsi que se développent, entre autres, le Vermont-Central, le Montréal-Portland-Boston, le Québec-Montréal-Sud, le Sud-Est et le Jonction-Lac Champlain-Saint-Laurent; ces entreprises régionales sont graduellement intégrées à l'un ou l'autre des grands réseaux.

Ces efforts dans le domaine du rail portent fruit puisqu'en 1901 le Québec possède 5 600 km de voie ferrée; Hamelin et Roby en évaluent le coût total de construction à $104 430 000 dont près de 60% a été payé par les divers niveaux de gouvernement.

Des routes impraticables

Pendant la seconde moitié du 19e siècle, le chemin de fer est devenu le moyen de communication privilégié, aux yeux du gouvernement et des hommes d'affaires, et le réseau routier fait figure de parent pauvre. Les investissements considérables dans la construction ferroviaire restreignent la part consacrée à la voirie.

Le problème en est à la fois un de quantité et de qualité. L'expansion territoriale et l'intégration au marché exigent l'ouverture d'un grand nombre de petites routes. Or, l'État qui consacre ses énergies au chemin de fer n'investit pas les sommes requises, de sorte que plusieurs régions ou sous-régions restent isolées, mal articulées à l'ensemble. Il ne suffit d'ailleurs pas de tracer des voies, encore faut-il qu'elles soient carrossables. Les routes

Habitants sautant la barrière de péage, de Cornelius Krieghoff (Archives publiques Canada, C11223).

québécoises du 19e siècle sont dans un état pitoyable; mal entretenues, elles se transforment en bourbier dès que la pluie paraît. Plusieurs routes ne sont utilisables efficacement qu'en hiver, alors que le froid et la neige aplanissent les difficultés.

Les conditions varient d'ailleurs selon les types de voie. Les routes provinciales qui relient les villes principales ou les régions sont parfois mieux construites. Mais comme, sur les grands trajets, on a souvent le choix du rail, l'incitation à améliorer les routes est faible et les sommes consacrées à cet objectif sont nettement insuffisantes après 1867.

La situation des chemins ruraux est plus déplorable car il n'y a pas de solution de rechange. En effet le réseau ferroviaire québécois est surtout constitué de voies principales et les voies locales sont insuffisantes. Or, la commercialisation de l'agriculture exige la construction et l'entretien de bons chemins ruraux. De même la demande de chemins de colonisation se fait pressante dans les dernières décennies du 19e siècle. Mais là encore les ressources financières sont insuffisantes et mal distribuées. Agronomes et colonisateurs réclament en vain une amélioration de la situation.

Les voies urbaines et péri-urbaines connaissent un meilleur sort. Dans les villes comme Montréal et Québec, la densité de la population et des échanges provoque la macadamisation des principales artères sous la responsabilité d'administrations municipales mieux dotées financièrement. La situation est cependant loin d'être parfaite et les rues boueuses sont encore le lot de plusieurs quartiers urbains à la fin du 19e siècle. Aux abords des grandes villes, on a établi des routes à péage appelées « chemins à barrières », administrées par des sociétés autonomes. À cause de leur importance pour l'accès aux centres urbains, et grâce aux revenus du péage, ces routes sont habituellement mieux entretenues que les autres types de voie.

Dans l'ensemble, le réseau routier québécois est donc le parent pauvre de l'infrastructure de transport et les faiblesses à ce niveau affectent la qualité et l'intensité des échanges et constituent un frein au développement des régions rurales.

Le réseau fluvial

Le transport par eau joue, tout au long du 19e siècle, un rôle de premier plan dans les échanges économiques du Québec. Cela n'est guère surprenant. Traversé par cette voie royale qu'est le Saint-Laurent, le pays est parsemé de lacs et de rivières navigables.

Sa situation coloniale et ses liens étroits avec les métropoles européennes ont, depuis l'époque de la Nouvelle-France, marqué la dépendance du Québec face aux transports maritimes. Point de départ des matières exportées vers l'Europe, le Québec s'est articulé au grand commerce international. Depuis le début du 19e siècle, la bourgeoisie montréalaise souhaite faire de Montréal la plaque tournante des échanges entre l'Europe et l'Amérique du Nord. Sans réaliser complètement ses ambitions, elle réussit tout de même à faire de Montréal un des grands ports du continent et le plus important du Canada.

Pour en arriver là, il a fallu surmonter plusieurs obstacles. En effet, même si le Saint-Laurent est une voie d'accès magnifique, sa navigation présente de nombreux dangers. En aval de Montréal, on trouve ici et là des récifs et des hauts-fonds, causes de nombreux naufrages; en outre, la plupart des océaniques ne peuvent s'aventurer au delà de Québec. Pour réduire le nombre d'accidents et pour attirer les navires jusqu'à Montréal, il faudra creuser un chenal. La bourgeoisie montréalaise prend les choses en mains et fait construire en 1850-1851, entre Montréal et Québec, un premier chenal qui a une profondeur de 3,8 m et une largeur de 22,8 m. Agrandi régulièrement par la suite, il atteint des dimensions de 8,4 m sur 137 m à la fin du siècle.

Entre Montréal et les Grands Lacs, les obstacles sont d'une autre nature: de nombreux rapides rendent nécessaire la construction de canaux.

Le port de Montréal en 1875 (*L'Opinion publique*, 19 août 1875)

Cette canalisation du Saint-Laurent est terminée au milieu du 19e siècle mais l'accroissement du trafic incitera à réaménager le réseau à la fin du siècle. C'est ainsi que le canal de Soulanges (1899) remplacera celui de Beauharnois et que le canal Lachine sera agrandi.

Dans ce système, Montréal représente toujours un point de rupture de charge. Les océaniques à fort tirant d'eau ne peuvent aller plus loin; les marchandises destinées à l'Ontario et à l'Ouest doivent être déchargées à Montréal pour être mises à bord de navires construits spécialement pour la navigation dans les canaux. Le port de la métropole joue donc un rôle important et une Commission du havre veille à le doter d'installations suffisantes. Un vaste plan d'aménagement portuaire est réalisé à partir de 1877.

À côté de l'axe principal du Saint-Laurent, orienté à la fois vers l'Europe et les provinces de l'Atlantique et vers le sud de l'Ontario et le Mid-West américain, on trouve deux axes complémentaires, tous deux canalisés au cours du 19e siècle. Il y a d'abord celui de l'Outaouais qui dessert le nord-est de l'Ontario et l'ouest du Québec et permet le transport du bois et des produits agricoles. Il y a aussi celui du Richelieu qui, par le lac Champlain et l'Hudson, conduit à New York. C'est pendant longtemps la principale voie de communication avec les États-Unis et la ville de Saint-Jean forme la plaque tournante des échanges Montréal-New York. Les transports maritimes par cette voie sont cependant en déclin dans le dernier quart du

19e siècle. Ceci s'explique probablement par les faibles dimensions des canaux et par la concurrence des chemins de fer.

Le transport maritime ne se limite pas au commerce interprovincial ou international. Il existe un important trafic local prenant la forme du cabotage. On sait cependant peu de choses à son sujet, mais les nombreux quais construits ici et là par le gouvernement fédéral témoignent d'un certain dynamisme. Dans certaines régions éloignées, pas ou mal desservies par les chemins de fer, la navigation est le principal moyen de transport.

Entre 1867 et 1896, l'infrastructure de transport s'est étendue mais sa croissance n'est pas équilibrée. À la fin du siècle, le Québec est doté d'excellentes communications avec l'extérieur, mais les communications intérieures sont dans un état de sous-développement évident. Il y a déséquilibre entre les moyens de transport, le rail étant favorisé face à la route. Dans tous les cas, l'effort est mis sur les artères principales et on néglige les voies locales. Déséquilibre aussi entre les régions: la plaine de Montréal s'en tire assez bien alors que les régions périphériques sont sous-équipées.

Depuis le milieu du siècle, Montréal est devenue le noeud de communications principal du Canada. Sa position stratégique sur le Saint-Laurent lui donnait un avantage initial. Les travaux de canalisation et l'aménagement du port ont confirmé cette avance. À Montréal convergent plusieurs chemins de fer allant vers l'est, le sud et l'ouest. Les deux grands chemins de fer du Canada, le Grand-Tronc et le Canadien Pacifique y installent le siège de leurs administrations et leurs ateliers d'entretien. Par son contrôle des réseaux de communication, Montréal accentue son emprise métropolitaine et, conséquemment, accroît le déséquilibre face à sa rivale de toujours, Québec, et à plus forte raison avec les autres villes du territoire dont plusieurs deviennent des satellites du grand centre.

COMMERCE ET FINANCE

Le développement des systèmes de transport est en relation avec l'évolution des circuits commerciaux. Là aussi, le Québec connaît des mutations importantes au cours de la période. On le voit en examinant le commerce extérieur. Jusqu'au milieu du siècle, les échanges se faisaient surtout avec la Grande-Bretagne. Mais peu à peu celle-ci cède le pas aux États-Unis. Hamelin et Roby établissent la part des importations québécoises en provenance de Grande-Bretagne, en 1871, à 65% et celle des États-Unis à 20%; en 1901 la proportion est devenue 32% pour la première et 45%

Une page du catalogue Eaton en 1901-1902.

pour les seconds. Il y a aussi une légère diversification géographique, en particulier du côté de l'Allemagne, de la France et des Antilles. À l'exception du commerce du bois vers l'Angleterre, qui passe en partie par Québec, la plus grande part de ce commerce international est dirigée de Montréal. L'importance accrue des relations avec les États-Unis et l'utilisation du chemin de fer accentuent cette domination montréalaise.

La pénétration du chemin de fer dans les différentes régions du Québec transforme aussi le commerce intérieur. Le chemin de fer permet en toute saison une régularité d'approvisionnement qui était inconnue jusque là. Un instrument de vente qui fait son apparition dans les années 1870-1880, le catalogue, permet aux marchands des grandes villes de vendre directement aux consommateurs des régions rurales, en utilisant le chemin de fer et le service des postes pour la livraison.

Le marchand local reste tout de même, dans les villages, le principal responsable de la vente au détail. Les relations entre ces marchands et les fournisseurs se transforment pendant la période. Hamelin et Roby

L'intérieur du grand magasin Savage & Lyman en 1876 (*Canadian Illustrated News*, 25 décembre 1876)

soulignent l'importance du voyageur de commerce qui « fait son apparition dans le Québec des années 1850 ». Avec ses échantillons, il présente au marchand ses plus récents produits et prend les commandes. Dans les villes, on voit se développer le phénomène du grand magasin ou magasin à rayons. De nouvelles techniques de vente sont utilisées. À Montréal, Henry Morgan amorce dans les années 1880 l'installation du commerce de détail sur la rue Sainte-Catherine; il sera bientôt imité par les autres principaux marchands. De nouvelles techniques de distribution et de mise en marché des produits, souvent d'inspiration américaine, sont donc implantées au Québec dans les dernières années du siècle et, graduellement, elles transforment en profondeur les méthodes commerciales.

Le secteur financier est dominé par les banques. Le système bancaire canadien s'est constitué graduellement au cours du 19e siècle. Il se caractérise par un nombre assez restreint de banques, régies par la loi des Banques et créées par des lois du Parlement fédéral (d'où leur nom de banques à charte), qui étendent leurs opérations au delà de leurs villes d'origine, en créant des succursales.

Ce système bancaire est lui-même dominé par une grande entreprise: la Banque de Montréal. Fondée en 1817, elle est la plus ancienne du Canada. On y trouve, à titre d'actionnaires et d'administrateurs, les plus éminents membres de la bourgeoisie canadienne. En 1867, elle possède 15,7% du capital et 25,8% de l'actif des banques à charte canadiennes. Cependant, elle

La rue Saint-Jacques en 1891. Le siège social de la Banque de Montréal occupe l'édifice à colonnes au centre. (Archives Notman, Musée McCord)

subit une concurrence croissante, en particulier des banques ontariennes, de sorte qu'en 1896, même si sa part du capital des banques canadiennes est passée à 16,3%, sa part de l'actif a baissé à 18,6%. Si on la compare aux banques ayant leur siège social au Québec, ces pourcentages atteignent 32,5% du capital et 37,4% de l'actif. La Banque de Montréal est le principal bailleur de fonds du gouvernement québécois et elle a son mot à dire dans le choix du ministre qui occupe le poste de trésorier provincial.

Au début de la période que nous étudions, plusieurs nouvelles banques sont fondées au Québec (tableau 1). La crise de 1873-1878 met fin à ce mouvement tout en en plaçant certaines dans une position financière précaire. La réputation de stabilité du système bancaire canadien a d'ailleurs été contestée par l'économiste Naylor qui, dans *History of Canadian Business*, met en lumière le nombre élevé de faillites et les malversations qui les accompagnent.

À côté des grandes institutions comme la Banque de Montréal, il existe au Québec plusieurs banques d'envergure moyenne et dont les activités ont une portée surtout régionale. Parmi celles-ci se trouvent les banques canadiennes-françaises. La plus ancienne est la Banque du Peuple, fondée en

1835 par des hommes d'affaires proches du Parti Patriote; une administration déficiente entraîne sa disparition en 1895. La Banque Jacques-Cartier, fondée en 1861, a pendant plusieurs années comme présidents Jean-Louis Beaudry, qui fut aussi maire de Montréal, puis le sénateur Alphonse Desjardins qui en est le principal actionnaire dans les années 1880-1890. La banque cesse ses activités en 1899 à la suite d'un mouvement de retrait généralisé et soudain qu'on appelle un *run* bancaire. Elle sera réorganisée l'année suivante sous le nom de Banque Provinciale. La Banque d'Hochelaga, fondée en 1874, réussira mieux que les autres à surmonter les diverses crises et fusionnera en 1923 avec la Banque Nationale (fondée à Québec en 1859), pour devenir la Banque Canadienne Nationale.

Tableau 1
Banques à charte ayant leur siège au Québec, 1867-1896

Banque	Ville	Année de fondation	Actif en 1896 en milliers de $
Bank of Montreal	Montréal	1817	59 289
Bank of British North America	Montréal	1836	12 687
Banque du Peuple	Montréal	1835	4 852
Banque Jacques-Cartier	Montréal	1861	3 040
Banque Ville-Marie	Montréal	1872	1 745
Banque d'Hochelaga	Montréal	1874	5 642
Molsons Bank	Montréal	1853	14 990
Merchants Bank of Canada	Montréal	1861	23 895
Banque Nationale	Québec	1859	4 975
Quebec Bank	Québec	1818	11 205
Union Bank of Canada	Québec	1865	7 531
Banque de St-Jean	St-Jean	1873	528
Banque de St-Hyacinthe	St-Hyacinthe	1873	1 597
Eastern Townships Bank	Sherbrooke	1859	6 705
Mechanic's Bank	Montréal	1865	*
Metropolitan Bank	Montréal	1871	*
Exchange Bank of Canada	Montréal	1872	*
Stadacona Bank	Québec	1873	*

* Institutions ayant cessé leurs activités avant 1896.
Sources: Annuaires du Canada; Documents de la session; Gazette officielle du Canada.

Dans le domaine de l'assurance, seules l'assurance-incendie et l'assurance-vie connaissent des développements importants au 19e siècle. La plupart des sociétés sont des filiales de compagnies britanniques. Notons toutefois la création en 1865, par des représentants de la haute bourgeoisie montréalaise, de la Sun Life qui occupera rapidement une place de premier

Le siège social de la Banque Jacques-Cartier (*Canadian Illustrated News*, 7 juin 1873)

plan. On pourrait penser aussi aux sociétés de secours mutuels dont il sera question à propos des organisations charitables.

Signalons enfin la fondation, en 1881, du Crédit Foncier Franco-Canadien. Il s'agit d'une entreprise franco-québécoise pilotée par le premier ministre Chapleau. Même si les administrateurs sont québécois, les principaux bailleurs de fonds sont français (notamment la Banque de Paris et des Pays-Bas). Cette société se spécialise dans le prêt hypothécaire et son action se fait sentir dans les zones rurales. Dans son étude sur Hébertville au Lac Saint-Jean, Normand Séguin constate que le Crédit Foncier remplace les marchands locaux comme principal prêteur.

LES POLITIQUES ÉCONOMIQUES

Il faut compléter cet examen du contexte du développement du Québec en abordant l'intervention de l'État. Peut-on parler de politique économique québécoise à la fin du 19e siècle? Bien qu'il n'y ait pas de véritable action planificatrice de l'État, il y a une volonté politique qui s'exprime et des interventions gouvernementales qui suivent certaines orientations. Dans ce sens, on peut parler, en utilisant ce vocable avec précaution, d'une première politique économique. Celle-ci s'inscrit dans le cadre dominant du libéralisme économique. C'est dire que le gouvernement s'en remet d'abord et avant tout à l'initiative privée. Les grandes décisions sont prises par le capital privé qui oriente l'économie et, en quelque sorte, la planifie. Ce que le capital attend de l'État, c'est une action complémentaire: fixer des cadres politiques et juridiques qui permettront à l'entreprise privée de s'exprimer sans trop de contraintes; prendre en charge certaines dépenses d'infrastructure ou subventionner les entreprises privées qui les réalisent.

Cette faible marge de manoeuvre du gouvernement québécois est en outre rétrécie par deux contraintes institutionnelles. La première tient à la répartition des responsabilités au sein de la fédération canadienne. En effet, les grands pouvoirs de nature économique sont attribués au gouvernement fédéral: monnaie et banques, commerce, droits de douane. L'intervention du gouvernement provincial est limitée aux travaux de nature locale. De plus, la faiblesse financière chronique de l'État québécois, pendant les trente premières années de la Confédération, limite davantage sa capacité d'intervention.

Malgré ces contraintes, l'État québécois intervient dans l'économie. Il n'est pas tout à fait à court de ressources. Il a la capacité d'emprunter, et il le fera pour financer les grands travaux. Il dispose de la propriété des richesses naturelles: les terres de la couronne et leur couvert forestier, les chutes d'eau, les droits miniers. Il lui est en outre possible de voter des lois qui n'impliquent pas de grandes dépenses gouvernementales mais qui permettent de réglementer des activités à incidence économique.

L'historien Marcel Hamelin a bien montré, dans *Les premières années du parlementarisme québécois*, que les hommes politiques placent au premier rang de leurs préoccupations le développement économique du Québec. Et ils attribuent un rôle moteur à la construction de chemins de fer pour stimuler à la fois le commerce, l'industrie, l'exploitation forestière, l'agriculture et la colonisation. Comme plusieurs députés et ministres sont également administrateurs ou actionnaires de sociétés ferroviaires, ils se trouvent dans l'agréable situation d'être à la fois distributeurs et bénéficiaires des largesses gouvernementales.

Le gouvernement distribue des subventions en argent ou des octrois de terres de la couronne, au gré de ses disponibilités financières et effectue des emprunts pour financer cette politique. De 1867 à 1875, l'aide du gouvernement du Québec aux chemins de fer ne dépasse pas $200 000; en 1896, le total cumulatif atteint $14,5 millions, soit un peu plus du double du montant investi pendant la même période par le gouvernement de l'Ontario. C'est là un effort financier considérable qui draine les ressources gouvernementales et limite les possibilités d'intervention dans d'autres secteurs.

La propriété des terres de la couronne permet toutefois au gouvernement d'agir sur le développement du secteur agro-forestier. Comme c'est là une source importante de revenus, on favorise l'expansion de l'exploitation forestière. Ainsi que nous le verrons plus loin, l'État se contente de fournir un cadre institutionnel en laissant les entrepreneurs exploiter à leur guise la forêt québécoise.

Dans le secteur agricole, le gouvernement a une politique visant à moderniser l'agriculture et à diffuser de nouvelles techniques. Là encore, il se limite à appuyer les initiatives des autres: agronomes, sociétés d'agriculture ou de colonisation. Il verse des subventions à ces sociétés; il contribue à la construction de chemins ruraux. Mais les ressources gouvernementales investies dans l'agriculture restent faibles tout au long de la période, ce qui contribue probablement à ralentir les transformations de ce secteur.

Les politiques gouvernementales trouvent un certain complément dans l'action des municipalités. Dès l'époque de l'Union, le gouvernement canadien avait permis aux municipalités d'investir dans des chemins de fer traversant leur territoire. Le gouvernement provincial maintient cette politique après 1867. C'est ainsi que la ville de Montréal accorde une subvention de $1 million pour le chemin de fer de colonisation du nord de

Cette caricature montre le premier ministre De Boucherville agitant le drapeau du progrès et de la prospérité, monté sur une locomotive du Québec, Montréal, Ottawa et Occidental (*Canadian Illustrated News*, 18 décembre 1875)

Montréal et que la ville de Québec offre le même montant pour le chemin de fer de la rive nord. Au total, les subventions aux chemins de fer versées par les municipalités du Québec s'établissent à $4,3 millions en 1896. Dans ce cas, on est encore loin du montant de $11,3 millions versé par les municipalités d'Ontario.

À partir des années 1880, les municipalités cherchent de plus en plus à favoriser un autre type d'investissement: l'industrie. L'implantation d'une entreprise industrielle apparaît, aux yeux des promoteurs et des politiciens locaux, le moyen idéal pour assurer la croissance d'une ville ou d'un village, pour y attirer une nouvelle population et pour permettre aux grands propriétaires des profits rapides.

L'aide des municipalités à l'entreprise privée prend deux formes principales: la subvention en argent et l'exemption de taxes municipales (pour une durée n'excédant pas 20 ans). Cette aide devient l'objet d'une surenchère entre des municipalités qui veulent attirer une entreprise sur leur territoire. Les entrepreneurs le savent bien et n'hésitent pas à profiter de cette situation pour obtenir le plus d'avantages possible. Dans la plupart des cas, cette aide municipale est un pur cadeau à des entreprises qui, de toute façon, s'établiraient au Québec. Ce sont les contribuables, locataires et petits propriétaires, qui en font les frais. Dans l'état actuel des recherches, il est impossible de mesurer l'ampleur de cet investissement municipal dans les entreprises industrielles. Quelques sondages faits ici et là indiquent toutefois que ce système fonctionnait sur une grande échelle.

Ainsi, les politiques économiques, aussi bien du gouvernement provincial que des municipalités, sont orientées vers l'appui à la modernisation et au développement du Québec. Elles sont cependant conçues pour soutenir et encadrer l'initiative privée et non pour la diriger.

Orientations bibliographiques

Gagnon, Rodolphe. *Le chemin de fer de Québec au Lac Saint-Jean (1854-1900).* Thèse de D.E.S. (histoire), Université Laval, 1968. 219p.

Gervais, Gaétan. *L'expansion du réseau ferroviaire québécois (1875-1895).* Thèse de Ph.D. (histoire), Université d'Ottawa, 1978. 538p.

Glazebrook, G.P. de T. *A History of Transportation in Canada.* Toronto, McClelland and Stewart, 1967. 2 vol.

Hamelin, Jean et Yves Roby. *Histoire économique du Québec, 1851-1896.* Montréal, Fides, 1971. 436p.

Hamelin, Marcel. *Les premières années du parlementarisme québécois (1867-1878).* Québec, PUL, 1974. 386p.

Naylor, Tom. *The History of Canadian Business, 1867-1914.* Toronto, James Lorimer, 1975. 2 vol.

Provost, Honorius. *Sainte-Marie de la Nouvelle-Beauce. Histoire civile.* Québec, Éditions de la Nouvelle-Beauce, 1970. Chap. XXXI et XXXII.

Séguin, Normand. *La conquête du sol au 19e siècle.* Montréal, Boréal Express, 1977. 295p.

Stevens, G.R. *Canadian National Railways.* Toronto, Clarke Irwin, 1960-62. 2 vol.

Rudin, Ronald. *The Development of Four Quebec Towns, 1840-1914. A Study of Urban and Economic Growth in Quebec.* Thèse de Ph.D., Université York, 1977.

Young, Brian J. *Promoters and Politicians: The North-Shore Railways in the History of Quebec, 1854-85.* Toronto, University of Toronto Press, 1978. 193p.

CHAPITRE 6

L'AGRICULTURE ET LA FORÊT

Au 19e siècle, l'agriculture est le secteur d'activité économique qui occupe le plus grand nombre de Québécois; graduellement il perd de son importance au profit des autres secteurs. Cependant c'est un domaine où ont lieu des modifications importantes particulièrement au plan social et idéologique. Nous examinerons dans un premier temps l'agriculture proprement dite, avant de passer à deux activités qui lui sont historiquement liées au Québec, la colonisation et la forêt.

L'importance de l'agriculture dans l'histoire du Québec est un fait connu. Non seulement cette activité a occupé la majorité de la population active au siècle dernier, mais encore l'idée qu'on s'en faisait dans certaines classes de la société a donné naissance à une espèce de messianisme qui postulait le caractère agricole du Québec envers et contre toute réalité climatique ou pédologique. Ainsi, en 1895, Benjamin Antoine Testard de Montigny écrit avec une superbe assurance: « Oui, l'agriculture est l'état de ce peuple, qui s'est implanté si mystérieusement dans nos quelques arpents de neige [...] On s'est quelquefois demandé si notre pays est un pays agricole et si l'agriculture y offre autant d'avantages que l'industrie manufacturière ou commerciale. Il faut poser en principe incontestable que le sol de la province de Québec est d'une fertilité prodigieuse; et tandis qu'en Europe il faut des mois et des saisons pour mûrir les grains que l'on confie à la terre même à l'automne, ici, les semences se font en avril, ou mai et même juin, et en août et septembre tout est mûr et cueilli ». Ce genre d'attitude était très répandu chez les élites québécoises avec le résultat que dans certains milieux on était prêt à tenter de cultiver à peu près toute zone qui semblait fertile sans penser au genre d'agriculture souhaitable ou même praticable. Nous avons vu par exemple que des contraintes climatiques réduisent la saison végétative en deçà d'un seuil minimal dès que l'on quitte les basses terres du Saint-Laurent. Par ailleurs, on ne pensait pas trop à la question des marchés si bien qu'on tentait de pratiquer un type uniforme d'agriculture là où il aurait fallu s'adapter à d'autres productions. Nous allons examiner d'un peu plus près dans les pages qui suivent la réalité agricole québécoise.

L'AGRICULTURE

Au moment de la Confédération, le Québec a une population massivement rurale: 77,2% en 1871. Plus de 900 000 d'entre eux vivent donc ailleurs que dans des agglomérations incorporées de plus de 1 000 habitants. Vingt ans plus tard, le poids du monde rural est encore appréciable puisque sa population forme 66,4% de l'ensemble. Les données des recensements ne distinguent pas ceux qui résident dans les fermes de ceux qui habitent les villages. Nous pouvons cependant avancer que la majeure partie habite les quelque 118 086 fermes recensées en 1871. Même si l'importance du monde rural semble diminuer légèrement entre 1871 et 1891, le secteur purement agricole, lui, semble croître régulièrement; entre ces deux dates, la population rurale n'augmente que de 7,5% tandis que le nombre des fermes a fait une progression de 48,2%. La superficie totale des fermes augmentant dans la même proportion, cette hausse est due à l'extension du monde agricole. Vers la fin du siècle, le Québec compte probablement une majorité de sa population qui vit à la ferme et, dans une proportion de 88%, les agriculteurs sont propriétaires de leurs exploitations.

S'il est une activité où les traditions pèsent lourdement, c'est bien l'agriculture. Dans ce secteur, les traits acquis demeurent en place longtemps; il nous apparaît donc important de bien voir la perspective historique.

À l'origine, l'agriculture pratiquée au Québec durant la seconde moitié du 18e siècle est d'un type fort traditionnel et ne se trouve pas intégrée à une économie de marché d'où son caractère de subsistance, c'est-à-dire que la production est d'abord axée sur les besoins de l'unité de consommation locale, la famille. Dans ce cas, seuls les surplus, s'il y a lieu, sont vendus. Le caractère traditionnel des pratiques agricoles est attesté par la place des cultures frumentaires et par l'archaïsme des façons culturales. C'est une tradition très ancienne chez les paysanneries européennes de privilégier la culture du blé puis, en ordre décroissant de préférence, les autres céréales panifiables telles le seigle ou le sarrazin; elle sera apportée par les premiers agriculteurs de la Nouvelle-France et aura la vie dure; il faudra plusieurs années d'échecs répétés pour que l'on comprenne que ces cultures ne sont pas nécessairement à la base d'une agriculture profitable. Quant aux façons culturales, elles sont rudimentaires; on travaille peu et mal la terre. L'agriculteur québécois conserve longtemps au 19e siècle l'ancien mode de jachère. Il pratique un assolement sur deux ans et la partie placée en jachère est complètement laissée à elle-même au lieu d'être semée en trèfle ou en herbage. Enfin, soulignons que l'usage de fumer les terres n'est pas entièrement répandu.

Précisons cependant que l'agriculture qu'on pratique au Bas-Canada ressemble beaucoup au type d'exploitation agricole extensif courant ailleurs en Amérique du Nord vers la fin du 18e siècle et au début du 19e. La raison en est très simple: l'abondance de terres fait qu'il est plus facile d'augmenter la production simplement en augmentant la superficie des emblavures. Toutefois l'agriculture du Bas-Canada ne suivra pas l'évolution de l'ensemble nord-américain: durant la première moitié du 19e siècle, tout se passe comme si, au Québec, on s'accrochait à des pratiques anciennes.

Les facteurs qui ont amené la crise agricole au Québec commencent à être assez bien connus. Au départ, à la fin du 18e siècle, les agriculteurs québécois voient s'ouvrir devant eux des possibilités de vendre leur surplus de blé sur les marchés britanniques; dans un premier temps, la hausse de production réussira à répondre à la demande mais très rapidement, au début du 19e siècle, le prix du blé canadien devient de plus en plus élevé et la production plafonne. Il semble qu'une combinaison de facteurs soit à l'origine de ces problèmes. Le premier est l'appauvrissement assez rapide des sols par suite d'un entretien trop rudimentaire et d'une pression très forte à la production; le second est probablement l'épuisement des bonnes terres à blé encore disponibles. Enfin, un facteur qui a été longtemps négligé, celui de la hausse constante de la population ce qui ne peut manquer de se traduire par une hausse de la consommation. L'agriculture québécoise fait donc face à un sérieux problème en ce début du 19e siècle alors que, sollicitée par la demande extérieure et intérieure, elle ne peut augmenter sa production. La crise s'aggrave rapidement à cause de la surpopulation relative à l'intérieur des seigneuries et de l'apparition de fléaux naturels vers les années 1830, la mouche à blé et la rouille qui s'attaquent à ces cultures déjà affaiblies.

Vers 1850, les problèmes sont loin d'être résolus mais deux blocages sont en voie de se résorber. La question des terres d'abord; les agriculteurs québécois qui ne voulaient pas quitter l'aire seigneuriale s'installent de plus en plus dans la zone des cantons et aussi l'émigration vers les États-Unis permet de soulager la pression démographique. La question de la production

La récolte à Saint-Prime. (Archives nationales du Québec, N1173-131)

ensuite; le blé perd de plus en plus de terrain au profit des cultures de remplacement, les pois et les pommes de terre. Toutefois, cette diversification de la production avait eu un effet néfaste en décrochant complètement l'agriculture des marchés; le cultivateur du Bas-Canada était revenu à une agriculture de subsistance. Enfin, à l'époque on identifie les progrès souhaités dans le secteur; un rapport de Joseph-Charles Taché de 1850 fait le point de la situation: « Votre comité se résume ainsi: le sol et le climat du Bas-Canada sont favorables à l'exploitation agricole, — le peuple est laborieux, intelligent, et cependant ce peuple ne retire pas de la terre plus du quart de ce qu'elle peut produire. La cause, c'est que le système de cultiver est mauvais. Les défauts principaux de ce système, sont: 1° le manque de rotation appropriée dans les semences; 2° le manque ou la mauvaise application des engrais; 3° le peu de soin donné à l'élève et à la tenue du bétail; 4° le défaut d'asséchement dans certains endroits; 5° le peu d'attention donnée aux prairies et à la production de légumes pour la nourriture des troupeaux; 6° la rareté des instruments perfectionnés d'agriculture. »

Graduellement, après le milieu du siècle, l'agriculture québécoise se spécialise et améliore ses techniques. Le premier stimulant dans ce domaine est le rôle joué par les marchés. Déjà, vers 1850, le développement de l'urbanisation aux États-Unis entraîne une forte demande pour les denrées que les agriculteurs québécois produisent. Les cultures de remplacement qui avaient été introduites pour pallier l'effondrement de la culture du blé et qui n'avaient pas trouvé de marché, deviennent en demande. De plus, le cheval québécois, race particulière, intéresse vivement le marché américain à cause de sa robustesse. Il s'ensuit donc une demande très grande de chevaux si bien qu'on craint sérieusement l'épuisement de la race. D'autre part, l'urbanisation québécoise crée elle aussi un marché qui n'est pas négligeable; dans ce domaine, l'amélioration des communications joue un grand rôle en rendant la production agricole québécoise plus concurrentielle sur ces marchés. À la croissance d'un marché intérieur correspond un essor très important des marchés extérieurs, principalement des États-Unis puis de la Grande-Bretagne. Les besoins de ces marchés sont variables mais le Québec leur fournit de l'avoine et des produits laitiers.

À partir de 1850, les transformations de l'agriculture avaient été stimulées surtout par la demande américaine. Le traité de réciprocité de 1854 avait créé des conditions d'expansion sans précédent, surtout pendant la guerre de Sécession (1861-1865). La crise qui débute en 1873 accélère le processus d'amélioration des cultures et des techniques dans la mesure où l'agriculteur n'a plus que le choix entre l'abandon de sa terre ou la diversification de la production en vue de répondre à un besoin spécifique.

C'est à ce moment-là que l'agriculture québécoise s'oriente vers la production laitière. Déjà, vers 1850, la région des Cantons de l'Est avait développé une spécialisation dans la fabrication de beurre destiné principalement au marché de la Nouvelle-Angleterre. C'est d'ailleurs dans l'Estrie que s'ouvre la première fabrique de fromage en 1865 et la première fabrique de beurre en 1869. D'après Hamelin et Roby, ce serait vers 1875 que les agronomes et hommes politiques québécois auraient fait leur choix d'orienter l'agriculture dans ce sens; le ministre de l'agriculture écrit dans son rapport annuel de cette année: « On ne saurait donner trop d'importance au développement de cette industrie qui devrait devenir nationale. »

En vingt ans, cette spécialisation transforme l'agriculture du Québec. Les cultivateurs se tournent d'abord vers la fabrication du fromage puis, après 1880, vers la fabrication du beurre. La dernière décennie du siècle voit monter en flèche le nombre des fabriques: en 1886, on dénombre 162 fabriques de beurre et de fromage; le nombre fait plus que quadrupler pour atteindre 728 vers 1890 et dix ans plus tard, on en compte 1 992. Entre 1860 et 1890, la production du beurre progresse de 89,3% tandis que celle du fromage fait un bond, passant d'une moyenne de 585 000 livres pour 1860-1880 à 4 261 000 en 1890. Mais, pour spectaculaire qu'elle soit, cette hausse ne va pas sans problèmes; il semble bien que la qualité des produits finis ait souffert de déficiences dans la production: les négociants reprochent au beurre du Québec sa mollesse, son aspect huileux et une certaine propension à rancir rapidement.

La majorité de ces problèmes proviennent de la fabrication. Dans un premier temps, la fabrication domestique avait graduellement reculé et était disparue devant la montée des fabriques. Or, au Québec, on implante de petites fabriques rurales plus faciles à atteindre pour les cultivateurs compte

La foire agricole de Montréal en 1870. (*Canadian Illustrated News*, 24 septembre 1870)

tenu du mauvais état des chemins ruraux. Ce n'est pas la situation en Ontario, par exemple, où l'on construit des fabriques plus importantes. La petite fabrique est aux prises avec un double problème; souvent elle n'a pas assez d'argent pour se payer un « fabricant » compétent et, ensuite, sa production n'est pas étalée sur l'année car beaucoup de cultivateurs cessent leurs livraisons en novembre faute de réserves de fourrage vert. L'avilissement des prix des produits laitiers en 1895 et 1896 suscite une prise de conscience des carences de la production; de nombreuses petites fabriques ferment et la Société d'industrie laitière, fondée en 1882, demande au gouvernement de voir à l'amélioration des routes. Malgré ces difficultés, la production laitière fait des progrès durables. Il s'agit là d'une première spécialisation majeure de l'agriculture québécoise qui répond pendant un certain temps à la demande du marché britannique.

Cette spécialisation provinciale ne doit pas masquer l'importance d'autres productions, de nature plus régionale celles-là. Les Cantons de l'Est joignent à la production laitière l'élevage et l'horticulture; le comté de Chambly élève des chevaux pour le marché américain; la Beauce et la région de Québec, la Mauricie et le comté de Pontiac cultivent du foin à la fois pour le marché des chantiers et celui de la Nouvelle-Angleterre. Dans Bellechasse et Montmagny, on s'adonne à l'élevage; les régions rurales de Montréal et de Québec se spécialisent dans la culture maraîchère et enfin dans la région de Joliette commence à s'étendre la culture du tabac. Au plan des cultures, le blé et les pois — naguère productions dominantes — ont reculé jusqu'à ne former qu'une portion insignifiante de la production; l'avoine et surtout le foin les ont remplacés. Ces deux productions trouvent facilement un marché dans les chantiers, à Montréal ou aux États-Unis. L'agriculture québécoise présente donc un aspect varié; on ne peut pas parler de monoculture à son propos, mais bien d'une agriculture mixte où domine la production laitière.

Voilà donc, dans sa diversité, l'évolution de la production agricole du Québec. Vers la fin de la période, l'agriculteur québécois est en bien meilleure posture qu'au moment de la Confédération. Toutefois, il faut bien voir que son revenu demeure composite, dans le sens où nulle part au Québec ne domine sans partage une monoculture permettant à l'exploitant d'en tirer la grande majorité de ses gains. À la production laitière, il faut joindre les revenus de l'élevage, ceux de l'horticulture et ceux de l'exploitation des boisés de ferme. Ces derniers notamment jouent un grand rôle dans l'approvisionnement en bois. Enfin, nous ne devons pas sous-estimer la production que le fermier destine à sa propre consommation. C'est encore un objectif primordial du monde agricole québécois que l'auto-suffisance.

Ces modifications de la production agricole et les améliorations des techniques qui les sous-tendent ne sont pas uniformes à l'échelle du Québec. Les régions qui sont davantage articulées aux marchés progressent le plus. Ainsi, le mouvement vers l'élevage laitier se fait dans les régions qui desservent des marchés; à côté de celles-là, on trouve les régions de colonisation où l'agriculture est encore pratiquée selon le modèle traditionnel avec notamment une forte production céréalière. Hamelin et Roby signalent par exemple l'importance de la culture du blé encore en 1871 dans la région de Chicoutimi, de Rimouski et de Charlevoix.

Les progrès de l'agriculture québécoise sont dus également à l'action gouvernementale d'encadrement. Tandis que les premières sociétés d'agriculture avaient végété dans la première moitié du siècle, elles connaissent une croissance et une extension plus grande après 1850; la formation des cercles agricoles, à partir de 1862, permet d'oeuvrer non plus au niveau du comté comme les sociétés mais à celui de la paroisse et, dans le contexte québécois, l'encadrement au niveau de la paroisse est sûrement plus efficace. Le ministère de l'agriculture fournit de son côté des conférenciers aux cercles agricoles qui n'ont qu'à organiser ensuite les séances dans chacune des paroisses. Il y aura également vers la fin du siècle la nomination de missionnaires colonisateurs chargés par l'Église catholique d'épauler les efforts de formation agricole. Celle-ci est assurée également de deux façons: par la création de journaux destinés aux agriculteurs et par l'ouverture d'écoles d'agriculture. Cependant, malgré la floraison de journaux, il semble bien que leur rayonnement n'atteint pas l'ensemble des agriculteurs car nombre d'entre eux ne savent pas lire. De la même façon, l'organisation des écoles d'agriculture, principalement celles d'Oka, de Saint-Hyacinthe et de La Pocatière, se fait d'une manière un peu anarchique, le gouvernement

Machinerie agricole fabriquée par Matthew Moody à Terrebonne.

respectant les droits acquis des maisons fondatrices et se refusant à rationnaliser leurs efforts, si bien qu'en définitive, elles souffrent d'un manque chronique d'étudiants. Enfin soulignons aussi l'engagement par le gouvernement d'un certain nombre de publicistes agricoles qui sont, en quelque sorte, les premiers agronomes. Malgré le caractère limité de ces efforts, il ne faudrait pas en sous-estimer l'importance dans les progrès du monde agricole; la dissémination de l'information ne peut se mesurer uniquement de façon quantitative et l'action de quelques-uns dans un milieu restreint peut contribuer à le modifier. Du côté de l'outillage, rappelons que la seconde moitié du 19e siècle est marquée par l'invention et la mise au point de machines aratoires diverses; il suffit de jeter un coup d'oeil sur des journaux d'époque pour voir la diversité du matériel proposé. Dans la mécanisation comme dans l'amélioration des techniques, l'implantation va de pair avec le degré d'articulation des régions au marché. Les vieilles paroisses plus prospères sont en meilleure posture que les paroisses plus récentes.

En dépit de ces changements structuraux, on note une certaine permanence des traits du monde agricole québécois qui sont de trois ordres: la morphologie, les structures agraires et le type d'agriculture. La morphologie rurale est dominée par le rang et la forme typique d'habitat rural qu'il suscite. Ce trait de permanence du paysage est encore visible de nos jours lorsqu'on parcourt la campagne. Deux des éléments qui forment la structure agraire — la paroisse et la famille — ont une importance capitale au

Québec. La paroisse n'est pas uniquement une institution d'encadrement religieux; elle devient rapidement l'institution de base de toute la société rurale et même de la société québécoise. Elle regroupe un certain nombre de rangs et donne lieu à un phénomène d'identification sociale et spatiale: on est de telle ou telle paroisse. L'État reconnaîtra rapidement cette réalité et, lors de la promulgation du premier code municipal, on formera dans les campagnes des municipalités de paroisse, c'est-à-dire des institutions locales dont les charges sont électives et qui doivent régir le territoire de la paroisse. La famille joue dans le monde rural un rôle fondamental particulièrement sensible lorsque l'agriculture est du type de subsistance. C'est qu'elle forme l'unité de production/consommation de base; elle détermine le volume de la production agricole. Durant toute la période, l'unité familiale rurale se caractérise par le nombre élevé de ses membres.

Le troisième élément est la persistance de l'agriculture de subsistance. Ce type d'agriculture se caractérise par une quasi-autarcie des producteurs par rapport à un marché quelconque. On cherche à produire sur la ferme le maximum des biens consommés par ses habitants. La spécialisation agricole du Québec durant la période entraîne un recul de ce type d'agriculture; il disparaît peu à peu des zones situées près des villes et des zones où la spécialisation est plus prononcée. Cependant, il subsiste des poches de résistance de ce type d'agriculture même dans les régions plus prospères. Par ailleurs, avec le mouvement de colonisation, on assiste à un développement de ce type d'agriculture et de plus, à cause de l'importance de l'exploitation forestière, à un enracinement même. L'éloignement des marchés, de quelque nature qu'ils soient, et la présence d'une activité d'appoint comme le travail en forêt ou dans d'autres régions les mines et les pêcheries, forment les deux conditions de développement de ce type d'agriculture.

LA COLONISATION

Le mot colonisation peut avoir des significations diverses. Dans le contexte québécois du 19e siècle, il a un sens précis qu'a défini Esdras Minville: « coloniser veut dire vouer à l'agriculture une parcelle de terre jusque-là inoccupée, inculte et d'une façon générale boisée. [...] La colonisation apparaît ainsi essentiellement comme le début de l'agriculture, et c'est comme tel qu'elle est conçue, organisée et traitée. Le colon est un agriculteur en puissance. » Au mot colonisation sont associées étroitement les expressions « défrichement », « terres neuves », « faire de la terre ».

Le rêve: l'extension de l'agriculture

La colonisation agricole est un phénomène très ancien au Québec qui remonte à la première installation permanente des Blancs. Dans le siècle qui suit la conquête de 1760, on assiste à une accentuation du mouvement d'occupation de terres neuves. Ce mouvement s'accomplit naturellement, par le débordement du surplus de population des vieilles paroisses vers les zones encore inoccupées.

Vers le milieu du 19e siècle, il y a un point de rupture. La plaine du Saint-Laurent, qui contient les meilleures terres du Québec, est à peu près totalement occupée, à l'exception de quelques zones à l'intérieur. Les fils de cultivateurs à la recherche de terres doivent maintenant se tourner vers les zones périphériques, sur les rebords des Laurentides et des Appalaches. C'est ainsi que des régions comme le nord de Montréal, la Mauricie, le Saguenay-Lac Saint-Jean, l'arrière-pays de la Côte-du-Sud et plus tard le Témiscamingue sont ouvertes à la colonisation. Or, ce sont des régions assez isolées et souvent peu propices à l'agriculture. Ces conditions nouvelles rebutent un grand nombre de colons potentiels.

Vers la même époque, un autre débouché s'ouvre aux surplus de population des campagnes: le travail en usine dans les villes du Québec et de la Nouvelle-Angleterre. Au strict plan économique, les ruraux ont donc un choix: rester dans l'agriculture en devenant des colons ou quitter l'agriculture pour se prolétariser. La majorité choisira la deuxième solution.

Cette nouvelle situation — et en particulier l'émigration aux États-Unis — provoque l'inquiétude des milieux dirigeants canadiens-français. Le clergé québécois réagit rapidement et tente de prendre en charge le mouvement de colonisation, afin de le relancer et de l'encadrer. Les motivations du clergé sont multiples et s'inscrivent dans le projet global de maintenir au Québec une société rurale et traditionnelle assurant une place importante à l'Église. Il devient donc important d'enrayer le flot d'émigration aux États-Unis qui semble menacer, à long terme, la survie même du peuple canadien-français. En outre, les assises du pouvoir clérical sont plus solidement implantées dans le monde rural et l'exode vers les villes menace l'emprise idéologique et politique du clergé. Il y aussi des aspects financiers qui n'ont guère été étudiés jusqu'ici: les évêchés, les séminaires et les communautés religieuses ont réalisé d'importants investissements dans le monde rural et le développement des régions de colonisation rentabilise ces intérêts.

L'intervention du clergé se manifeste sur deux plans: institutionnel et idéologique. Des curés de paroisses et des évêques provoquent la fondation de sociétés de colonisation ayant pour objectif de faciliter l'établissement des colons dans de nouvelles régions. En outre, certains prêtres s'impliqueront plus directement en fondant eux-mêmes de nouvelles paroisses dans les zones de colonisation. Ces missionnaires-colonisateurs se présenteront comme les défenseurs et les porte-parole des colons. C'est ainsi que le curé Hébert, de Kamouraska, anime la colonisation dans la plaine d'Hébertville, au Lac Saint-Jean, ou que le curé Brassard provoque le développement de la région au nord de Joliette. Le plus légendaire de tous est le célèbre curé Labelle, de Saint-Jérôme, qui amène de nombreux colons dans les Laurentides au nord de Montréal; c'est à lui que le premier ministre Honoré Mercier confiera le poste de sous-ministre de la colonisation quand, en 1888, il remplacera le ministère de l'Agriculture et des Travaux publics par un ministère de l'Agriculture et de la Colonisation.

Antoine Labelle, 1834-1891, curé de Saint-Jérôme de 1868 à 1891 et sous-ministre de la Colonisation de 1888 à 1891. (Archives nationales du Québec, GH770-19)

D'autre part, le clergé et un certain nombre de laïcs s'associent pour formuler une véritable idéologie de la colonisation qui n'est qu'une des facettes de ce qu'on a appelé l'idéologie de conservation (voir les idéologies). La colonisation devient ainsi une oeuvre nationale, parce qu'elle renforce la présence française au Québec et au Canada, et une oeuvre catholique, parce qu'elle est la plus apte à assurer le maintien des valeurs morales et des vertus ancestrales.

Le mouvement de colonisation au Québec connaît donc une mutation importante à partir du milieu du siècle. L'intervention cléricale n'est qu'un aspect de cette réalité nouvelle qui répond d'abord à des changements économiques dus à l'éloignement progressif des aires de colonisation et à l'apparition d'un nouveau débouché pour la main-d'oeuvre rurale. Il faut y ajouter une autre transformation qui affecte la nature même de la colonisation: en s'éloignant à la périphérie, la colonisation devient de moins en moins un prolongement de l'agriculture et de plus en plus dépendante de la forêt.

La réalité: l'économie agro-forestière

Dans un contexte idéal, la colonisation ne devait être qu'une étape vers l'agriculture. Installé dans une forêt, le colon rase le bois qui s'y trouve et, en quelques années de dur labeur, transforme son lot en une terre agricole. Or, dans les nouvelles régions de colonisation, ce modèle idéal devient de plus en plus difficile à réaliser. Le problème réside dans la coexistence, sur un même espace géographique, de deux intérêts économiques, celui du bois, dont on veut faire le commerce, et celui de la terre qu'on veut exploiter par l'agriculture.

Dans ces régions, ce sont généralement les exploitants forestiers qui s'installent d'abord, avant l'arrivée des colons. Ils veulent garder pour eux le bois et n'ont donc pas intérêt à voir s'étendre la zone agricole. D'autre part, ils ont besoin pour leur chantier de coupe d'une main-d'oeuvre nombreuse, robuste et à bon marché. De plus, ils n'en ont besoin que pendant une partie de l'année, en hiver. Il leur faut donc des travailleurs ayant d'autres moyens de subsistance. Où les trouver, sinon sur des fermes?

De son côté, le colon qui s'installe doit défricher et cela prend du temps. En attendant il faut un revenu d'appoint, qu'il trouvera dans le secteur forestier. Des obstacles l'empêchent d'ailleurs de devenir un véritable cultivateur. Dans les nouvelles régions de colonisation, la terre généralement assez pauvre et les conditions climatiques peu favorables ne permettent guère qu'une agriculture de subsistance. Ces régions sont loin des marchés et sont mal pourvues en voies de communication. De sorte que, même dans le cas où la qualité des terres et du climat le permettrait, cette situation retarde la naissance d'une agriculture commerciale et spécialisée. Le colon produit essentiellement pour se nourrir et, s'il a des surplus, son seul débouché se trouve du côté des chantiers de coupe du bois.

On retrouve donc une situation où l'exploitant forestier a besoin du colon, car il lui fournit la main-d'oeuvre à bon marché et la nourriture pour les chantiers. Le colon de son côté a besoin de l'exploitant forestier, car il lui fournit un revenu d'appoint indispensable et un marché pour ses produits agricoles. C'est la base de l'économie agro-forestière, que l'historien Normand Séguin définit ainsi: « L'économie agro-forestière se définit par la co-existence des activités agricoles et forestières unies dans un même espace par des liens de complémentarité. Son existence repose sur deux conditions: 1.

Des colons sans titre de propriété (squatters) au Lac Saint-Jean (Archives nationales du Québec, N1173-79)

absence ou grande faiblesse d'intégration des activités agricoles aux circuits commerciaux; 2. forte subordination de celles-ci aux activités forestières. »

Dans ce système, c'est le secteur capitaliste — en l'occurrence celui du bois — qui domine et qui impose son rythme au développement. Quand les exploitants forestiers ont coupé le bois dans une zone, ils se déplacent et les colons suivent. De nouvelles paroisses s'ouvrent alors que les anciennes stagnent. Comme l'a montré Séguin, le cas est patent au Saguenay-Lac Saint-Jean. Le peuplement s'y déplace graduellement de Chicoutimi, sur le Haut-Saguenay, vers l'extrémité ouest du Lac Saint-Jean.

Dans ce système, le secteur forestier a tout intérêt à freiner le développement de l'agriculture, à maintenir celle-ci dans la subsistance. Les colons sont alors forcés d'aller travailler en forêt pour survivre et, comme ils sont habitués à un bas niveau de vie, ils accepteront de bas salaires. On comprend dès lors les pressions des marchands de bois auprès de l'État pour qu'il interdise aux colons de vendre le bois qu'ils coupent sur leur propre terre: les colons risqueraient alors de se libérer de la tutelle de l'exploitant forestier.

Le seul moyen pour l'agriculture de se développer sera de rompre ses liens avec le secteur forestier. Pour cela, il lui faut un marché pour les produits de la terre et ce débouché ne viendra qu'avec l'urbanisation des régions périphériques, au 20e siècle. Et encore, cette voie ne sera possible que pour les meilleures terres. Une partie importante des terres de colonisation restera dans l'orbite du système agro-forestier jusqu'au milieu du 20e siècle.

L'État québécois joue un rôle important dans ce système agro-forestier. En effet, dans toutes ces nouvelles régions de colonisation, l'État est le propriétaire initial à la fois de la terre et de la forêt. Il possède de vastes territoires désignés sous le nom de « terres de la couronne ». Or, les revenus qu'il tire de ces terres sont une des sources majeures de financement du gouvernement québécois.

La politique gouvernementale sera axée sur la mise en valeur des terres de la couronne à la fois pour en tirer des revenus et favoriser le développement économique. Le gouvernement applique des politiques et fait voter des lois pour encadrer cette mise en valeur. C'est ainsi que la coupe du bois se fait dans le cadre du système de concessions: le gouvernement reste propriétaire nominal du territoire mais il concède le droit exclusif d'y couper le bois à des exploitants forestiers; ceux-ci paient en échange un droit de coupe.

La concession des terres pour la colonisation se fait dans un cadre différent puisqu'elle aboutit à une vente de caractère définitif. Tout colon peut obtenir un lot de 100 acres dont le prix varie de $0,20 à $0,80 l'acre selon les régions et les époques. Il obtient alors un billet de concession et il doit remplir certaines obligations dans des délais déterminés, comme construire une maison, y résider et défricher une partie du lot. Quand ces conditions sont remplies et le prix d'achat payé, le colon devient propriétaire en titre de sa terre.

La politique gouvernementale en matière de chemins de fer est également orientée vers le développement des régions de colonisation. L'État québécois subventionne des lignes régionales comme le Québec-Lac Saint-Jean ou le chemin de fer de la baie des Chaleurs. Même le chemin de fer de la rive nord est en partie conçu pour faciliter le développement des régions de colonisation. Il y a également intervention dans le secteur routier, avec des subventions pour les chemins de colonisation. Les sommes affectées à ce poste sont toujours insuffisantes et les chemins qui sont construits ne répondent que partiellement aux besoins des colons.

L'État met donc en place un ensemble de politiques. Elles établissent les cadres juridiques et administratifs du développement mais ne le provoquent pas. C'est le capital privé qui garde l'initiative. L'État n'a qu'un rôle supplétif. Ces politiques gouvernementales favorisent-elles l'exploitant forestier au détriment du colon? La réponse est certainement affirmative et on ne saurait s'en surprendre. Un grand nombre d'hommes politiques sont eux-mêmes liés à des sociétés d'exploitation forestière ou à des compagnies ferroviaires. Le gouvernement est dominé par la bourgeoisie et sert d'abord les intérêts de celle-ci.

C'est ainsi qu'on impose des limites assez précises au colon. Les partisans de la colonisation dénonceront ces mesures qui, selon eux, sont des

Beaudet Settlement, au Lac Saint-Jean, à la fin du siècle. (Archives nationales du Québec, N174-37)

entraves. On reproche à l'État de vendre ses lots plutôt que de les donner gratuitement comme cela se fait aux États-Unis. Le gouvernement répond que la vente éloigne les accapareurs de terres et les colons qui ne sont pas de bonne foi; en outre, les revenus de ces ventes sont essentiels au budget de l'État. On se plaint des obligations trop lourdes imposées au colon dans les premières années de son établissement et surtout de l'interdiction de vendre le bois coupé sur sa propre terre; le colon est ainsi privé d'un revenu qui lui permettrait de financer son établissement initial. Sous les pressions des exploitants forestiers, les régions les plus riches en bois sont fermées à la colonisation. De plus, l'État ne protège jamais les *squatters*, ces colons établis illégalement sur des terres de la couronne.

Répondant à ces critiques, l'État est amené à adopter certaines mesures de protection. La plus importante est la loi du *homestead* (1868) qui interdit de saisir le lot d'un colon ainsi que son équipement, ses animaux et ses biens meubles. C'est là une loi importante, mais qui n'efface pas les insuffisances de l'action gouvernementale. Celles-ci peuvent s'expliquer par la faiblesse financière du gouvernement québécois au 19e siècle et par sa trop grande dépendance des revenus tirés des terres de la couronne. Les pressions qu'exercent les exploitants forestiers sont aussi déterminantes. Dans l'ensemble, l'État favorise nettement ces derniers au détriment des colons.

Un succès mitigé

L'objectif du clergé était d'enrayer l'exode rural et l'émigration aux États-Unis. Sur ce plan, le projet du clergé a été un échec. Hamelin et Roby ont estimé qu'en moyenne 1 000 nouveaux colons par année se sont établis sur des terres pendant la période qui nous occupe. Au même moment, 10 fois plus de Québécois quittent leur pays à destination des États-Unis et d'importants contingents s'installent dans les villes du Québec.

Certes, le domaine agricole s'est étendu considérablement. Les colons, en véritables pionniers, ont ouvert au peuplement de nouvelles régions. Le Québec de la fin du siècle n'est plus limité à la seule plaine du Saint-Laurent. Mais cette expansion territoriale s'est accompagnée d'une extension de l'agriculture de subsistance dans les régions périphériques. On ne réussit pas vraiment à transformer le colon en agriculteur vivant du produit de sa terre.

À ce sujet, il faut constater qu'il était irréaliste de tenter de développer par l'agriculture plusieurs régions du Québec. En effet, pour des raisons de qualité de sol, de relief, de climat, la plupart des régions ouvertes à la colonisation au delà de la plaine du Saint-Laurent sont moins propices à l'agriculture ou ne permettent pas de rendement suffisant. Le système agro-forestier a également un effet de freinage. L'État québécois n'a fait qu'encadrer le jeu des forces dominantes et on ne peut lui attribuer la responsabilité exclusive de l'échec de la colonisation agricole. Celui-ci est le résultat d'un ensemble de facteurs.

En réalité, ce n'est pas la colonisation mais l'industrialisation qui aurait permis d'absorber le surplus de population dans les campagnes. C'est une industrialisation insuffisante au Québec même qui explique que l'exode rural se soit en partie dirigé vers les États-Unis. C'est aussi la faiblesse relative de l'industrialisation et de l'urbanisation qui explique que l'agriculture québécoise n'ait pas été plus prospère.

L'EXPLOITATION FORESTIÈRE

Tout au cours du 19e siècle, le bois représente le principal produit d'exportation du Québec et occupe une place de premier plan dans son économie. C'est un matériau qui se prête à des usages variés. Son exploitation a connu au Québec trois étapes bien caractérisées: celle du bois équarri, celle du bois scié et celle du bois à pâte. Chacune de ces utilisations se distingue des autres par ses conditions d'exploitation et ses effets d'entraînement.

Les grandes étapes

Même si les avantages de la forêt québécoise avaient été reconnus dès le régime français, elle ne fait l'objet d'une exploitation systématique qu'à

Chargement du bois équarri à Québec, en 1891. (Archives publiques Canada, C6073)

compter du début du 19e siècle. Un contexte de guerre en Europe force l'Angleterre à se tourner vers ses colonies d'Amérique du Nord pour s'approvisionner en bois dont elle a besoin pour la construction navale. Pour permettre le démarrage de cette exploitation, l'Angleterre accorde une préférence tarifaire sur le bois en provenance du Canada. Cet avantage est éliminé graduellement à partir des années 1840, ce qui place les producteurs canadiens dans une situation de concurrence avec ceux des pays scandinaves. À l'époque de la Confédération, le Québec continue toujours à approvisionner l'Angleterre, mais c'est un marché qui est en régression.

Ce commerce porte principalement sur le bois équarri. Il s'agit de pièces de bois qui sont façonnées grossièrement à la hache, sur les lieux mêmes de l'abattage. On assemble ensuite ces pièces en radeaux que l'on fait flotter sur les affluents du Saint-Laurent, puis sur le Saint-Laurent jusqu'à Sillery, en banlieue de Québec. Là, les radeaux sont démontés et le bois embarqué sur des navires à destination de l'Angleterre. Plusieurs de ces bateaux transporteurs de bois sont d'ailleurs construits à Québec même. Ce bois équarri est surtout du pin que l'on trouve principalement dans la région de l'Outaouais. Ce type d'exploitation présente des problèmes particuliers. On n'utilise que de très grands arbres bien droits, qu'il faut aller chercher de plus en plus loin. La technique d'équarrissage entraîne un gaspillage considérable d'une partie importante de chaque arbre coupé. À cause de ces difficultés et du coût élevé d'un tel type d'exploitation, à cause aussi des changements dans les marchés, la production et l'exploitation du bois équarri est en net déclin à partir des années 1860 et disparaît tout à fait au début du 20e siècle.

L'intérieur d'un camp de bûcherons vers 1870. (*Canadian Illustrated News*, 5 février 1870)

La relève est assurée par l'industrie du bois scié. Ce changement apparaît vers le milieu du 19e siècle et est surtout lié aux besoins américains. En effet, l'urbanisation croissante aux États-Unis entraîne une forte demande de bois de construction qui ne peut être satisfaite seulement à partir des forêts de ce pays et le Canada devient rapidement le grand fournisseur des Américains. Or, cette nouvelle demande ne concerne pas le bois équarri, mais le bois scié: planche et madrier. Il en résulte une exploitation très différente. Les marchands de bois peuvent maintenant utiliser des arbres de moins grande taille et couper des espèces négligées jusque-là. On continue à transporter les billes par flottage, mais sur de moins grandes distances. En effet, des entrepreneurs installent des scieries à l'embouchure des principales rivières, dans les régions d'exploitation forestière. C'est là que le bois est transformé. Il est ensuite transporté vers les marchés par bateau ou par train. L'expansion du réseau ferroviaire dans la seconde moitié du siècle facilite le transport du bois vers toutes les régions de l'Amérique du Nord. Entre 1867 et 1896, l'exploitation forestière du Québec en vue de l'exportation est dominée par la production de bois scié qui a supplanté celle du bois équarri (tableau 1). Vers la fin du siècle, toutefois, c'est un secteur qui semble plafonner. D'autres matériaux de construction, comme le fer, l'acier et la brique, concurrencent le bois. Mais, encore une fois, un nouveau type d'utilisation viendra relancer l'exploitation forestière.

Tableau 1
Principaux produits du bois, Québec, 1870-1900
(en millions de pieds cubes)

Produits	1870	1880	1890	1900
Bois équarri	24,3	25,7	17,3	5,5
Bois de sciage	173,0	205,0	266,0	258,0
Bois à pâte	—	—	11,1	44,8
Bois de chauffage	280,9	327,5	304,2	276,3
Bois à lattes	0,6	2,9	15,5	—
Bois à bardeaux	—	—	15,8	—
Douves	0,1	0,2	—	—
Traverses	—	—	14,4	16,2
Poteaux	1,1	1,5	1,8	1,6
Piquets	—	—	19,3	15,6

Source: E. Minville, dir., *La forêt*, 354.

Vers la fin du 19e siècle, en effet, la forêt québécoise est recherchée pour un nouveau produit: le bois à pâte pour la fabrication du papier. Le départ est encore modeste et il faudra attendre le début du 20e siècle pour assister à un véritable démarrage dans ce domaine. Cette étape est différente des précédentes car elle permet une coupe encore plus systématique de la forêt puisqu'on peut utiliser des conifères de petite dimension, négligés jusque-là. En outre, elle amène l'installation d'usines de transformation (usines de pâte, puis de papier) dans les régions productrices. Mais c'est là un effet qui se réalisera lentement. Dans un premier temps, on se contente souvent d'exporter aux États-Unis du bois à pâte qui n'a subi aucune transformation.

Parallèlement à ces trois utilisations, la forêt fournit également d'autres types de produits qui sont surtout destinés au marché intérieur. Au premier plan, on trouve le bois de chauffage qui est encore, à l'époque, le principal combustible à usage domestique. Certaines régions de colonisation se sont spécialisées dans la fourniture de bois de chauffage aux villes. C'est ainsi que le chemin de fer de Québec et Gosford, inauguré en 1870, a pour principale fonction d'alimenter la capitale en bois de chauffage. Le curé Labelle utilise à Montréal cet argument de l'approvisionnement en combustible pour obtenir des appuis à son projet de chemin de fer vers les Laurentides. La forêt fournit également, en quantités moindres, du bois pour les lattes, les bardeaux, les traverses de chemin de fer, les piquets, etc. (Tableau 1).

Un secteur clé

Les statistiques canadiennes montrent que, pendant la période que nous étudions, les produits du bois et du papier représentent chaque année entre le cinquième et le tiers de la valeur des exportations du Canada. De telles statistiques ne sont pas disponibles pour le Québec mais on ne peut pas douter que les produits forestiers y soient en tête des exportations. Si l'on s'en tient au seul secteur de la transformation, on constate que les scieries sont alors une des plus importantes industries du Québec. William Ryan a calculé que l'ensemble des produits du bois (à l'exception du papier) occupent, entre 1870 et 1900, le troisième rang du secteur manufacturier, derrière le groupe des aliments et boissons et celui des produits du cuir. En 1870, ces produits du bois représentaient 17,1% de la valeur de la production manufacturière; en 1900, le pourcentage s'établit à 11,1%. Quant aux produits du papier, ils contribuent, pour ces deux années, à 1,3% et à 3,8% de la valeur de la production. La forêt et ses dérivés représentent un secteur clé de l'économie québécoise.

La demande étrangère joue un rôle déterminant dans cette mise en valeur de la forêt québécoise. Une partie importante de la production est destinée à l'exportation vers la Grande-Bretagne ou les États-Unis. Il en résulte des conséquences nombreuses. Le Québec n'est pas maître de son développement; celui-ci est en quelque sorte orienté par des décisions qui se prennent à l'extérieur. La production québécoise est soumise aux aléas du commerce international et de ses fluctuations de prix. La nature de la demande extérieure entraîne la coupe systématique des plus beaux arbres, et un gaspillage des parties les moins en demande; on assiste à une forme de pillage de la forêt sans préoccupation de renouvellement. Les acheteurs étrangers ne sont intéressés qu'à la matière première; la transformation qui se fait au Québec même — équarrissage ou sciage — est donc une transformation primaire, la seule exception étant peut-être la construction navale à Québec. Dans ce contexte, le Québec ne profite pas pleinement des effets d'entraînement que pourrait engendrer la forêt. La demande extérieure entraîne aussi la venue d'entrepreneurs d'origine étrangère, comme les Price au Saguenay ou les Gilmour dans l'Outaouais. Ceux-ci se taillent de véritables empires forestiers dans les régions périphériques du Québec.

Évidemment, la production n'est pas entièrement tournée vers l'extérieur. Le bois de chauffage, une partie du bois scié, les bardeaux, douves, piquets et traverses sont principalement destinés au marché intérieur. Cette relation entre la forêt et le marché domestique reste toutefois mal connue.

L'exploitation de la forêt québécoise se distingue enfin par l'ampleur des ressources humaines qui y sont consacrées. Les recensements de la période n'ont relevé que de 3 000 à 5 000 bûcherons. Ce chiffre est loin de la

La scierie Eddy à Hull, en 1874. (Archives publiques Canada, PA59231)

réalité, car la plupart des travailleurs forestiers ont aussi une autre profession. Il y a évidemment tous ces agriculteurs qui ont conservé une partie de leur terre « en bois debout ». Les surplus qu'ils vendent leur donnent un revenu d'appoint sans compromettre leur activité principale qui est l'agriculture. En 1921, le bois figure encore dans la production des trois quarts des fermes. Plus important est le phénomène des chantiers. On le retrouve surtout dans les régions périphériques. Là, de grands entrepreneurs, qualifiés de *Lumber barons*, se sont fait concéder d'immenses territoires et engagent des équipes de bûcherons. Ceux-ci sont d'abord des colons des environs, intégrés dans le système agro-forestier; viennent ensuite les journaliers et les fils des agriculteurs des vieilles paroisses dont la présence sur les fermes est moins nécessaire pendant l'hiver. Les bûcherons montent dans les chantiers à l'automne et la saison d'abattage se poursuit tout l'hiver. Au printemps, certains bûcherons se transforment en draveurs et s'occupent du flottage du bois sur les rivières jusqu'aux scieries situées aux embouchures. Ces opérations impliquent la participation de dizaines de milliers d'hommes. Hamelin et Roby estiment que, dans l'Outaouais seulement, 20 000 hommes sont employés dans l'industrie du bois, au cours des années 1880. Quant aux scieries, les recensements y notent l'emploi de 12 000 à 14 000 hommes (dans l'ensemble du Québec) entre 1870 et 1900.

Orientations bibliographiques

De Montigny, Benjamin-Antoine-Testard. *La colonisation.* Montréal, C.O. Beauchemin & Fils, 1895. 350p.

Hamelin, Jean et Yves Roby. *Histoire économique du Québec 1851-1896.* Montréal, Fides, 1971. Troisième partie, chapitres I, II et III.

Létourneau, Firmin. *Histoire de l'agriculture,* s.l., s.e., 1968. 398p.

Minville, Esdras, dir. *L'agriculture.* Montréal, Fides, 1943. 555p.

Minville, Esdras, dir. *La forêt.* Montréal, Fides, 1944. 414p.

Séguin, Normand. *La conquête du sol au 19e siècle.* Montréal, Boréal Express, 1977. 295p.

Taché, J.-C. *Rapport du comité spécial sur l'état de l'agriculture du Bas-Canada.* Toronto, Louis Perrault, 1850.

CHAPITRE 7

L'INDUSTRIE ET LA VILLE

C'est pendant la seconde moitié du 19e siècle que le Québec connaît ce processus de transformation radicale des conditions de la production qu'en Angleterre on a baptisé du nom de « révolution industrielle ». L'industrialisation a des effets profonds non seulement sur l'économie mais aussi sur la structure sociale, la répartition spatiale des populations (accentuation de l'urbanisation) et les mentalités.

L'INDUSTRIALISATION

Le processus d'industrialisation a suivi un cheminement général qu'il convient de rappeler. Dans le passage de l'ère pré-industrielle à l'ère industrielle, on distingue habituellement trois étapes: l'artisanat, la manufacture et l'industrie mécanisée.

À l'époque pré-industrielle, la productions des biens est morcelée et assurée par un grand nombre de petits producteurs indépendants, les artisans. Le système artisanal se caractérise par trois éléments principaux: le

La concentration d'industries et de logements ouvriers aux abords du canal Lachine, à la fin du siècle. (Archives Notman, Musée McCord)

producteur est lui-même propriétaire de ses moyens de production; les diverses étapes de la fabrication d'un produit sont habituellement exécutées par la même personne et l'artisan, qui effectue un travail individuel, n'a que peu ou pas d'employés qui sont surtout des apprentis.

La seconde étape survient quand un capitaliste réunit dans une manufacture un certain nombre d'artisans qui travaillent sous ses ordres. Ce système introduit une distinction capitale: les travailleurs cessent d'être propriétaires de leurs moyens de production. Cette propriété est peu à peu transférée au capitaliste. La manufacture permet aussi d'établir une division technique du travail. Regroupés, les artisans ne réalisent plus toutes les phases de la fabrication d'un produit: chacun assume une opération distincte, ce qui accroît l'efficacité. Certaines tâches, devenant ainsi beaucoup plus simples, peuvent dès lors être accomplies par des travailleurs sans qualification, à un coût plus bas pour l'employeur. Ainsi l'étape de la manufacture permet de mieux organiser la production et d'améliorer la productivité; elle fait la transition entre l'artisanat et l'industrie mécanisée.

De l'artisanat à la production mécanisée. (Collection Walker, Musée McCord)

C'est le passage à l'industrie mécanisée qui constitue, à proprement parler, la révolution industrielle. La base technique de cette révolution est la machine qui augmente considérablement la productivité du travail et permet de réaliser une production de masse à un coût bien inférieur à celui de la production artisanale. L'ampleur des capitaux requis accentue la mainmise de l'entrepreneur sur les moyens de production et la prolétarisation des producteurs. La machine permet de pousser plus loin la division des tâches et favorise l'emploi d'une main-d'oeuvre sans qualification. Les profits de la hausse de la productivité ne sont pas redistribués entièrement aux travailleurs; ils sont en partie retenus par les propriétaires des moyens de production permettant ainsi à ces derniers une plus grande accumulation du capital. Enfin, le regroupement des travailleurs en un lieu précis accélère la concentration de la population dans les villes.

Ce processus général s'étale souvent sur plusieurs décennies, laissant coexister pendant un certain temps artisans indépendants et grandes entreprises. Le rythme d'implantation de l'industrie varie en outre d'un secteur à l'autre et d'une région à l'autre. Il y a donc une période de transition où l'ensemble de l'économie d'un pays connaît une mutation profonde annonciatrice de l'ère industrielle, tout en conservant des manifestations significatives de l'époque pré-industrielle.

Le Québec vit cette étape de transition pendant la seconde moitié du 19e siècle. On peut cependant se demander si le schéma général de l'industrialisation s'applique intégralement ici. L'état actuel des recherches ne permet pas de répondre catégoriquement à cette question. Il y a des secteurs, comme la chaussure, où les trois grandes étapes se sont manifestées successivement. Mais il n'en va pas toujours ainsi. Deux éléments de la situation particulière du Québec doivent être signalés. Le Québec étant une colonie, et de peuplement récent, il y a des cas où l'étape initiale de l'artisanat ne s'y est jamais développée. Certains produits, comme ceux du textile, ont été pendant longtemps importés et, quand on commence à les fabriquer sur placc, il est possible de démarrer à la phase industrielle. De plus, l'Angleterre et les États-Unis se sont industrialisés plus tôt que le Québec, de sorte que ce dernier peut profiter de l'expérience acquise ailleurs et importer sans transition des innovations techniques qui, ailleurs, sont le résultat d'une longue maturation. Dans plusieurs cas, ce sont des entrepreneurs britanniques ou américains qui viennent s'installer au Québec, apportant avec eux les innovations. Dans ce contexte, on peut croire que l'étape intermédiaire de la manufacture est, au Québec, assez brève et, parfois, escamotée.

De la boutique à l'usine

L'industrialisation du Québec, dans la seconde moitié du 19e siècle, se fait en deux temps bien distincts. Même si l'on peut relever quelques cas de manufactures ou de fabriques implantées dès les années 1820 ou 1830, c'est vers 1850 qu'il faut placer les débuts significatifs de l'industrialisation. Une première période d'implantation industrielle, qui durera une vingtaine d'années, débute alors. Le régime politique de l'Union a favorisé l'intégration du Québec et de l'Ontario dans un ensemble économique canadien. L'achèvement du réseau de canaux en 1848, puis la construction du Grand-Tronc, améliorent la qualité et la rapidité des communications, contribuant ainsi à l'unification du marché intérieur. Le flot migratoire considérable de la période 1840-1857 augmente de façon notable le nombre des consommateurs et offre à l'industrie naissante une main-d'oeuvre abondante et peu coûteuse. Ces transformations au niveau du marché et de la main-d'oeuvre sont les facteurs déterminants qui permettent l'implantation au Québec de la production de masse. Pendant cette période, l'industrie se concentre à Montréal qui est située au coeur du marché canadien et qui jouit d'importants avantages de localisation. Le réaménagement du canal Lachine, terminé en 1848, rend disponibles de grandes quantités d'énergie hydraulique permettant de faire tourner la machinerie des usines. En quelques années, le sud-ouest de Montréal devient le centre industriel du Québec. Quatre grands secteurs se développent alors: la meunerie, le fer et ses dérivés, le bois et ses dérivés, la chaussure. Ce dernier secteur domine vraiment la production industrielle et les plus grandes usines emploient plusieurs centaines d'ouvriers. À l'extérieur de la métropole, le secteur du bois est probablement le seul à s'industrialiser.

La crise de 1873-1878 provoque un ralentissement du processus mais, dans les années 1880, le Québec est témoin d'une deuxième période d'industrialisation. Divers facteurs y contribuent et, au premier chef, le tarif douanier de 1879 qui permet aux entreprises de croître à l'abri de la concurrence étrangère. L'agrandissement du marché canadien aux cours des années précédentes et la construction de nouveaux chemins de fer font également sentir leurs effets. De façon générale, les industriels bénéficient d'une meilleure intégration du marché canadien et de la mise au point de nouvelles techniques de vente. Hamelin et Roby soulignent en outre l'importance de la spécialisation agricole pour ouvrir aux industriels les marchés ruraux.

Pendant la première période, la main-d'oeuvre venait surtout de l'étranger. Cette fois, elle est principalement autochtone. Le ralentissement de l'immigration et l'existence d'un fort surplus démographique dans les campagnes font des Canadiens français les nouveaux prolétaires de l'industrie québécoise. Habitués à un bas niveau de vie sur la terre et trop nombreux pour les emplois disponibles, ils doivent se contenter de bas salaires et cette situation même est un facteur qui attire des entreprises ayant besoin d'une main-d'oeuvre nombreuse et peu qualifiée. Cette fois, le mouvement ne se limite pas à Montréal, même si environ 50% de la production s'y concentre. L'industrie s'étend maintenant vers les municipalités de banlieue: Hochelaga, Saint-Gabriel, Sainte-Cunégonde, Saint-Henri; plus loin dans la plaine: Valleyfield, Saint-Hyacinthe, Saint-Jean, Sorel; au delà, vers les Cantons de l'Est, à Sherbrooke, Magog, Coaticook et dans les municipalités avoisinantes. À l'extérieur de la zone de Montréal et de ses satellites, la zone de Lévis-Québec s'industrialise également. Par contre, Trois-Rivières attire encore peu l'industrie.

Cette seconde vague d'industrialisation s'accompagne d'une diversification. C'est l'époque où l'industrie textile, protégée par le tarif douanier, s'implante solidement au Québec. Des industries comme la construction de matériel de chemin de fer, les raffineries de sucre, les salaisons, le vêtement et le tabac sont également en pleine croissance. On peut dresser grossièrement un portrait de la structure industrielle du Québec en fin de période (tableau 1). Il y a d'abord un important groupe d'industries manufacturières légères, centrées sur l'habillement: textile, vêtement et chaussure. Il fournit près du tiers de la production manufacturière du Québec et fait appel à une main-d'oeuvre abondante et à bon marché. On y trouve des entreprises non seulement dans les grands centres mais aussi dans les petites villes de la plaine et des Cantons de l'Est. Il y a ensuite un groupe d'industries de pointe, principalement les produits du fer et de l'acier ainsi que le matériel roulant de chemin de fer. Elles se concentrent essentiellement dans la région de

Montréal et emploient une main-d'oeuvre beaucoup plus qualifiée, majoritairement d'origine britannique. Ajoutons-y le groupe des produits alimentaires, très diversifié et morcelé en un grand nombre d'entreprises et celui du bois et de ses dérivés qui tous deux s'appuient sur l'embauche d'une main-d'oeuvre peu coûteuse. Voyons maintenant plus en détail chacun des secteurs qui composent cette structure industrielle.

Les principaux secteurs

Les historiens Hamelin et Roby ont dressé un tableau des principaux secteurs industriels québécois pour la période 1850-1896 (tableau 1). Rappelons-en les traits principaux.

Tableau 1
Valeur (en $) de la production manufacturière
Québec, 1861-1901

Groupe	1861	1871	1881	1891	1901
Alimentation	3 830 307	18 650 000	22 440 000	34 700 000	33 099 000
Tabac	262 050	1 430 000	1 750 000	3 600 000	8 231 000
Caoutchouc	—	—	—	—	39 000
Cuir	1 206 527	14 330 000	21 680 000	18 900 000	20 325 000
Textile	788 316	1 340 000	2 400 000	4 300 000	12 352 000
Vêtement	28 000	5 850 000	10 040 000	13 600 000	16 542 000
Bois	4 155 693	11 690 000	12 790 000	18 500 000	16 340 000
Papier et pâte	268 200	540 000	1 342 000	2 300 000	6 461 000
Fer et acier	1 472 680	3 130 000	4 220 000	7 600 000	12 842 000
Imprimerie, édition	—	1 250 000	1 830 000	2 300 000	3 510 000
Équipement de transport	648 041	2 910 000	3 600 000	9 900 000	8 058 000
Métaux non ferreux	—	—	—	—	1 497 000
Appareils électriques	47 300	—	—	400 000	1 815 000
Minerai non métallique	321 390	—	—	—	1 630 000
Pétrole et charbon	—	—	—	—	245 000
Produits chimiques	130 600	—	—	—	4 138 000
Divers	35 750	1 510 000	2 490 000	4 270 000	1 342 000
Total du recensement	15 000 000	77 200 000	104 660 000	153 300 000	153 574 000
Total classifié	13 194 854	62 630 000	84 582 000	120 370 000	148 467 000
Échantillon	87,9%	81,1%	80,8%	78,5%	96%

Source: J. Hamelin et Y. Roby, *Histoire économique du Québec 1851-1896*, 267.

Le groupe des produits alimentaires est le plus important quant à la valeur de sa production. C'est toutefois un secteur composite, où se côtoient des industries assez différentes. Dans la plupart des cas, la production est disséminée sur le territoire, dans des fabriques de dimensions modestes. Ce groupe est dominé successivement par trois industries: d'abord celle de la farine, jusque vers 1880, alors que le développement de l'Ouest entraîne une migration des principales entreprises vers le Manitoba; les raffineries de sucre, où deux firmes (Redpath et St. Lawrence Sugar Refining Co.) monopolisent la production; enfin, dans les années 1890, l'industrie de transformation des produits laitiers prend son essor avec la multiplication des beurreries et fromageries. Le secteur comprend d'autres industries qui ne sont pas négligeables: la brasserie, où certaines entreprises, comme celle de la famille Molson, existent depuis longtemps; la biscuiterie, témoin de l'ascension de la famille Viau; la distillerie; la boulangerie; les salaisons, en net développement après 1880.

Le bois représente un secteur clé au Québec, tout au cours du 19e siècle. Au milieu du siècle s'y produisent des changements importants que nous avons décrits plus haut (voir la section sur l'exploitation forestière). Le passage du bois équarri au bois scié permet l'émergence d'une industrie de transformation du bois. Auparavant, on se contentait pratiquement d'une simple cueillette en vue de l'exportation. Les grandes scieries qui s'installent sur les affluents du Saint-Laurent après 1850 emploient beaucoup de travailleurs. En s'implantant près des réserves de bois, elles exercent une pression décentralisatrice sur l'industrie québécoise et sur le réseau urbain. Plusieurs petites villes et villages, comme Hull, les Piles, Chicoutimi ou Rivière-du-Loup doivent en partie leur existence au « moulin » qui très souvent fait vivre la majorité de la population. En outre, une industrie secondaire du bois, transformant les produits des scieries se développe pour répondre aux besoins de l'industrie et du bâtiment. Ces fabriques de portes et châssis, de boîtes ou de tonneaux sont cependant localisées dans les grandes villes. Quant à l'industrie des pâtes et papiers, elle en est encore à ses balbutiements. Les entreprises de ce genre se multiplient dans les deux dernières décennies du siècle. Elles restent toutefois de dimensions modestes et ne réussissent pas à concurrencer efficacement les producteurs américains. La montée fulgurante des entreprises papetières ne se fera qu'au 20e siècle.

Du côté des biens de consommation, trois autres secteurs, liés aux besoins d'habillement, connaissent des progrès importants: le cuir, le textile et le vêtement. Tous trois ont en commun une caractéristique importante: celle d'exploiter une main-d'oeuvre féminine sous-payée.

Le secteur du cuir vient au deuxième rang de la valeur de la production manufacturière au Québec, après le secteur alimentaire. L'industrie de la chaussure y émerge nettement. Elle se retrouve dans les deux grandes villes. Montréal tient le haut du pavé puisqu'elle produit, dans les dernières décennies du siècle, entre 60% et 75% des chaussures vendues au Canada. Ce leadership montréalais a d'ailleurs des racines lointaines. Dès l'époque pré-industrielle, un grand nombre d'artisans-cordonniers s'étaient installés à Montréal. Ce qui explique que le passage de l'artisanat à la manufacture et à

Une usine de chaussures en 1875. (*Canadian Illustrated News*, 25 décembre 1875)

l'industrie mécanisée soit plus visible dans ce cas (tableau 2). Il commence à se réaliser dans les années 1850 et, en moins de deux décennies, Montréal se retrouve avec plusieurs entreprises de chaussures employant chacune entre 200 et 500 travailleurs. Pendant la première vague d'industrialisation du Québec, l'industrie de la chaussure est probablement celle qui connaît la plus forte croissance. Mais, entre 1880 et 1900, elle a plutôt tendance à se stabiliser alors que d'autres secteurs prennent la relève. L'industrie de la tannerie, liée de près à celle de la chaussure, progresse elle aussi rapidement mais, selon Hamelin et Roby, la concurrence américaine provoque son déclin après 1880.

Plus que la chaussure, le textile est devenu, dans l'historiographie, le symbole de la structure industrielle du Québec. Sa localisation, la taille de ses usines, la composition de sa main-d'oeuvre et sa structure financière en font peut-être l'illustration la plus éclatante de la grande industrie capitaliste. Précisons immédiatement que seul le coton s'implante de façon significative au Québec; la laine et la soie n'y occupent qu'une position marginale, la production canadienne dans ces deux domaines se localisant en Ontario. Après quelques expériences plus ou moins couronnées de succès, l'industrie cotonnière québécoise démarre véritablement en 1873-1874, avec l'installation de la filature de Victor Hudon à Hochelaga et celle de la Montreal Cotton Company (créée par un groupe d'hommes d'affaires montréalais, principalement A.F. Gault) à Valleyfield. Le tarif protecteur de 1879 donne un nouvel essor à cette industrie et lui permet de ravir une partie du marché canadien au détriment des importations anglaises et américaines. La valeur de la production augmente de façon constante et, de 1879 à 1884, cinq entreprises nouvelles s'installent au Québec. Il en résulte une crise de surproduction qui provoque des ententes entre les manufacturiers: spécialisation des usines, cartel des prix, puis, entre 1889 et 1892, formation de deux trusts — la Dominion Cotton Mills Co. et la Canadian Coloured Cottons — qui absorbent des entreprises situées dans quatre provinces et représentant 70% des installations mécaniques au Canada. Le trust de la Dominion Cotton sera élargi en 1905 par la fusion avec trois autres compagnies en vue de former la Dominion Textile, contrôlée par des hommes d'affaires montréalais.

Tableau 2
Quatre entreprises de fabrication de chaussure à Montréal, 1871

Caractéristiques	J.-S. Courval	J.-D. Pelletier	E.-H. Thurston	Ames Millard
Capital fixe ($)	264	10 000	30 000	200 000
Capital flottant ($)	500	30 000	30 000	380 000
Nombre de travailleurs	3	25	73	341
Salaires annuels versés ($)	312	10 000	15 600	84 000
Utilisation de la vapeur	non	non	oui	oui
Valeur des matières premières ($)	382	14 630	8 500	225 000
Quantité produite (paires)	520	18 176	27 000	316 000
Valeur de la production ($)	2 080	36 000	45 000	470 000

Source: Manuscrit du recensement du Canada, 1871, tableau no 6, recensement industriel, Archives publiques du Canada.

Ainsi, l'industrie textile est un des premiers exemples québécois du processus de concentration des entreprises et de monopolisation. Les filatures de coton n'ont pas tendance à se localiser à Montréal même, mais plutôt en banlieue (Hochelaga et Saint-Henri) ou dans des petites villes de province (Valleyfield, Chambly, Coaticook, Magog, Montmorency). Elles sont ainsi à proximité de bassins de population rurale disponible pour travailler à bas salaire. Au 19e siècle, les filatures québécoises recrutent leurs employés majoritairement chez les femmes et utilisent beaucoup le travail des enfants. L'abondance et le coût peu élevé de la main-d'oeuvre n'expliquent pas entièrement la localisation des entreprises. Selon Jacques Rouillard, dans *Les travailleurs du coton*, la disponibilité en grande quantité d'énergie hydraulique, puis hydroélectrique, est un élément déterminant. À

La filature de Victor Hudon à Hochelaga en 1874. (*L'Opinion publique*, 26 février 1874)

la fin du siècle, le textile est devenu un secteur important, se classant au 6e rang de la valeur de la production manufacturière du Québec.

Le secteur du vêtement présente une image fort différente. Il se développe au Québec pendant les années 1860, probablement, comme l'indiquent Hamelin et Roby, à la faveur de la guerre civile américaine. La valeur de la production dépasse nettement celle du textile. C'est un secteur encore peu concentré où les entreprises sont nombreuses et la concurrence vive. On y trouve peu de grandes fabriques, car l'industrie de la confection repose sur un type particulier d'emploi, le *sweating system*. Le travail de couture est effectué à domicile par des femmes qui sont payées à la pièce à des taux extrêmement bas; l'entrepreneur n'effectue dans sa manufacture que la coupe du tissu. Ce sont souvent des femmes rurales qui, embrigadées dans ce système d'exploitation, sont ainsi intégrées indirectement au marché du travail urbain. Au tournant du siècle, l'industrie du vêtement deviendra le lieu privilégié de l'exploitation des immigrants pauvres d'origine juive.

L'industrie lourde est représentée au Québec par le secteur du fer et de l'acier et celui du matériel roulant de chemin de fer. La transformation primaire du fer et de l'acier est en voie de disparition après la Confédération. Les célèbres Forges du Saint-Maurice, qui existent depuis l'époque de la Nouvelle-France, s'éteignent en 1883; d'autres entreprises subissent le même sort. Dans *Québec en Amérique au XIXe siècle*, Albert Faucher explique ce déclin par l'évolution technologique de la sidérurgie. Les entreprises produisaient, à partir d'un minerai de tourbière et à l'aide de charbon de bois, de la fonte permettant de fabriquer des poêles et des pièces de machinerie. Or, cette technologie et ce type de production deviennent de plus en plus inadaptés à l'ère industrielle. La pauvreté du Québec en charbon minéral et en minerai de fer — du moins de fer facilement accessible et exploitable à l'époque — expliquerait que ne se soit pas produit le passage à la sidérurgie nouvelle. Cependant, la transformation secondaire du fer et de l'acier se développe à partir d'une production primaire importée. Les entreprises de laminage et de fabrication de clous, outils, chaudières, etc., sont surtout situées à Montréal. La plus importante est la Montreal Rolling Mills Company, fondée en 1869 par Morland et Watson, des grossistes en quincaillerie qui éprouvent des difficultés d'approvisionnement. Employant 400 ouvriers, elle a des installations modernes et ses machines sont mues à la vapeur. Elle fait le laminage du fer, à partir de gueuse importée d'Angleterre, et en fabrique divers produits; en 1881, elle est devenue le plus grand producteur canadien de tuyaux en fer.

Liée à la transformation du fer et de l'acier, l'industrie du matériel roulant de chemin de fer s'implante solidement à Montréal et connaît une forte impulsion dans les années 1880. Cette localisation s'explique par la situation de Montréal dans le réseau de communication et la présence dans la métropole du centre administratif des deux grands réseaux ferroviaires. C'est ainsi que le Grand-Tronc et le Canadien Pacifique installent leurs ateliers à Montréal. Ceux du Grand-Tronc sont situés dans le sud-ouest de la ville, à la Pointe Saint-Charles; on y construit les wagons utilisés par la compagnie, en plus de réparer et d'entretenir tout le matériel roulant; dans les années 1880, environ 2000 ouvriers y travaillent. De son côté, le Canadien Pacifique choisit l'est de Montréal pour ses usines Angus.

L'industrie de l'équipement ferroviaire s'insère dans le secteur plus vaste du matériel de transport. L'autre industrie importante dans ce secteur, la construction navale, est en net déclin après 1867. Concentrée surtout à Québec, elle avait atteint son apogée au milieu du siècle. La demande croissante pour des navires à coque de fer ou d'acier sonne le glas du voilier en bois que construisaient les chantiers navals de la capitale.

Dans ce portrait général de l'industrie québécoise de la fin du 19e siècle, quelques autres industries sont dignes de mention. Tout d'abord celle du tabac où Montréal domine la production canadienne. Également celles de l'imprimerie et de l'édition, de l'ébénisterie ou encore celle de la briquetterie qui profite de l'essor de l'emploi de la brique dans la construction. Il y en a d'autres dont la part dans la production manufacturière totale est assez mince.

À la fin du 19e siècle, l'industrialisation du Québec est donc bien engagée. Les aliments, le bois, l'habillement, le fer et l'acier constituent les pôles principaux en même temps que se manifeste une diversification consécutive à l'élargissement du marché. Cela est encore insuffisant pour occuper toute la main-d'oeuvre disponible et enrayer l'émigration mais cette industrialisation commence déjà à modifier en profondeur les rapports sociaux et les conditions de vie.

L'URBANISATION

En provoquant le regroupement des travailleurs, l'industrialisation entraîne la croissance des villes et modifie les conditions de vie de la population urbaine. En étudiant ces effets, il faut cependant éviter de confondre urbanisation et industrialisation. Le premier vocable renvoie au processus social qui caractérise le regroupement des populations dans les villes. En ce sens, l'urbanisation est un phénomène très ancien, mais dont les caractéristiques changent selon les époques et les systèmes économiques. L'industrialisation ne crée donc pas le processus d'urbanisation. Elle en accélère le rythme et modifie certaines de ses caractéristiques.

Les caractéristiques générales

Les géographes ont mis au point un concept pour décrire et expliquer la croissance des villes, celui de fonction urbaine. La fonction est une activité économique qui caractérise la ville, emploie une partie importante de ses habitants et dont le produit est destiné à l'extérieur de la ville. Jusqu'au milieu du 19e siècle, les villes québécoises ont essentiellement une fonction commerciale. Ce sont des postes d'échange dont l'activité peut s'exercer à deux niveaux. Au plan international, les villes sont des points de rassemblement et d'expédition des grands produits de base: fourrure, bois et blé. Au plan intérieur, elles servent de centres de distribution de biens et de services pour un hinterland rural aux dimensions croissantes.

Il faut d'ailleurs noter l'ancienneté des pôles urbains du Québec. Dès le 17e siècle, en effet, on voit apparaître un trait caractéristique qui se maintiendra jusqu'à nos jours: le poids considérable de Québec et de Montréal qui contrôlent l'activité économique et le pouvoir politique dans la vallée du Saint-Laurent et qui rassemblent une part significative de la population. Avec l'expansion de la zone agricole, à la fin du 18e siècle et au début du 19e siècle, on voit apparaître un réseau de villages — intermédiaires entre la ville et la campagne — formant la trame du futur réseau urbain. Un réseau urbain qui a déjà acquis certaines caractéristiques dès l'époque commerciale, comme le montre le géographe Louis Trotier. Outre la domination de Québec et de Montréal, on constate déjà que les centres sont localisés le long du fleuve ou de ses affluents et que c'est dans la plaine de Montréal que le réseau de villes et de villages est le plus dense et le plus hiérarchisé.

La période 1850-1870 en est une de transition, sur plusieurs plans. Les premières manifestations de l'industrialisation font sentir leurs effets, particulièrement à Montréal dont la croissance s'accélère. Cette dernière supplante définitivement Québec comme centre nerveux de la vie économique et l'écart de la population entre les deux villes ira dès lors en

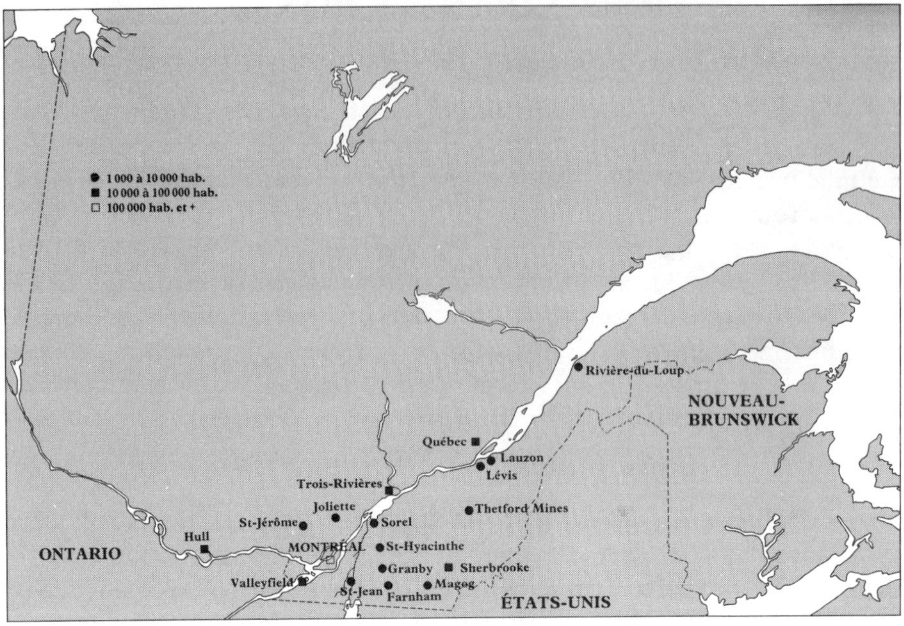

Le réseau urbain québécois en 1901

s'accroissant. À l'échelle de l'ensemble du territoire, l'organisation du réseau urbain est bouleversée par l'arrivée des chemins de fer. Après le Saint-Laurent, la voie principale du Grand-Tronc devient une seconde épine dorsale autour de laquelle s'articulera partiellement le système des villes québécoises. Grâce au chemin de fer, certains villages deviennent des centres intermédiaires de nature régionale et connaissent une période d'essor. C'est le cas pour Saint-Hyacinthe, Sherbrooke, Lévis et Rivière-du-Loup. Cette croissance urbaine rend nécessaire la mise en place de structures politiques au niveau local. C'est donc entre 1840 et 1870 que sera créée, par une série de lois, l'organisation municipale telle que nous la connaissons aujourd'hui.

Après 1870, la fonction industrielle devient très nettement l'élément moteur de la croissance urbaine au Québec. Des usines surgissent ici et là, en plusieurs points du territoire. Elles drainent vers la ville une partie du surplus de population des campagnes. Ceci ne signifie pas que la fonction commerciale disparaisse. Celle-ci reste une base économique importante pour la plupart des centres urbains mais elle n'a pas des effets aussi considérables que les nouvelles implantations industrielles. Ces dernières ont tendance à s'installer dans les villes et les villages déjà existants, donnant à ces municipalités un nouvel essor. Pendant cette période, il y a très peu de créations de villes qui soient directement imputables à l'industrie. On assiste plutôt à une superposition des centres industriels sur les centres commerciaux. Il n'y a donc pas de modification en profondeur du réseau urbain existant, mais plutôt une accentuation de la concentration urbaine dans la plaine de Montréal et dans sa zone limitrophe, les Cantons de l'Est.

La population urbaine

L'industrialisation entraîne donc une concentration accrue de la population québécoise dans les villes. On le constate en examinant le tableau du pourcentage de la population urbaine (tableau 3); dans les recensements, celle-ci est définie comme la population des municipalités constituées, ayant 1 000 habitants et plus. En 1851, un peu moins de 15% des Québécois sont des urbains alors que cinquante ans plus tard, plus du tiers le sont. Ce phénomène devient plus sensible à compter de la décennie 1871-1881.

Tableau 3
Pourcentage de la population urbaine
Québec, Ontario et Canada, 1851-1901

Année	Québec	Ontario	Canada
1851	14,9	14,0	13,1
1861	16,6	18,5	15,8
1871	19,9	20,6	18,3
1881	23,8	27,1	23,3
1891	28,6	35,0	29,8
1901	36,1	40,3	34,9

Source: L.O.Stone, *Urban Development in Canada*, 29.

L'évolution québécoise est, en cela, semblable à celle qui prévaut dans l'ensemble du Canada. Le Québec ne manifeste aucun retard évident puisque, à l'exception du recensement de 1891, il affiche toujours un pourcentage supérieur à celui du Canada. L'écart est plus manifeste quand on compare le Québec à la province voisine, l'Ontario. Au milieu du 19e siècle, les deux provinces présentent sensiblement un même niveau d'urbanisation de leur population. À compter de 1871, toutefois, dans un contexte économique qui lui est plus favorable, l'Ontario distance nettement le Québec.

Le tableau permet donc de constater que le Québec subit un changement significatif pendant la seconde moitié du 19e siècle. Mais ces chiffres peuvent être trompeurs. Ils présentent une image fixe à divers points du temps, ne rendant pas toujours compte de la complexité de la réalité. Par exemple, on peut estimer que la population québécoise a été touchée par un autre phénomène d'urbanisation. Le surplus de population qui existe dans les campagnes tout au cours de ces années s'est dirigé vers les villes. Certes, quelques contingents sont restés dans l'agriculture, s'établissant dans l'Ouest canadien ou dans le Mid-West américain. Mais l'exode rural québécois s'est surtout dirigé vers les villes. La faiblesse de la structure industrielle du

Québec, par rapport à celle des États-Unis, ne permet pas aux villes québécoises d'absorber tout le surplus démographique. Celui-ci vivra l'urbanisation, mais à l'extérieur, dans les villes manufacturières de la Nouvelle-Angleterre.

Dans ce contexte de migrations, décrit dans un chapitre précédent, et qui caractérise l'Amérique du Nord de la seconde moitié du 19e siècle, il existe un autre phénomène, lui aussi d'envergure nord-américaine. Les villes de l'époque sont, pour une partie de leur population, un lieu de passage, un lieu de résidence temporaire. Cette situation prévaut tout autant pour les immigrants d'outre-mer que pour les ruraux de l'hinterland. La mobilité géographique étant grande, de nouveaux arrivants viennent régulièrement remplacer ceux qui partent. De sorte que la population totale ayant résidé dans la ville pendant une décennie est beaucoup plus considérable que le chiffre relevé lors d'un recensement. Les villes de Québec et de Montréal, relais importants sur les grands axes de communication continentaux, sont soumises à un tel remplacement d'une partie de leur population. L'ampleur du phénomène n'a pas encore été mesurée, mais le géographe Raoul Blanchard avait déjà signalé le cas des Irlandais de Québec. Au milieu du siècle, ceux-ci ont représenté, pendant quelques décennies, une fraction appréciable de la population de la ville. Vers 1871, à cause de la stagnation économique qui affecte Québec, ils quittent la ville en masse, soit pour se replier sur Montréal, soit pour émigrer vers d'autres régions de l'Amérique du Nord.

Ainsi les dynamismes démographiques ont, tout comme l'industrialisation, stimulé le processus d'urbanisation. Dans les dernières décennies du siècle, ce processus est, au Québec, engagé de façon irréversible. Il se manifeste dans toutes les régions mais avec un rythme et une ampleur bien différents de l'une à l'autre.

Les principales villes

Montréal. À l'époque de la Confédération, Montréal est incontestablement la métropole non seulement du Québec mais de l'ensemble du Canada et sa position dominante continuera à s'affirmer dans les décennies suivantes. Pendant toute la période, elle enregistre une croissance appréciable de sa population (tableau 4) avec un rythme d'accroissement plus rapide pendant la décennie 1881-1891. En 1861, Montréal compte 90 000 habitants et si on y ajoute la population de la banlieue, encore semi-rurale, on atteint tout juste le 100 000. À la fin du siècle, la ville elle-même, dont le territoire s'est agrandi, dépasse le quart de million et l'addition des municipalités de banlieue porte le total de la population à près de 325 000, soit la moitié de la population urbaine du Québec.

Tableau 4
Population des principaux centres urbains, Québec, 1861-1901

Municipalité	1861	1871	1881	1891	1901
Région de Montréal					
Cité de Montréal	90 323	107 225	140 247	216 650	267 730
Montréal et sa banlieue*	100 723	126 314	170 745	250 165	324 880
Saint-Jérôme	—	1 159	2 032	2 868	3 619
Joliette	—	3 047	3 268	3 347	4 220
Sorel	4 778	5 636	5 791	6 669	7 957
Saint-Hyacinthe	3 695	3 746	5 321	7 016	9 210
Saint-Jean	3 317	3 022	4 314	4 722	4 030
Valleyfield	—	1 800	3 906	5 551	11 055
Région de Québec					
Cité de Québec	42 052	59 699	62 446	63 090	68 840
Lévis	—	6 691	5 597	7 301	7 783
Lauzon	—	—	3 556	3 551	3 416
Région de l'Estrie					
Sherbrooke	5 899	4 432	7 227	10 110	11 765
Magog	—	—	—	2 100	3 516
Granby	—	876	1 040	1 710	3 773
Thetford Mines	—	—	—	—	3 256
Coaticook	—	1 160	2 682	3 086	2 880
Farnham	—	1 317	1 880	2 822	3 114
Autres					
Hull	—	3 800	6 890	11 264	13 993
Trois-Rivières	6 058	7 570	8 670	8 334	9 981
Chicoutimi	—	1 393	1 935	2 277	3 826
Rivière-du-Loup	—	1 541	2 291	4 175	4 569

* Banlieue: villes et villages constitués qui entourent immédiatement Montréal sur l'île.
Source: Recensements du Canada.

Comme le soulignait déjà Raoul Blanchard, cet essor, Montréal le doit à l'industrie. Une première implantation industrielle s'y fait dans les années 1850 et 1860, se concentrant dans le sud-ouest de la ville, principalement le long du canal Lachine. Vers 1867, Montréal se retrouve donc avec une structure industrielle caractérisée par la présence de cinq grands secteurs: raffinage du sucre, meunerie, fonderie et produits du fer, scierie et produits en bois, chaussure. Dans les années 1880, une seconde vague d'investissements manufacturiers vient compléter cette première structure. Des entreprises nouvelles sont fondées dans les secteurs existants, en même temps qu'émergent de nouveaux secteurs comme ceux du textile (installé surtout en banlieue), du vêtement, du matériel roulant de chemin de fer, des salaisons et du tabac. À la fin du 19e siècle, Montréal est devenu un grand centre industriel, concentrant la moitié de la valeur de la production manufacturière du Québec. Les illustrations de cette époque montrent bien la fumée des usines dominant le paysage dans les quartiers du sud-ouest et de l'est.

L'essor de Montréal s'appuie aussi sur les avantages que lui procure sa situation au centre des réseaux de transport. La métropole tire profit des investissements d'infrastructure considérables réalisés au cours du 19e siècle (voir le chapitre sur les transports). Dans le secteur de la navigation, la canalisation du Saint-Laurent, le creusage du chenal et la construction d'installations portuaires font de Montréal le centre du transport maritime. Du côté des chemins de fer, les deux principaux réseaux — le Grand-Tronc et le Canadien Pacifique — ont fait de Montréal leur base d'opérations y installant leurs bureaux administratifs et leurs ateliers d'entretien. La métropole est au coeur d'un tissu de voies ferrées s'étendant dans de multiples directions. C'est un aspect fondamental pour la commercialisation et la distribution des biens qui sont fabriqués dans la ville. Cette abondance de moyens de transport est un facteur de localisation pour les entreprises et accentue l'emprise métropolitaine de Montréal sur l'ensemble du Canada.

Dans les dernières décennies du 19e siècle, la grande bourgeoisie de Montréal domine nettement l'activité économique dans l'ensemble du Canada. Cette domination est symbolisée par l'emprise du tandem Banque de Montréal - Canadien Pacifique. Ces deux entreprises interviennent un peu partout au Canada. Leurs dirigeants — les Donald Smith, George Stephen, R.B. Angus, William C. Van Horne, et autres — ont entre eux des liens étroits et sont associés à un grand nombre d'entreprises dans les secteurs financier, commercial, industriel et des transports.

La croissance de la ville s'inscrit aussi dans l'espace par l'occupation systématique du périmètre urbain et le débordement vers la banlieue. Le territoire de la ville de Montréal avait été fixé officiellement à la fin du 18e siècle et englobait d'importantes zones qui n'étaient pas encore urbanisées. Ces dernières ont été peuplées graduellement au cours du 19e siècle. À l'époque de la Confédération, ce processus n'était pas encore achevé. Trois quartiers, situés aux extrémités de la ville, connaîtront dans les décennies suivantes une substantielle augmentation de leur population: Saint-Antoine, à l'ouest, et Saint-Jacques et Sainte-Marie, à l'est. À la fin du 19e siècle, le territoire initial de la municipalité est à peu près entièrement occupé. Mais déjà la population avait débordé les limites municipales pour s'installer dans les nouvelles villes de banlieue qui se créent à partir de la fin des années 1860. Parmi ces dernières, les plus importantes sont, à l'ouest, les villes industrielles de Saint-Gabriel, Sainte-Cunégonde et Saint-Henri, situées en

La rue Saint-Urbain à Montréal, en 1882. (Archives publiques Canada, C82840)

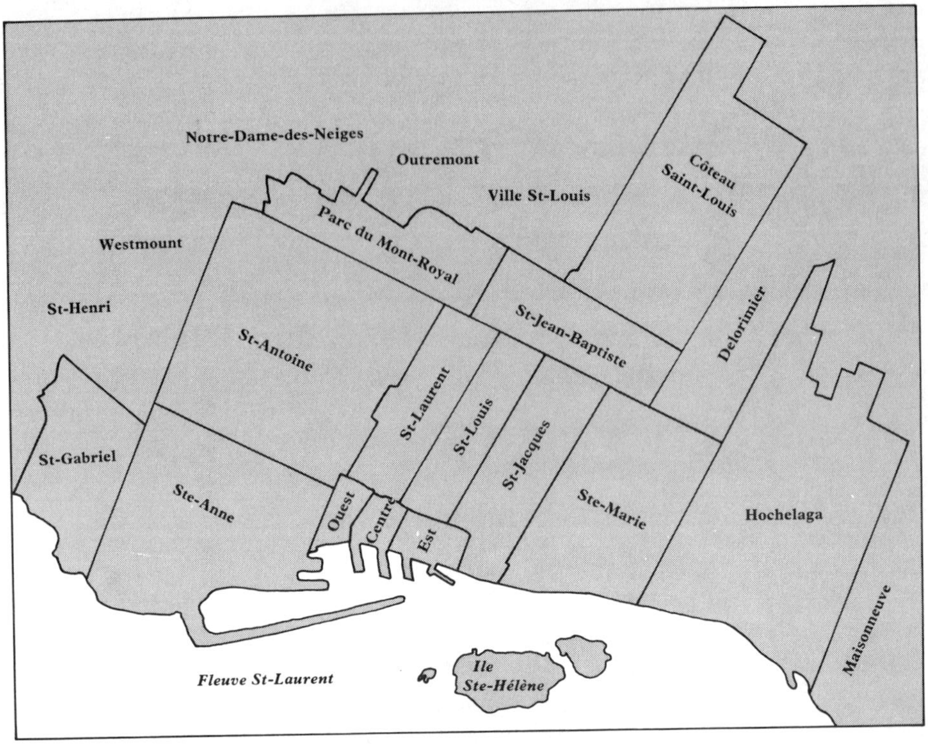

Les quartiers de Montréal à la fin du 19e siècle

bordure du canal Lachine; au nord, Saint-Jean-Baptiste et Saint-Louis; à l'est, Hochelaga et Maisonneuve. Entre 1871 et 1901, la population de ces nouveaux territoires urbanisés de l'île de Montréal passe de 11 000 à 130 000, soit de 4% à 20% de la population urbaine du Québec. À la fin du siècle, ces nouvelles zones absorbent la plus grande part de l'augmentation de la population de la métropole.

Les autorités municipales de Montréal veulent ajuster les structures politiques à ces nouvelles réalités démographiques et économiques. Elles tentent d'agrandir leur territoire par l'annexion des villes de banlieue. Le mouvement commence en 1883 avec l'annexion d'Hochelaga et, dans les années suivantes, trois autres municipalités subiront le même sort. Le phénomène prendra toute son ampleur au début du 20e siècle, alors qu'en une douzaine d'années, 19 municipalités de la banlieue seront annexées, permettant d'agrandir de façon spectaculaire le territoire de Montréal.

Ces petites municipalités sont habituellement créées par une poignée de promoteurs fonciers qui veulent mettre en valeur les terrains qu'ils possèdent. Ils obtiennent à cette fin la création d'une petite ville, ce qui leur permet de mieux contrôler le conseil municipal. Par une politique d'exemptions de taxes ou de dons en argent, ils attirent des entreprises dont les employés deviendront les résidents de la nouvelle ville. Bénéficiant eux-mêmes d'importantes exemptions fiscales, les promoteurs lancent des projets de développement que la municipalité finance au moyen d'emprunts; le fardeau de ceux-ci retombe en définitive sur les petits propriétaires et les locataires. Après quelques années, ou quelques décennies, la municipalité est lourdement endettée et l'annexion à Montréal apparaît comme la solution à ces problèmes financiers.

Montréal est donc, à l'époque, en pleine expansion et en pleine transformation. L'un des changements les plus significatifs se fait au niveau de la composition ethnique. Au milieu du 19e siècle, Montréal était culturellement et politiquement une ville britannique. De 1831 à 1865, la population est à majorité anglophone (avec un sommet de 57% atteint en 1844). La prépondérance britannique se retrouve aussi au conseil municipal où les décisions politiques vont dans le sens des intérêts de cette majorité. Toute l'allure de la ville est modifiée. À compter des années 1840, l'architecture d'inspiration britannique remplace graduellement, sans l'éliminer totalement, la vieille architecture française. La situation commence à se renverser vers 1865 alors que les francophones redeviennent majoritaires dans la ville. Cela s'explique par l'arrivée des ruraux canadiens-français venus travailler dans les usines, à un moment où l'immigration d'origine britannique est nettement en baisse. L'annexion de municipalités de banlieue, peuplées en grande majorité de francophones, accentuera ce mouvement. Il faudra toutefois attendre une vingtaine d'années avant que ce renversement de la composition ethnique ne se répercute au conseil municipal. Il faudra beaucoup plus de temps avant que l'image de la ville et ses principales institutions culturelles ne retrouvent leur visage français.

En 1896, Montréal est donc devenue non seulement une métropole financière et commerciale, mais aussi une grande cité industrielle. La croissance rapide qu'elle a connue amène toutefois de nombreux problèmes d'ajustement qui affecteront les conditions de vie dans la ville: entassement de la population, conditions sanitaires déficientes, mortalité élevée, etc. Nous reviendrons sur ces questions.

Québec. L'évolution de la capitale est différente de celle de la métropole à cette époque. Fondée en 1608, Québec est la ville la plus ancienne du territoire. Après avoir été le centre principal de la Nouvelle-France puis de l'Amérique du Nord britannique, elle perd peu à peu sa prééminence, en matière politique, au profit d'Ottawa.

À l'époque de la Confédération, la ville de Québec entre dans une phase de relative stagnation qui dure jusqu'à la fin du siècle. Après s'être accrue de 42% entre 1861 et 1871 (tableau 3), sa population n'augmente que très lentement pendant les trois décennies suivantes. La comparaison avec Montréal éclaire ce phénomène. Pendant toute la première moitié du 19e

La rue Petit-Champlain à Québec, vers 1890. (Archives Notman, Musée McCord)

siècle, les deux villes étaient à peu près de la même taille. À compter de 1851, l'écart devient plus sensible et, en 1901, l'ensemble urbain de Montréal compte cinq fois plus d'habitants que celui de la capitale. Cette dernière qui rassemblait 22% de la population urbaine du Québec en 1871 n'en compte plus que 10,5% en 1901.

Québec réalise très difficilement le passage de l'ère commerciale à l'ère industrielle. Les difficultés que connaît la ville vers la fin des années 1860 ont été bien identifiées par Raoul Blanchard. Il y a d'abord la chute du commerce du bois. Depuis le début du siècle, Québec était le principal port d'exportation du bois canadien vers l'Angleterre. Le remplacement du bois équarri par le bois scié et la réorientation du commerce de la Grande-Bretagne vers les États-Unis ont modifié les axes de transport et Québec cesse d'être le pivot de ces exportations. Les navires qui y étaient construits transportaient le bois canadien jusqu'en Angleterre où ils étaient revendus. Le ralentissement des expéditions de bois compromet donc cette activité. L'évolution de la technologie maritime lui porte aussi un dur coup puisque le bateau en bois est remplacé par le navire à coque de fer ou d'acier. À compter des années 1870, les chantiers navals de Québec connaissent un déclin rapide. Enfin, l'activité portuaire est affectée par la concurrence de Montréal. Le creusement du chenal permet aux océaniques de se rendre jusqu'à la métropole et Québec perd peu à peu son importance comme terminus des lignes transatlantiques. C'est donc, comme le souligne Blanchard, toute l'activité maritime de Québec qui est en régression. Ceci provoque la mise à pied de milliers de travailleurs qui devront chercher de l'emploi ailleurs.

En outre, Québec est mal intégrée au réseau ferroviaire. Le Grand-Tronc passe sur la rive sud et favorise plutôt le développement de la région de Lévis. Il faudra d'ailleurs attendre le début du 20e siècle pour voir un pont relier les deux rives du Saint-Laurent. Le chemin de fer de la rive nord, reliant Québec à Montréal, n'est inauguré qu'en 1879. Un tel retard dans l'équipement ferroviaire n'aide pas la ville à sortir du marasme. Enfin, signalons que l'installation de la capitale canadienne à Ottawa, en 1867, entraîne un exode de fonctionnaires. Cette saignée est suivie en 1871 du départ de la garnison britannique.

Ces nombreux facteurs défavorables sont, en partie, contrebalancés par la mise en place d'éléments de reprise. Ayant perdu sa prééminence à l'échelle canadienne, Québec devient de plus en plus une métropole régionale pour l'est et le centre du Québec. L'hinterland immédiat de la ville étant assez restreint, il faut l'étendre en annexant et en dominant de nouvelles régions. La bourgeoisie de Québec s'y emploie dans les trois dernières décennies du siècle. Son instrument privilégié sera le chemin de fer. C'est ainsi que le Québec et Lac Saint-Jean permettra la domination de la région saguenayenne, que le Lévis et Kennebec place la Beauce dans son orbite et que le chemin de fer de la rive nord accentuera les liens avec la région située à l'ouest de la capitale. Tout au cours de cette période, Québec attire un certain nombre d'entreprises industrielles. Le secteur le plus important est celui de la chaussure. Cette industrialisation permet de compenser en partie le chômage créé par la baisse des activités maritimes, mais elle est insuffisante pour retenir tout le surplus de population. On tente en outre de relancer l'activité maritime par d'importants travaux d'agrandissement des installations portuaires, terminés en 1890.

Ainsi, la stagnation économique de Québec dans les dernières décennies du 19e siècle est due au déclin de ses activités économiques traditionnelles. Le remplacement par des activités nouvelles n'est pas assez rapide pour stabiliser le nombre de la population.

Cette situation a aussi des conséquences importantes sur la composition ethnique de la population. En 1861, les Britanniques formaient environ 40% de la population de la ville; en 1901, ils n'en sont plus qu'à 15%. La baisse est également sensible en chiffres absolus puisque, pendant la même période, leurs effectifs passent d'environ 23 000 à 10 000. La majorité de ces Britanniques étaient des Irlandais, employés le plus souvent comme manoeuvres dans le port ou dans les chantiers; ils sont les premiers touchés par le ralentissement de l'activité économique et ils n'ont pas d'autre choix que de quitter la ville. Il y a donc, très nettement, une francisation de Québec à la fin du siècle. Comme l'indique Blanchard, ce phénomène atteint aussi la bourgeoisie puisque les francophones détiennent une part croissante dans la direction des principales entreprises.

L'accroissement de la population, même faible, entraîne une extension de l'espace habité. Celle-ci se fait du côté de Québec-Est, qui voit sa population doubler entre 1861 et 1901, en particulier dans les quartiers de Saint-Roch, Saint-Sauveur et Saint-Vallier où s'installent les nouvelles industries.

Les autres villes. À l'époque de la Confédération, Trois-Rivières occupe encore le troisième rang, quant aux effectifs de population, loin derrière Québec et Montréal. Mais au cours de la période, elle est dépassée successivement par Hull, Sherbrooke et Valleyfield. Trois-Rivières est alors elle aussi dans une phase de stagnation, passant en 40 ans, de 6 098 à 9 981 habitants; entre 1881 et 1891, elle connaît même une légère baisse de population. Cette situation peut s'expliquer par le ralentissement du commerce du bois dans le dernier quart du siècle. L'hinterland de la ville est essentiellement agricole ou agro-forestier. Il faudra attendre le début du 20e siècle pour que l'hydro-électricité et les pâtes et papiers viennent donner un nouvel essor économique à la région et susciter le développement d'un réseau urbain (Cap-de-la-Madeleine, Shawinigan, Grand-Mère, La Tuque) dont Trois-Rivières sera la tête de pont.

La situation est différente du côté de l'Estrie. Dans cette région, une agriculture relativement prospère avait amené la création d'un réseau de villages. Dans le dernier quart du siècle, plusieurs de ces centres voient s'implanter chez eux des usines utilisant une main-d'oeuvre rurale. C'est ainsi que l'Estrie se dote d'un réseau de petites villes — ne dépassant guère 3 000 habitants en 1901 — comme Magog, Granby, Coaticook, Farnham, Richmond, Windsor. Signalons un cas particulier, celui de Thetford, qui repose sur l'exploitation de l'amiante. Ce petit réseau est coiffé d'une métropole régionale, Sherbrooke, qui domine l'ensemble durant la période. Cette dernière ville jouit d'avantages de localisation sur la rivière Saint-François au confluent de la Magog et le long du chemin de fer du Grand-Tronc. Sherbrooke est à la fois une ville industrielle et un centre de services pour l'ensemble de l'Estrie.

Un autre réseau régional existe au Québec. Il s'agit des villes satellites de Montréal, formant une couronne autour de la métropole, dans un rayon d'environ 60 km. Ce sont Saint-Jérôme, Joliette, Sorel, Saint-Hyacinthe, Saint-Jean et Valleyfield. Ensemble, elles ont déjà plus de 18 000 habitants en 1871 et 40 000 en 1901. Leur croissance s'appuie sur des fonctions commerciale et industrielle ainsi que sur un rôle de centre de services. La ville de Joliette est représentative de ce type d'agglomération. Fondée en 1824, elle se développe lentement jusqu'au milieu du siècle. Sa base

Trois-Rivières, en 1881, vue à vol d'oiseau. Archives publiques Canada C36616.

économique principale est alors l'exploitation forestière car un moulin à scie important y est installé. Très rapidement, l'ouverture au peuplement des cantons avoisinants la transforme en centre de services régional, ce qui entraîne non seulement des installations particulières, mais également un type d'activité économique à la fois commercial et industriel. Par exemple, un atelier de forge se transforme graduellement en fabrique de machines aratoires; un autre propose à sa clientèle toute une série d'articles en fer, de la pièce de moulin aux poêlons, en passant par les « ferrures de moulin à laver ». L'importance de la petite ville, qui compte 6 000 habitants au début du siècle, sera attestée par la création d'un évêché en 1904.

À la fin de la période, le processus d'urbanisation du Québec est donc engagé de façon irréversible. Le poids de Montréal s'est accentué en même temps que se développaient un ensemble de petites villes, concentrées surtout dans la plaine de Montréal et les Cantons de l'Est.

Orientations bibliographiques.

Acheson, T.W. *The Social Origins of Canadian Industrialism: A Study in the Structure of Entrepreneurship*. Thèse de Ph.D. (histoire), Université de Toronto, 1971.

Angers, François-Albert et Roland Parenteau. *Statistiques manufacturières du Québec*. Montréal, École des Hautes Études commerciales, 1966. 166p.

Blanchard, Raoul. *L'Est du Canada français*. Montréal, Beauchemin, 1935. 2 vol.

Blanchard, Raoul. *L'Ouest du Canada français. Montréal et sa région*. Montréal, Beauchemin, 1953. 399p.

Cooper, John Irwin. *Montreal. A Brief History*. Montréal, McGill-Queen's University Press, 1969. 217p.

Faucher, Albert. *Québec en Amérique au XIXe siècle. Essai sur les caractères économiques de la Laurentie*. Montréal, Fides, 1973. 247p.

Hamelin Jean et Yves Roby. *Histoire économique du Québec, 1851-1896*. Montréal, Fides, 1971. Quatrième partie, chap. II et III.

Harvey, Fernand. *Révolution industrielle et travailleurs*. Montréal, Boréal Express, 1978. 347p.

Kilbourn, William. *The Elements Combined. A History of the Steel Company of Canada*. Toronto, Clarke Irwin, 1960. 335p.

Linteau, Paul-André. *Histoire de la ville de Maisonneuve, 1883-1918*. Thèse de Ph.D. (histoire), Université de Montréal, 1975. 427p.

Rouillard, Jacques. *Les travailleurs du coton au Québec, 1900-1915*. Montréal, PUQ, 1974. 152p.

Stone, Leroy O. *Urban Development in Canada*. Ottawa, Dominion Bureau of Statistics, 1967. 293p.

Trotier, Louis. « Caractères de l'organisation urbaine de la province de Québec », *Revue de Géographie de Montréal*, XVIII, 2 (1964): 279-285.

Trotier, Louis. « La genèse du réseau urbain du Québec », *Recherches sociographiques*, IX, 1-2 (janv.-août 1968): 23-32.

B. LA SOCIÉTÉ

Les transformations économiques que connaît le Québec pendant la seconde moitié du siècle ne sont pas sans remettre en cause l'organisation même de la société. De nouveaux rapports sociaux s'établissent, des groupes s'organisent pour mieux défendre leurs intérêts. Mais les changements ne se font pas tous sans heurts; les anciennes structures résistent et les transformations sont parfois lentes à venir. Le retard de certaines d'entre elles est manifeste à la fin du siècle.

Parmi les nombreuses facettes de la société québécoise du passé, certaines sont particulièrement significatives dans la perspective de synthèse qui est la nôtre. Il est important de préciser d'abord ce qu'est la structure sociale québécoise de la fin du 19e siècle. Le premier chapitre sera donc consacré à l'étude des principales classes sociales. Nous nous pencherons ensuite sur les conditions de travail et de vie, tant à la ville qu'à la campagne. Si, dans le second cas, le poids des traditions reste important, il n'en est pas de même quand l'industrialisation et l'urbanisation viennent bouleverser la vie quotidienne et accentuer certains problèmes sociaux. La charité tente d'apporter des solutions à ces difficultés mais sans s'attaquer à leurs causes véritables; l'efficacité de son action en souffre.

La période 1867-1896 voit la montée du mouvement ouvrier au Québec. Après avoir identifié les étapes de la syndicalisation, nous examinerons les revendications ouvrières et les réponses qu'y apportent les gouvernements. Si la situation des travailleurs est souvent difficile, il en est de même pour les femmes, qui sont considérées comme des citoyens de seconde zone et dont les mouvements de revendication n'apparaissent qu'à la toute fin de la période. Dans un dernier chapitre nous nous pencherons sur l'évolution de deux organisations d'encadrement particulièrement importantes: l'Église et l'école.

CHAPITRE 8
LA STRUCTURE SOCIALE

La structure de l'économie que nous venons de décrire affecte profondément toute la structure sociale. L'implantation d'un capitalisme industriel provoque l'établissement de rapports nouveaux au sein de la société et l'émergence de nouvelles classes sociales. Il faut dire cependant que les historiens et les sociologues ont mis beaucoup de temps à reconnaître cet état de fait, percevant habituellement les Canadiens français comme formant un bloc relativement homogène face à un bloc canadien-anglais.

Pendant longtemps, historiens et sociologues ont décrit le Québec francophone comme une société essentiellement rurale, relativement égalitaire et dont la structure sociale fondamentale est la famille. Unie par une même culture et des valeurs religieuses communes, cette société produit des dirigeants religieux et politiques émanant du peuple et reflétant les préoccupations de celui-ci. Cette présentation trouve sa forme la plus achevée dans les analyses que font, au cours des années 1930, les sociologues américains Robert Redfield, Horace Miner et Everett Hughes. Ces auteurs voient dans le Québec francophone un modèle type de société traditionnelle (*folk society*) caractérisée par l'importance de la famille, structure sociale fondamentale; un ensemble de préceptes et de valeurs qui forment un tout cohérent et qui règlent la vie des individus; l'importance du phénomène de sacralisation; la place de la tradition orale; un réseau de relations très fort unissant les membres de la société; un relatif isolement du monde extérieur.

La société paysanne du Québec aurait eu plusieurs traits caractéristiques d'une société traditionnelle et c'est l'urbanisation du 20e siècle qui en aurait amené la disparition.

Cette interprétation d'origine américaine a eu beaucoup de succès chez les sociologues québécois des années 1940 et 1950, mais elle a été abandonnée par la suite. Il faut dire qu'elle parvenait mal à rendre compte adéquatement de la structure sociale québécoise. L'accent qu'elle mettait sur la famille et la parenté masquait les autres formes de rapports sociaux (les rapports de dépendance économique, les classes). L'accent mis sur l'isolement minimisait la circulation des idées et des hommes et les relations avec le monde urbain. En insistant sur le caractère rural, on oubliait que l'exode vers les États-Unis et vers les villes est devenu massif dès le milieu du 19e siècle et que l'industrialisation et l'urbanisation du Québec sont bien antérieures aux années 1920.

La conception d'une structure sociale propre au Québec émerge dans les années qui suivent la Deuxième Guerre mondiale. Historiens et sociologues présentent alors la société canadienne-française de la fin du 19e siècle comme étant formée de deux groupes: d'une part la masse de la population, les habitants, confinée à l'agriculture, et d'autre part l'élite, formée essentiellement du clergé et des membres des professions libérales. L'élite exerce un étroit contrôle sur l'ensemble des institutions — politiques, sociales, religieuses — et réussit à encadrer, orienter et diriger la masse de la population. Cette interprétation met particulièrement l'accent sur le rôle déterminant du clergé au sein de l'élite. Le thème du contrôle clérical, qu'on retrouvait déjà dans la production historique canadienne-anglaise (le Québec étant présenté comme une *priest-ridden society*), trouve aussi sa part dans l'historiographie francophone. Les intellectuels des années 1950, aux prises avec le conservatisme du régime Duplessis, amplifient l'importance historique de ce contrôle clérical.

Au cours des années 1960, émerge une nouvelle conception de la société québécoise de la seconde moitié du 19e siècle. Cette fois, il n'est plus seulement question des Canadiens français et on fait intervenir le concept de classes. La société québécoise est alors divisée en trois: une bourgeoisie, qui est d'origine britannique et qui contrôle l'économie; une petite bourgeoisie canadienne-française formée de membres des professions libérales, de petits entrepreneurs et du clergé, qui exerce un contrôle institutionnel et idéologique; et enfin la masse des ruraux canadiens-français. Une telle classification laisse plusieurs questions en suspens. Peut-on associer aussi étroitement groupe anglophone et bourgeoisie? Les Canadiens français sont-ils totalement absents de cette classe? Où classer les agriculteurs d'origine britannique, encore nombreux au Québec à l'époque, et les milliers de travailleurs sans qualification venus d'Irlande et d'Angleterre ainsi que des campagnes québécoises? Peut-on expliquer le contrôle idéologique de la petite bourgeoisie sans que ce pouvoir repose sur des assises matérielles? Peut-on présenter les ruraux comme un groupe homogène? On constate que ces interprétations se heurtaient au problème de la faiblesse des connaissances historiques sur le 19e siècle québécois.

Depuis le milieu des années 1960, le progrès de la recherche a permis de mieux cerner cette structure sociale du passé. C'est ainsi, par exemple, que les travaux d'histoire économique ont jeté un éclairage nouveau sur le rôle et la composition de la bourgeoisie et que les recherches sur les travailleurs ont permis de réinsérer la classe ouvrière dans l'histoire. De plus, les réflexions sur la structure sociale actuelle ont amené historiens et sociologues à poser de nouvelles questions au passé et à mieux définir leurs concepts.

La société québécoise de la seconde moitié du 19e siècle apparaît maintenant comme beaucoup plus complexe que l'image monolithique ayant longtemps prévalu. On y retrouve plusieurs classes et, au sein de celles-ci, des couches ou des fractions. Cette structure sociale est d'ailleurs en mutation et certains groupes paraissent difficiles à classer. Il est sans doute trop tôt pour présenter une nouvelle interprétation de caractère global. Il est néanmoins possible de faire le point à partir des connaissances les plus récentes et de décrire les éléments fondamentaux de la structure sociale québécoise au moment de l'industrialisation.

LA BOURGEOISIE

Au sommet de la société québécoise, domine la bourgeoisie qui contrôle les grands organes de décision politique et économique. Cette classe s'est constituée grâce à l'accumulation du capital. Six sources principales d'accumulation du capital permettront la montée de la bourgeoisie québécoise ou, si l'on veut, de la portion québécoise de la bourgeoisie canadienne: le commerce d'import-export, le crédit marchand, la spéculation foncière, le transport maritime et ferroviaire, les grands travaux publics (chemins de fer, canaux, réseaux d'aqueduc, etc.) et la production industrielle. C'est la propriété de ce capital qui définit la bourgeoisie. Sa propriété, mais aussi sa mise en oeuvre par l'emploi du travail salarié. La bourgeoisie est ainsi en mesure de contrôler les grandes institutions économiques du pays et d'orienter de façon déterminante les choix politiques.

Historiquement, on peut en retracer les origines dans ces agents ou associés qu'à la fin du 18e et au début du 19e siècle les commerçants anglais ou écossais envoyaient dans la colonie ou engageaient sur place pour y représenter leurs intérêts. Certains d'entre eux ont rapidement su accumuler pour eux-mêmes une partie du capital et le ré-investir avec profit dans la colonie. On connaît bien le cas de Joseph Masson, qui débute comme commis, puis associé d'un marchand écossais; habile en affaires, il se bâtit une fortune considérable. La première source d'accumulation du capital a été la fourrure; elle a donné naissance, à Montréal, à la bourgeoisie du castor, celle des McGill, McTavish, McGillivray. La fourrure disparaît de l'espace québécois vers 1821, mais la croissance de la population et le développement des colonies britanniques d'Amérique du Nord multiplient les possibilités d'enrichissement.

Tout au long du siècle, la bourgeoisie québécoise entretient des relations étroites avec sa bourgeoisie-mère, celle de Grande-Bretagne, qui lui fournit régulièrement des capitaux et des hommes. La nature de ces relations évolue cependant: de la relation formelle métropole-colonie on passe à un régime plus souple d'association, où les coloniaux peuvent défendre des intérêts qui leur sont propres et affirmer leur autonomie. La bourgeoisie québécoise se dote d'instruments, tels que les banques, qui manifestent cette volonté. À l'époque de la Confédération, elle est solidement constituée et renforcera ses positions dans les décennies suivantes.

Avec l'implantation du capitalisme industriel, la bourgeoisie est, tout comme la classe ouvrière d'ailleurs, une classe montante. Ses effectifs sont en pleine croissance. La période est encore marquée par une présence importante des *self-made men*. Les cas d'ascension de l'immigrant écossais pauvre mais entreprenant ou du fils du cultivateur canadien-français démuni mais audacieux, sans être légion, ne sont pas rares. C'est d'ailleurs le propre des pays neufs. C'est aussi une caractéristique d'une classe montante que de renouveler ses effectifs. L'historien Acheson a calculé qu'encore en 1885 près du tiers des membres de l'élite industrielle canadienne ont un père agriculteur ou artisan. Mais cela sera de moins en moins le cas par la suite. Les possibilités d'ascension se rétrécissent à mesure qu'on approche du 20e siècle; le recrutement devient alors de plus en plus endogène.

La carrière de Jean-Baptiste Rolland — comme celle de Donald Smith dont nous parlerons plus loin — illustre ce type d'ascension sociale. Fils de cultivateur, né à Verchères en 1815, Rolland arrive sans le sou à Montréal en 1832. Il s'engage comme apprenti-typographe, pour devenir typographe, puis imprimeur. En 1842, il fonde l'entreprise de librairie qui sera à la base de sa fortune. Il débute en faisant du colportage de livres et de papier dans les campagnes. Il étend ensuite ses activités à l'édition et à la reliure. En quelques années, la maison Rolland devient une des plus importantes librairies de Montréal et son propriétaire se lance également dans la promotion foncière et la construction de maisons. En 1881, pour s'assurer de meilleurs approvisionnements en papier, il décide d'en fabriquer lui-même.

La compagnie de papier Rolland installe son usine à Saint-Jérôme et commence à produire en 1882. À sa mort, en 1888, Jean-Baptiste Rolland laisse à ses quatre fils une fortune appréciable et la direction d'une importante entreprise commerciale et industrielle.

Jean-Baptiste Rolland, 1816-1888. Imprimeur et libraire à Montréal, il fonde en 1882 une usine de papier à Saint-Jérôme. (Archives publiques Canada, C26820)

S'il y a matière à quelques *success stories*, il y a aussi beaucoup d'échecs. Le capitalisme concurrentiel ne permet souvent l'ascension rapide des uns que par l'écrasement des autres. On note une grande instabilité chez les individus qui composent la bourgeoisie et les faillites sont nombreuses pendant la seconde moitié du 19e siècle. Malgré cela, l'expansion générale de l'économie permet de grossir les rangs de la bourgeoisie.

Cette classe domine d'ailleurs la société. Son contrôle sur les institutions politiques est manifeste. Les hommes d'affaires sont nombreux dans les parlements et les cabinets aussi bien que dans les conseils municipaux, assurant ainsi une parfaite cohésion entre leurs objectifs économiques et ceux de l'État. On les retrouve aussi à la tête des diverses institutions culturelles et charitables où leur philanthropie trouve à s'exercer. Ils font étalage de leur richesse de multiples façons et en particulier par la construction de somptueuses résidences.

Ce qui caractérise la carrière de plusieurs représentants de cette bourgeoisie est la diversité de leurs intérêts. Au plan économique, on les retrouve dans plusieurs secteurs à la fois: commercial, ferroviaire, industriel, bancaire ou foncier. Certains mènent une carrière politique tout en continuant à administrer leurs entreprises.

La question des secteurs d'activité a amené des historiens à s'interroger sur la nature de la bourgeoisie canadienne. Certains, comme R.T. Naylor, y voient la domination du secteur industriel par une bourgeoisie commerciale et financière qui n'est pas intéressée à développer la production mais plutôt à faire des profits dans les opérations de financement et d'échange. La bourgeoisie commerciale serait essentiellement conservatrice et freinerait l'émergence d'une bourgeoisie industrielle typiquement canadienne; ce faisant, elle favoriserait l'industrialisation du Canada par des filiales d'entreprises américaines. Une telle interprétation, quoique séduisante, ne s'appuie guère sur des preuves bien nettes. L'historien L.R. Macdonald l'a d'ailleurs contestée vigoureusement. Il met en cause la distinction rigide entre capital industriel et capital commercial et l'assimilation des chemins de fer à ce dernier; par l'importance de leurs investissements, les entreprises ferroviaires s'apparentent, selon lui, beaucoup plus au capital industriel qu'au capital commercial. Il conteste aussi l'affirmation que la bourgeoisie commerciale soit essentiellement conservatrice, en opposition à une bourgeoisie industrielle dynamique et innovatrice. Les recherches effectuées jusqu'ici semblent donner raison à Macdonald: plutôt qu'une division très nette entre secteurs commercial et industriel, le portrait de la bourgeoisie canadienne et québécoise nous paraît beaucoup plus nuancé. S'il est vrai que plusieurs entreprises industrielles ont été créées ou prises en main par des commerçants, il est loin d'être évident que le développement de celles-ci en a été limité. Le transfert de capital du secteur commercial au secteur industriel a généralement été un facteur essentiel de l'essor de ce dernier. Loin de représenter une politique conservatrice, il a souvent amené une meilleure intégration de la production et de la distribution. Parce que ses approvisionnements en papier étaient irréguliers, le libraire et commerçant Jean-Baptiste Rolland a fondé une fabrique de papier. De même, c'est pour s'assurer un approvisionnement régulier que les marchands de tissus de Montréal investissent massivement en aval, dans la fabrication de filés de coton au cours des années 1870 et 1880. Et ce ne sont là que deux exemples. L'étude des hommes d'affaires des dernières décennies du 19e siècle révèle qu'ils investissent dans plusieurs secteurs à la fois et qu'il est souvent difficile de les assimiler exclusivement à la bourgeoisie commerciale ou à la bourgeoisie industrielle.

On peut cependant distinguer deux niveaux ou deux couches au sein de cette classe. Il y a d'abord la grande bourgeoisie qui possède des quantités importantes de capital et qui contrôle les institutions économiques dominantes, comme la Banque de Montréal ou le Canadien Pacifique. Elle a dans la société un pouvoir considérable et fortement concentré. Elle est assez puissante pour imposer ses solutions dans un contexte de concurrence et elle est la seule en mesure d'amorcer le processus de monopolisation. Son action dépasse le cadre québécois et s'inscrit dans un contexte canadien et impérial. Ses effectifs sont peu nombreux et concentrés à Montréal, le grand centre financier du Canada. Ses membres sont majoritairement anglo-écossais, bien que des bourgeois d'autres origines, dont quelques Canadiens français, réussissent à s'insérer dans le groupe. Les Donald Smith, Hugh Allan, George Stephen, William Macdonald, Louis-Joseph Forget en sont d'éminents représentants.

Par ailleurs, le gros des effectifs de la bourgeoisie se retrouvent au sein d'une autre couche, la moyenne bourgeoisie. Disposant de capitaux moins considérables, elle exerce son contrôle à un niveau intermédiaire, dans des institutions de taille moyenne qui, tout en étant importantes, sont loin d'avoir le poids et l'envergure de la Banque de Montréal. La frontière entre les deux groupes n'est pas toujours facile à tracer; mais nous cherchons ici à définir un phénomène d'ensemble plutôt qu'à classer des individus. À cause de l'ampleur plus restreinte de ses moyens, ses interventions se font généralement dans un contexte régional.

On voit mieux la différence entre ces deux couches en comparant deux présidents de banque de la fin du siècle: Donald Smith (plus tard Lord Strathcona), de la Banque de Montréal, et Alphonse Desjardins (qu'il ne faut pas confondre avec son homonyme, le fondateur des Caisses populaires), de la Banque Jacques-Cartier. Smith est né en Écosse en 1820 et arrive au Québec en 1838. Il commence sa carrière comme commis de la Compagnie de la Baie d'Hudson. Gravissant les échelons, il en devient *chief commissionner* pour le Canada, en 1870, puis administrateur et gouverneur. Il est également un des membres fondateurs du Canadien Pacifique, en 1880. Il occupe en outre de hautes fonctions à la Banque de Montréal, dont il est successivement vice-président (1882-1887), président (1887-1905) et président honoraire (1905-1914). Smith est donc à la fois un actionnaire important et un administrateur clé de trois entreprises qui ont pesé d'un poids déterminant dans l'histoire économique du Canada. Il participe aussi à de nombreuses autres entreprises industrielles, commerciales et financières. Au cours de sa carrière, il amasse une immense fortune et, à la fin du siècle, il est devenu le plus riche bourgeois montréalais. Parallèlement à ces activités, Donald Smith mène une fructueuse carrière politique; il est, pendant une vingtaine d'années, député au parlement canadien, avant d'être nommé, en 1897, à la Chambre des Lords de Grande-Bretagne. De 1896 jusqu'à sa mort, en 1914, il est Haut-Commissaire du Canada à Londres.

Alphonse Desjardins naît en 1841 et meurt en 1912. Il est particulièrement actif dans le secteur financier: président de la Banque Jacques-Cartier de 1880 jusqu'à la fermeture de l'institution en 1899, il en est pendant plusieurs années le principal actionnaire. Il siège aussi au conseil d'administration de sociétés de crédit foncier et d'assurances. Son action ne se limite cependant pas au secteur financier: on le retrouve dans le domaine industriel — il fonde une entreprise de fabrication de briques — et dans le secteur foncier — il est promoteur urbain à Maisonneuve. Avocat de formation et, pendant un certain temps, directeur du journal *Le Nouveau Monde*, il est un des leaders du groupe ultramontain de Montréal. Député conservateur au parlement fédéral de 1878 à 1892, puis sénateur de 1892 à 1896, il est ministre sous Bowell et Tupper en 1896. Il avait été aussi maire de Montréal en 1893-1894. La défaite du parti conservateur fédéral en 1896 met fin à sa carrière politique. L'élection de Desjardins à la présidence de la Chambre de commerce du district de Montréal, en 1899, témoigne du prestige dont il jouit dans les milieux d'affaires francophones.

Alphonse Desjardins, 1841-1912. À ne pas confondre avec son homonyme des caisses populaires. (Archives publiques Canada, PA25541)

Donald Smith, 1820-1914, devient Lord Strathcona en 1897. (Archives publiques Canada, C3841)

Ainsi, ces deux hommes sont présents dans les domaines bancaire et financier, industriel et foncier et mènent une carrière politique active au parlement fédéral. Mais Smith préside une banque qui étend ses opérations à travers tout le Canada et qui est l'agent financier des gouvernements, alors que la Banque Jacques-Cartier a un actif vingt fois moindre et que ses opérations, beaucoup plus modestes, se concentrent surtout dans la région de Montréal. Smith est mêlé à des opérations foncières de grande envergure, portant sur une immense région, l'Ouest canadien, pendant que Desjardins fait du développement dans une petite ville de banlieue. Smith et Desjardins sont deux bourgeois, mais ils n'ont pas le même degré de contrôle sur l'économie québécoise et canadienne.

La présence de banques régionales est d'ailleurs à mettre en relation avec l'existence d'une moyenne bourgeoisie. Pensons à la Banque Nationale à Québec, à la Eastern Townships Bank à Sherbrooke, ainsi qu'à la Banque de Saint-Hyacinthe et à la Banque de Saint-Jean. Cependant la moyenne bourgeoisie québécoise est surtout présente à Montréal. Les Rodier, Rolland, Beaubien, Beaudry, Rivard, Desjardins, Préfontaine, Viau, Cherrier, Barsalou, Delisle en sont des représentants connus, mais il y en a de nombreux autres qu'il importerait de mieux identifier. Elle aussi se dote d'institutions financières comme la Banque d'Hochelaga ou la Banque Jacques-Cartier.

La composition ethnique de la moyenne bourgeoisie paraît être plus diversifiée que celle de la grande bourgeoisie. Certes, on y trouve un fort contingent d'Anglais et d'Écossais. On doit s'attendre à y trouver aussi un certain nombre d'Irlandais. Mais on y remarque également une présence significative d'hommes d'affaires canadiens-français, impliqués dans tous les secteurs d'activité économique. Le phénomène typiquement nord-américain de l'avocat-brasseur d'affaires est bien visible à ce niveau. On assiste très nettement à l'affirmation d'une présence canadienne-française au sein de la bourgeoisie. Tout en étant bien inférieure au pourcentage des francophones dans l'ensemble de la population, cette participation n'est pas pour autant négligeable. Dans le secteur industriel, ils doivent surmonter un handicap important. À cette époque, la technologie de l'industrie est presque toujours importée, soit de Grande-Bretagne, soit des États-Unis. L'immigrant américain ou britannique qui vient ériger une usine au Québec connaît cette technologie et, ayant gardé contact avec son pays d'origine, il s'insère dans un réseau d'information lui permettant de bénéficier des perfectionnements récents de la technique. Il est certes beaucoup plus difficile pour un homme d'affaires canadien-français de s'insérer dans de tels réseaux d'information. Certains y parviennent mais la majorité semblent s'être tournés vers les activités commerciales et foncières. Le secteur foncier, si négligé par les historiens, est, dans ce cas, très important. Il fait appel à un réseau d'information beaucoup plus interne à la société québécoise. Pour réaliser de bons profits sur le sol, il faut connaître les conditions locales et pouvoir contrôler ou influencer les conseils municipaux. Ceci peut expliquer le fait que les hommes d'affaires canadiens-français aient été régulièrement actifs comme spéculateurs et promoteurs fonciers.

LA PETITE BOURGEOISIE

Entre la bourgeoisie d'une part et la masse des paysans et des travailleurs d'autre part s'insère une classe intermédiaire qui joue un rôle important dans l'histoire du Québec. On y trouve un groupe qui participe, bien que faiblement, à la propriété et à l'accumulation du capital et qui n'a que peu ou pas recours à la main-d'oeuvre salariée. Ce sont les petits entrepreneurs, les marchands détaillants et les autres intermédiaires de même nature. On y trouve aussi l'important groupe des professions libérales.

L'accumulation du capital qui se fait à ce niveau est bien modeste quand on la compare aux opérations de la bourgeoisie. Elle peut s'effectuer par la production, comme c'est le cas pour les petits entrepreneurs artisans, mais elle semble surtout se réaliser par le crédit marchand et les opérations foncières. Ces activités s'exercent presque toujours au plan local.

Cette petite bourgeoisie a surtout retenu l'attention des historiens à cause de sa présence massive dans l'ensemble des institutions qui encadrent la société québécoise: les parlements, les conseils municipaux, les commissions scolaires, les fabriques, les sociétés de charité et les autres organisations volontaires. Elle y monopolise assez facilement les postes électifs. Elle a donc un rôle essentiel d'encadrement aussi bien dans les villes que dans les campagnes.

Dans une société encore majoritairement rurale, le prototype de cette classe est la petite bourgeoisie villageoise. Elle est généralement composée du curé, du notaire, du médecin et des principaux marchands et sa domination se traduit de plusieurs façons. D'abord par l'accaparement des postes administratifs électifs au niveau paroissial, qu'il s'agisse des marguilliers, des commissaires d'école ou des conseillers municipaux. Dans une paroisse donnée, on tend à retrouver les mêmes hommes exerçant le pouvoir dans diverses structures. Un tel pouvoir s'appuie sur des fondements économiques. Le curé vit de la part des récoltes de chaque cultivateur; c'est une première ponction sur le revenu rural, qui dépasse souvent les stricts besoins de la paroisse. Marchands et membres des professions libérales de leur côté sont régulièrement créanciers des cultivateurs; l'inventaire de leurs créances constitue souvent un véritable bottin de la paroisse, ou du moins un extrait substantiel. Si nous allons du côté des prêts hypothécaires, nous retrouvons les mêmes gens. Ainsi, entre les notables locaux et la masse des cultivateurs, se créent des liens de dépendance qui se reflètent dans toutes les dimensions de la vie de la société rurale.

En milieu urbain, la petite bourgeoisie joue un rôle similaire. Dans les grandes villes, son action s'exerce surtout dans le cadre de la paroisse ou du quartier. Son poids économique et politique est comparable, avec quelques variantes toutefois: par exemple, les rapports propriétaires-locataires qui sont beaucoup plus visibles à la ville qu'à la campagne.

Les historiens n'ont guère examiné jusqu'ici les relations qui ont existé entre petite bourgeoisie et bourgeoisie. Il y a entre les deux des rapports de dépendance évidents. Les marchands locaux sont liés étroitement aux grands marchands qui leur fournissent des biens et surtout du crédit. Les notaires et les avocats servent souvent d'intermédiaires pour de grands investisseurs ou pour des sociétés de crédit comme le Crédit foncier franco-canadien. Par son contrôle des institutions locales, par l'encadrement idéologique de la population qu'elle assure, la petite bourgeoisie joue un rôle important dans le maintien de la paix sociale et de la stabilité des institutions.

À cet égard, le clergé a un rôle particulièrement important et il met volontiers son influence au service des grands entrepreneurs. Il y a d'ailleurs des hiérarchies à établir au sein du clergé. Le curé de paroisse a une influence considérable mais qui ne dépasse guère le niveau local. Les évêchés et les grandes communautés religieuses ont souvent à leur tête des individus issus de la bourgeoisie. Ces institutions disposent de ressources financières importantes, accumulées au cours des décennies et qui échappent généralement à la taxation. Elles investissent dans des entreprises, elles agissent comme institutions de crédit et de financement et même comme des quasi-banques dans les régions où le système bancaire est peu implanté. À ce niveau, les intérêts des grandes institutions religieuses sont assez près de ceux de la bourgeoisie. Il faut reconnaître toutefois que cette dimension économique du pouvoir clérical nous est encore peu connue. Le clergé peut d'ailleurs profiter d'une main-d'oeuvre abondante et peu coûteuse: cette armée de religieux et de religieuses qui sont recrutés surtout parmi les familles nombreuses du monde rural. Nous reviendrons plus loin sur le rôle de l'Église catholique au sein de la société québécoise.

À cette petite bourgeoisie peuvent également se rattacher les intellectuels: journalistes, écrivains, professeurs, artistes. Ils ne sont pas légion au Québec à cette époque et le groupe le plus important est sans doute celui des journalistes, très impliqués dans les débats politiques et idéologiques. Les conditions de vie et de travail de ces intellectuels ont été assez peu étudiées jusqu'ici, à l'exception de quelques figures plus connues comme Arthur Buies, journaliste et plus tard secrétaire du curé Labelle, ou William Dawson, principal de l'Université McGill.

LES TRAVAILLEURS

L'une des transformations les plus significatives de la structure sociale, pendant la période que nous étudions, est certainement l'émergence de la classe ouvrière. C'est là une conséquence bien visible de la montée du capitalisme industriel. Le processus de formation de cette nouvelle classe s'est amorcé bien avant 1867 mais il atteint une ampleur nouvelle pendant les trois dernières décennies du siècle. Au coeur de ce processus, on trouve la désorganisation du système artisanal et son remplacement par la

Les travailleurs de la fonderie Clendinneng à Montréal, en 1872. (*Canadian Illustrated News*, 4 mai 1872)

production de type capitaliste. L'artisan, petit producteur indépendant, perd peu à peu le contrôle de ses moyens de production et devient un ouvrier salarié travaillant pour un entrepreneur. C'est le cas bien connu de la prolétarisation de l'artisan. L'enquête de la Commission du travail, en 1887-1888, nous en fournit des exemples. Plusieurs des témoins ont commencé leur carrière comme artisans et ont vu leurs conditions de travail se détériorer graduellement; le morcellement des tâches et la mécanisation a entraîné pour eux une dévalorisation de leur travail.

Mais la nouvelle classe ouvrière ne se recrute pas seulement dans les rangs des artisans. Ces travailleurs qualifiés ne représentent souvent qu'une faible partie de la main-d'oeuvre de l'usine. L'entrepreneur peut en effet compter sur trois autres bassins de recrutement. Il y a d'abord l'important réservoir de main-d'oeuvre sans qualification que comptaient les villes pré-industrielles: ces manoeuvres ou journaliers et ces domestiques, par exemple, qui formaient 40% de la population montréalaise en 1825. C'est ainsi qu'on constate que l'introduction du travail féminin en usine entraîne une baisse radicale de l'importance relative des domestiques. Au début du processus d'industrialisation, ce pré-prolétariat urbain fournit un apport appréciable à la nouvelle classe ouvrière. Celle-ci s'alimente également à l'immigration. Québec et Montréal reçoivent régulièrement des immigrants pauvres venus d'Irlande, de Grande-Bretagne et, à la fin du siècle, de l'Europe de l'Est. Cependant, entre 1867 et 1897, le niveau de cette immigration est très bas, quand on le compare à celui de la période 1815-1855 ou à celui de la période 1896-1914. La classe ouvrière se constitue donc principalement à partir d'une autre source: le surplus de main-d'oeuvre dans les campagnes québécoises. Habitués à un niveau de vie assez bas, trop nombreux pour se montrer exigeants, ces ruraux acceptent les nouveaux emplois mal payés offerts par l'industrie, qui ont l'avantage de n'exiger aucune qualification particulière.

L'organisation du travail de type capitaliste n'affecte pas seulement la classe ouvrière proprement dite mais l'ensemble des travailleurs. La grande entreprise s'installe aussi dans le commerce, les transports et les services en général. Elle y introduit également des rapports de travail de type hiérarchique et des conditions de travail souvent difficiles.

On trouve évidemment chez les travailleurs une grande variété de conditions. La prolétarisation ne se fait pas au même rythme partout et dans tous les secteurs. Dans certains secteurs les artisans peuvent mieux résister et protéger leurs conditions de travail; une hiérarchie apparaît nettement au sein de la classe ouvrière et des travailleurs en général.

Au sommet, on distingue ce qu'on a appelé l'aristocratie de la classe ouvrière. Il s'agit des ouvriers qualifiés, de ceux qui ont une profession exigeant une formation, comme les typographes ou certains ouvriers du fer; plusieurs métiers de la construction s'apparentent à cette catégorie. Ces travailleurs commandent des salaires beaucoup plus élevés que la moyenne. C'est dans leurs rangs que se recrutent les dirigeants syndicaux et ils forment les effectifs les plus stables et les mieux organisés du mouvement ouvrier. Ajoutons-y les employés des administrations publiques et privées qui jouissent d'un statut élevé. Mais la croissance des appareils administratifs créera là aussi une hiérarchisation et une modification des conditions de travail qui se manifeste, entre autres, dans le recours plus fréquent au personnel féminin moins payé pour le travail de bureau.

La masse des travailleurs est formée des ouvriers spécialisés qui n'ont pas une formation poussée, mais qui occupent une tâche précise au sein du processus de production. C'est là que se trouve toute la main-d'oeuvre industrielle à bas salaire et que se concentre le travail féminin. Il s'agit d'une population particulièrement mobile où le degré d'organisation reste très faible au 19e siècle.

Il y a enfin les travailleurs sans qualification ni spécialisation, principalement les journaliers. Employés comme manoeuvres dans le port, la construction ou les transports, ils sont eux aussi mal payés et peu organisés. Leur importance relative dans la population active tend à diminuer. Il en est de même pour les domestiques.

La composition ethnique de ces travailleurs n'a pas été étudiée systématiquement, mais on aurait tort d'associer trop étroitement prolétariat et Canadiens français. Ceux-ci fournissent certainement, après 1867, la majorité des effectifs. Mais il y a aussi d'importants contingents d'origine britannique — Anglais, Irlandais et Écossais; ils ont tendance au cours de la

Le travail de bureau en 1874: le siège social de la Royal Canadian Insurance Co., rue Saint-Jacques, à Montréal. (*Canadian Illustrated News*, 19 décembre 1874)

période à se replier sur Montréal. À la toute fin du siècle, on voit arriver les premiers contingents de Juifs d'Europe de l'Est qui seront en grand nombre employés dans le secteur du vêtement. À la fin du 19e siècle, les travailleurs québécois forment une classe qui, bien que diversifiée, n'en est pas moins soumise à des conditions de travail et de vie fort difficiles.

LES RURAUX

Entre 1867 et 1897, la société québécoise est toutefois composée en majorité de ruraux. Nous pouvons difficilement parler de « classe agricole » ou de « classe rurale », sinon en faisant référence à une appellation d'époque où l'on classait les gens selon leur lieu de travail et de résidence. Par exemple, le recensement canadien de 1871 divise la population active en quatre classes, dont justement une classe agricole. Pourtant le monde agricole n'est pas homogène. D'abord, il n'est pas formé uniquement de propriétaires fonciers; un bon nombre d'habitants de la campagne ne possèdent aucune terre. Il s'agit des journaliers agricoles qui n'ont d'autre moyen de subsistance que d'aller de ferme en ferme proposer leur travail. D'autre part, le fait pour un agriculteur d'être propriétaire de sa terre ne signifie évidemment pas qu'il se classe dans la même catégorie que les grands possesseurs du sol. La taille des exploitations varie beaucoup et, de plus, le niveau d'endettement réduit souvent la qualité de propriétaire foncier à son sens nominal. Ce type de raisonnement vaut également lorsque l'on considère la campagne comme un lieu où l'on retrouve des petits producteurs indépendants. Ici encore cette désignation est de nature à gommer des distinctions fondamentales entre les ruraux.

Nous tenterons donc de voir comment se départagent les ruraux québécois; quels sont les groupes importants à la campagne et quel rôle ils jouent. Cependant, précisons immédiatement que la très grande pauvreté de l'historiographie québécoise et canadienne en matière d'histoire rurale ne nous permettra pas d'éclaircir toutes les questions; tout au plus pouvons-nous arriver à cerner les problèmes et distinguer certaines hypothèses de recherche.

À la campagne, il faut distinguer deux unités de regroupement territorial. Le village, caractérisé par un habitat groupé, est le lieu où se concentrent les services religieux et professionnels ainsi que les activités commerciales. La municipalité de paroisse ou de canton est constituée de la zone rurale qui entoure le village. Certains services sont décentralisés. Par exemple l'enseignement n'est pas réservé au seul village; on retrouve des écoles dans les rangs; il en va de même pour certaines activités de fabrication:

les beurreries et fromageries sont souvent réparties en petites unités sur les rangs.

Dans la zone rurale, nous avons déjà souligné l'importance de la famille et de la paroisse. Par ailleurs, le rang est l'unité intermédiaire de base. Socialement, c'est aussi le lieu de la solidarité entre voisins et de l'entraide qui caractérisent le monde rural. Le rang constitue l'un des traits marquants du paysage rural québécois; né du découpage des terres dans les seigneuries, il survit à l'institution en s'imposant même dans les nouvelles régions d'implantation tout au long du 19e siècle.

Le village abrite quatre groupes bien distincts. D'abord les notables, ceux qu'on assimile à la petite bourgeoisie: notaire, médecin et curé, ainsi que les marchands locaux. Ce sont eux qui dominent la société rurale et qui maintiennent les liens avec la bourgeoisie urbaine. Les marchands, par exemple, vendent et achètent en ville ainsi que chez les cultivateurs et détiennent souvent des créances importantes sur ces derniers. Ensuite nous retrouvons un petit groupe d'artisans, fabriquant les rares objets que le cultivateur ne peut ou ne veut faire lui-même. Le troisième groupe est difficile à cerner, c'est celui des rentiers, formé à la fois de cultivateurs retraités au village et d'anciens artisans ou journaliers. Le dernier groupe renferme les journaliers, que nous analyserons plus loin. Ainsi le village constitue le pôle social de la vie rurale. On y trouve l'église paroissiale et la majorité de ceux qui exercent un pouvoir important dans la collectivité. Gardons-nous cependant de placer au village la totalité des pouvoirs; il existe dans la paroisse de « gros » cultivateurs dont l'influence est déterminante et avec lesquels la petite bourgeoisie villageoise doit composer.

Outre les villageois, nous pouvons distinguer trois grands groupes chez les ruraux: le premier est celui des cultivateurs, le second, celui des journaliers et le troisième, celui des colons dans les nouvelles paroisses dites de colonisation. Les cultivateurs forment un groupe qui n'est pas homogène. Il n'y a pas seulement les distinctions classiques entre les plus prospères, qui augmentent sans cesse l'étendue de leurs terres, et les autres; il faut aussi tenir compte d'autres facteurs de différenciation: la proximité d'un marché urbain en est un, l'existence d'un mode de transport vers ces mêmes marchés en est un autre et enfin une certaine spécialisation agricole en forme un troisième. L'agriculture québécoise n'est donc pas un modèle unique réparti également sur l'ensemble du territoire; aux éléments de disparités régionales que nous avons évoqués s'ajoutent les diversités régionales ainsi que les contraintes climatiques et géographiques. Que dans la plaine de Montréal on fasse les foins à la fin du mois de juin, alors que dans le bas du fleuve on ne les fait qu'à la fin de juillet, ce n'est pas sans peser lourdement sur l'orientation de l'agriculture.

Le groupe des journaliers est lui aussi hétérogène. Si dans la majorité des cas, dans les paroisses de la plaine, ils sont de véritables journaliers agricoles, c'est-à-dire travaillant pour le compte d'un cultivateur à des travaux de ferme et payés à salaire ou, pour employer l'expression consacrée, « à gages », dans d'autres paroisses, notamment sur les plateaux, on retrouve des journaliers qui vivent de l'exploitation forestière, des bûcherons, qui n'ont pas ou peu d'activités agricoles proprement dites. Une partie de ce groupe se distingue par sa grande mobilité, voire son instabilité: rien ne retient ces journaliers célibataires qui passent de rang en rang et de paroisse en paroise à la recherche d'un travail. Par ailleurs, il en existe d'autres qui se fixent dans les villages où ils possèdent maison et jardin.

Ce groupe avait connu une expansion très grande à la faveur de la crise agricole qui étreint le Bas-Canada dans la première moitié du 19e siècle et avait grossi en fonction de la très forte croissance démographique de l'époque. La résorption de la crise après 1850 et les départs vers les États-Unis, importants à la même époque, se combinent pour réduire le nombre des journaliers. Signalons cependant vers la fin du siècle l'existence du métayage, surtout à la périphérie des régions urbaines. Il s'agit de journaliers agricoles qui exploitent une ferme, réservant, en guise de loyer, la moitié des récoltes pour le propriétaire.

Le troisième groupe, celui des colons, semble plus homogène à première vue. La situation générale de dénuement forme la base d'un certain équilibre des conditions de vie et contribue à rendre plus floues les distinctions sociales. Les colons ressemblent davantage, du moins dans les premières années, aux journaliers agricoles qu'aux agriculteurs plus prospères. D'une part, ils doivent souvent exercer un autre travail pour réussir à vivre et, d'autre part, le genre d'agriculture qui se pratique dans ces régions n'est pas de nature à créer des surplus. Par ailleurs l'absence de tout marché empêche la stimulation de la production agricole. C'est tout le problème de l'économie agro-forestière que nous avons analysé précédemment et qui crée pour le colon une situation de dépendance.

Ce type de dépendance, nous le trouvons aussi dans les villages de pêche de la Côte-Nord, de la Gaspésie et des Iles-de-la-Madeleine. Au 19e siècle, ces localités sont très isolées par rapport au territoire québécois et ne sont accessibles que par bateau. Leur population vit de pêche et d'une agriculture de subsistance. Elles sont sous la coupe de marchands ou de compagnies commerciales, exerçant un monopole de fait sur l'achat de leur production et sur la vente des produits importés.

Même si nous retrouvons, à la campagne, des distinctions sociales importantes ainsi que des phénomènes de domination, les clivages sociaux sont tempérés par une tradition d'égalitarisme qui remonte à l'époque des premiers défrichements de rangs. La façon dont les terroirs québécois ont été successivement occupés explique en partie la situation; dans la majorité des cas, le peuplement a procédé par débordement d'un rang sur l'autre, jusqu'à la formation d'une nouvelle paroisse. Quelquefois ce sont les parents qui établissent leur fils sur une terre, encore que dans l'ensemble des paroisses québécoises le pattern de formation ne soit pas clairement établi. Il n'est pas du tout évident que les nouveaux rangs soient exclusivement formés par des jeunes; Léon Gérin dans ses études classiques était allé revoir la famille de Saint-Irénée étudiée par Gauldrée-Boileau en 1861 et 1862 et l'avait retrouvée établie beaucoup plus loin. Les travaux récents de Gérard Bouchard sur le Saguenay font également ressortir la très grande mobilité géographique de cette population. Après 1850, on remarque une tendance nouvelle, celle des jeunes qui travaillent quelques années dans les manufactures de la Nouvelle-Angleterre ou dans la région des Grands Lacs et qui rentrent au Québec pour s'acheter une terre avec le pécule qu'ils ont amassé. On a déjà écrit que toutes les paroisses du Québec avaient certains de leurs membres qui avaient vécu aux États-Unis; c'est dire l'importance du phénomène.

Dans le monde rural québécois nous retrouvons donc différents groupes hiérarchisés les uns par rapport aux autres; même si ce phénomène est atténué par des traditions d'égalitarisme et d'entraide, il n'en existe pas moins des différences sociales perceptibles. Par ailleurs, il nous paraît essentiel d'insister également sur les diversités régionales qui créent des types d'agriculture différents ainsi que des conditions sociales différentes. Il nous apparaît donc difficile de parler d'une classe agricole homogène, du moins pour cette époque.

Ce tableau de la structure sociale n'a pas la prétention d'épuiser la réalité. Outre le problème de la complexité de chaque classe, il y a celui de l'existence de groupes qu'on arrive mal à situer au sein de cette structure. Il y a, par exemple, le cas de ces nomades, en majorité Amérindiens, qui vivent de chasse et de pêche. Ils ont leur structure sociale propre, ils sont organisés en tribus mais ils se rattachent au reste de la société québécoise par les rapports de dépendance qu'instaurent les compagnies de fourrures. Même si l'appartenance de classe constitue une dimension fondamentale de l'organisation de la société, il y d'autres types d'appartenance qui, parfois, recoupent la structure sociale mais qui parfois, entrent en conflit avec elle. Qu'il suffise de mentionner l'appartenance ethnique, religieuse ou régionale, le sexe et l'âge.

Orientations bibliographiques

Bouchard, Gérard. « Introduction à l'étude de la société saguenayenne aux XIXe et XXe siècles », *Revue d'histoire de l'Amérique française*, 31, 1 (juin 1977): 3-27.

Bourque, Gilles et Nicole Laurin-Frenette. « Classes sociales et idéologies nationalistes au Québec (1760-1970) », *Socialisme québécois*, 20 (avril-mai-juin 1970): 13-55.

Hamelin, Jean et Yves Roby. *Histoire économique du Québec, 1851-1896*. Montréal, Fides, 1971. 436p.

Harvey, Fernand. *Révolution industrielle et travailleurs*. Montréal, Boréal Express, 1978. 347p.

Létourneau, Firmin. *Histoire de l'agriculture*. s.l., s.e., 1968. 398p.

Linteau, Paul-André. « Quelques réflexions autour de la bourgeoisie québécoise, 1850-1914 », *Revue d'histoire de l'Amérique française*, 30, 1 (juin 1976): 55-66.

Naylor, R.T. « The Rise and Fall of the Third Empire of the St. Lawrence », Gary Teeple, dir., *Capitalism and the National Question in Canada*, (Toronto, University of Toronto Press, 1972): 1-41.

Macdonald, L. « Merchants Against Industry: An Idea and its Origins », *Canadian Historical Review*, LVI, 3 (sept. 1975): 263-281.

Rioux, Marcel et Yves Martin, dir. *La société canadienne-française*. Montréal, HMH, 1971. 404p.

Séguin, Normand. *La conquête du sol au 19e siècle*. Montréal, Boréal Express, 1977. 295p.

CHAPITRE 9

LES CONDITIONS DE VIE

Les inégalités que nous venons d'identifier au sein de la société se répercutent dans les conditions d'existence des individus. On ne mange pas, on ne se loge pas, on ne meurt pas de la même façon, selon qu'on soit bourgeois ou prolétaire. Et les transformations que connaît le Québec à la fin du 19e siècle posent de sérieux problèmes d'ajustement. Nous en examinerons certains, sans tenter de reconstituer dans toutes ses dimensions l'existence quotidienne des Québécois. Nous aborderons successivement les conditions de vie à la ville (y compris les problèmes posés par le travail en usine) et à la campagne, ainsi que le rôle de la charité privée.

LA VIE URBAINE

L'industrialisation et l'urbanisation entraînent une concentration poussée de la population dans un espace restreint. Il faut construire rapidement des habitations dans lesquelles s'entasseront les nouveaux venus. La densité élevée accroît le risque de conflagration, affecte les conditions sanitaires et plus généralement la qualité de la vie en milieu urbain. La demande de services augmente: il faut construire des aqueducs, des égouts, organiser des services de transport, réglementer plusieurs aspects de la vie collective.

Sous la poussée de cette croissance urbaine qui, dans certains cas est rapide, les vieilles structures de la petite ville pré-industrielle craquent de toutes parts. Il faut trouver des solutions nouvelles mais la période de transition est difficile. Les institutions et les dirigeants sont mal préparés pour faire face à la nouvelle situation. Dans certains cas on trouvera rapidement des réponses aux problèmes, mais le plus souvent il faudra plusieurs décennies de tensions et d'ajustements pour parvenir à un nouvel équilibre. Et les bénéfices de ces transformations sont bien inégalement répartis dans la société.

Les transformations sont particulièrement visibles pour l'habitat. Dans la ville commerciale, bourgeois et travailleurs ont tendance à vivre près de leur lieu de travail. À Québec comme à Montréal, ils s'agglutinent en bordure du port. Le développement des faubourgs fait certes apparaître des spécialisations spatiales au sein de la ville, mais une certaine hétérogénéité sociale se maintient. L'industrialisation modifie ce pattern et amène une ségrégation résidentielle beaucoup plus évidente.

On distingue nettement des quartiers bourgeois et des quartiers ouvriers ayant chacun un environnement différent. Les premiers, généralement installés sur les hauteurs, sont bien aérés, avec des édifices en pierre, des espaces verts et disposent de bons services publics. Les quartiers de travailleurs se développent autour des usines et sont mal dotés sous tous les rapports; l'entassement et l'insalubrité y sont la règle générale et les espaces verts sont inexistants. Ainsi, à Montréal, la grande bourgeoisie quitte la vieille ville à partir des années 1860 pour s'installer sur les contreforts du Mont-Royal; elle y érige de somptueuses résidences à l'allure de petits châteaux. Quant aux quartiers ouvriers, ils s'étendent le long du fleuve et du canal Lachine, sous le couvert de la fumée des usines. Il en est de même à Québec, où la bourgeoisie s'installe confortablement dans la haute-ville; les travailleurs s'entassent le long du fleuve, dans le quartier Champlain, ou en bordure de la Saint-Charles, dans les quartiers ouvriers de Saint-Roch et de Saint-Sauveur. Semblable ségrégation se retrouve même dans les petites municipalités, où les notables locaux se regroupent sur une même rue.

Au seul plan de la construction, il a fallu innover considérablement. Les techniques anciennes utilisant de lourds madriers de bois, ne permettaient pas de construire rapidement un grand nombre de logements et la technologie a dû s'adapter à la forte poussée urbaine. De nouvelles méthodes sont mises au point aux États-Unis et se généralisent rapidement au Québec. Les charpentes de maisons sont maintenant faites de cadres simples, en

La résidence montréalaise de Donald Smith. (Archives Notman, Musée McCord)

pièces de bois de 2 pouces sur 4 pouces, ce qui permet une construction rapide et en série. La brique devient de plus en plus utilisée pour le revêtement extérieur. Pour les grands édifices, les progrès de la technologie du fer et de l'acier permettent d'ériger des charpentes métalliques et d'élever la hauteur des immeubles. La physionomie des villes change. Ainsi, dans le vieux Montréal, les maisons du régime français cèdent la place à des édifices commerciaux de plusieurs étages. Ces changements se produisent de façon anarchique, sans planification de la part des autorités municipales. L'aménagement de l'espace relève du capital privé; ce sont les propriétaires du sol qui décident de l'utilisation de leur lot. Les règlements concernant la construction sont peu contraignants et ne sont guère respectés.

La densité de population s'accroît surtout dans les quartiers ouvriers où on construit des maisons en rangée et où, de plus en plus, l'édifice à deux ou trois étages remplace la maison à un seul étage. Nous ne possédons pas d'analyse systématique de ce phénomène au Québec pour le 19e siècle. À Montréal, les calculs établis par le bureau de santé de la ville sont grossièrement erronés. Tout indique cependant que les problèmes de densité à Montréal sont loin d'atteindre le même degré de gravité que dans certaines

Un logement de fond de cour, typique d'un quartier populaire montréalais. (Archives publiques Canada, C80429)

grandes villes américaines comme New York ou Chicago. Dans son étude d'un secteur ouvrier montréalais en 1897, H.B. Ames a trouvé une densité moyenne de 55 personnes à l'acre, densité qui grimpe à 94 personnes en éliminant du calcul rues, parcs, canaux, quais, etc. Cependant, le secteur pauvre de Griffintown affiche une densité moyenne de 173 personnes à l'acre et un îlot particulièrement peuplé atteint même 300 personnes. La même disparité se retrouve quant à l'entassement dans les maisons.

À la densification et à l'entassement de la population se greffent des problèmes accrus de santé et d'hygiène. Il faut dire que les villes pré-industrielles se caractérisaient par une absence totale de mesures sanitaires. Avec une population faible, les effets n'étaient peut-être pas trop désastreux, par contre, il n'en est plus de même lorsque des centaines de milliers de personnes se retrouvent en un même lieu. La pratique de jeter ses déchets dans la rue ou de les empiler dans la cour devient alors dangereuse.

La première tâche des services municipaux de santé, mis sur pied à partir des années 1870, sera précisément la cueillette des cadavres d'animaux et autres déchets pouvant compromettre la santé des citoyens. La distribution de l'eau par des vendeurs ambulants ne peut répondre très longtemps aux besoins d'une population croissante et la construction d'un réseau d'aqueduc devient une priorité. À Montréal, un système moderne de

Une maison caractéristique du faubourg Québec, à Montréal.

distribution d'eau est mis en service dans les années 1850, mais cette eau n'est pas filtrée, ce qui cause périodiquement des épidémies de typhoïde. Les rues sont rarement pavées; la plupart sont en terre, poussiéreuses par beau temps et boueuses par temps de pluie. Le réformiste H.B. Ames part en guerre contre l'existence des toilettes extérieures que l'on trouve encore dans 5 800 logements montréalais en 1896. Il dénonce également la présence de logements de fond de cour où les conditions d'habitation sont déplorables. Plusieurs des nouveaux logements, construits à la hâte, sont mal éclairés et mal aérés.

Les quartiers bourgeois échappent en partie à ces problèmes, mais, pour la masse de la population urbaine, les sérieuses déficiences des conditions

Le nouveau type d'édifice commercial de la seconde moitié du 19e siècle. (*Montreal Herald*, 25 août 1860)

sanitaires favorisent la propagation des maladies. L'inégalité sociale devant la maladie et la mort est très évidente pendant la période. À Montréal, entre 1877 et 1896, le quartier ouvrier francophone de Sainte-Marie a un taux de mortalité moyen de 36,7 pour mille, alors que pour le quartier bourgeois et anglophone de Saint-Antoine le taux est de 18,7 pour mille. De même, la mortalité infantile, très élevée à Montréal, frappe surtout les quartiers

Intérieur d'une maison ouvrière. (*Canadian Illustrated News*, 6 décembre 1873)

ouvriers de l'est. Pour expliquer cette situation, on met souvent en cause le bas niveau d'éducation des travailleurs canadiens-français et leur ignorance des règles élémentaires de l'hygiène. Les véritables causes sont de nature socio-économique. Ces travailleurs doivent vivre — aussi bien au travail qu'à la maison — dans un environnement insalubre, néfaste à leur santé. Forcés d'entrer très tôt sur le marché du travail, ils ont évidemment une éducation déficiente. Leur revenu insuffisant ne leur permet pas d'avoir un logement de qualité ni une alimentation saine et équilibrée. Ils n'ont guère accès aux services de santé puisqu'ils ne peuvent en payer le coût. Le problème n'est donc pas principalement culturel; il résulte d'un système économique fondé sur l'exploitation et l'inégalité.

L'amélioration des conditions d'existence des citadins ne se fait que très lentement. Les mesures adoptées par les autorités politiques sont timides et ne s'attaquent jamais aux causes réelles des problèmes. En 1886, l'Assemblée législative vote une loi créant un Conseil provincial d'hygiène et obligeant les municipalités à établir un bureau local de santé. Ces organismes ont peu de pouvoir et les effets de leur création ne se feront sentir qu'à long terme.

Dans les villes, les conseils municipaux sont surtout préoccupés de mettre sur pied certains services de base: aqueducs, égouts, gaz et, vers la fin

Caricature rappelant les mauvaises conditions sanitaires dans les zones industrielles de Montréal et les épidémies qui en résultent. (*Canadian Illustrated News*, 5 juin 1875)

du siècle, électricité, transport en commun, police et pompiers. Avec l'accroissement du nombre d'habitants, la lutte contre l'incendie devient prioritaire. C'était là un des grands fléaux des villes pré-industrielles. En 1845, par exemple, à Québec, deux incendies successifs avaient détruit tout le quartier Saint-Roch et une partie du quartier Saint-Jean. En 1852, à Montréal, le feu avait détruit 1 200 édifices, faisant 9 000 sans-abri, soit le sixième de la population de la ville. La création d'un corps de pompiers permanent permet d'éviter de telles conflagrations; on ne relève plus, après les années 1860, de sinistres de cette envergure.

Dans la plupart des cas, les dirigeants municipaux préfèrent confier à l'entreprise privée l'administration des services publics. C'est une pratique courante dans toutes les grandes villes nord-américaines. La concession de

Le quartier Saint-Roch après un autre incendie en 1866. (Inventaire des oeuvres d'art, Québec)

tels services se fait généralement au moyen d'un contrat exclusif d'exploitation (*franchise*). Le conseil municipal accorde à une compagnie le privilège d'exploiter tel ou tel service public; le plus souvent, ce privilège est exclusif car il s'accompagne d'un monopole d'exploitation. En retour, l'entreprise s'engage à fournir le service requis aux citoyens en respectant une qualité et une régularité définies et à un prix déterminé. Cette entente est généralement formulée dans un contrat valable pour 20 ans.

On ne retrouve pas toute la gamme de ces services dans l'ensemble des villes québécoises; seules les plus importantes sont bien dotées à cet égard. Dans la plupart des cas, la distribution de l'eau, du gaz, de l'électricité et le transport en commun sont confiés à l'entreprise privée. Il y a bien quelques exemples de municipalisation — comme l'aqueduc dans la ville de Montréal, ou l'électricité à Westmount — mais ce sont des exceptions. Les dirigeants municipaux justifient habituellement cette politique par des raisons d'efficacité. La conséquence principale est toutefois que l'objectif premier des concessionnaires n'est pas d'offrir au public le meilleur service qui soit mais bien de réaliser le plus haut profit possible. L'entreprise, profitant de sa situation de monopole, a tout intérêt à maintenir des tarifs élevés tout en rognant sur la qualité et la régularité du service. C'est ainsi qu'à Montréal, par exemple, les compagnies de tramways, de gaz et d'électricité sont en mesure de réaliser des profits absolument fabuleux. En outre, le régime de concession est une source importante de corruption politique. Pour obtenir le

Une inondation à Montréal. (Archives de la ville de Montréal)

privilège d'exploitation et améliorer ses avantages ensuite, la compagnie doit s'assurer l'appui d'un certain nombre de conseillers municipaux; elle devient donc un bailleur de fonds lors des campagnes électorales.

Tous ces services sont essentiels au progrès d'une grande ville. Prenons le cas du transport en commun. Dans la ville pré-industrielle, le principal moyen de locomotion est la marche; la dimension restreinte de l'espace urbain le permet. Avec l'industrialisation et l'expansion urbaine, il faut transporter chaque jour des milliers de travailleurs de leur résidence à leur lieu de travail et sur des distances qui vont croissantes. Il faut alors créer un service de transport en commun. Les premiers tramways font leur apparition au milieu du 19e siècle, dans les villes nord-américaines. Montréal et Québec se dotent d'un tel service en 1861, en le confiant à l'entreprise privée. Ces premiers tramways sont des voitures roulant sur des rails (en hiver elles sont équipées de patins) et tirées par des chevaux. Pendant la dernière décennie du siècle — à Montréal en 1892 —, apparaissent les tramways électriques qui assurent un service plus rapide et plus régulier. Le tramway électrique est lui-même un facteur important de croissance urbaine en stimulant l'expansion vers la banlieue et en permettant la création de quartiers résidentiels éloignés des lieux de travail.

Ainsi, sous la poussée de l'industrialisation, la physionomie de la ville se transforme. La montée du capitalisme industriel stimule l'innovation technologique: nouvelles techniques et nouveaux matériaux de construction, utilisation du gaz et de l'électricité, développement des transports en commun, etc. Mais les bénéfices de la croissance urbaine restent très inégalement répartis. Les disparités de classes sont inscrites dans l'espace, l'environnement, l'architecture et l'ensemble des conditions d'existence. La qualité de la vie (et celle de la mort!) n'est pas la même pour tous.

LES CONDITIONS DE TRAVAIL

Le passage de l'artisanat à la manufacture, dont nous avons décrit les étapes précédemment, modifie en profondeur les conditions de travail. Dans le but de réduire leurs coûts de production et d'augmenter leurs profits, les capitalistes ont recours au travail des enfants, à l'emploi d'une main-d'oeuvre féminine sous-payée, à la prolongation des heures de travail, au système parcellaire. Des syndicalistes et des journalistes attirent l'attention du public et des gouvernements sur les abus nombreux en ce domaine. Les rapports des inspecteurs gouvernementaux et les travaux de la Commission royale d'enquête sur les relations entre le capital et le travail (1886-1889) présentent un portrait peu reluisant des conditions de travail en usine.

Pour gagner son maigre salaire, l'ouvrier québécois de la fin du 19e siècle doit généralement travailler de très longues heures. Dans les années 1880, la semaine normale de travail en usine est de 60 heures à raison de 10 heures par jour, six jours par semaine. Cependant, les travailleurs sont souvent appelés à faire plus que cela et la période de surtemps n'est payée qu'au taux régulier. Dans les autres secteurs de l'économie, comme les services, la semaine de travail est souvent de 72 heures (12 heures par jour). Un cas extrême est celui des domestiques qui sont de service très tôt le matin jusqu'à tard le soir et qui n'ont pas plus d'une demi-journée de congé par semaine. Les salaires versés varient beaucoup d'un métier à l'autre. Les ouvriers qualifiés, comme les typographes, peuvent obtenir un salaire supérieur à la moyenne; il en est généralement de même pour les métiers de la construction. Par contre les ouvriers des industries de la chaussure, du textile, du vêtement, du tabac, tout comme les journaliers, gagnent de très bas salaires, bien inférieurs au minimum requis pour faire vivre une famille.

Intérieur d'une usine. (Collection Walker, Musée McCord)

Ajoutons à cela le problème de l'irrégularité de l'emploi. Le chômage est souvent saisonnier: en hiver, les secteurs du transport maritime et de la construction sont à peu près paralysés. Quant aux grandes usines, elles licencient du personnel dès que survient un ralentissement dans les commandes, allant même parfois jusqu'à fermer temporairement leurs portes. En période de crise économique et pendant l'hiver, le chômage est particulièrement élevé. Or, il n'existe aucune forme d'assurance contre ces situations. Les gouvernements n'interviennent pas, s'en remettant à la charité privée. Les travailleurs sans emploi doivent se tourner vers des organismes comme la Société Saint-Vincent-de-Paul pour réussir à survivre.

Le bas niveau des salaires dans plusieurs secteurs et l'irrégularité de l'emploi font que le revenu du travailleur est généralement insuffisant. Dans la majorité des cas, le salaire du chef de ménage ne permet pas de faire vivre une famille et il faut plus d'un salaire par famille pour joindre les deux bouts. Les employeurs ne manquent pas de tirer profit de la situation.

Ils embauchent volontiers les enfants que les parents mettent très tôt sur le marché du travail. L'exploitation du travail des enfants caractérise les débuts de l'industrialisation dans la plupart des pays et le Québec n'échappe pas à la règle. C'est la division des tâches qui, en simplifiant les opérations, rend possible le travail des enfants. Dans les usines de textile, de chaussures ou de cigares, il n'est pas rare de trouver des garçons ou des fillettes de 9 ou 10 ans. Les employeurs inventent d'ailleurs pour eux un système artificiel d'apprentissage, s'étendant sur plusieurs mois et, parfois, sur quelques années. Ces « apprentis » ne reçoivent qu'une maigre fraction du salaire versé aux ouvriers adultes, le montant ne dépassant guère $1,50 par semaine. Ils sont traités très durement par les contremaîtres et les patrons. La Commission royale de 1886-1889 entend plusieurs témoignages au sujet d'enfants battus ou à qui on impose des punitions et des amendes. Des réformistes s'alarment devant cette situation et demandent au gouvernement d'interdire l'emploi des enfants. Mais trop d'intérêts sont en jeu dans ce système pour qu'il disparaisse rapidement; il faudra plusieurs décennies d'efforts et de législations pour éliminer cette pratique.

La main-d'oeuvre féminine constitue un autre groupe particulièrement exploité. L'emploi des femmes en usine se généralise dans l'industrie légère, au cours des dernières décennies du siècle. Il s'agit d'un groupe sous-payé: non seulement les femmes sont-elles engagées dans des secteurs à bas salaires mais, pour un même travail, elles gagnent systématiquement moins que les hommes, souvent la moitié du salaire de ces derniers. Plus grave encore est l'exploitation qui se fait dans le cadre du système parcellaire ou *sweating system*, très répandu dans l'industrie du vêtement. L'entrepreneur n'y effectue que la coupe des pièces à l'usine; la couture est faite par des femmes qui travaillent (pour le compte d'intermédiaires) à domicile ou dans de petits ateliers. Ces travailleuses sont payées à la pièce, à des tarifs ridiculement bas. La croissance de l'industrie entraîne une expansion du *sweating system* dans les campagnes, embrigadant dans ce régime d'exploitation des milliers de femmes rurales. Les attitudes sexistes contribuent à perpétuer ces pénibles conditions de travail de la main-d'oeuvre féminine. L'idéologie de la mère au foyer fournira une justification facile du travail à domicile développé dans le cadre du *sweating system*. La conception du revenu de la femme entendu comme revenu complémentaire à celui du chef de famille justifie le maintien du salaire féminin à un niveau inférieur à celui des hommes. Rien ne vient remettre en cause cette inégalité entre les sexes, bien que les Chevaliers du travail réclament l'application du principe « à travail égal, salaire égal ».

Le travail en usine s'effectue dans des conditions de sécurité et de salubrité assez rudimentaires. L'entassement des ouvriers, la mauvaise aération, l'insuffisance d'installations sanitaires sont dénoncés par les observateurs. La machinerie n'a pas été conçue pour assurer la protection des travailleurs et les accidents sont nombreux. Le travailleur accidenté ne bénéficie d'aucune indemnité statutaire et doit s'en remettre aux associations de bienfaisance et aux sociétés de charité.

Les travailleurs sont soumis à l'arbitraire du patron et de ses contremaîtres, car la sécurité d'emploi est inexistante et l'employeur peut

Accident de travail sur un chantier de construction. (*Canadian Illustrated News*, 20 août 1870)

congédier qui il veut sous divers prétextes. Certains patrons recourent à la violence physique, aux punitions ou aux amendes quand un employé commet un maladresse ou n'est pas assez docile.

Les abus les plus criants ne sont pas nécessairement le fait de tous les patrons mais, dans l'ensemble, les conditions de travail qui prévalent au début de l'industrialisation sont pénibles et l'exploitation des travailleurs prend plusieurs formes, que seule une forte organisation syndicale pourrait faire supprimer. Les conditions d'exploitation ne se limitent d'ailleurs pas à l'usine: de façon générale, les conditions d'existence des travailleurs qui s'entassent dans les villes sont pénibles.

LE MONDE RURAL

Durant le dernier tiers du 19e siècle les conditions de vie et de travail à la campagne ne se transforment pas aussi rapidement qu'en milieu urbain. Le monde rural évolue certes, mais à un rythme beaucoup plus lent, et au plan des conditions de vie et de travail, ce sont les habitudes ancestrales qui prévalent dans la majorité des cas. Outre ce traditionnalisme des habitudes, il faut signaler une autre caractéristique du mode de vie rural: à la campagne, sauf pour le groupe des journaliers, la séparation entre l'habitat et le lieu de travail n'existe à peu près pas. La ferme constitue une unité de production et de consommation. Enfin, à ces deux caractéristiques s'ajoutent les nuances régionales; les conditions de vie et de travail de l'agriculteur sont beaucoup plus dures dans les zones de colonisation que dans les vieilles paroisses.

L'habitat est en général d'une meilleure qualité à la campagne qu'à la ville. Dans ce cas, l'élément qui fait toute la différence est le moindre degré d'entassement. La maison rurale est généralement assez spacieuse pour loger une famille, sans pour autant que chacun des membres dispose d'une pièce. On tend cependant à utiliser une pièce plus qu'une autre et c'est la cuisine, qui forme le pivot de la vie familiale. Là se prennent les repas et se déroulent les soirées au cours desquelles les membres de la maisonnée se livrent à des travaux divers d'entretien ou de fabrication.

Compte tenu du peu d'études existantes, il est difficile d'évaluer les aménités de ce genre d'habitat. Toutefois, si l'ameublement semble souvent sobre et rudimentaire, le chauffage de la maison d'hiver ne posait pas les mêmes problèmes qu'en ville, où pouvaient sévir des difficultés d'approvisionnement en combustible.

Un trait particulier domine les conditions de vie à la campagne; c'est l'habitude de fabriquer la majeure partie des objets utilisés par la maisonnée. Toutefois, vers la fin du siècle, avec le développement des transports ferroviaires et l'innovation des ventes par catalogue, certaines fabrications tendent à disparaître. Léon Gérin, dans son étude classique sur l'habitant de Saint-Justin note comment, à propos de l'habillement, les toiles et autres étoffes du pays sont remplacées par des cotonnades et autres tissus vendus dans le commerce. Rapidement ce sera la même évolution pour l'outillage de la ferme et même le forgeron du village sera cantonné dans des travaux d'entretien devant la montée de la mécanisation agricole.

La nourriture des ruraux semble assez peu variée, par contre elle est en quantité suffisante. Les féculents y dominent car on retrouve les pommes de terre invariablement à tous les repas, des pois et du pain très souvent. La viande sauf le lard gras est une denrée relativement plus rare. À cette base alimentaire s'ajoutent durant l'été le produit des fruits sauvages et l'apport

Notre-Dame de Batiscan en 1890. (*Le Canada d'hier*, 1967)

du potager domestique. Au 19e siècle les zones rurales, particulièrement les régions de colonisation, renferment beaucoup de gibier et la chasse est un complément apprécié à l'alimentation.

L'hygiène laisse à désirer; si dans les campagnes on ne retrouve pas l'entassement des villes et son cortège de conséquences funestes, on ne note cependant aucune amélioration notable, sauf peut-être une acceptation relativement plus grande des médecins. Toutefois les « rammancheux » et les « rebouteux » subsistent, ainsi que les traitements prescrits par les « empiriques » ayant un « don » pour guérir, qui les chevaux, qui les vaches. La mortalité infantile subsiste à un taux assez élevé.

La vie à la campagne est rythmée par les saisons. Le printemps est l'époque des semailles, l'été celle des récoltes et l'automne celle des labours. L'hiver est par excellence la saison de la détente. Les activités culturales réduites au strict minimum, le cultivateur, après avoir soigné ses animaux, en profite généralement pour effectuer les travaux d'entretien et de réparation ou d'amélioration sur son outillage et sa maison. Par ailleurs, cette saison est aussi celle des visites aux voisins et à la parenté.

Si les conditions de travail à la campagne sont différentes de celles de la ville, elles ne sont pas pour autant idylliques. Sur la ferme, toute la famille doit participer à la production; très jeunes, les enfants sont intégrés au travail et ont leur part de responsabilités. De même, on s'attend à ce que les vieillards participent aux travaux de la ferme. Le cultivateur se lève tôt, avec les premières lueurs du jour et, aux époques de grands travaux, la journée s'achève très tard. La dernière moitié du 19e siècle voit un grand nombre

La fabrication de sirop d'érable, de Cornelius Krieghoff. (Archives publiques Canada, C11041)

d'inventions technologiques appliquées à l'agriculture, mais même si on constate une certaine mécanisation très timide dans les fermes québécoises, beaucoup d'opérations se font encore de façon traditionnelle. Ajoutons que la spécialisation agricole qui se généralise à l'époque n'est pas sans modifier le rythme et les conditions de travail.

Dans d'autres milieux ruraux, notamment chez les journaliers, les conditions de vie et de travail sont très différentes de celles que nous décrivons ici. La relative aisance du cultivateur lui vient de sa terre et, dans ces conditions, le journalier qui doit subsister de son seul salaire mène une existence plus précaire. Par ailleurs, dans les zones de colonisation, ces conditions sont encore modifiées: tantôt l'hiver est consacré au travail en forêt, et dans ce cas il ne saurait être question de détente, tantôt le travail de défrichement ne permet pas encore de faire vivre convenablement une famille. Pendant les premières années, la vie des colons est plutôt misérable. Aux prises avec un lot encore couvert d'arbres, le colon doit d'abord procéder à l'abattage, puis réduire ce bois en cendres. Cette opération terminée, il lui reste à vendre les cendres et surtout à enlever une à une les souches qui sont demeurées. Graduellement, la superficie cultivable s'étend et, en quelques années, si les travaux n'ont pas trop été ralentis, la ferme devient à peu près vivable; le colon peut maintenant penser remplacer son habitation sommaire par une véritable maison. Il faut signaler enfin l'impact du travail dans les chantiers sur la vie de la famille et de la ferme. À toutes ces difficultés s'ajoute le fait de vivre dans un milieu qui ne possède pas encore toute son infrastructure de services.

Précisons, en terminant ce bref aperçu, que les conditions de vie et de travail à la campagne sont fort mal connues. Parmi toute l'abondante littérature consacrée au monde rural québécois, il faut toujours faire sa part aux exagérations de panégyristes des charmes de la vie rurale. Dans beaucoup de cas, il s'agit soit de moments privilégiés de la vie rurale présentés comme des événements courants, soit d'embellissement d'une réalité beaucoup trop prosaïque pour ces chantres du ruralisme. Rappelons simplement que c'est toujours en réaction à un mode de vie particulier, que le mode de vie des campagnes a été opposé comme étant plus sain ou plus naturel.

LA CHARITÉ

L'idée que se font les individus de la pauvreté et des moyens de la contrer varie d'une époque à l'autre. Au 19e siècle, sous l'influence du capitalisme et de sa contrepartie idéologique, le libéralisme, la pauvreté est ressentie comme un phénomène individuel, un défaut d'adaptation de l'individu au système économique et social. Dès lors, il importe d'aider les pauvres à s'adapter et ceux qui mériteront d'être aidés seront précisément ceux qui présentent des possibilités certaines de réforme, d'où la distinction que l'on rencontre souvent dans les textes entre les pauvres « méritants » et les autres. Cette conception générale de la pauvreté explique le désintérêt des administrations publiques pour toute forme d'aide organisée. Pour la période considérée, le concept de sécurité sociale comme responsabilité de l'État, n'existe pas plus au Québec qu'au Canada. Sauf en cas d'épidémie, lorsque la santé de tous est menacée, les gouvernements n'interviennent pas directement, ils se contentent d'appuyer par de modestes subventions l'initiative privée. À la place d'un système intégré, on trouve une série d'organismes ayant des objectifs très divers et qui tentent, sans aucune coordination, d'alléger le fardeau des pauvres.

Le rôle des églises est fondamental dans l'élaboration de cet ensemble d'organismes privés. Rappelons que la tradition chrétienne, tant chez les catholiques que chez les protestants, fait un devoir de la pratique de la charité. Au 19e siècle, si l'on excepte les sociétés d'entraide de type mutualiste, la plupart des oeuvres charitables se sont organisées sous l'égide d'une église. Dans le cas des catholiques, l'Église ne se borne pas à jouer un rôle inspirateur, mais continue à exercer un certain contrôle sur la direction du mouvement. Prenons par exemple le cas des sociétés Saint-Vincent-de-Paul. Fondées en France en 1837, ces sociétés seront introduites au Québec avant la Confédération par le docteur Joseph Painchaud. La présence du prêtre au sein de l'équipe administrative assure à l'Église une influence directe sur chacune des sociétés et, plus généralement, l'évêque peut à tout moment intervenir dans tout son diocèse sur les politiques globales. Ainsi, dans ce cas, l'Église est présente à l'origine de l'organisme et continue, après la période de fondation, de jouer un rôle important dans sa direction.

Sans vouloir retracer ici les origines de la charité privée, soulignons que de tout temps a existé une solidarité traditionnelle encore plus vive dans les milieux ruraux. Cette première forme de charité spontanée ne suffit évidemment plus dès que la population augmente ou que, pour des raisons conjoncturelles ou structurelles, un plus grand nombre de personnes sont dans le besoin. Par le biais des associations de bienfaisance, cette charité sera graduellement canalisée puis systématisée. Tel est le cas de la traditionnelle guignolée, à l'origine quête faite périodiquement par toute la paroisse et dont le produit était distribué aux pauvres. Très tôt, avec l'organisation des sociétés Saint-Vincent-de-Paul, la guignolée deviendra un moyen, pour cette société de bienfaisance, d'amasser les dons.

Formées généralement d'individus appartenant à la bourgeoisie et créées spécifiquement pour soulager la pauvreté d'une ville, les sociétés de bienfaisance sont le prototype par excellence de l'organisation de charité privée. Ces sociétés choisissent « leurs » bénéficiaires et vivent de dons des membres et de collectes d'argent, soit au moyen de quêtes publiques, soit au moyen de concerts ou d'autres activités du même genre. Elles peuvent être d'inspiration individuelle ou avoir été organisées à la suggestion d'une Église. Par exemple, c'est en 1815 que des femmes de la bourgeoisie montréalaise fondent la Female Benevolent Society of Montreal dans le but de soulager les pauvres; ou encore, en 1827, quelques dames appartenant à « la première société de Montréal » décident de former l'Association des Dames de charité lors d'une réunion à laquelle assiste également un prêtre. Ces sociétés sont très répandues au Québec et toutes les confessions religieuses ont les leurs. Quelquefois, on en créera sur des bases purement ethniques.

Disons quelques mots sur le travail des communautés religieuses et du clergé chez les catholiques. Dans beaucoup de paroisses, le curé ou son vicaire pratique des visites régulières. C'est notamment l'usage dans la paroisse de Montréal où des prêtres visiteurs s'occupent plus directement des pauvres. De la même manière, certaines communautés dispensent directement la charité. En fait, le rôle du clergé et des communautés consiste souvent à canaliser les dons faits ailleurs.

Pour les hôpitaux et les hospices, il s'agit d'une tradition très ancienne, chez les protestants comme chez les catholiques. Rappelons qu'encore à cette

L'Hôtel-Dieu de Montréal en 1875. (*Canadian Illustrated News*, 24 avril 1875)

époque l'individu qui en a les moyens soigne sa maladie chez lui autant que possible. Ne fréquentent l'hôpital que ceux qui ne peuvent payer le prix de leur traitement ou que le médecin ne peut guérir à la maison. Au fur et à mesure que l'on approche de la fin du siècle cependant, l'hôpital devient de plus en plus synonyme de lieu où l'on soigne les malades et non seulement les pauvres.

Chez les catholiques, l'usage de confier les hôpitaux à des communautés religieuses est très ancien et, dès les débuts de la colonie, des communautés hospitalières se sont implantées et ont pris en main la gestion d'hôpitaux. Le financement est ici plus diversifié. Dans certains cas, les communautés ont reçu des seigneuries ou des fiefs dont les produits devaient être consacrés à l'oeuvre charitable. Au 19e siècle, les gouvernements ont versé des subventions à certains hôpitaux, mais elles ne forment pas l'essentiel de leurs revenus. Pour les protestants, la situation est un peu différente, compte tenu de l'absence de communautés religieuses. Dès le départ par exemple, le Montreal General Hospital, tout en étant résolument protestant, est obligé à une plus grande tolérance religieuse à cause des différentes confessions qui coexistent à Montréal et de son personnel laïc. Géré par un conseil d'administration, son financement provient de dons, de subventions gouvernementales et de campagnes de souscription. Certains hôpitaux recevront des dons massifs provenant d'hommes d'affaires de la région. C'est le cas par exemple du Royal Victoria Hospital de Montréal, qui ouvre ses portes au début de 1894 et dont la construction a été financée par un don conjoint d'un million de dollars par Lord Strathcona et Lord Mount Stephen.

Les hospices et les refuges répondent à des besoins connus, le premier s'adressant aux vieillards et malades chroniques et le second à certains groupes particuliers dans la population. Il s'agit de maisons d'accueil pour des personnes vivant en marge de la société: institutions pour recevoir les filles-mères, les enfants plus ou moins abandonnés et délinquants, etc. Les institutions pour aliénés entrent également dans cette catégorie. Cependant, il faut préciser ici que le gouvernement subventionne, très chichement il est vrai, l'entretien de ce type de patients. Les remarques que nous faisons pour les hôpitaux s'appliquent aussi à ces institutions. Les conditions de vie y laissent à désirer; d'une part, les maigres ressources financières sont souvent responsables de cet état de chose mais d'autre part, il faut mettre en lumière un certain retard dans les modalités de traitement des diverses catégories de patients. Ainsi, il faudra attendre la visite d'un célèbre aliéniste britannique, vers 1885, pour qu'on mette un terme, dans les asiles, à des pratiques qui remontaient à plusieurs siècles, comme celle d'enchaîner les malades en tout temps.

C'est en milieu urbain que l'on rencontre le plus grand nombre d'organismes et la plus grande variété; à la campagne, l'homogénéité religieuse impose une organisation plus simple et qui pivote autour de la paroisse et du diocèse. Chaque paroisse s'occupe de ses pauvres et le chef-lieu du diocèse abrite habituellement un hôpital géré par une communauté religieuse.

Toutes ces organisations reposent en définitive sur les dons du public. Il faut rappeler ici que la morale chrétienne fait de la charité un devoir, mais il y a plus: il existe au 19e siècle, chez les membres de la bourgeoisie, une certaine idée de la responsabilité des riches selon laquelle, une fois sa fortune assurée, un individu attachera son nom à quelque grande oeuvre qu'il subventionnera plus ou moins largement. Il importe néanmoins de préciser que cette idée de la charité est généralement étrangère aux autres activités de l'individu: les grands industriels philanthropes ne paient pas à leurs ouvriers de meilleurs salaires pour autant. Cette philanthropie est largement répandue dans les rangs de la bourgeoisie.

L'organisation de la charité privée telle que nous l'avons décrite appelle un certain nombre de commentaires. Le premier, c'est que la charité n'apparaît nulle part comme un droit; au contraire, elle se mérite. Si l'on accepte d'aider les nécessiteux qui n'ont pas d'« habitude honteuse » — entendons par là qu'ils ne s'adonnent pas à l'intempérance —, on refusera le secours aux pauvres non-méritants. En effet, l'alcoolisme est vu par la bourgeoisie comme la cause première de la pauvreté.

D'autre part, l'absence de sécurité sociale permet l'essor d'une foule de sociétés de secours mutuels qui se situent à mi-chemin entre l'association d'entraide, la coopérative ou encore l'assurance-maladie. Rappelons qu'à cette époque l'assurance-vie n'en est qu'à ses tout débuts et que le coût des

Religieuse servant la soupe aux vieillards, vers 1870. (Archives Notman, Musée McCord)

Les rigueurs de l'hiver pour une famille démunie. (*Canadian Illustrated News*, 27 janvier 1872)

primes n'est accessible qu'aux membres de la bourgeoisie. C'est pourquoi les groupes de travailleurs s'organisent en société de secours dans le but de contrer la pauvreté. Ces associations sont liées au mouvement d'industrialisation et d'urbanisation. D'une manière globale, le passage de l'artisanat au salariat est une source d'insécurité pour la classe ouvrière. Insécurité surtout face à la maladie ou à la mort. Les associations d'entraide ont donc très tôt vu le jour pour tenter d'agir comme une assurance-malheur. Un bon exemple est l'Union Saint-Joseph pour la classe ouvrière, fondée à Montréal au milieu du siècle. Chaque membre devait verser une cotisation et le produit assurait une très modeste pension aux malades et une indemnité à la veuve en cas de décès.

Enfin, pour le Québec, l'action des philanthropes, qui comme nous l'avons vu plus haut tend à effectuer une certaine redistribution, a également eu pour effet de surdoter les institutions qui étaient les plus proches d'eux culturellement. Compte tenu de l'appartenance ethnique de la grande bourgeoisie, ce sont les institutions charitables anglo-protestantes qui ont été plus rapidement mieux équipées. À ce propos, notons que les distinctions ethniques et religieuses ont eu pour effet de compartimenter cette charité privée pourtant déjà assez fragmentée en autant de petits secteurs. En dépit d'un cloisonnement généralement assez étanche, il faut souligner certaines exceptions, notamment en ce qui concerne les hôpitaux; pour le reste, c'était à chacun ses pauvres.

À côté de cet ensemble d'organismes, il existe un embryon de système public. Dans la tradition britannique, les paroisses puis les municipalités sont responsables des questions de pauvreté et de santé. C'est pourquoi les grandes villes auront assez rapidement leurs services de santé qui, bien que déficients, joueront un rôle dans la prise de conscience graduelle des responsabilités collectives. Quant aux niveaux supérieurs de gouvernement, leur contribution, hormis le cas des aliénés, se borne à une politique de subventions ponctuelles qui s'apparente davantage à de gros dons qu'à une reconnaissance de la responsabilité collective.

Les réponses qu'apportent la charité privée sont bien insuffisantes pour résoudre les problèmes posés par l'inégalité des conditions de vie. On s'attaque aux symptômes plutôt qu'aux causes et même sur ce plan on ne répond qu'à une partie des besoins. L'idéologie libérale, de caractère individualiste, et la tradition catholique expliquent cette attitude de même que la faible intervention de l'État.

Orientations bibliographiques

Ames, Herbert Brown. *The City Below the Hill.* Toronto, University of Toronto Press, 1972. 116p. (Première édition en 1897).

De Bonville, Jean. *Jean-Baptiste Gagnepetit. Les travailleurs montréalais à la fin du XIXe siècle.* Montréal, L'Aurore, 1975. 253p.

De Montigny, Benjamin-Antoine-Testard. *La colonisation.* Montréal, C.O. Beauchemin & Fils, 1895. 350p.

Gérin, Léon. « L'habitant de Saint-Justin », *Mémoires de la Société royale du Canada*, 2e série, IV, (mai 1898): 139-216.

Harvey, Fernand. *Révolution industrielle et travailleurs.* Montréal, Boréal Express, 1978. 347p.

Létourneau, Firmin. *Histoire de l'agriculture.* s.l., s.e., 1968. 398p.

Savard, Pierre, dir. *Paysans et ouvriers québécois d'autrefois.* Québec, PUL, 1968. 153p.

Séguin, Normand. *La conquête du sol au 19e siècle.* Montréal, Boréal Express, 1977. 295p.

Taché, J.C. *Rapport du comité spécial sur l'état de l'agriculture du Bas-Canada.* Toronto, Louis Perrault, 1850.

CHAPITRE 10

LE MOUVEMENT OUVRIER

L'amélioration des conditions de travail et de vie sera, en définitive, beaucoup moins le fait de la philanthropie bourgeoise que le résultat de l'organisation de la classe ouvrière. Cette classe se dote d'institutions qui lui sont propres et qui, vers la fin du 19e siècle, représentent déjà une force au Québec. À la concentration du capital répondent le regroupement et l'organisation des travailleurs.

LA MONTÉE DU SYNDICALISME

Le syndicalisme au Québec connaît des débuts modestes. Jusqu'aux années 1860-1870, on voit naître ici et là quelques syndicats, mais on ne peut pas parler d'un mouvement ouvrier organisé. La première unité syndicale est celle des imprimeurs, fondée à Québec en 1827. Pendant les quatre décennies suivantes, d'autres travailleurs imitent cet exemple; il s'agit surtout d'ouvriers qualifiés — comme les typographes, les cordonniers, les cigariers, les mouleurs — qui étaient déjà bien implantés avant l'industrialisation et qui sentent leurs conditions de travail menacées par la montée de l'organisation capitaliste de la production. On trouve également des syndicats chez les travailleurs de la construction — comme les charpentiers et les menuisiers — et chez ceux du transport — comme les débardeurs ou les mécaniciens de locomotive. Il faut aussi souligner l'existence de mouvements spontanés de travailleurs, sans encadrement syndical, comme cette grève des journaliers travaillant au canal Lachine en 1877.

On sait peu de choses de ces organisations. Les seuls témoignages à leur sujet sont souvent les reportages des journaux à l'occasion d'une grève. On sait par contre que l'existence des syndicats est précaire: ne jouissant d'aucune reconnaissance légale, ils peuvent même être accusés de former une coalition interdite. En butte à l'opposition farouche des patrons qui, le plus souvent, refusent de les reconnaître comme interlocuteurs, ils ont à surmonter les divisions chez les travailleurs eux-mêmes. Ceux qui réussissent le mieux regroupent des travailleurs hautement qualifiés que les patrons, en cas de conflit, peuvent difficilement remplacer par des briseurs de grève. Certains de ces syndicats agissent comme sociétés de bienfaisance, procurant un maigre revenu à leurs membres en cas d'accident ou de maladie; ils s'assurent ainsi une participation plus stable. À travers l'expérience de succès et d'échecs de ces premiers syndicats, se bâtit une tradition syndicale sur laquelle pourra s'édifier le mouvement ouvrier.

Il ne faut cependant pas se surprendre de la faiblesse du syndicalisme avant les années 1870, puisque l'industrialisation en est encore à ses balbutiements. Et l'avance prise en d'autres pays aura, là aussi, son impact sur le Québec. Des immigrants britanniques et américains, qui ont eu une expérience syndicale dans leurs pays d'origine, jouent un rôle dans la création et le développement du mouvement ouvrier québécois. Plus importante cependant est l'implantation d'organisations syndicales étrangères, surtout américaines. Dès le milieu du siècle, l'Amalgamated Society of Engineers, de Grande-Bretagne, avait des syndicats affiliés au Québec et en Ontario. Vers 1867, les Chevaliers de Saint-Crispin (ou Saint-Crépin, du nom du patron des cordonniers) étendent leur influence au Canada. Mais, pendant la période qui nous occupe, deux organisations ont une influence déterminante sur le syndicalisme québécois: les Chevaliers du travail et les syndicats internationaux de métiers affiliés à la Fédération américaine du travail.

Les interdictions pesant sur ces organisations en amènent plusieurs à fonctionner comme des sociétés secrètes avec rites d'initiation, secret des délibérations, etc. Un premier obstacle est levé en 1872. Cette année-là, a lieu une grève des typographes à Toronto et les tribunaux condamnent les dirigeants pour conspiration. Le premier ministre du Canada, John A. Macdonald, voyant l'intérêt politique que présente ce mouvement ouvrier naissant, fait adopter une loi déclarant que la formation d'un syndicat ne constitue pas un acte de conspiration. Elle s'inspire d'une législation semblable adoptée en Grande-Bretagne l'année précédente. Cette première victoire ne règle pas tous les problèmes juridiques et il faudra une vingtaine d'années avant que les tribunaux reconnaissent sans équivoque la légalité des syndicats.

La montée du mouvement ouvrier après 1867 se poursuit avec des poussées de forte croissance auxquelles succèdent des phases de ralentissement ou de consolidation. C'est ainsi que la grande crise économique des années 1870 a un effet de freinage évident. Par contre, les années 1880 sont témoin d'un grand essor de l'organisation avec les progrès rapides que connaissent les Chevaliers du travail.

Le Noble Order of the Knights of Labor est fondé aux États-Unis en 1869. Fonctionnant d'abord comme une société secrète, il décide d'abandonner ce caractère clandestin en 1881. Après des débuts modestes, les Chevaliers du travail connaissent une expansion phénoménale dans les années 1880, atteignant un sommet en 1886, et deviennent la principale organisation syndicale américaine.

L'ordre s'étend au Canada à partir de 1881 et la première assemblée locale au Québec est fondée à Montréal l'année suivante. Cette implantation est l'occasion d'un premier conflit entre le clergé catholique et le mouvement ouvrier. Le cardinal Taschereau, évêque de Québec, s'oppose aux Chevaliers du travail et il obtient leur condamnation par le pape en 1884. Ce geste suscite des tensions au sein de l'Église. Mgr Fabre, archevêque de Montréal, où se trouvent d'ailleurs la majorité des chevaliers, ne partage pas l'antisyndicalisme de son collègue de Québec. Des évêques américains s'opposent également à cette mesure, car plusieurs de leurs fidèles, d'origine irlandaise, sont membres de l'ordre. En 1887, le cardinal Gibbons, de Baltimore, obtient la levée de l'interdit romain et les chevaliers connaissent alors au Québec une première phase d'expansion qui dure jusqu'en 1889 et qui amène la création de 24 assemblées. Suivra, en 1893 et 1894, une seconde période de croissance qui permettra d'ajouter une quinzaine de nouvelles assemblées.

Les chevaliers favorisent le regroupement des travailleurs sur une base locale, indépendamment de leur métier. Cependant l'ordre accepte aussi dans ses rangs des syndicats de métier. De sorte que se côtoient deux types d'assemblées locales, fort différentes et souvent en opposition. Ces assemblées locales sont coiffées d'une assemblée de district. Celle de Montréal est créée en 1885. Quatre ans plus tard, les Canadiens français obtiennent qu'elle soit scindée en deux; il y aura dès lors une assemblée de district pour les francophones et une autre pour les anglophones. La même année, une assemblée de district pour la région de Québec est créée, mais les effectifs de l'ordre sont surtout concentrés à Montréal, où 64 assemblées sont fondées entre 1882 et 1902. Il y en a quelques-unes à Québec et des implantations isolées dans d'autres villes.

Aux États-Unis, l'ordre entre dans une phase de déclin après 1886. Cette année-là, une centrale rivale voit le jour, la Fédération américaine du travail (American Federation of Labor). Elle regroupe uniquement des syndicats de métiers. Les deux centrales s'opposent vivement pendant quelques années, mais, au milieu des années 1890, la FAT l'emporte nettement sur sa rivale. Cette évolution a ses répercussions, avec un certain décalage, au Québec.

Au point de départ, la FAT ne crée pas un nouveau type de syndicats mais regroupe des organisations qui avaient parfois plusieurs années d'existence. Les syndicats de métiers des États-Unis commencent d'ailleurs à s'implanter au Québec dès les années 1860. Ces « unions » nationales américaines se donnent l'appellation « internationale » à partir du moment où elles s'affilient des syndicats canadiens. Plusieurs des syndicats ou de leurs membres font aussi partie des Chevaliers du travail mais ils se retirent graduellement de l'ordre après la fondation de la FAT.

Au Québec, les Chevaliers du travail résistent plus longtemps que leurs confrères des États-Unis et représentent une force importante jusqu'à la fin du siècle. En 1896, les Chevaliers du travail canadiens vont même jusqu'à rompre leurs relations avec les chevaliers américains. Mais là aussi les syndicats membres de la FAT prennent de la vigueur et finissent par occuper presque tout le terrain.

Derrière l'opposition d'abord latente, puis ouverte, entre les Chevaliers du travail et les syndicats internationaux de métiers, il y a des différences idéologiques importantes sur lesquelles nous reviendrons. Il faut remarquer toutefois que les tensions se manifestent plus lentement au Canada qu'aux États-Unis et que les deux organisations collaborent au sein de regroupements à l'échelle locale et canadienne.

Au Québec, la première tentative de rassembler divers syndicats dans une même organisation date de 1867. Un avocat réformiste, Médéric Lanctôt, fonde alors la Grande Association qui regroupe 26 corps de métiers de Montréal. Lanctôt prône l'ouverture de magasins vendant au prix coûtant et appuie les travailleurs dans quelques grèves, mais il ne pourra jamais réaliser son objectif de rapprocher le capital et le travail. En effet, sa Grande Association n'a qu'une existence éphémère et disparaît, l'année même de sa fondation, lorsque Lanctôt se lance dans l'action politique.

Plus importante est la fondation, une première fois en 1883, puis sur une base permanente en 1886, du Congrès des Métiers et du Travail du Canada (CMTC). Ce congrès est, en réalité, la première centrale syndicale canadienne. Il regroupe des assemblées des Chevaliers du travail et des syndicats de la FAT. Jusqu'à la fin du siècle, les Chevaliers du travail y dominent. Le congrès a son pendant au niveau local: les conseils centraux. Le conseil central des métiers et du travail de Montréal (CCMTM) est fondé en

La grève des journaliers du port de Montréal en 1877. (*L'Opinion publique*, 12 juillet 1877)

1886; celui de Québec en 1890. Le congrès n'a pas prévu l'établissement de structures semblables au niveau des provinces. Il crée toutefois une série de comités de législation; celui du Québec est fondé en 1891. Le CMTC, son comité et ses conseils centraux véhiculent les demandes des travailleurs auprès des divers paliers de gouvernement.

LES REVENDICATIONS DES TRAVAILLEURS

Ainsi, de 1867 à 1896, le mouvement ouvrier québécois connaît une évolution importante. Phénomène encore marginal à l'époque de la Confédération, il émerge, trente ans plus tard, comme une force majeure au sein de la société. Voyons maintenant les revendications qu'il véhicule et les transformations qu'il réussit à obtenir.

Les premières manifestations de revendications ouvrières, vers le milieu du siècle, sont généralement le fait d'artisans qui protestent contre les changements dans l'organisation de la production introduits par les capitalistes. Ainsi, en 1849, les artisans cordonniers de Montréal mènent une lutte contre la société Brown & Child, qui introduit des machines dans sa manufacture et qui emploie une main-d'oeuvre sans qualification. Ils mènent une lutte pour la survie de leurs emplois et des formes traditionnelles de leur travail. Les conflits de ce genre expriment l'opposition entre le système artisanal et l'organisation capitaliste de la production. Vouées à l'échec, ces tentatives pour freiner l'introduction du système capitaliste tendent à disparaître dans la période 1867-1896, alors que les revendications visent de plus en plus à préciser les conditions de travail au sein du nouveau système.

Le niveau des salaires est certainement le principal point de revendication dans les conflits ouvriers. Non seulement les travailleurs veulent être mieux payés, mais ils doivent lutter contre les tentatives des patrons de réduire les salaires en période de ralentissement économique. Les travailleurs tenteront aussi de faire réduire la durée de la journée de travail à 9, puis à 8 heures. Il s'agit là d'une revendication véhiculée à l'échelle nord-américaine. Dans plusieurs cas, on exige aussi la reconnaissance syndicale afin que le patron négocie avec le syndicat et qu'il n'emploie que des travailleurs syndiqués.

Au delà de ces demandes précises qui sont présentées dans plusieurs conflits ouvriers, les centrales syndicales et, au niveau local, les conseils centraux formulent des revendications de portée plus générale qu'ils veulent obtenir par voie de législation. Elles concernent en premier lieu la protection contre les accidents de travail. L'historien Fernand Harvey résume ainsi les revendications des Chevaliers du travail en ce domaine: « des mesures d'hygiène et de sécurité à l'usine, la réduction de la journée de travail à huit heures, l'interdiction d'employer des enfants de moins de quinze ans, le paiement des salaires sur une base hebdomadaire, une rémunération égale pour les deux sexes, l'abandon du contrat à forfait et la mise sur pied d'un bureau de statistiques ouvrières. Au niveau des relations de travail, le programme demande la reconnaissance sur un pied d'égalité de toutes les unions ouvrières, l'instauration d'un système d'arbitrage obligatoire, l'abolition du système d'émigration par contrat pour les ouvriers étrangers de même que l'interdiction du travail des prisonniers au profit de certains capitalistes ». D'autres demandes concernent plus globalement l'organisation de l'économie et de la société: appui aux coopératives, demande de nationalisation de certaines entreprises, etc. Nous y reviendrons à propos de l'idéologie ouvrière.

Les revendications ouvrières sont d'abord formulées à l'occasion des conflits de travail. Dans leur *Répertoire des grèves dans la province de Québec au XIXe siècle*, les historiens Jean Hamelin, Paul Larocque et Jacques Rouillard ont relevé 167 grèves entre 1850 et 1896, et ils estiment que le nombre réel est probablement supérieur. On constate que dans un grand nombre de cas les travailleurs ne sont pas encadrés par un syndicat. Leur grève est alors un geste de protestation spontané, axé souvent sur une demande unique, généralement une augmentation de salaire. Les grèves menées par des syndicats sont mieux organisées et leurs chances de succès plus grandes.

Les revendications s'expriment aussi de plusieurs autres façons. Il y a les réunions du CMTC et de ses conseils centraux. Il y a les manifestations publiques, comme cette procession de la Grande Association, en 1867. On assiste à la naissance d'une presse ouvrière qui articule ses revendications et qui diffuse des informations sur le mouvement ouvrier dans d'autres pays. Un journal à clientèle populaire comme *La Presse* à Montréal adopte même des positions pro-ouvrières; le journaliste Jules Helbronner y signe, sous le pseudonyme de Jean-Baptiste Gagnepetit, une chronique ouvrière où il met à jour les pénibles conditions de travail dans les manufactures. Un grand nombre de syndicalistes de l'époque trouvent également dans l'action politique un important moyen de canaliser leurs revendications; nous reviendrons plus loin sur ce type d'intervention.

LA LÉGISLATION OUVRIÈRE

Les nouvelles conditions de travail imposées par les entreprises capitalistes ont amené de nombreux abus. Les syndicalistes qui veulent changer la situation se rendent vite compte que l'action au niveau d'une entreprise est insuffisante. Il faut que l'État intervienne pour imposer à l'ensemble des entreprises des conditions minimales.

Les organisations syndicales réclament sans cesse, pendant cette période, l'adoption de lois favorables aux travailleurs. Elles demandent entre autres la règlementation du travail des enfants, une réduction des heures de travail, une meilleure protection de la santé des travailleurs, la reconnaissance de leurs droits politiques, etc. Mais le libéralisme qui prévaut à l'époque laisse peu de place à l'intervention étatique dans ce domaine. Les hommes d'affaires, qui forment une bonne partie du personnel politique, sont peu enclins à s'imposer à eux-mêmes des conditions qui leur paraissent onéreuses. Il ne se préoccupent de questions ouvrières que dans la mesure où ils y voient un intérêt électoral immédiat.

Nous l'avons vu, le gouvernement fédéral intervient en 1872. Il fait alors adopter une loi levant certains obstacles juridiques à l'existence des syndicats. Là s'arrête cependant son action législative. Comme les conditions de travail relèvent au premier chef de la compétence des provinces, il laisse à ces dernières le soin d'intervenir. Le seul autre geste important du gouvernement fédéral est la création, en 1886, de la Commission royale d'enquête sur les relations entre le capital et le travail. Cette commission, dont plusieurs membres sont issus des rangs des travailleurs, mène une étude en profondeur sur les conditions de travail et les relations patrons-ouvriers. Les nombreux témoignages qu'elle recueille rendent compte de la situation pénible des travailleurs d'usine. Deux rapports sont présentés, en 1889, à la suite de ces travaux.

Jules Helbronner, 1844-1921.

Le groupe majoritaire, dit pro-syndical, s'inspire du programme des Chevaliers du travail. Le groupe minoritaire, dit pro-patronal, formé d'employeurs et de journalistes, produit un rapport que l'historien Fernand Harvey qualifie de « philanthropique ». Même si les deux groupes s'appuient sur des conceptions relativement différentes, ils aboutissent à des recommandations assez semblables. D'ailleurs, selon Harvey, « ceux qui attendent de ces deux rapports une vision d'ensemble du problème ouvrier seront vite déçus. Les deux groupes de commissaires n'ont rédigé qu'une suite plus ou moins ordonnée de constatations et de recommandations portant sur divers problèmes soulevés au cours de l'enquête. » Les commissaires s'entendent pour demander la réduction de la journée de travail à 9 heures, pour limiter à 54 heures par semaine le travail des femmes et des enfants, pour fixer à 14 ans l'âge minimum tant chez les filles que chez les garçons. Au sujet des accidents de travail, la majorité souhaite l'adoption d'une loi déterminant l'indemnité à verser; la minorité va plus loin en reconnaissant la responsabilité des patrons en ce domaine et en souhaitant qu'ils soient couverts par une assurance universelle. Les recommandations des deux groupes s'éloignent un peu plus dans le cas des relations de travail. Le rapport pro-syndical recommande l'instauration d'un arbitrage obligatoire liant les parties et touchant tous les points en litige. La minorité recommande plutôt la création de conseils de prud'hommes dont l'arbitrage toucherait la plupart des points discutés sauf les salaires; en outre, les parties seraient libres d'accepter ou non le rapport d'un tel conseil. Outre ces questions majeures, les commissaires font un grand nombre d'autres recommandations visant à améliorer le sort de l'ouvrier. Mais les deux rapports de la commission resteront lettre morte, en partie parce que certains sujets ne sont pas de la compétence du gouvernement fédéral, mais surtout parce que le profond conservatisme social des classes dirigeantes ne les incite pas à changer l'état de choses existant.

Du côté du Québec, la principale action législative est l'adoption, en 1885, de la loi des manufactures. Elle s'inspire d'une loi ontarienne votée en 1883. Elle fixe aux heures de travail une limite qui demeure élevée: 60 heures par semaine pour les femmes et les enfants, 72½ heures pour les hommes; plusieurs dérogations prévues dans la loi permettent à l'employeur de dépasser facilement ce maximum. La loi interdit l'emploi de garçons de moins de 12 ans et de fillettes de moins de 14 ans, à moins que ces enfants n'aient un certificat de leurs parents les autorisant à travailler. Des clauses traitent de sécurité au travail et de propreté des établissements. Il s'agit, au total d'une loi très permissive et difficile à appliquer. Le gouvernement attendra d'ailleurs trois ans avant de nommer les premiers inspecteurs chargés de la faire respecter. Et il n'en nomme que trois pour l'ensemble du territoire. Ces fonctionnaires jouent toutefois un important rôle d'éveilleurs. Leurs rapports, publiés chaque année, dénoncent parfois avec vigueur certaines manifestations d'exploitation des travailleurs. Ils réussissent, au fil des ans, à obtenir des amendements à la loi qui la rendent plus sévère, ou étendent son champ d'application.

Jusqu'à la fin du siècle, toutefois, l'action de l'État québécois reste bien timide. Cette lenteur d'intervention amène plusieurs syndicalistes à chercher une solution dans l'action politique directe.

Orientations bibliographiques

Burgess, Joanne. « L'industrie de la chaussure à Montréal: 1840-1870 — le passage de l'artisanat à la fabrique », *Revue d'histoire de l'Amérique française*, 31, 2 (sept. 1977): 187-210.

De Bonville, Jean. *Jean-Baptiste Gagnepetit. Les travailleurs montréalais à la fin du XIXe siècle.* Montréal, L'Aurore, 1975. 253p.

Hamelin, Jean, Paul Larocque et Jacques Rouillard. *Répertoire des grèves dans la province de Québec au XIXe siècle.* Montréal, Les presses de l'École des Hautes Études commerciales, 1970. 168p.

Hamelin, Jean, dir. *Les travailleurs québécois, 1851-1896.* Montréal, PUQ, 1973. 221p.

Harvey, Fernand. « Les Chevaliers du Travail, les États-Unis et la société québécoise (1882-1902) », *Aspects historiques du mouvement ouvrier au Québec*, (Montréal, Boréal Express, 1973): 33-118.

Harvey, Fernand. *Révolution industrielle et travailleurs.* Montréal, Boréal Express, 1978. 347p.

Héroux, Denis et Richard Desrosiers. *Le travailleur québécois et le syndicalisme.* Montréal, Les Éditions de Sainte-Marie, s.d., 120p.

Histoire du mouvement ouvrier au Québec (1825-1976). s.l., CSN-CEQ, 1979. 235p.

CHAPITRE 11

LA SITUATION DES FEMMES

Les femmes ont longtemps été pratiquement absentes de l'histoire écrite, même si elles constituaient la moitié, sinon la majorité de la population. À l'instar des ouvriers, les femmes prennent peu à peu conscience de leur situation dans la société et elles cherchent à se regrouper et à s'organiser pour défendre leurs droits. Cette prise de conscience sera difficile et le chemin à parcourir pour surmonter l'inégalité structurelle dont elles sont victimes sera long.

Dans la seconde moitié du 19e siècle, au Québec comme dans l'ensemble des sociétés occidentales, la femme est essentiellement perçue comme un être faible, voire inférieur. Elle est définie par son rôle d'épouse et de mère, au service de son mari et de ses enfants. La première fonction universellement reconnue de la femme est celle de la reproduction. Sur ce plan, nul doute que les femmes québécoises, souvent au péril de leur vie, ont joué pleinement leur rôle, comme en témoignent les taux élevés de natalité de cette époque. La femme célibataire est vue comme une femme incomplète qui n'a pu se réaliser pleinement. Celle qui entre dans les ordres religieux fait cependant exception car, tout en conservant sa virginité, elle devient épouse du Christ et exerce souvent un rôle maternel auprès des enfants et des malades. Dans l'Église ou dans la vie civile, la femme est toujours sous la domination de l'homme, que ce soit le prêtre, le père, le mari ou plus profondément le législateur qui définit les droits juridiques et politiques des membres de la société.

Tableau 1
Situation juridique de la femme mariée dans le Code civil du Québec, de 1866 à 1915

A. Sur le plan individuel

1) Incapacité générale (comme les mineurs et les interdits). Toutefois, elle a le droit de faire un testament (*184 et 382*).
   a) Ne peut contracter (*986*).
   b) Ne peut se défendre en justice ou intenter une action (*986*).
2) Ne peut être tutrice (*282*).
3) Ne peut être curatrice (*337*).

B. Relations personnelles avec le mari

1) Soumission au mari. En échange le mari lui doit protection (*174*).
2) Nationalité imposée par le mari (*23*).
3) Choix du domicile par le mari (*83*).
4) Choix des résidences par le mari (*175*).
5) Exercices des droits civils sous le nom du mari (*Coutume*).
6) *Loi du double standard:* le mari peut toujours exiger la séparation pour cause d'adultère; la femme ne peut l'exiger que si le mari entretient sa concubine dans la maison commune.

C. Relations financières avec le mari

1) Ne peut exercer une profession différente de celle de son mari (*181*).
2) Ne peut être marchande publique sans l'autorisation du mari (*179*).
3) En régime de communauté légale:
   a) le mari est seul responsable des biens de la communauté (*1292*);
   b) responsabilité face aux dettes du mari. Non réciproque (*1294*).
4) En régime de séparation de biens:
   a) ne peut disposer de ses biens. Toutefois, elle peut administrer ses biens avec l'autorisation de son mari ou, à défaut, avec celle d'un juge (*1422*).
   b) Le mari ne peut autoriser sa femme de façon générale: une autorisation particulière est exigée à chaque acte (*1424*).
   c) Ne peut disposer de son salaire professionnel (*1425*).
5) Ne peut accepter seule une succession (*643*).
6) Ne peut faire ni accepter une donation entre vifs (*763*). Toutefois, le mari peut assurer sa vie en faveur de sa femme (*1265 et 1888*).
7) Ne peut accepter seule une exécution testamentaire (*763*).
8) Ne peut hériter de son mari mort sans testament qu'après les douze degrés successoraux (*637*).

D. Situation dans la famille

1) Ne peut consentir seule au mariage d'un enfant mineur (*119*).
2) Ne peut permettre à un mineur non émancipé de quitter la maison (*244*).
3) Ne peut corriger ses enfants (*245*). Toutefois, la femme possède le droit de surveillance sur ses enfants (*Coutume*).
4) Ne peut être seule tutrice de ses enfants mineurs (*282*).

Note: les numéros entre parenthèses renvoient aux articles correspondants du Code civil.

Source: Micheline Dumont-Johnson, *Histoire de la condition de la femme dans la province de Québec*, 43.

Femmes travaillant dans une mine de cuivre à Bolton, en 1867. (Archives Notman, Musée McCord)

UN STATUT D'INFÉRIORITÉ

Le statut d'infériorité des femmes est consacré et maintenu par les institutions juridiques et politiques, comme on peut le constater en examinant le Code civil du Québec en vigueur depuis 1866, et la nature des droits politiques reconnus aux femmes. Le Code civil décrète essentiellement le double principe de la puissance maritale et paternelle au sein de la famille. De ce principe découle l'incapacité juridique de la femme mariée, c'est-à-dire qu'elle a le même statut légal que les mineurs et les interdits. Dans ce cadre, la femme mariée perd son autonomie et elle est soumise à l'autorité et aux décisions de son mari en ce qui concerne ses droits civils et ses enfants. Le tableau ci-joint inspiré de Marie Gérin-Lajoie et que nous empruntons à Micheline Johnson, montre bien l'ampleur de cette incapacité juridique qui restera pratiquement inchangée jusqu'en 1931.

L'infériorité juridique se complète par une limitation très étroite des droits politiques. Sur ce plan, la situation des femmes s'est d'ailleurs détériorée au cours du 19e siècle. Au début du siècle, elles peuvent voter comme les hommes si elles remplissent les mêmes conditions. L'Acte constitutionnel de 1791 ne spécifiant pas que seuls les hommes avaient droit de suffrage, les femmes ont pu voter sans qu'on y fasse objection. Mais, en 1849, le parlement du Canada-Uni vote une loi pour interdire officiellement aux femmes le droit de voter. Il faudra attendre jusqu'en 1918 pour que les femmes du Québec puissent à nouveau exercer ce droit aux élections fédérales et en 1940 aux élections provinciales.

Au niveau municipal et scolaire, la loi est plus souple. Tout propriétaire peut voter et se présenter au poste de commissaire d'écoles. Mais lorsqu'en 1899, un groupe de féministes montréalaises tente de faire élire une des leurs à un poste de commissaire à la commission scolaire protestante, le législateur s'empresse de faire modifier la loi pour leur enlever le droit d'éligibilité. Sur la scène municipale, les femmes propriétaires, veuves ou célibataires majeures, ont le droit de vote. Quant aux femmes mariées propriétaires, leur droit de vote est exercé par leur mari! Cette conception patriarcale de même que les phénomènes de régression observés sur les plans scolaire et provincial traduisent une dégradation du statut politique de la femme à la fin du 19e siècle.

UNE MAIN-D'OEUVRE SUREXPLOITÉE

Malgré cette commune inégalité des femmes, leurs conditions de vie varient selon leur habitat, comme elles peuvent aussi différer selon leur ethnie ou leur classe.

Dans le milieu rural, il existe certes une division sexuelle du travail mais, l'unité de production étant familiale, la subordination de la femme est moins marquée qu'en milieu urbain. Dans les villes, la condition des femmes dépend d'abord du statut social de leur mari ou de leur père. La femme d'un bourgeois peut se payer le luxe d'une domestique et consacrer une partie de

Le travail domestique. (Archives Notman, Musée McCord)

son temps à des activités sociales et culturelles. La femme d'un ouvrier partage la vie difficile de son conjoint. Si elle reste à la maison, elle est complètement dépendante et son travail domestique « invisible » ne reçoit aucune rémunération directe.

Cependant l'industrialisation offre la possibilité à un grand nombre de jeunes filles et de femmes mariées de travailler à l'extérieur du foyer ou encore de quitter la campagne pour s'installer à la ville. Dans la deuxième moitié du 19e siècle, plus de jeunes filles que de garçons se retrouvent dans les villes qui leur offrent davantage de débouchés. On en trouve un indice dans les statistiques compilées par Suzanne Cross, qui montre que, malgré l'équilibre des sexes dans l'ensemble du Québec et dans le groupe d'âge 0 à 15 ans, il y a beaucoup plus de jeunes filles que de jeunes hommes dans les villes de Montréal et de Québec.

La plupart des jeunes filles de 15 à 20 ans qui viennent chercher du travail à la ville trouvent un emploi de domestique ou d'ouvrière. Dans des industries comme le textile, le vêtement et le caoutchouc, elles sont majoritaires, tandis que dans le tabac et la chaussure elles représentent environ 40% des effectifs. Ces emplois demandent une main-d'oeuvre nombreuse et peu qualifiée. Les patrons sont d'autant plus intéressés à les engager qu'elles ne gagnent que la moitié du salaire d'un homme. L'exploitation est encore plus poussée dans l'industrie du vêtement où très souvent la couture des pièces, taillées à la manufacture, se fait dans de petits ateliers ruraux ou à domicile. Dans le cadre de ce qu'on a appelé le *sweating system*, les travailleuses payées à la pièce gagnent un salaire dérisoire.

La place des femmes dans la main-d'oeuvre industrielle est importante. En 1871, elles représentent 33% de cette main-d'oeuvre pour Montréal et la banlieue d'Hochelaga tandis qu'en 1891, elles comptent pour 28% des effectifs de ce groupe. Même si la majorité de ces travailleuses sont des jeunes filles, il y a certainement des femmes mariées parmi elles. On en trouve une preuve dans l'ouverture, par les Soeurs Grises, de plusieurs garderies gratuites appelées « salles d'asile ». Dans la période 1893-1897, quelque 9 000 enfants de 2 à 7 ans fréquentent ces garderies. À cette époque du moins, le clergé ne semble pas exprimer de réticences à propos du travail des femmes mariées, sans doute parce que les salaires des travailleurs sont si bas et le chômage si fréquent que le travail des femmes est absolument nécessaire. Chez les anglophones, les femmes ne réussissent pas, malgré certains efforts dans les années 1890, à établir des garderies.

Le travail domestique est une autre importante source d'emploi. En 1871, on compte 3 657 femmes domestiques à Montréal, ce qui représente 6,4% de la population féminine de la ville. En 1881, c'est près de 6 000 d'entre elles qui exercent ce métier, soit 7,9% de la même population. Les conditions de travail sont si astreignantes que les jeunes filles préfèrent travailler dans les manufactures. On parle régulièrement de « crise du travail domestique ».

Des bourgeoises mettent sur pied différents organismes pour recruter des servantes en Grande-Bretagne. On essaie même d'entraîner des fillettes de 8 à 12 ans à l'exercice de ce métier. On observe, vers la fin du siècle, que les Canadiennes françaises ont remplacé les Irlandaises dans ce secteur sous-payé.

Les femmes sont aussi présentes dans les petits commerces, les magasins et les bureaux. Mais ces emplois sont assez valorisés pour que la présence masculine y soit prépondérante. Le téléphone et le dactylographe font leur apparition dans les dernières décennies du siècle, mais ce n'est que plus tard que les femmes y trouveront une source importante d'emploi.

L'enseignement offre une possibilité de carrière à la femme dans la seconde moitié du 19e siècle. D'ailleurs, à mesure que l'on avance dans le siècle, on assiste à une féminisation croissante de cette profession. De 1854 à 1874, le pourcentage d'institutrices dans l'enseignement public catholique passe de 63,5% à 81,3%. Jusqu'à la fin du siècle, les femmes représenteront au delà de 80% des effectifs. Les commissaires d'écoles ont tout intérêt à engager des institutrices car elles sont généralement deux à trois fois moins payées que les instituteurs.De plus, elles n'ont pas facilement accès à la même formation que les hommes. À l'École normale Laval de Québec, les femmes sont très minoritaires, tandis qu'à l'École normale Jacques-Cartier de Montréal, elles ne sont admises qu'en 1899. Les femmes doivent étudier dans des écoles privées dirigées par des communautés religieuses. Plus généralement, dans le cas des laïques, elles ne reçoivent aucune formation spécialisée avant d'entrer dans l'enseignement.

L'institutrice laïque, québécoise, catholique, défavorisée quant à l'accès à une formation spécialisée, doit en plus subir la concurrence du personnel religieux. Les religieuses représentent, vers la fin du siècle, plus de 35% des effectifs du corps enseignant au niveau primaire, et elles sont exemptées des examens tandis que les institutrices laïques doivent se présenter devant le bureau des examinateurs.

Chez les protestants, l'enseignement est beaucoup plus accessible aux jeunes filles. Dès 1857, l'École normale de McGill reçoit des candidats des deux sexes; les jeunes filles sont toujours beaucoup plus nombreuses que les garçons. Les institutrices protestantes gagnent beaucoup moins que leurs collègues masculins protestants pour un même travail.

Une autre possibilité de carrière s'ouvrira aux femmes grâce au milieu hospitalier, où se développera la profession d'infirmière. Il faudra plusieurs années et plusieurs tentatives pour passer graduellement du concept d'infirmière-servante à celui d'infirmière professionnelle. Ce ne sera qu'en 1890 que le Montreal General Hospital organisera systématiquement un cours professionnel. Chez les francophones, la profession d'infirmière est monopolisée par les religieuses et ce n'est qu'en 1897 que les premières laïques sont admises comme étudiantes à l'hôpital Notre-Dame.

Les oeuvres de bienfaisance permettent à certaines femmes de la bourgeoisie — surtout aux anglophones — de déployer leur talent dans de multiples organisations. Elles sont souvent assistées, il est vrai, d'un conseil d'administration où siègent leurs maris ou d'autres représentants de la bourgeoisie. Les laïques francophones ont plus de difficulté à affirmer leur talent dans ce secteur, car les religieuses s'assurent un quasi-monopole des oeuvres de charité. Les exemples abondent d'oeuvres fondées et dirigées par des laïques, mais finalement récupérées par les religieuses. La hiérarchie catholique voyant dans les oeuvres sociales une assise de son pouvoir encourage explicitement ce mouvement, tandis que l'État, en refusant de subventionner adéquatement ce secteur, concourt au même résultat.

C'est ainsi que l'entrée dans une communauté religieuse devient pour les Québécoises catholiques une excellente façon de déployer leur talent. C'est sans doute une des raisons qui fait que le Québec compte un nombre si élevé de religieuses. Au début du 20e siècle, elles sont près de 10 000, soit environ 1% de la population féminine totale du Québec, comme l'a fait remarquer l'historienne Micheline Johnson. Elles sont réparties dans 37 communautés et dirigent près de 500 établissements. Elles se consacrent à l'éducation, au soin des malades, à l'apostolat missionnaire, au service domestique auprès du clergé, à la contemplation ou aux oeuvres de charité: hospices, garderies, orphelinats, etc. Ces femmes, même sous la tutelle de la hiérarchie et de l'aumônier, peuvent devenir administratrices d'institutions extrêmement importantes; elles dirigent des dizaines, voire des centaines de personnes et brassent des sommes d'argent considérables.

UN DÉBUT D'ORGANISATION

La discrimination omniprésente qui s'exerce à l'endroit des femmes sera peu à peu contestée. Ainsi, à compter de 1884, le McGill College qui n'acceptait que les candidats masculins après leur cours à l'école normale se résigne à accepter aussi les candidates féminines, même si le droit et la médecine ne leur sont pas accessibles. En 1890, cependant, le Bishop's College de Montréal accepte des candidates en médecine. De 1890 à 1905, dix femmes y complètent leurs études médicales. L'ouverture de l'université sera un tremplin pour les femmes et plusieurs d'entre elles deviendront des militantes féministes par la suite. Du côté des francophones, cette lutte pour

Un groupe de soeurs, vers 1870. (Archives Notman, Musée McCord)

l'accessibilité aux études supérieures s'engagera plus tard; les universités leur restent fermées au 19e siècle.

Ce n'est que vers la fin du siècle que les femmes commencent à s'organiser véritablement pour revendiquer leurs droits. La première grande association nationale sera le National Council of Women fondé en 1893 et présidé par Lady Aberdeen, épouse du gouverneur général. La section montréalaise de ce mouvement anglophone, le Montreal Local Council of Women, est particulièrement dynamique. Elle réussit à recruter des francophones qui formeront, dans leur milieu, la première génération de féministes.

Orientations bibliographiques

Boucher, Jacques. « L'histoire de la condition juridique et sociale de la femme au Canada français », Jacques Boucher et André Morel, dir., *Le droit dans la vie familiale*, (Montréal, PUM, 1970): tome 1, p. 155-167.

Dumont-Johnson, Micheline. « Histoire de la condition de la femme dans la province de Québec », *Tradition culturelle et histoire politique de la femme au Canada*, (Étude no 8 préparée pour la Commission royale d'enquête sur la situation de la femme au Canada. Ottawa, Information Canada, 1971): 57p.

Jean, Michèle. *Québécoises du 20e siècle*. Montréal, Éditions du Jour, 1974. 303p.

Labarrère-Paulé, André. *Les instituteurs laïques au Canada français, 1836-1900*. Québec, PUL, 1965. 471p.

Lavigne, Marie et Yolande Pinard, dir. *Les femmes dans la société québécoise*. Montréal, Boréal Express, 1977. 214p.

CHAPITRE 12

DEUX ORGANISATIONS D'ENCADREMENT

Le portrait de la société québécoise ne serait pas complet sans l'étude des deux institutions qui encadrent la population. Tant chez les protestants que chez les catholiques, la religion a, au 19e siècle, une grande importance et les églises ont un champ d'action très étendu. La confessionnalité est d'ailleurs l'un des éléments de base de la double structure scolaire qui caractérise le Québec. Et, contrairement à ce qui se passe dans d'autres pays, où l'État cherche à contrôler le système scolaire, ici, il renonce même à l'orienter.

LES ÉGLISES

D'après le recensement de 1871, le Québec ne compte pas moins d'une quarantaine de religions différentes. Cette diversité, qui est très nord-américaine, ne doit pas cependant masquer la prédominance massive d'une d'entre elles, le catholicisme, et la présence d'une minorité protestante significative.

La religion catholique est en effet celle de plus de 85% des Québécois, tandis que les diverses confessions réformées en réunissent un peu plus de

14%. Les adeptes des autres religions ainsi que les cas inconnus ne forment que 0,2% de la population. La grande diversité religieuse est donc le fait de la minorité protestante qui, à elle seule, se répartit entre 34 confessions différentes. Dans les grandes lignes, cette situation se maintient jusqu'à la fin du siècle.

Les églises protestantes

Précisons immédiatement qu'en raison de leur situation minoritaire au Québec, les églises protestantes entretiennent des liens très étroits avec les institutions apparentées dans les autres provinces de même qu'aux États-Unis et en Grande-Bretagne. Le Québec forme dans ce cas une partie d'un ensemble plus vaste. Toutefois, ajoutons que la présence d'une forte minorité protestante dans la région de Montréal fait de cette ville un lieu historiquement important de l'implantation du protestantisme canadien. Montréal apparaît en effet comme un microcosme où se retrouvent les principales confessions. Par ailleurs, la diminution de la population rurale anglophone affecte le dynamisme des communautés protestantes à l'extérieur de la métropole.

L'une des caractéristiques des églises protestantes est leur propension à se diviser en sectes. Sans entrer dans les détails de son histoire, rappelons qu'au lendemain de la révolution américaine, la Grande-Bretagne tente d'imposer le principe d'une église d'État, une « église établie ». L'expérience américaine lui fait craindre la diversité des sectes qui lui apparaissent comme autant de foyers de républicanisme. Dans les colonies qui lui restent, la Grande-Bretagne choisit de soutenir l'Église anglicane. Au Québec, la présence de l'Église catholique met en échec cette politique et Londres doit reconnaître son existence de fait. Cette situation amène les autres confessions protestantes, surtout en Ontario, à réclamer l'abolition des privilèges accordés à l'Église anglicane, ce qui sera fait au milieu du siècle. Simultanément, on retrouve au Canada une multitude de sectes implantées par les immigrants ou les prédicateurs américains. Prenons le cas des presbytériens, qui forment l'un des trois grands groupes de la minorité protestante. En 1871, ils sont eux-mêmes divisés en six sous-confessions. Ces divisions ont souvent comme origine des questions d'interprétation doctrinale. Ainsi, vers 1860, sous l'influence d'un groupe de douze irréductibles, dont l'industriel montréalais John Redpath, l'Église presbytérienne connaît une nouvelle division entraînant l'ouverture d'un nouveau lieu de culte, suivi en 1864 d'un nouveau collège presbytérien.

Cependant, vers la même date, s'amorce au Canada un mouvement vers l'unité des églises; on convoque des synodes nationaux et provinciaux pour tenter d'établir un corpus doctrinal commun. Les presbytériens seront les premiers à réamorcer leur unité, suivis des méthodistes vers 1874. La période

Un temple protestant à Montréal, l'église St. George. (*Canadian Illustrated News*, 29 juillet 1871)

de l'après-Confédération est donc marquée par un apaisement des rivalités entre les confessions et les sectes.

Le protestantisme québécois est dominé par trois confessions qui à elles seules représentent, en 1871, plus de 84% de l'ensemble; il s'agit, dans l'ordre, des anglicans, des presbytériens et des méthodistes. Toutefois, si l'on tient compte de l'éclatement des confessions, seule l'Église anglicane émerge avec un bloc solide de fidèles. Vingt ans plus tard, les effets du mouvement unitaire sont déjà perceptibles puisque presbytériens et méthodistes ne présentent plus la même multiplicité de sectes. Dans l'ensemble, d'ailleurs, on passe de 34 confessions ou sectes distinctes recensées en 1871 à 13 en 1891. Les trois confessions dominantes chez les protestants du Québec sont toujours les mêmes et elles rassemblent maintenant 88% du groupe.

Au delà de leurs divisions, les églises protestantes partagent les grandes traditions de la Réforme: piété individuelle, importance de la Bible et organisation ecclésiale laissant plus d'initiative aux laïcs. Le caractère sécularisé de ces églises apparaît assez tôt dans les institutions de bienfaisance et d'enseignement, ce qui les distingue des organismes catholiques. La multiplicité des sectes les amène à organiser en commun certaines institutions qui, tout en étant reconnues comme protestantes, ne seront pas liées à telle ou telle secte. Le meilleur exemple est celui de l'éducation, où il existe un système scolaire unifié pour les protestants à côté du système catholique. D'une manière générale donc, les institutions protestantes — qu'ils s'agissent de maisons d'enseignement, d'hôpitaux ou de sociétés de bienfaisance — seront beaucoup moins liées organiquement à une religion que leur contrepartie catholique. Ce qui n'empêche pas les églises les mieux organisées de mettre sur pied les institutions qui leur sont propres, comme des collèges de théologie.

Les relations avec les catholiques, qui ont déjà été plus tendues, évoluent vers une acceptation résignée de leur existence. Il y a certes encore des éclats, comme les flambées de violence qui opposent les Irlandais catholiques et les orangistes dans les rues de Montréal au cours des années 1870; il y a, vers la fin des années 1850, la spectaculaire conversion de l'apôtre de la tempérance, l'abbé Chiniquy, qui tente, sans grand succès, des conversions chez les Canadiens français. Mais graduellement le prosélytisme dirigé vers les Canadiens français, qui n'avait jamais été très efficace par ailleurs, sera abandonné. Au plan religieux, nous avons donc affaire à deux mondes quasi imperméables l'un à l'autre.

Une Église catholique conquérante

Tout au long du 19e siècle, l'Église catholique est préoccuppée par l'impact de la Révolution française et cherche à combattre la pénétration graduelle des idées libérales. Les révolutions de 1848 et particulièrement l'expérience vécue par le pape Pie IX, qui doit quitter précipitamment Rome, renforcent la résistance de l'Église et sa détermination à lutter. C'est en 1864 que paraît un document fondamental pour la compréhension de l'évolution de l'Église, le *Syllabus errorum* qui, sous forme de catalogue, énumère 80 propositions jugées inacceptables et qui vont de la condamnation du rationalisme à celle du libéralisme en passant par celle du socialisme. Jusqu'à la fin du siècle, en fait jusqu'à la parution de l'encyclique *Rerum Novarum* (1891) du pape Léon XIII, qui marque une réconciliation du Vatican avec les idées modernes, l'Église bat en brèche tout ce qui lui apparaît suspect de libéralisme. Le concile du Vatican qui aboutit à la proclamation de l'infaillibilité pontificale en 1870 a pour effet de renforcer le pouvoir du pape à l'intérieur de l'Église et de stimuler l'ultramontanisme.

Au moment de la Confédération, l'Église catholique est en pleine remontée au Québec. Rappelons brièvement qu'entre 1800 et 1837, l'Église était dans une position de faiblesse. Ne jouissant pas de la pleine reconnaissance juridique, sa sécurité matérielle n'était pas assurée; elle était en outre sur la défensive face à la montée des idées libérales et, enfin, l'insuffisance de ses effectifs ne lui permettait pas d'encadrer adéquatement la population. À compter des années 1840, deux de ces obstacles sont levés. L'Église obtient la pleine reconnaissance juridique et l'anticléricalisme d'une

La cathédrale de Montréal, que Mgr Bourget voulait sur le modèle de Saint-Pierre de Rome. (*Le diocèse de Montréal à la fin du XIXe siècle*, 16)

partie des dirigeants canadiens-français ne survit pas à l'échec de 1837-1838. Commence alors ce qu'on a appelé la réaction catholique. Cette réaction est caractérisée par la reprise en main et l'encadrement des fidèles par un clergé désormais plus nombreux. Elle s'appuie sur la fondation de nombreuses organisations, la venue de communautés, l'amélioration de la pratique religieuse et le progrès des dévotions populaires. À partir de cette époque, le clergé bénéficie d'un renouveau de prestige et de pouvoir au sein de la société.

L'Église catholique apparaît donc, vers 1867, comme un élément très dynamique de la société et, dans ces conditions, il n'est pas étonnant de voir se gonfler les effectifs du clergé. La Confédération met d'ailleurs en place une structure étatique qui favorise l'influence de l'Église. Les domaines relevant de la compétence provinciale sont en grande partie ceux qui intéressent l'Église: l'éducation, la santé publique, la propriété, le droit civil, bref, ce qui touche de plus près à la vie quotidienne des gens.

Ainsi, avec une nouvelle constitution, pour les matières qui sont de la compétence provinciale, l'Église catholique n'a plus en face d'elle qu'une assemblée élue par une population qui est catholique à plus de 85%. Cette homogénéité lui assure un pouvoir plus grand qu'auparavant. Elle devra compter sans aucun doute avec les hommes politiques, mais ces derniers peuvent être influencés dans la base même de leur pouvoir, c'est-à-dire leur circonscription électorale, et, de toute manière, ce sont en général eux aussi des catholiques — du moins doivent-ils s'afficher comme tels.

L'Église aura donc très rapidement une situation privilégiée. Dans ses biens d'abord puisqu'elle obtient de l'État l'exemption de toute taxe pouvant frapper ses propriétés immobilières. Notons toutefois que cette disposition s'applique également aux églises protestantes. À un autre niveau, celui de l'état civil, elle joue un rôle de gardien des registres et c'est elle qui veille à leur confection. L'Église est donc amenée à investir des sphères qui ne sont pas strictement religieuses, le meilleur exemple étant l'éducation où, en quelques décennies, elle bouleverse toute l'organisation du personnel en imposant des instituteurs religieux pour remplacer les laïcs. Elle déborde à un point tel le domaine religieux qu'elle devient rapidement, vers la fin du siècle, un élément tout à fait indispensable dans la vie sociale québécoise. Sa présence est très visible et très profonde: par son réseau de paroisses et de diocèses qui quadrille l'espace habité, par le caractère social essentiel des institutions qu'elle contrôle.

Veut-on organiser un nouveau territoire ouvert à la colonisation? Il faut obligatoirement fonder des paroisses, prévoir des écoles et des communautés pour s'en occuper, un diocèse, des collèges, des hôpitaux, etc. Enfin, les réseaux de paroisses et, à un niveau supérieur, de diocèses forment un puissant instrument de communication qui peut fonctionner dans les deux sens: centraliser l'information ou la disséminer à volonté. C'est là un instrument important de la puissance de l'Église.

Certains membres du clergé voudront utiliser à fond la force de l'Église pour intervenir dans le jeu électoral. Cette tendance, qui s'exprimera dans le Programme catholique de 1871, perdra sans cesse du terrain devant l'opposition massive des hommes politiques. L'annulation par les tribunaux, en 1876, de deux élections, à cause de l'influence indue exercée par des curés durant la campagne électorale, indiquera au clergé les bornes qu'il ne faut pas dépasser. L'Église a au fond beaucoup à perdre d'une confrontation directe avec l'État, qui risquerait de lui faire perdre la base de ses pouvoirs en guise de riposte. À ce niveau, on arrive très tôt à trouver un terrain d'entente et à fixer des limites aux prétentions politiques cléricales.

Pour l'Église catholique, le quart de siècle qui précède la Confédération est une période de réorganisation qui, si elle touche certains éléments du culte et de la discipline, intéresse surtout l'encadrement clérical. C'est une période de fondation ou d'implantation de plusieurs ordres religieux. Nous ne décrirons pas ici le zèle recruteur dont fit preuve monseigneur Bourget, mais nous ne pouvons que constater que la population catholique est mieux encadrée. À défaut de chiffres détaillés, nous utiliserons certains indices.

Ainsi le géographe Louis-Edmond Hamelin, étudiant l'évolution numérique du clergé québécois, montre que le rapport prêtre/fidèles s'accroît beaucoup entre 1850 et 1890; d'un prêtre pour 1 080 fidèles, on passe à un pour 510. C'est donc dire que le nombre de prêtres augmente — il fait plus que doubler entre 1860 et 1890. S'y ajoute l'importance croissante que prennent les communautés religieuses d'hommes ou de femmes. Le sociologue Bernard Denault montre qu'entre 1850 et 1901, les effectifs des communautés masculines au Québec passent de 243 à 1 984, tandis que les communautés féminines connaissent une progression encore plus spectaculaire avec un bond de 650 à 6 628; à ces chiffres, il faut ajouter les 407 hommes et les 2 973 femmes qui sont rattachés à des maisons québécoises mais qui travaillent à l'extérieur du Québec.

Si les communautés masculines sont surtout des implantations d'ordres fondés en Europe, il n'en va pas de même pour les communautés de femmes, qui sont en majeure partie des fondations québécoises. Même lorsque ces communautés sont implantées par des étrangers, elles réussissent rapidement à recruter la majorité de leur personnel au Québec.

L'augmentation quantitative des membres du clergé et des communautés ne s'accompagne pas nécessairement d'une formation de meilleure qualité. Pourtant, les séminaires et les collèges classiques qui s'établissent un peu partout assurent une première sélection. Mais la formation qui devrait être complétée dans les institutions diocésaines appelées grands séminaires fait souvent défaut. Un rapport de 1877 constate que plusieurs prêtres ne sont jamais passés par le grand séminaire et qu'ils connaissent mal la théologie catholique.

Avec tous ses effectifs et son immense pouvoir, cette Église n'est pourtant pas monolithique. Dans l'organisation de l'Église catholique, l'évêque d'un diocèse joue un rôle fondamental dans la définition et l'orientation des politiques ecclésiales. L'augmentation du nombre des diocèses, dans la seconde moitié du siècle, impose une certaine collégialité dans la direction. Après la création des diocèses de Trois-Rivières et de Saint-Hyacinthe en 1852, de Rimouski en 1867, de Sherbrooke et de Chicoutimi en 1874 et 1878 respectivement, puis de Nicolet en 1885 et de Valleyfield en 1892, l'assemblée des évêques du Québec devient plus nombreuse et plus variée et des divergences ne manqueront pas d'apparaître sur certains points. Les cas les plus connus sont: l'ultramontanisme, où les évêques sont nettement divisés en deux camps; la question des Chevaliers du travail, où l'évêque de Montréal, plus au fait des problèmes ouvriers, ne manifeste pas le même zèle que son collègue de Québec; enfin la querelle universitaire, qui oppose partisans et adversaires d'une université catholique à Montréal. Dans certains cas, Rome devra trancher le débat: Mgr Conroy est délégué en 1877, Dom Henri Smeulders en 1883 et finalement Mgr Merry del Val en 1897.

Un noviciat des soeurs de la Charité, en 1894. (Archives nationales du Québec, N774-39)

La présence des communautés religieuses est un autre frein au pouvoir des évêques. Même si la primauté de l'évêque est reconnue par tous en ce qui concerne la discipline ecclésiastique, les communautés doivent en même temps s'efforcer de suivre les buts que leur ont assignés leurs fondateurs. Or, il peut fort bien arriver que ces buts ne soient pas parfaitement compatibles avec telle ou telle politique de l'évêque. D'autre part, il existe des communautés ayant un poids politique important à l'intérieur de l'Église; dans ce cas, l'évêque doit redoubler de précautions s'il veut contrer une communauté plus puissante.

Sur ce point, l'exemple le plus intéressant est sans contredit la querelle qui oppose les Sulpiciens à l'évêque de Montréal autour du fractionnement de la paroisse Notre-Dame de Montréal. Sans entrer dans les arcanes de cette querelle qui se termine par la victoire de l'évêque Bourget en 1875, après des années de luttes plus ou moins ouvertes, rappelons que l'évêque désire diviser cette immense paroisse pour mieux desservir la population catholique, tandis que les Sulpiciens, forts de leurs privilèges traditionnels, contestent l'ingérence de l'évêque. Cette querelle voit l'enrôlement des hommes politiques — dont George-Étienne Cartier, favorable aux thèses sulpiciennes — et le débat est porté à Rome, qui reconnaît finalement le droit de l'évêque; mais les Sulpiciens ne cèdent qu'en tout dernier recours.

Donc, le pouvoir de l'évêque n'est pas sans limites et, dans une certaine mesure, les politiques de l'Église sont discutées à l'intérieur, ce qui n'empêche pas l'existence d'une large base d'accord, mais qu'il ne faut pas confondre avec un monolithisme.

Enfin, au plan de la discipline ecclésiastique et de la définition des questions religieuses, la compétence de l'évêque est prépondérante dans son diocèse, mais là encore l'existence de conciles provinciaux permet aux évêques la discussion et la confrontation de leurs points de vue.

Ignace Bourget, 1799-1885, évêque de Montréal de 1840 à 1876. (Archives nationales du Québec, GH370-86)

L'Église catholique au Québec est une institution qui est très près de ses fidèles. Ce caractère apparaît à deux niveaux; d'abord le recrutement séculier et ensuite les pratiques du culte. À la campagne, où vivent la majorité des Québécois catholiques, le recrutement amène aux tâches pastorales des fils de cultivateurs, issus de la même société que leurs ouailles, donc connaissant, pour les avoir vécus, les problèmes et les caractéristiques de ce genre de vie. Il n'y a pas dans l'Église québécoise de coupure sociale importante entre le haut clergé et le bas clergé; la hiérarchie est assez ouverte et il ne semble pas y avoir de monopole de la part de certains groupes sociaux sur certaines fonctions. Il est cependant difficile de faire la même affirmation à propos des communautés religieuses, où il existe d'abord une distanciation nette entre les pères et les frères; quant à l'origine sociale comme facteur d'accès aux postes de commande, l'état des recherches ne permet pas de conclure.

D'un autre côté, le clergé encourage les manifestations de piété populaire. Qu'il s'agisse de retraites paroissiales ou diocésaines ou de célébrations, comme les rogations ou les pèlerinages, on tente de donner le plus grand éclat à ces manifestations pour attirer de nombreux fidèles. Il faut ajouter aussi que l'observance des fêtes religieuses est suivie de près par le clergé qui réagit rapidement à tout sentiment de désaffection.

L'Église utilise d'autres moyens d'encadrement comme les diverses sociétés et associations, et les journaux catholiques. La seconde moitié du siècle voit proliférer les sociétés catholiques diverses, qu'il s'agisse de charité, d'entraide ou de culture. Grâce à ce réseau où elle est très active, l'Église peut augmenter sa capacité d'encadrement. Très rapidement aussi, on utilisera des journaux pour faire connaître la position catholique sur tel ou tel problème.

Parallèlement à cette remontée, l'Église continue sa lutte contre les idées libérales. Elle sera encouragée dans cette direction par les circonstances du pontificat de Pie IX (1846-1878). Ce dernier, qui au début de son règne n'est pas hostile aux idées libérales, sera marqué par les révolutions de 1848 et n'oubliera jamais qu'il a dû s'enfuir de ses États. De plus en plus ennemi des idées modernes, il finira par les condamner dans son célèbre *Syllabus errorum* de 1864. Il n'en fallait sans doute pas plus pour stimuler, au Québec, les plus ardents ennemis des libéraux dont, au premier chef, Ignace Bourget, évêque de Montréal de 1840 à 1876. La lutte contre les idées libérales ira croissant au Québec jusqu'à la victoire finale de l'évêque de Montréal sur l'Institut canadien, qui en vient à symboliser tout ce que le libéralisme peut avoir de détestable et de nocif pour un catholique. Cet institut avait été fondé durant les années 1840 comme organisme culturel possédant une bibliothèque et organisant des conférences. Professant un républicanisme bon teint et prônant la séparation de l'Église et de l'État, les jeunes libéraux de l'institut ont soulevé l'ire de l'évêque qui a tenté par tous les moyens de les détruire, en fondant d'abord un institut parallèle, en frappant ensuite la bibliothèque d'interdit et enfin, excédé, en privant des sacrements les membres qui refusaient de démissionner. En 1869, survient le plus célèbre épisode de cette lutte, l'affaire Guibord. Joseph Guibord, membre de l'institut et imprimeur, meurt et Bourget refuse de lui accorder la sépulture en terre catholique. On fait appel de sa décision et finalement en 1874, sur l'ordre des tribunaux, l'évêque doit céder, ce qu'il fait avec la plus mauvaise grâce, allant jusqu'à déconsacrer la parcelle du cimetière du Mont-Royal où les restes de Guibord ont finalement été enterrés sous la protection de l'armée.

Un autre événement à peu près contemporain montre également l'importance de la lutte entreprise contre ces idées libérales et leurs séquelles: l'envoi en Italie de quelque 135 jeunes Québécois pour servir dans les régiments de zouaves qui défendaient les États pontificaux des attaques des troupes de Garibaldi (1868-1870). Le recrutement s'était effectué partout à travers le Québec et plusieurs centaines de Québécois s'étaient portés volontaires. Avec la fin virtuelle de l'institut, puis la démission de Bourget en 1876, les tensions s'apaisent même si la méfiance envers le libéralisme et, d'une manière générale, les idées modernes persistera longtemps dans

L'enterrement de Joseph Guibord sous la protection de l'armée, en 1875. (*L'Opinion publique*, 2 décembre 1875)

certains milieux cléricaux. De façon générale, l'Église québécoise suit l'exemple de Rome, où le successeur de Pie IX, Léon XIII, beaucoup moins hostile à certains aspects du libéralisme, orientera l'Église vers une voie plus conciliatricc.

Certains clercs et certains laïcs avaient sans doute rêvé de créer une quasi théocratie au Québec. Bien que l'Église ait disposé de pouvoirs immenses et exercé une influence sur tous les aspects de la vie des Québécois catholiques, ce ne fut pas le cas. Les raisons sont à chercher d'abord dans la base du pouvoir ecclésial qui avait besoin de la reconnaissance de l'État pour son existence matérielle, et ensuite dans la réalité de l'évolution économique et démographique du Québec. L'Église réussit à encadrer ses fidèles, mais elle ne pourra jamais, de sa propre force de persuasion, enrayer les mutations sociales et idéologiques liées au développement du capitalisme. L'Église catholique exerce une influence importante dans certains domaines, mais elle a peu de prise sur la vie économique et elle ne peut pas prétendre contrôler les décisions de l'État. C'est là l'ultime limite de sa puissance.

L'ÉDUCATION

Au lendemain de l'Union, la situation scolaire dans le Bas-Canada est catastrophique. Le surintendant de l'Instruction publique, le Dr J.-B. Meilleur, note dans son rapport de 1842 qu'il existe dans le Bas-Canada, 804 écoles primaires en activité et qu'elles desservent 4 935 élèves. C'est très peu pour une population totale d'environ 700 000 habitants, dont 111 244 enfants âgés de 5 à 14 ans.

Heureusement la situation s'améliore considérablement par la suite, puisqu'en 1866 on dénombre dans le Bas-Canada 3 589 écoles primaires comptant 178 961 élèves. À cela s'ajoutent 237 autres établissements comprenant notamment une quinzaine de collèges classiques, à peu près autant de collèges industriels et commerciaux, des académies, des écoles spéciales, trois écoles normales et trois universités. Ces maisons d'enseignement de niveaux secondaire et supérieur regroupent, au total, 27 859 étudiants.

Ces progrès sont rendus possibles grâce aux lois scolaires de 1841 et surtout de 1845-1846. Cette législation a eu le mérite de reconnaître l'importance des commissions scolaires et du clergé catholique tout en assurant la coordination du système par un surintendant. La coopération entre celui-ci et le clergé permettra de calmer les protestations de ceux qui refusaient de payer des impôts scolaires et qui livrèrent ce qu'on a appelé « la guerre des éteignoirs ». Cette manifestation qui en partie relevait d'un manque d'information permet au surintendant Meilleur d'obtenir les fonds suffisants pour se faire assister par une vingtaine d'inspecteurs.

À partir de 1855, P.-J.-O. Chauveau, qui a été ministre dans le gouvernement conservateur, succède au Dr Meilleur. Il réussit à donner une nouvelle impulsion à la cause de l'éducation. Convaincu que les progrès de l'enseignement dépendent de la qualité des maîtres, Chauveau mettra l'accent sur cette question. Il réussit à fonder trois grandes écoles normales en 1857 et à mettre sur pied une caisse de retraite pour les enseignants tout en demandant inlassablement qu'on améliore leur rémunération dans le but d'attirer et de garder de bons candidats dans cette profession. De plus, il fonde le *Journal de l'Instruction publique* et le *Journal of Education* dont il essaie de faire des instruments de formation pédagogique et d'information professionnelle pour le corps enseignant. Ainsi, sous l'Union, les bases du système scolaire québécois sont jetées, mais malgré d'impressionnants progrès accomplis il reste beaucoup de lacunes à combler et de déficiences à corriger.

En principe, le nouveau système fédéral qui attribue l'éducation à la responsabilité exclusive des provinces devrait susciter un nouvel essor dans ce domaine. Malheureusement après un départ encourageant il y aura une longue période de stagnation. La Confédération a posé avec une nouvelle acuité le problème des droits scolaires de la minorité protestante et celui du rôle de l'Église catholique. Ces deux groupes s'entendront pour gruger les pouvoirs de l'État dans le domaine de l'instruction publique. Face à cette coalition, les gouvernements québécois contribueront eux-mêmes à édifier une structure administrative et financière qui, en plus de réduire leur rôle en matière d'éducation, accentuera la fragmentation du système scolaire et assurera aux protestants une situation privilégiée en matière de financement scolaire.

La minorité protestante

En élargissant les pouvoirs de la majorité de chaque province en matière d'éducation, la Confédération amène les minorités religieuses à combattre pour assurer leur autonomie en ce domaine.

En 1866, lors de la dernière session du parlement du Canada-Uni, le projet fédéral a failli avorter complètement à cause de ce problème. Les protestants du Québec, par l'intermédiaire de leur porte-parole, le ministre A.T. Galt, font présenter par Hector Langevin un projet de loi leur garantissant l'autonomie de leur système scolaire. Les catholiques du Haut-Canada s'étant avisés de demander la même protection et ayant essuyé le refus des députés du Haut-Canada, les députés du Bas-Canada sont très réticents à voter en faveur du projet Langevin. La situation s'envenime et le projet est retiré. Pour sauver son honneur, Galt démissionne. Cependant, il a été invité à la conférence de Londres et ses idées sont retenues dans la rédaction de l'article 93 de l'AANB, qui donne satisfaction à ses coreligionnaires. Ce n'est qu'une étape. En effet, lorsque le lieutenant-gouverneur demande à Joseph Cauchon de former le premier gouvernement québécois, il échoue, faute de pouvoir convaincre les représentants de la minorité protestante de faire partie d'un ministère qu'il dirigerait. Les protestants lui reprochent de s'être opposé publiquement au projet Langevin l'année précédente. Devant ce veto de la minorité, le lieutenant-gouverneur fait appel à P.-J.-O. Chauveau, qui est surintendant de l'Instruction publique depuis 12 ans et qui a toujours entretenu de bonnes relations avec les protestants. Quelques mois après être devenu premier ministre, Chauveau propose d'importants changements dans l'organisation administrative et financière du système d'éducation. Ces modifications qui seront complétées par un de ses successeurs, De Boucherville, donnent pleine satisfaction à la minorité protestante, qui jouira d'une très grande autonomie dans l'organisation et le contrôle de ses écoles.

Structures et financement

P.-J.-O. Chauveau s'est identifié à la cause de l'éducation depuis 1855. En 1867, il revient d'un long séjour d'études en Europe à titre de surintendant de l'Instruction publique. Il accepte la charge de premier ministre à la condition de pouvoir poursuivre son action dans le domaine de l'éducation. C'est ainsi que dès 1868 il institue un ministère de l'Instruction publique dont il est le premier titulaire. Le Québec est la seule province dotée d'un tel ministère et la mesure n'est pas sans surprendre. Elle s'explique par la détermination et le passé de Chauveau. Ce geste qui aurait pu signifier un engagement profond et durable de l'État en matière d'éducation sera peu à peu vidé de son contenu.

En effet, dès 1869, Chauveau propose une législation qui répond aux exigences formulées par les protestants depuis plusieurs années en modifiant la composition du Conseil de l'Instruction publique. Celui-ci existait depuis 1859 et il avait pour tâche d'éclairer le surintendant. Il était composé de dix catholiques, majoritairement laïcs, et de quatre protestants. Avec la nouvelle loi, le Conseil est divisé en deux comités confessionnels. Le comité catholique est formé de cinq clercs et de neuf laïcs et le comité protestant de trois clercs et de quatre laïcs. Cette division a pour but d'accorder aux protestants une plus grande autonomie.

En 1875, le premier ministre conservateur De Boucherville ira beaucoup plus loin. Après avoir consulté l'épiscopat, il décide de supprimer carrément le ministère de l'Instruction publique. Selon lui, un homme politique n'a généralement ni le temps ni la compétence pour s'occuper d'éducation et il faut éloigner cette noble cause de la politique. Les évêques sont généralement très satisfaits de cette décision. Il y en a quelques-uns qui iraient encore plus loin en confiant au clergé la direction exclusive de l'instruction publique des catholiques. La réforme proposée prévoit que le ministre sera remplacé par un surintendant nommé pour un mandat de longue durée.

Le Conseil reste divisé en deux comités confessionnels. Le comité catholique est formé de tous les évêques catholiques dont le diocèse est situé en tout ou en partie au Québec et d'un nombre égal de laïcs nommés par le gouvernement. Cependant, seuls les évêques peuvent se faire représenter par un substitut, en cas d'absence, ce qui leur assure, à toutes fins utiles, la majorité au comité. Le comité protestant est formé d'autant de membres qu'il y a de laïcs dans le comité catholique. Le surintendant doit exécuter la politique élaborée par les conseils et est à leur service. Quant au Conseil, il se réunira très peu souvent, les deux comités fonctionneront séparément. Les protestants jouissent d'une plus grande autonomie et ils appuient cette mesure. C'est ainsi que l'État, en 1875-1876, abdique ses responsabilités au profit de l'Église catholique et de la minorité protestante.

De 1876 à 1896, malgré la prépondérance incontestable de l'Église catholique, certains clercs se méfient de toute intervention de l'État. Ainsi le surintendant Gédéon Ouimet déclenche une polémique en tentant de mettre sur pied un « dépôt de livre » gouvernemental qui vendrait au prix coûtant les livres et le matériel didactique aux commissions scolaires qui en feraient la demande. Les librairies se joignent à certains clercs pour dénoncer cette ingérence de l'État. Le surintendant et le gouvernement qui l'appuyait devront retraiter à ce propos, de même lorsqu'ils tenteront d'uniformiser le

L'école Belmont, à Montréal, construite en 1876. (Archives de l'Université du Québec à Montréal)

choix de livres en usage dans les écoles. Ces deux initiatives gouvernementales, assez modestes, créent tout de même des tensions avec l'épiscopat. Lors de son arrivée au pouvoir en 1882, le premier ministre Mousseau proclame officiellement et publiquement qu'il ne prendra aucune initiative sans consulter et obtenir l'accord des deux comités.

Cette promesse n'engageait pas ses successeurs, Honoré Mercier s'intéressait depuis longtemps à l'instruction publique. À plusieurs reprises, il s'était prononcé en faveur de l'instruction obligatoire des enfants. Mais lorsqu'il devient premier ministre allié aux ultramontains, il n'ose plus reprendre cette idée. Il souhaite tout de même créer un climat favorable au changement. Il demande à cinq laïcs conservateurs du comité catholique de remettre leur démission. Ceux-ci refusent avec éclat. Le premier ministre à la première occasion se fait nommer, par son gouvernement, membre du comité catholique. Mais l'État s'étant départi de son pouvoir, l'action de Mercier ne sera que marginale et indirecte.

Parallèlement au débat sur les structures du système d'éducation se pose le problème de son financement. La loi de 1869 comporte des aspects financiers d'une extrême importance. Ainsi la loi stipule que le produit des taxes scolaires sera réparti entre les commissions scolaires protestantes et catholiques en tenant compte de la confession du contribuable. Comme les protestants ont beaucoup plus de propriétés immobilières, leurs écoles reçoivent beaucoup plus que ce qu'elles recevraient si on partageait toutes les taxes en fonction de la population. Le jeune député Chapleau ne peut s'empêcher de faire ressortir l'injustice de ce principe car « en définitive, c'est le locataire qui paie la taxe et il arrivera alors que non seulement la taxe sera payée par lui, mais qu'elle servira à maintenir des écoles qui ne seront pas de la majorité et qui ne seront pas de sa croyance ». Le journal *Le Pays* estime que chaque enfant protestant recevra environ $1,80 contre $0,84 pour chaque enfant catholique. D'autres critiques sévères paraissent dans les journaux, même conservateurs, où on parle d'un principe rétrograde et on qualifie ironiquement ce compromis comme manifestant un extraordinaire esprit de sacrifice de la part de la majorité. Pourtant la loi sera adoptée à l'unanimité. Le clergé et les porte-parole protestants parfaitement unis appuient à fond le projet de loi.

Un principe de répartition différent sera appliqué dans le cas des propriétés appartenant à des compagnies, considérées comme « neutres » au plan religieux. La taxe dite des neutres est partagée au prorata de la population catholique et protestante au moment du dernier recensement. Il en est de même pour les fonds publics destinés à l'enseignement supérieur. Cela est bien loin de compenser l'inégalité créée par le partage des taxes scolaires selon la confessionalité du propriétaire.

À la fin du siècle, un problème délicat oppose catholiques et protestants: ce qu'on appelle le problème scolaire juif. Les protestants demandent que tous les non-catholiques soient considérés comme des protestants pour les fins de l'impôt scolaire. Ils demandent même que les actionnaires des compagnies soient identifiés selon leur confession. Là, ils vont vraiment trop loin et même les évêques les plus conciliants s'opposent énergiquement à cette demande qui priverait les catholiques d'une partie de leurs revenus. Le cardinal Taschereau réplique que si les protestants maintiennent cette demande, il fera des démarches pour que les fonds distribués le soient en proportion de la population, car, ajoute-t-il, « la répartition existante accorde aux protestants un tiers des fonds à distribuer, tandis que la répartition établie d'après la population réduirait ce chiffre à un septième ».

Si l'impôt foncier est très important pour le financement scolaire, il n'en reste pas moins que le fardeau retombe d'abord et avant tout sur les parents, puisque l'instruction n'est pas gratuite au 19e siècle. En 1874, on dépense au Québec environ un million et demi de dollars pour l'éducation, ce qui équivaut aux trois quarts du budget total du gouvernement. Il est à noter cependant qu'environ 50% de ce montant provient des parents et plus de 30% des impôts fonciers. Le reste provient de subventions que le gouvernement québécois verse aux commissions scolaires et de fonds qu'il attribue aux

L'Académie commerciale du Plateau, à Montréal, érigée en 1876. (Archives de l'Université du Québec à Montréal)

écoles spéciales, à l'enseignement supérieur, à la caisse d'économie des enseignants et aux municipalités pauvres.

Durant les trente premières années, le gouvernement a abdiqué ses responsabilités au profit de l'Église catholique et de la minorité protestante. Celle-ci jouit non seulement d'une grande autonomie, mais elle profite d'une situation fiscale avantageuse.

Les institutions scolaires

Malgré tout, les établissements scolaires augmentent pendant la période et le système se développe peu à peu. Le nombre d'écoles passe de 4 063 en 1870-1871 à 5 863 en 1897-1898, tandis que le nombre d'enseignants pendant la même période augmente de près de 100%, passant de 5 424 à 10 493. Durant ces années, le nombre d'élèves passe de 223 014 à 314 727. Le cours élémentaire se divise en cours primaire et en cours modèle et il doit exiger quatre ou cinq années d'études. Les jeunes quittent l'école vers 10 ou 11 ans, après leur première communion, et les inspecteurs déplorent constamment le manque d'assiduité des écoliers. Le secondaire comprend des académies, des collèges industriels et des collèges classiques. D'aucuns — dont Chauveau lui-même — déplorent le trop grand nombre de collèges classiques qui préparent des avocats et des médecins sans avenir. Arthur Buies déclare ironiquement que les membres de ces deux professions sont fort utiles puisque les uns vous ruinent et les autres vous tuent. Les libéraux demandent une instruction plus pratique sans grec, sans latin mais avec plus de sciences, de mathématiques et d'anglais. Certains dénoncent l'abus qu'on fait du catéchisme et de l'histoire sainte dans les écoles. En plus d'encourager la création de collèges industriels et d'académies commerciales, on pourvoit à la création d'écoles spéciales: écoles de réforme pour les jeunes délinquants, écoles d'arts et métiers, écoles du soir, écoles pour les sourds-muets et les aveugles.

Le premier ministre Chauveau n'a pas réussi cependant à créer des fermes modèles rattachées aux écoles normales afin de favoriser le développement de l'agriculture. Il a toutefois réussi, avec son successeur Ouimet, à favoriser la création de l'École polytechnique. L'Université McGill avait pris l'initiative dans ce domaine et avait demandé une subvention spéciale au gouvernement. Le premier ministre Chauveau, très conscient de la nécessité de former des ingénieurs et désireux de voir les francophones s'assurer une place dans ce domaine, a offert une subvention à l'Université Laval pour qu'elle crée une telle école. Après de laborieuses négociations, Laval refuse l'aide du gouvernement alléguant que la somme offerte est insuffisante et aussi parce qu'elle craint l'ingérence de l'État. Heureusement, la Commission scolaire catholique de Montréal, moins timorée, accepte en 1873 de fonder l'école qui sera sous sa juridiction jusqu'en 1888. Non seulement l'Université Laval refuse-t-elle l'école polytechnique, mais elle s'oppose avec énergie à la création d'une université française à Montréal, ardemment réclamée par Mgr Bourget, les jésuites et les médecins de l'école de médecine de Victoria. C'est Rome qui tranchera le conflit, en 1876, en permettant la création d'une succursale de Laval à Montréal. Pendant ce temps, les protestants ont un système beaucoup plus unifié avec l'école primaire, le « high school » et deux universités: Bishop et McGill, qui desservent adéquatement leur population.

Les enseignants

Un des problèmes majeurs de l'époque est sans contredit la grande misère des enseignants laïcs. Chaque année, le surintendant dénonce le sort qui leur est fait et rappelle à la population que la première réforme qui s'impose est d'assurer les services de maîtres compétents et que pour cela il faut les payer décemment.

Avec les nombreuses réformes mises en oeuvre par Chauveau: écoles normales, journaux pédagogiques, bureaux d'examinateurs, caisse d'économie, on avait cru qu'on règlerait le problème crucial de la formation des

Les étudiants de l'école normale Jacques-Cartier apprenant les rudiments de l'agriculture, en 1896. (Archives de l'Université du Québec à Montréal)

maîtres. Ces excellentes réformes et initiatives, si elles ont contribué à améliorer le corps enseignant, n'ont guère eu d'effets sur l'amélioration des salaires et des conditions de travail de ce groupe. Trop souvent, les commissaires d'écoles cherchent à engager une main-d'oeuvre à bon marché, manifestant peu de souci pour la compétence et l'expérience.

Après 1867, le nombre de normaliens, qui devaient être l'assise du corps enseignant, n'augmente plus. Un très grand nombre d'entre eux, après avoir rempli leur engagement d'enseigner pendant trois ans, se dirigent vers d'autres carrières. Cette situation amène une féminisation croissante dans l'enseignement (tableau 1).

Les jeunes filles, qui ont un accès limité à la formation académique supérieure, sont engagées très jeunes et à des salaires dérisoires. Souvent l'enseignement est perçu comme une occupation provisoire en attendant de se trouver un mari. La remontée du groupe masculin à la fin du siècle s'explique par l'entrée massive des religieux dans le secteur de l'enseignement. La cléricalisation de cette carrière est un autre fait marquant de la deuxième moitié de 19e siècle (tableau 2).

À partir de 1837, un grand nombre de communautés religieuses sont venues s'établir au Québec ou y ont été fondées. Ces communautés — frères des écoles chrétiennes, frères de Saint-Croix, frères du Sacré-Coeur, Maristes, Clercs de Saint-Viateur, sans parler des membres du clergé séculier — ont une partie de leurs effectifs dans l'enseignement primaire et secondaire. Dans l'enseignement primaire, les religieux passent de 48,5% des effectifs en 1876-1877 à 68,3% en 1887-1888. Si on ne prend que les catholiques, le pourcentage de religieux s'élève à 75,5% en 1887-1888 et à 82,8% en 1896-1897.

Tableau 1
Répartition en % des enseignants selon les sexes, 1854-1898

Année	Hommes	Femmes
1854	36,5	63,5
1874	18,7	81,3
1887-88	16,5	83,5
1897-98	20,6	79,4

Source: A. Labarrère-Paulé, *Les instituteurs laïques au Canada français, 1836-1900*, 300, 356, 439.

Tableau 2
Cléricalisation de l'enseignement catholique 1853-1897, en %

Année	Laïcs	Religieux
1853	89,5	10,5
1874	78,0	22,0
1876-77	65,3	34,7
1887-88	52,5	47,5
1896-97	55,7	44,3

Source: A. Labarrère-Paulé, *Les instituteurs laïques au Canada français, 1836-1900*, 300, 356, 439.

Chez les femmes, la cléricalisation est moins importante malgré la présence de plusieurs communautés telles la Congrégation Notre-Dame et les Soeurs du Saint-Nom-de-Jésus. En 1876-1877, les femmes laïques constituent 79,1% des effectifs féminins, en 1887-1888, 73,3% et en 1896-1897, 64,5%.

La cléricalisation de l'enseignement permet à l'Église catholique d'augmenter son pouvoir d'encadrement de la population. Elle permet aussi aux commissaires d'écoles d'économiser de l'argent car les religieux, vivant en communauté et n'ayant pas de charges de famille, peuvent se contenter de salaires moindres. Cependant, ce phénomène rend la vie impossible aux instituteurs laïcs. Ceux qui malgré tout s'accrochent à cette carrière doivent être les humbles auxiliaires du prêtre. Certains voient dans la cléricalisation de l'enseignement un danger pour la société québécoise qui est mal préparée à affronter les dures réalités de la vie séculière.

La cléricalisation et la féminisation de l'enseignement ont pour effet de maintenir les salaires à un bas niveau (tableau 3). Les catholiques gagnent deux fois moins que les protestants, tandis que les femmes gagnent beaucoup moins que les instituteurs de leur confession.

Tableau 3
Moyenne des salaires annuels (en $)
des enseignants québécois, 1894-1895

	Écoles primaires		Écoles modèles, académies	
Enseignants	Hommes	Femmes	Hommes	Femmes
Cath. non brevetés	180	77	246	77
Cath. brevetés	233	103	442	133
Protestants	516	177	805	304

Source: A. Labarrère-Paulé, *Les instituteurs laïques au Canada français, 1836-1900*, 451.

En 1894, le Conseil de l'instruction publique accède à la demande des enseignants qui veulent être rémunérés mensuellement au lieu de semestriellement, ce qui leur permettra de ne pas emprunter à des taux d'intérêt souvent élevés pour survivre. Cependant leur maigre salaire n'est pas augmenté pour autant. Le gouvernement ne consent pas à fournir des fonds pour augmenter le salaire des enseignants méritants pas plus qu'il n'ose fixer un salaire minimum.

En 1896, les 24 bureaux d'examinateurs qui délivraient des brevets sans réticence sont abolis et remplacés par un seul bureau central plus exigeant. Seul ce bureau central et les écoles normales pourront accorder des brevets d'enseignement aux laïcs; les clercs sont toujours dispensés de brevet. Les inspecteurs remplacent leur première visite par des conférences pédagogiques. Plus encore, on se décide en 1895 à revoir la législation scolaire car les critiques se font de plus en plus nombreuses contre le fonctionnement du système.

Le recensement de 1891 a causé un certain émoi lorsqu'on a révélé que le Québec avait le plus haut pourcentage d'illettrés dans la catégorie des plus de 20 ans. On a beau en certains milieux s'efforcer de montrer que de 1871 à 1891 le Québec, en réduisant le pourcentage de 6,29%, a fait plus de progrès que les autres ou à expliquer que cette situation est due à la Conquête, cela ne convainc pas entièrement et ne satisfait aucunement ceux qui veulent des réformes, en particulier les libéraux du premier ministre F.-G. Marchand qui accèdent au pouvoir en 1897.

Orientations bibliographiques

Aubert, R., *Le pontificat de Pie IX (1846-1878)*. Paris, Bloud et Gay, s.d. 592p.

Audet, Louis-Philippe. *Histoire de l'enseignement au Québec*. Montréal, Holt, Rinehart & Winston, 1971, tome 2. 496p.

Audet, Louis-Philippe. *Histoire du Conseil de l'instruction publique de la province de Québec, 1856-1964*. Montréal, Leméac, 1964. 346p.

Audet, Louis-Philippe. « La fondation de l'école polytechnique de Montréal », *Cahier des dix*, 30 (1965): 149-176.

Boucher de la Bruère, M. *Le Conseil de l'instruction publique et le Comité catholique*, Montréal, *Le Devoir*, 1918. 270p.

Denault, Bernard et Benoît Lévesque. *Éléments pour une sociologie des communautés religieuses au Québec*. Montréal et Sherbrooke, PUM/Université de Sherbrooke, 1975. 220p.

Hamelin, Louis-Edmond. « Évolution numérique séculaire du clergé catholique dans le Québec », *Recherches sociographiques*, 2, 2 (avril-juin 1961): 189-242.

Labarrère-Paulé, André. *Les instituteurs laïques au Canada français 1836-1900*. Québec, PUL, 1965. 471p.

Lajeunesse, Marcel, dir. *L'éducation au Québec, 19e-20e siècles*. Montréal Boréal Express, 1971. 145p.

Voisine, Nive. *Histoire de l'église catholique au Québec, 1608-1970*. Montréal, Fides, 1971. 112p.

Wade, Mason. *Les Canadiens français de 1760 à nos jours*. Montréal, Cercle du Livre de France, 1966. Tome 1, 685p.

Walsh, H.H. *The Christian Church in Canada*. Toronto, The Ryerson Press, 1968.

C. LE POLITIQUE

L'histoire politique ne prend tout son sens que replacée dans son contexte économique et social. Les décisions politiques ne peuvent en effet se comprendre pleinement qu'en regard du jeu des forces économiques et des rapports entre les groupes et les classes dans la société. En revanche, comme nous l'avons vu dans les pages qui précèdent, l'intervention des gouvernements est un facteur important dans l'évolution des structures économiques et sociales.

La politique c'est, bien entendu, les élections, les partis et les gouvernements. Mais c'est aussi l'État et toutes ses composantes qui expriment les diverses facettes du pouvoir. Il importe donc de définir, ne serait-ce que brièvement, la nature de l'État qu'on peut qualifier de libéral dans le Québec de la deuxième moitié du 19e siècle. Le pouvoir de l'État s'exerçant à divers paliers de gouvernement, il nous faut aussi analyser la répartition des pouvoirs étatiques entre les diverses instances: municipale, provinciale, fédérale et même, pour l'époque que nous étudions, impériale. Ce cadre nous permet de mieux apprécier le rôle spécifique et la nature des interventions de l'État québécois. Ce dernier dipose d'institutions qui lui sont propres et il est animé par un personnel politique doté de certaines caractéristiques particulières.

La vie politique québécoise est dominée par les luttes que se livrent les partis conservateur et libéral. Avant de passer en revue les divers gouvernements qui ont dirigé le Québec de 1867 à 1896, il nous faudra examiner l'organisation de ces partis et les divers aspects du processus électoral. Si, dans les chapitres précédents, nous avons surtout souligné les phénomènes qui tiennent aux structures, nous verrons ici le rôle joué par les hommes politiques, en particulier par les premiers ministres. Finalement, dans un dernier chapitre, nous étudierons l'évolution des relations fédérales-provinciales. Le Québec ne disposant que d'un cadre étatique provincial, il est important d'analyser les diverses orientations que peut prendre le système fédéral selon les forces en présence à cette époque.

CHAPITRE 13

UN ÉTAT LIBÉRAL

Dans une société libérale, on voudrait que l'État soit l'émanation de l'ensemble des citoyens et qu'il défende essentiellement des objectifs de bien commun. On prétend y arriver grâce au système de démocratie parlementaire, où la gestion de l'État est confiée aux « élus du peuple ». Or, il faut bien constater que cette vision théorique ne correspond pas à la réalité et que le pouvoir étatique est dominé concrètement par des groupes ou des classes qui ont des intérêts particuliers à défendre.

Cela est particulièrement vrai dans le cas du Canada et du Québec de la fin du 19e siècle. Les femmes dans leur ensemble et un bon nombre d'hommes sont exclus du processus de représentation politique. La lutte pour le pouvoir est l'affaire de groupes puissants, formés en partis, où la participation populaire est à peu près inexistante. À cette époque, l'État — qu'il soit fédéral ou provincial — est nettement dominé par une classe sociale, la bourgeoisie, et, par ses politiques, défend les intérêts de celle-ci. Le personnel gouvernemental est issu des rangs de cette classe ou s'identifie à elle.

Il ne faut toutefois pas voir cette domination de façon mécanique. Il y a fréquemment, au sein de la bourgeoisie, des tensions, des contradictions entre groupes d'intérêts, ainsi que des projets de société qui peuvent être assez diversifiés. En outre, dans un État de type libéral, le pouvoir bourgeois est tempéré par un certain nombre de facteurs. D'abord par le système démocratique lui-même, si imparfait soit-il. La nécessité de se présenter périodiquement devant l'électorat force les gouvernants à éviter les décisions autocratiques et à mieux expliquer leurs orientations. Il est tempéré aussi par les revendications de groupes défendant d'autres intérêts. C'est ainsi que l'organisation syndicale peut, à compter des années 1880, réclamer et obtenir de la bourgeoisie au pouvoir certaines concessions en faveur des ouvriers. Le clergé, bien organisé, peut imposer ses vues dans le domaine scolaire. La reconnaissance de la liberté d'expression et de la liberté de presse peut favoriser l'éclosion d'oppositions aux pouvoirs en place. Enfin, le système fédéral, en divisant l'exercice du pouvoir étatique entre deux niveaux de gouvernement, limite l'action de chacun d'eux.

Ce cadre général étant posé, il reste à voir comment, dans la société québécoise de la fin du 19e siècle, s'exercent le pouvoir étatique et le contrôle de la bourgeoisie et comment s'expriment les résistances des autres groupes.

LA RÉPARTITION DES POUVOIRS

Après 1867, l'exercice des pouvoirs étatiques au Canada est réparti entre quatre niveaux de gouvernement: impérial, fédéral, provincial et municipal. Le Canada de 1867 est une colonie de la Grande-Bretagne et, dans le cadre de l'Empire britannique, c'est le parlement de Londres qui exerce la souveraineté sur le pays. Il est vrai que les colonies d'Amérique du Nord ont graduellement acquis leur autonomie: en 1867, le gouvernement impérial ne conserve la haute-main que sur les relations extérieures. Le Canada n'a pas le droit de signer des traités ou d'avoir des ambassades à l'étranger; il est, en ce domaine, lié par les traités négociés, au nom de l'Empire, par la Grande-Bretagne.

La plus grande partie des pouvoirs étatiques sont cependant exercés par les gouvernements fédéral et provincial en vertu de la constitution de 1867. Celle-ci est une loi du parlement britannique désignée sous le nom d'Acte de l'Amérique du Nord britannique (AANB).

La constitution de 1867 est de type fédéral, mais d'un fédéralisme très centralisateur. En 146 articles, elle décrit les principales institutions du pays et tente de délimiter les responsabilités des divers gouvernements qui forment la fédération. La répartition des pouvoirs, cruciale dans toute constitution fédérale, se retrouve surtout dans les articles 91 et 92.

Les pouvoirs accordés en exclusivité aux provinces sont ceux qui touchent le plus à l'organisation sociale et culturelle des diverses communautés: la propriété et les droits civils, la santé et la sécurité sociale, les terres publiques, les municipalités et les travaux de nature locale, l'administration de la justice et l'éducation. À une époque où les gouvernements intervenaient peu dans ces secteurs, les pouvoirs accordés par l'article 92 passaient pour être plus ou moins secondaires.

Au gouvernement central, l'article 91 attribue principalement les grands pouvoirs d'ordre économique et militaire. Il a en particulier le pouvoir exclusif de légiférer sur le trafic et le commerce, la monnaie, les banques, les postes, la défense, le droit criminel et les Indiens.

Déjà importants à l'époque, ces pouvoirs donnent un poids considérable au gouvernement fédéral. Mais là où éclate le caractère centralisateur de l'union de 1867, c'est dans un ensemble de dispositions qui se retrouvent un peu partout dans l'AANB. Ainsi, le préambule de l'article 91 accorde au gouvernement fédéral ce qu'on appelle les pouvoirs résiduaires, c'est-à-dire les pouvoirs non spécifiquement attribués à l'un ou l'autre palier de gouvernement. En effet, le gouvernement fédéral peut légiférer « en vue de la paix, de l'ordre public et de la bonne administration au Canada, sur toute matière ne rentrant pas dans les catégories de sujets que la présente loi attribue exclusivement aux législatures des Provinces ». De même, grâce à ce préambule, le gouvernement central pourra légiférer dans tous les domaines, en cas d'urgence.

La prépondérance incontestable du gouvernement fédéral se manifeste de plusieurs autres façons. L'agriculture et l'immigration sont reconnues comme des responsabilités partagées mais, en cas de conflit entre le fédéral et les provinces, c'est le point de vue fédéral qui prédominera automatiquement. Le gouvernement fédéral a le droit de désavouer toute législation provinciale et en 1867 ce droit de désaveu ne connaît aucune limite. Le lieutenant-gouverneur, qui doit sanctionner toutes les lois provinciales pour qu'elles soient officielles, est un fonctionnaire nommé par Ottawa. Le gouvernement fédéral peut exercer son autorité « sur les ouvrages qui bien qu'entièrement situés dans la province, seront avant ou après leur exécution déclarés, par le Parlement du Canada, être à l'avantage général du Canada, ou à l'avantage de deux ou plusieurs provinces »; c'est ce qu'on appelle le pouvoir déclaratoire. Les sénateurs qui, en principe du moins, dans un régime fédéral, doivent être les défenseurs des provinces, sont nommés par le gouvernement fédéral, de même que les juges de la Cour suprême que le gouvernement fédéral instituera en 1875.

Le gouvernement fédéral exerce la même prédominance sur le plan financier. Alors que les provinces ont des pouvoirs très circonscrits puisqu'elles n'ont droit qu'aux « contributions directes de la province en vue de prélever des revenus pour des fins provinciales », le fédéral, lui, a le droit d'effectuer « le prélèvement des deniers par tous modes ou systèmes de taxation ». Non seulement le gouvernement central peut se financer grâce aux impôts directs et indirects, ces derniers étant les plus importants au 19e siècle, mais il dispose du pouvoir de dépenser ses revenus pour toutes fins qu'il estime pertinentes, qu'elles relèvent de sa juridiction ou de celle des provinces. Il est à noter cependant que les provinces ont le droit d'emprunter de l'argent sur leur propre crédit et que ce pouvoir, qui sera largement utilisé, permettra à celles-ci de jouir d'une certaine marge de manoeuvre et de réduire leur dépendance financière et politique, très marquée au 19e siècle, à l'égard du gouvernement d'Ottawa.

Le régime politique mis en oeuvre en 1867 n'a donc rien d'une confédération, c'est-à-dire l'association pour des fins limitées d'États souverains; il s'agit d'une fédération. Le premier ministre J.A. Macdonald avouera lui-même que le régime comportait tous les avantages d'une union législative. Ce jugement sera confirmé plus tard par le juriste K.C. Wheare, dans son étude classique sur le fédéralisme, où il présentera le cas canadien comme un cas de quasi-fédéralisme, du moins en 1867.

Dans une fédération où cohabitent divers groupes ethniques, les groupes minoritaires cherchent à inscrire, dans la constitution, certaines garanties quant à leurs droits particuliers. En 1867, deux groupes cherchent à se protéger: les Canadiens français et la minorité protestante du Québec. Deux articles méritent de retenir notre attention à ce sujet. L'article 93 prévoit que le gouvernement fédéral pourra intervenir pour protéger les droits scolaires des minorités, même si l'éducation relève exclusivement des provinces. Cet article s'avérera tout à fait inefficace comme mesure de protection pour plusieurs raisons. D'abord parce que le problème des minorités est posé uniquement en termes religieux, ensuite parce qu'il ne protège que les droits inscrits dans des lois au moment de l'Union. Enfin, l'intervention fédérale n'étant pas obligatoire, le gouvernement — pour des raisons juridiques ou politiques — sera incapable ou ne voudra pas imposer des mesures coercitives aux provinces qui brimeront leurs minorités. L'autre article de l'AANB qui présente un intérêt particulier pour les minorités est l'article 133, qui stipule que les débats pourront se dérouler en français ou en anglais à la Chambre des communes et à l'Assemblée législative du Québec. Les registres et les procès-verbaux dans ces deux parlements devront être tenus dans les deux langues et les lois qu'ils promulgueront devront l'être en français et en anglais. Finalement, devant les tribunaux du Canada et du Québec, on pourra faire usage de l'une ou l'autre langue. Malgré ces dispositions, le bilinguisme de l'administration fédérale est défini de façon si restrictive qu'il sera impossible de l'appliquer concrètement et, parmi les provinces, seul le Québec sera véritablement bilingue.

La question des droits des minorités pose le problème de la signification générale de la constitution en ce qui concerne notamment les rapports entre les provinces et le fédéral de même que les rapports entre la majorité et la minorité.

Longtemps, les porte-parole des Canadiens français ont attaché une grande importance au premier paragraphe de l'AANB: « Considérant que les Province du Canada, de la Nouvelle-Écosse et du Nouveau-Brunswick ont exprimé le désir de se fédérer en un dominion placé sous la couronne du Royaume-Uni de Grande-Bretagne et d'Irlande et régi par une constitution semblable à celle du Royaume-Uni ». L'affirmation selon laquelle ce sont les provinces qui « ont exprimé le désir de se fédérer », confirmée par certains discours des Pères de la Confédération, en a amené plusieurs à présenter l'acte de 1867 comme un « pacte », un « traité », ou une « entente » entre les provinces. Il découle de cette interprétation que tout changement à la constitution doit reposer sur l'accord unanime des provinces et que celles-ci n'ayant cédé qu'une partie de leurs pouvoirs au gouvernement central, elles conservent leur souveraineté sur tout le reste. Cette théorie a été fortement contestée; de nos jours, il est généralement accepté que l'AANB est une simple loi britannique et qu'il n'a rien d'un traité.

Parallèlement à la théorie du pacte entre les provinces, s'est développée l'idée que la Confédération est aussi un pacte entre les deux grandes « races » ou nationalités de l'époque. Selon cette théorie, les porte-parole du Canada français auraient consenti à l'union, à condition qu'elle soit fédérale et qu'elle garantisse aux Canadiens français une autonomie suffisante pour protéger leurs institutions particulières et leurs caractères nationaux, qui à l'époque semblent s'incarner dans les lois françaises, la religion catholique et le système d'éducation. Peu à peu, on en viendra à parler de l'égalité des deux grandes « races » qu'aurait entérinée le pacte de 1867. Tout comme la première, cette théorie ne résistera pas à l'épreuve des faits qui mettront si souvent en opposition majorité et minorité.

Au delà de ces grands débats, les problèmes concrets posés par l'application de la constitution seront résolus soit par les rapports de force politiques, soit par l'interprétation judiciaire. C'est ainsi qu'au cours de la période seront mieux définis les pouvoirs respectifs des niveaux fédéral et provincial.

Finalement, le quatrième palier de gouvernement, le municipal, n'a pas une existence constitutionnelle propre. Les municipalités sont en effet des créations des gouvernements provinciaux qui définissent leurs pouvoirs, se réservant le droit de les limiter ou de les étendre à volonté. Au Québec, le système municipal s'est élaboré graduellement à l'époque de l'Union et il prend sa forme achevée avec le code municipal de 1870 et la loi des cités et villes de 1876. Les municipalités ont essentiellement pour tâches de fournir des services publics de nature locale: voirie, aqueducs, égouts, police, protection contre l'incendie, hygiène publique, etc. L'ampleur de leurs tâches et de leurs pouvoirs varie selon qu'il s'agit d'une municipalité de paroisse, d'un village ou d'une ville. Dans chaque comté, les municipalités rurales (villages et paroisses) sont regroupées au sein d'un conseil de comté qui administre les parties du territoire non érigées en municipalités et qui s'occupe de questions concernant plus d'une municipalité (par exemple, un pont joignant deux villages). Les très grandes villes comme Montréal ou Québec ont des pouvoirs plus étendus qui leur sont octroyés en vertu de lois spéciales. Les municipalités financent leurs activités par l'impôt foncier et diverses taxes de nature locale; quant à leurs emprunts, ils sont soumis au contrôle de l'État québécois.

LE RÔLE DE L'ÉTAT

Le rôle traditionnellement réservé à l'État, dans le contexte du libéralisme économique, reste assez modeste si on le compare à la situation actuelle. La primauté étant donnée à l'initiative privée, l'État ne se voit attribuer qu'un rôle supplétif. On compte essentiellement sur lui pour assurer le respect de la propriété privée, particulièrement en administrant le système judiciaire, et pour financer les équipements d'infrastructure. Cette conception commence à être battue en brèche, au cours de la seconde moitié du 19e siècle, dans les pays industrialisés ou en voie de l'être. L'accroissement de la population, l'urbanisation et l'industrialisation, la complexité grandissante de l'économie et la multiplication des agents économiques sont autant de facteurs qui rendent nécessaire l'intervention d'un pouvoir qui, au-dessus des individus, peut imposer des règles de fonctionnement et fournir ou financer des services plus nombreux. L'intervention accrue de l'État devient aussi, pour les entrepreneurs liés au pouvoir, une occasion de s'enrichir à même les ressources de la collectivité. Les gouvernements se trouvent donc dans un contexte où ils doivent de plus en plus intervenir, mais en se gardant bien de contrôler l'initiative privée. Tout en étant plus actif, leur rôle n'en reste pas moins supplétif.

Au Canada, la répartition des pouvoirs faite par la constitution attribue à l'État fédéral les principales interventions dans le domaine économique ainsi que les sources de revenus les plus substantielles. L'État québécois se trouve, pendant les premières décennies du régime confédératif, dans une situation de faiblesse qui affecte sa capacité d'intervention.

La faiblesse de l'État québécois

La période 1867-1897 est caractérisée par la faiblesse financière de l'État québécois. Le partage de 1867 attribue aux provinces trois sources principales de revenus: une subvention du gouvernement fédéral, le produit

L'ancien parlement de Québec, incendié en 1883. (Archives nationales du Québec, N1073-85)

de la vente et de l'exploitation des terres de la couronne et, enfin, les permis et droits divers. La constitution prévoit aussi que les provinces pourront imposer toute forme de taxe directe mais, comme il s'agit là d'une mesure fort impopulaire, les gouvernements hésitent à y recourir et, pendant longtemps, la seule taxe directe importante sera l'impôt foncier que les municipalités seront autorisées à prélever.

L'entente de 1867 prévoit que le gouvernement fédéral qui contrôle la source de revenus la plus importante, les droits de douane, contribuera à financer les États provinciaux. La subvention fédérale comprend un montant fixe de $70 000 et une somme de $0,80 par habitant que comptait le Québec au recensement de 1861. Or, on ne prévoit pas que cette somme sera réajustée pour tenir compte de l'augmentation de la population, de sorte que la subvention fédérale reste au même niveau pendant toute la période. En 1869, cette subvention représente 60% des revenus du Québec mais la proportion décroît continuellement: en 1874 elle représente moins de la moitié des revenus de l'État et en 1896 seulement le quart. Au cours des années 1880, le gouvernement tente en vain de faire ajuster cette subvention pour tenir compte de l'accroissement de la population.

La seconde source de revenus est l'exploitation des richesses naturelles, principalement les terres et forêts publiques. Selon l'historien Marcel Hamelin, la vente des terres, les concessions de « limites à bois » et les différents droits touchant l'exploitation forestière représentent entre 25% et 30% de tous les revenus de la province pendant les premières années de la Confédération; en 1896 leur part atteint encore le quart du total. Le gouvernement a donc intérêt à stimuler l'exploitation de la forêt dans le but de hausser ses revenus. Cela crée cependant une dépendance qui met en danger l'équilibre budgétaire de l'État quand survient une baisse de la production; c'est le cas pendant la crise de 1874-1879, alors que les revenus forestiers subissent une forte dégringolade.

Le gouvernement peut enfin compter sur les revenus provenant des droits et permis divers, en particulier les permis d'alcool. Les revenus s'avèrent toutefois insuffisants pour faire face aux dépenses et le gouvernement doit, à compter des années 1880, recourir aux taxes directes. Malgré l'opposition des milieux d'affaires, il choisit de le faire dans des secteurs qui affectent surtout les gens à revenus élevés; c'est ainsi qu'il impose des taxes sur les sociétés commerciales, sur les mutations de propriété et sur les successions.

De 1869 à 1896, les revenus de l'État québécois passent de $1 651 321 à $4 327 910 et les dépenses courantes de $1 321 933 à $4 099 777. Les gouvernements éprouvent malgré tout de sérieuses difficultés financières surtout à cause des lourds emprunts réalisés pour appuyer la construction ferroviaire.

En 1867, le gouvernement québécois hérite d'une partie de la dette accumulée antérieurement. Au moment de la Confédération, il avait été entendu que le gouvernement fédéral assumerait une part importante de la dette des provinces. Dans le cas de l'ancien Canada-Uni, il reste toutefois un excédent d'environ $10,5 millions qui doit être réparti entre le Québec et l'Ontario. Une commission d'arbitrage est formée pour décider du montant qui doit être attribué à chaque province. Elle comprend un représentant du Québec, un de l'Ontario et un du gouvernement fédéral. Le Québec et l'Ontario ne pouvant pas s'entendre sur les règles qui doivent présider au partage, les discussions traînent en longueur jusqu'au moment où le représentant fédéral choisit d'appuyer le point de vue ontarien. L'arbitre québécois se retire alors des pourparlers; les deux autres rendent leur décision en 1870; la part de la dette que le Québec devra prendre à sa charge est fixée à environ $5 millions. Tollé général au Québec où, pour régler la question, on presse Ottawa d'assumer l'ensemble de la dette antérieure à 1867. Le gouvernement fédéral, après de nombreuses pressions, accepte cette solution en 1873 et offre aux autres provinces des compensations proportionnelles. Grâce à cette entente, le Québec est en mesure de contracter des emprunts qui lui permettront de financer la construction ferroviaire.

Nous avons déjà signalé l'importance des chemins de fer dans la politique économique des gouvernements québécois. Pour équiper le Québec, ils versent, entre 1874 et 1900, $26 177 000 en subventions à la construction ferroviaire. De cette somme, ils récupèrent $10,4 millions avec la vente du Québec, Montréal, Ottawa et Occidental et avec le versement par le gouvernement fédéral d'une subvention pour ce même chemin de fer. Les subventions sont payées à l'aide d'emprunts à long terme et on recourt au

Le palais législatif, siège du parlement québécois, construit entre 1877 et 1885. (Archives nationales du Québec, N77-11-1-5)

même procédé pour le financement de certains travaux publics. À la fin du siècle, la dette du Québec atteint $35 millions. Le paiement des intérêts pèse lourdement sur le budget annuel: en 1896, le service de la dette représente 36,5% des dépenses courantes.

Pour cette même année, les autres dépenses importantes de l'État concernent l'administration de la justice (13,6%), l'éducation (9%), les institutions de bienfaisance (8%), l'agriculture et la colonisation (6,9%) et les travaux publics (3,8%). Les dépenses générales pour la législation et le gouvernement civil représentent 11% du total. Le poids considérable des emprunts limite donc très sérieusement la capacité d'intervention de l'État dans des domaines où les besoins sont évidents comme l'éducation ou l'agriculture.

Par ailleurs, la faiblesse de l'État n'est pas que financière. Elle tient aussi aux insuffisances de l'appareil gouvernemental, où semblent se poser à la fois des problèmes de quantité et de qualité. Les effectifs de la fonction publique sont restreints. À la fin du siècle, par exemple, le personnel permanent d'un ministère semble limité à une vingtaine de personnes en moyenne. On connaît mal leur travail et leurs qualifications. Il y a ces hauts fonctionnaires dévoués et relativement effacés, tel Siméon Le Sage, sous-ministre pendant 42 ans, qui assurent une certaine stabilité à l'appareil gouvernemental. Le cas du curé Labelle, sous-ministre de la colonisation sous Mercier, est plutôt exceptionnel.

De l'avis de tous les observateurs, le principal problème est le patronage, qui marque toute l'action administrative gouvernementale. Il joue d'abord au niveau de l'embauche, les emplois publics étant réservés aux amis du pouvoir. Il joue également dans la répartition et la distribution des deniers publics et dans la mise en application des politiques. Cette situation conduit souvent à la multiplication des petites subventions et des gestes ponctuels, mal coordonnés et dont la rationalité est purement électorale.

À l'action du gouvernement québécois, s'ajoute celle des municipalités, fort importante. Le revenu courant de la ville de Montréal, à lui seul, atteint la moitié de celui du Québec en 1869 et les deux tiers en 1896. Du côté des emprunts, la dette totale de Montréal représente les trois quarts de celle du Québec, à la fin du siècle. Les interventions économiques de l'ensemble des municipalités sont financièrement plus importantes que celles de l'État. Bien que leurs dépenses soient de nature purement locales, elles peuvent, à l'occasion, avoir une autre portée; c'est le cas des subventions accordées aux chemins de fer. Le morcellement des unités de décision peut donner naissance au gaspillage et à la surenchère. C'est ainsi que les municipalités, en rivalité les unes avec les autres, offrent à qui mieux mieux exemptions de taxes et subventions aux entreprises. À ce niveau aussi la corruption et le patronage sont généralisés.

Les secteurs d'intervention

En l'absence d'études historiques en profondeur sur la législation québécoise de l'époque et sur l'administration publique, nous ne pouvons qu'en esquisser à grands traits l'orientation. Certains types d'interventions exigent des dépenses publiques. Il y a les cas où l'État assure lui-même un service public, quitte à récupérer une partie du coût auprès des usagers. Le meilleur exemple en est le système judiciaire: l'État assure la construction des palais de justice et des prisons, leur entretien et leur fonctionnement; il paie des fonctionnaires, des gardiens; il récupère ensuite auprès des usagers certaines de ces dépenses, sous forme de taxes judiciaires, d'amendes, etc. Il y a d'autres cas, assez nombreux, où il accorde des subventions à des groupes ou à des entreprises: compagnies de chemins de fer, sociétés de colonisation, institutions de bienfaisance, etc. Toutes ces actions nécessitant des dépenses publiques sont évidemment limitées par la faiblesse des revenus.

Mais il y a aussi de nombreuses interventions qui impliquent peu ou pas de dépenses gouvernementales. Il s'agit de situations où l'État légifère pour obliger les groupes ou les citoyens à respecter certaines normes, à réaliser certains objectifs. Les exemples de ce type d'intervention sont nombreux; voyons-en deux. Devant les problèmes de santé publique qui se posent un peu partout, le parlement adopte en 1886 un loi qui force les municipalités à établir un bureau de santé et qui leur donne le pouvoir de prendre des mesures concernant l'hygiène publique. À la même époque, le parlement adopte une loi des manufactures qui établit des normes relatives aux conditions de travail en usine. Dans les deux cas, la dépense gouvernementale est faible, mais les conséquences sociales de l'intervention peuvent être considérables.

Ces actions de type législatif posent toutefois le problème de l'écart entre la loi et la réalité. Il ne suffit pas de faire adopter une loi, encore faut-il la faire accepter et surtout la faire appliquer. À cet égard, l'action gouvernementale à la fin du 19e siècle semble assez peu efficace. C'est ainsi que, pour contrôler l'application de la loi des manufactures, on ne nomme que trois inspecteurs qui doivent parcourir tout le Québec et visiter des centaines d'usines; leur action ne peut évidemment être que limitée. Les municipalités doivent créer des bureaux de santé mais rien ne les force à adopter des mesures d'hygiène, de sorte que les disparités sont parfois grandes d'un endroit à l'autre. De façon générale, ceux qui contreviennent aux lois pevent facilement échapper aux poursuites et quand des amendes sont imposées, elles sont souvent dérisoires. L'insuffisance des effectifs de la fonction publique, l'inefficacité administrative et le patronage peuvent expliquer ces problèmes.

L'intervention gouvernementale reste quand même limitée à un certain nombre de secteurs. Au premier chef vient tout ce qui relève de la politique économique. Nous avons vu que celle-ci met essentiellement l'accent sur la construction ferroviaire, qui draine le gros des ressources. Elle accorde aussi une place appréciable au développement de l'agriculture et de la colonisation, mais les ressources mises à la disposition de ces deux secteurs restent insuffisantes. Le domaine public (terres, forêts, mines) est également l'objet de l'attention gouvernementale, étant donné son importance dans l'économie québécoise et pour les revenus de l'État.

La politique sociale est, quant à elle, à peu près inexistante. Les éléments qui ressortent sont la promotion de l'hygiène publique et la législation sur le travail en usine, mais les interventions en ce domaine demeurent bien timides. Quant au reste, l'État laisse l'initiative à la charité privée, se contentant de subventionner ici et là. Seul l'entretien des malades mentaux dans les asiles est globalement pris en charge par l'État. Dans le domaine de l'éducation, le gouvernement renonce à jouer un rôle direct dès 1875. Toute l'orientation de ce secteur repose, comme nous l'avons vu, entre les mains du Conseil de l'instruction publique, organisme autonome. Dans le secteur culturel, il n'y a pas de politique; l'action gouvernementale se limite au mécénat à l'endroit de quelques artistes et aux subventions isolées.

L'un des domaines où la présence de l'État est le plus facilement visible est celui de l'administration de la justice, qui connaît, au cours du 19e siècle, un certain processus de décentralisation.

Quant aux municipalités, le gros de leurs interventions et de leurs dépenses concerne la mise en place d'une infrastructure locale (aqueducs, égouts, voirie) et la protection de la propriété (services de police et d'incendie). Comme nous l'avons vu, plusieurs municipalités confient d'ailleurs la gestion de certains services publics à l'entreprise privée; c'est souvent le cas pour les réseaux d'aqueduc, de gaz, d'électricité et de téléphone ainsi que pour le transport en commun. Une partie des revenus municipaux est prélevée pour des fins d'éducation et remise aux commissions scolaires, responsables de la construction et de l'entretien des écoles, ainsi que du personnel qui assure l'enseignement.

LES INSTITUTIONS

Le pouvoir politique s'exerce dans le cadre d'institutions — le parlement et le gouvernement — que nous nous contenterons de décrire brièvement. La constitution de 1867 dote le Québec d'un système parlementaire de type britannique formé de deux chambres: l'Assemblée législative et le Conseil législatif. Ce n'est pas une nouveauté puisque le Québec a vécu sous des institutions similaires depuis 1791.

L'Assemblée législative est certes le corps le plus important. Elle est composée de 65 députés élus et représentant chacun une circonscription électorale ou comté; ce nombre sera porté à 73 en 1890 et à 74 en 1897. L'Assemblée a deux tâches principales: elle vote les lois et elle décide du sort des gouvernements, puisque ceux-ci doivent obtenir l'appui d'une majorité de députés. La représentation de la population à l'Assemblée souffre d'un certain nombre de distorsions. C'est ainsi qu'avec l'urbanisation croissante de la population, les zones rurales deviennent sur-représentées par rapport aux zones urbaines. Il y a également le cas des 12 comtés protégés en vertu de la constitution. Il s'agit d'une concession faite à la minorité. Les circonscriptions où, en 1867, était concentrée la population rurale anglophone (dans les Cantons de l'Est et dans l'Outaouais) jouissent d'un statut spécial: leurs frontières ne peuvent être modifiées sans l'accord de la majorité des députés de ces comtés; cette disposition est maintenue même si, au cours de la période, plusieurs de ces circonscriptions deviennent majoritairement francophones.

Le Québec, contrairement à l'Ontario, est doté d'une chambre haute, le Conseil législatif. Ce choix s'explique par le désir des dirigeants politiques canadiens-français de donner plus de prestige au parlement québécois et aussi par la volonté d'accorder une garantie supplémentaire à la minorité. Pendant les dernières années du régime de l'Union, le Conseil législatif du

Canada-Uni était électif, mais on n'a pas conservé ce régime pour le Québec en 1867: les 24 conseillers législatifs sont nommés à vie par le gouvernement. Les lois votées par l'Assemblée doivent être soumises au Conseil; celui-ci peut les accepter, les modifier ou même les rejeter (ce qu'il fait à quelques reprises au 19e siècle). Des projets de loi, sauf ceux qui affectent les finances de l'État, peuvent aussi être adoptés au Conseil avant d'aller à l'Assemblée, mais cette pratique est rare. Le Conseil représente en quelque sorte un frein au système démocratique et il est un facteur de conservatisme social.

Le gouvernement est constitué par le Conseil exécutif, c'est-à-dire le cabinet ou conseil des ministres. Dans la théorie constitutionnelle, il est dirigé par le lieutenant-gouverneur mais, dans la pratique, le premier ministre est le chef du gouvernement. Le lieutenant-gouverneur est le chef de l'État québécois; il représente le souverain de la Grande-Bretagne, qui est aussi celui du Canada. Le lieutenant-gouverneur choisit le premier ministre et doit sanctionner les lois pour que celles-ci soient en vigueur. En fait, il est un fonctionnaire fédéral nommé par le pouvoir central; il peut refuser de signer une loi du Québec et en réserver la sanction au gouverneur général du Canada. Cette institution suit l'évolution constitutionnelle de la monarchie britannique; le lieutenant-gouverneur devient de plus en plus un personnage symbolique qui laisse au conseil des ministres le soin de gouverner. Certes, entre 1867 et 1896, on relève quelques cas d'intervention du lieutenant-gouverneur, les plus célèbres étant le renvoi du gouvernement de Boucherville par Letellier de Saint-Just en 1878 et celui du gouvernement Mercier par Angers en 1891. Mais ce sont là des gestes exceptionnels qui ne freinent pas l'effacement progressif du lieutenant-gouverneur.

Le pouvoir exécutif est exercé par le cabinet. Normalement formé de membres du parlement — députés ou conseillers législatifs —, le cabinet est soumis à la règle de la responsabilité ministérielle. Il doit, pour gouverner, obtenir l'appui d'une majorité des députés à l'Assemblée législative. Le premier ministre est généralement un député, mais deux des premiers ministres entre 1867 et 1897 sont des conseillers législatifs: de Boucherville et Ross. Pendant cette période, le cabinet compte habituellement six ou sept membres choisis en fonction de critères divers: compétence personnelle, expérience au sein du parti, représentation ethnique ou régionale. C'est ainsi que le cabinet compte trois anglophones: habituellement deux protestants et un Irlandais catholique. On y retrouve, presque d'office, le président du Conseil législatif. Le premier ministre essaie également d'équilibrer la représentation des régions de Montréal et de Québec. Le cabinet est un cercle restreint où se concentre la prise de décision et où s'exercent les pressions des groupes les plus influents de la société.

On compte alors peu de ministères (appelés départements). Au point de départ, en 1867, il y en a 6: ceux du trésorier, du procureur général, du secrétaire et registraire, de l'Agriculture et des Travaux publics, des Terres de la Couronne, du solliciteur général. En 1868, s'ajoute celui de l'Instruction publique, qui est aboli en 1875. Le ministère de l'Agriculture et des Travaux publics est scindé en 1888: d'une part l'Agriculture et la Colonisation, d'autre part les Travaux publics. De 1880 à 1888 existe également un ministère des Chemins de fer.

LE PERSONNEL POLITIQUE

Dans les pays de démocratie parlementaire, le personnel politique est généralement issu d'une élite dont les niveaux d'instruction et de fortune sont bien supérieurs à ceux de l'ensemble de la population. Le Québec n'échappe pas à la règle, comme l'ont bien démontré le politicologue Robert Boily et l'historien Marcel Hamelin. Le recrutement se fait essentiellement dans les rangs de la bourgeoisie ou de la petite-bourgeoisie. La classe ouvrière est à peu près totalement absente du parlement. Quant aux cultivateurs, qui forment la majorité de la population, ils ne représentant qu'environ 13% de la députation au cours de la période; et encore s'agit-il dans plusieurs cas de gros cultivateurs, qui s'apparentent beaucoup plus au capitalisme foncier qu'à la petite production paysanne.

L'Assemblée législative est dominée à près de 90% par des membres des professions libérales et des hommes d'affaires. Environ les deux tiers des sièges sont occupés par des avocats (le contingent le plus important), des médecins et des notaires qui, grâce à leur formation et à leur implantation dans le milieu, sont en mesure de s'imposer à l'électorat. L'appartenance aux professions libérales masque parfois une réalité plus complexe puisque plusieurs de ces députés sont mêlés de près aux affaires. Parmi les hommes d'affaires proprement dits, quelques-uns — comme Price ou Sénécal — sont à la tête d'entreprises importantes. Comme les sessions ne durent que deux ou trois mois, ils peuvent participer à la vie politique tout en continuant à diriger leurs entreprises. Plusieurs, en particulier ceux qui sont mêlés aux compagnies de chemins de fer, voient dans leur présence à Québec la possibilité de favoriser leurs intérêts et d'obtenir des subventions.

Au niveau du conseil des ministres, un autre clivage s'effectue. Le recrutement se limite beaucoup plus aux rangs de la bourgeoisie. La plupart des ministres sont issus de grandes familles, ayant souvent des représentants à la fois dans les milieux de la politique et des affaires, dans le monde judiciaire et dans les rangs du clergé. Les membres des professions libérales, notamment les avocats, dominent nettement au sein du cabinet. Tous les

À l'allure d'un club privé: le conseil municipal de Montréal. (Archives de la ville de Montréal)

premiers ministres de la période sont avocats, sauf de Boucherville, qui est médecin. Il faut noter aussi la sur-représentation des anglophones au sein du conseil des ministres, puisqu'ils disposent habituellement de 40% à 50% des postes.

La composition du personnel politique, en particulier du conseil des ministres, illustre bien le contrôle direct qu'exerce sur l'État et les institutions politiques la classe dominante, la bourgeoisie.

Au plan municipal, on retrouve un élitisme semblable, mais à un autre niveau. Dans les municipalités de villages et de paroisses, la petite bourgeoisie locale — formée généralement d'avocats, de notaires et de marchands — contrôle les postes importants, en particulier ceux de maire et de secrétaire-trésorier. Dans les villes, il faut y ajouter les promoteurs fonciers qui, par leur présence au conseil municipal, peuvent orienter le développement urbain dans un sens favorable à leurs entreprises.

L'administration de Montréal représente un cas un peu particulier, qu'a étudié le politicologue Guy Bourassa. Dans une première période, de 1840 à

1873, le conseil municipal de Montréal ressemble à un club privé de la grande bourgeoisie. La très grande majorité des maires et des conseillers appartiennent au milieu des grandes affaires; les membres des professions libérales y sont nettement minoritaires. Le conseil de cette époque est également dominé par les anglophones. La situation commence à changer après 1873. Les grands hommes d'affaires sont toujours présents au conseil, mais une part croissante de membres de professions libérales et d'administrateurs moyens y prennent place; la plupart sont toutefois étroitement associés à la bourgeoisie. À compter de 1887, les francophones deviennent majoritaires au conseil. Ainsi, tout au cours du 19e siècle, l'administration municipale de Montréal est dominée par une classe sociale, la bourgeoisie, même si les modalités de sa participation au pouvoir diffèrent quelque peu de la situation qui prévaut au gouvernement du Québec.

Orientations bibliographiques

Arès, Richard. *Dossier sur le pacte fédératif de 1867.* Montréal, Bellarmin, 1967, 264p.

Cook, Ramsay. *L'autonomie provinciale, les droits des minorités et la théorie du pacte, 1867-1921.* Étude no 4 de la Commission royale d'enquête sur le bilinguisme et le biculturalisme. Ottawa, Imprimeur de la reine, 1969. 82p.

Desrosiers, Richard, dir. *Le personnel politique québécois.* Montréal, Boréal Express, 1972. 142p.

Hamelin, Marcel. *Les premières années du parlementarisme québécois (1867-1878).* Québec, PUL, 1974. 386p.

Ollivier, Maurice. *Actes de l'Amérique du nord britannique et statuts connexes, 1867-1962.* Ottawa, Imprimeur de la reine, s.d. 675p.

Rapport de la Commission royale d'enquête sur les problèmes constitutionnels. Québec, 1956. 4 vol. (Rapport Tremblay).

Wheare, K.C. *Federal Government.* London, Oxford University Press, 1963, (4e édition). 266p.

CHAPITRE 14
L'ÉVOLUTION POLITIQUE

Les luttes pour le pouvoir politique se déroulent dans le cadre du système de partis. Entre 1867 et 1896, elles se font entre deux protagonistes: le parti conservateur et le parti libéral. Ces deux grands partis s'étaient formés sous le régime de l'Union (1841-1867), à partir du regroupement de factions diverses. Il n'y a pas de véritable tiers parti après 1867. Tout au plus, peut-on relever un début d'action politique ouvrière qui amène l'élection de quelques individus, vite associés à l'un ou l'autre des partis en place.

LES PARTIS

Ces formations politiques sont encore peu structurées, ce qui permet l'élection d'un certain nombre de députés indépendants. Libéraux et conservateurs sont présents à la fois sur la scène fédérale et sur la scène provinciale, sans que ces deux niveaux d'action soient clairement distingués.

Chacun des deux partis comprend deux ailes différenciées au plan idéologique. Le parti libéral a, à sa gauche, un groupe radical, héritier de la tradition des rouges, et un groupe centriste, celui des modérés. Le parti conservateur a, lui aussi, ses centristes, ainsi qu'une aile droite, formée des ultramontains. Les modérés des deux partis ont tendance à se rapprocher, alors que les ailes gauche et droite sont des facteurs de séparation. Entre 1867 et 1896, on assiste, dans l'une et l'autre formation, à un glissement vers la droite. Chez les libéraux, le groupe radical est de plus en plus marginalisé au profit des centristes, alors que chez les conservateurs l'aile ultramontaine accroît son emprise.

La domination du parti conservateur

Entre 1867 et 1896, le parti conservateur domine incontestablement la scène politique canadienne et québécoise. À Ottawa, il est au pouvoir pendant 24 de ces 29 années, alors qu'à Québec, il ne cède la direction du gouvernement que pendant environ 6 ans.

La création de ce parti est antérieure à la mise en place du régime confédératif. Elle remonte à 1854 alors que diverses factions politiques du Canada-Est (Québec) et du Canada-Ouest (Ontario) ont formé une coalition sous le nom de parti libéral-conservateur. La partie québécoise de cette coalition comprend deux groupes principaux. Le bloc majoritaire est le groupe des réformistes canadiens-français créé par LaFontaine à la suite de l'Union de 1840. Ce groupe a lutté pour l'obtention de réformes politiques, principalement l'obtention du gouvernement responsable. Dans les années 1850, il s'identifie de plus en plus aux intérêts de la grande bourgeoisie montréalaise tout en défendant, au plan culturel, le maintien des traditions canadiennes-françaises. L'autre groupe est celui des *tories* ou conservateurs anglophones du Canada-Est qui, en retour de l'appui du bloc canadien-français à ses politiques économiques, accepte de mettre en sourdine ses projets d'assimilation.

Dès cette époque, le parti conservateur domine la scène politique québécoise et réussit, avec l'appui du clergé, à contenir la montée des rouges. Vers 1867, l'aile québécoise du parti conservateur est dominée par George-Étienne Cartier. Ancien leader patriote, Cartier est devenu, dans les années 1850, l'avocat du Grand-Tronc et celui des Sulpiciens. Son évolution est typique de celle de bien d'autres dirigeants politiques canadiens-français de l'époque. Elle témoigne de la montée du groupe francophone au sein de la bourgeoisie et de l'existence de nombreux liens d'intérêt qui unissent ce groupe aux bourgeois anglophones.

Anglophones ou francophones, les conservateurs défendent les principes du libéralisme économique. Ils préconisent des politiques permettant la mise en place d'infrastructures qui visent à intégrer le marché canadien et à favoriser la croissance de l'entreprise privée. Ce faisant, le parti représente bien les intérêts de la bourgeoisie de Montréal qui aspire à diriger le développement du Canada.

Au delà de ce consensus sur la politique économique, il y a, au plan culturel, un certain accord de respect mutuel. Les conservateurs anglophones, ayant à leur tête A.T. Galt, défendent avec force les droits religieux et scolaires et l'existence d'un réseau d'institutions qui leur soient propres. De leur côté, les conservateurs francophones protègent les institutions canadiennes-françaises dans les secteurs religieux, scolaire et juridique. À l'époque de la Confédération, les deux groupes en sont arrivés à un pacte de non agression qui, bien que tacite, n'en est pas moins efficace.

Tableau 1
Élections générales de l'Assemblée législative du Québec, 1867-1897

Année	Électeurs inscrits	Votes valides	Sièges	Lib. élus	Cons. élus	Autres élus	% des votes	
							Lib.	Cons.
1867	161 800	75 385	65	14	50	1	45	55
1871	172 369	60 395	65	20	45	—	35	65
1875	185 783	86 939	65	19	43	3	44	56
1878	217 825	134 475	65	30	33	2	49	51
1881	223 215	97 590	65	15	49	1	42	56
1886	234 844	146 850	65	31	28	6	51	49
1890	276 641	158 932	73	42	24	7	53	47
1892	290 335	174 725	73	21	51	1	45	55
1897	338 800	225 179	74	51	23	—	54	46

Source: Annuaire du Québec, 1966-1967.

Le parti conservateur est cependant une structure fragile où se manifestent des tensions et des contradictions: conflits idéologiques et oppositions régionales. Au plan fédéral, John A. Macdonald est le chef du parti de 1867 jusqu'à sa mort, en 1891. Il peut ainsi assurer une continuité et un certain degré d'unité. Il est cependant aux prises avec deux ailes réactionnaires qui sont en ascension au sein du parti: les orangistes, en Ontario et dans l'Ouest, et les ultramontains au Québec.

Dans le cas québécois qui nous intéresse plus particulièrement ici, la montée des ultramontains se fait progressivement. Vers 1867, Cartier est un chef à peu près incontesté. Ministre dans le cabinet fédéral, il dirige en quelque sorte le gouvernement québécois par personne interposée. Il imprime au parti une orientation dite modérée qu'on a qualifiée d'« école de Cartier ». L'accent y est mis sur le développement économique et sur le respect du pluralisme religieux. Au plan politique, l'école de Cartier tente d'adopter une voie médiane entre le radicalisme des rouges et l'ultraconservatisme des ultramontains. Ces derniers se satisfont de moins en moins de cette orientation.

Le groupe des ultramontains s'est constitué dans les décennies 1850 et 1860 pour combattre le libéralisme des rouges. Son terrain d'action est donc en premier lieu celui des idéologies. Pour contrer la montée des rouges, les ultramontains appuient les conservateurs; après 1867, ils vont plus loin en tentant d'en faire leur instrument.

George-Étienne Cartier, 1814-1873, homme politique et leader des conservateurs canadiens-français de 1857 à sa mort. (Archives publiques Canada, C14246)

John A. Macdonald, 1815-1891, premier ministre du Canada, 1867-1873 et 1878-1891. (Archives Notman, Musée McCord)

S'il est facile de démarquer les ultramontains de libéraux, il est moins aisé de les distinguer de l'école de Cartier. Les recherches les plus récentes tendent à montrer que les deux ailes du parti conservateur recrutent leurs dirigeants au sein de la même classe, la bourgeoisie. Les leaders ultramontains sont, eux aussi, des brasseurs d'affaires fort actifs et leur perception du progrès les rattache au libéralisme économique. L'historiographie a souvent insisté sur le fait qu'ils étaient des hommes de principes, droits et intègres. Un examen plus attentif permet de trouver là aussi des manoeuvriers qui savent placer le bien public au service de leur intérêt personnel. La différence principale vient plutôt de leur conception de l'ordre social. Les ultramontains veulent que la société soit organisée selon les principes catholiques en donnant à l'Église la main haute sur les principales institutions.

L'aile ultramontaine du parti conservateur se manifeste au grand jour lors de l'élection québécoise de 1871. Elle lance alors le Programme catholique qui est une tentative de créer une force politique catholique au

Québec. Le Programme invite les électeurs à exiger des candidats qu'ils s'engagent à soumettre leur action politique à la doctrine de l'Église catholique et à modifier les lois dans le sens demandé par les évêques. Il vise donc une véritable soumission de l'État à l'Église. La plupart des candidats — conservateurs comme libéraux — refusent d'accepter le Programme catholique et un seul programmiste est élu en 1871. C'est un échec pour les ultramontains, mais cet épisode leur a permis de s'organiser.

Après la mort de Cartier survenue en 1873, la rivalité entre les deux ailes du parti devient plus vive. Elle atteint son paroxysme entre 1879 et 1883, au moment où Chapleau domine le parti au Québec. Chapleau adopte une politique de confrontation avec les ultramontains, cherchant à les écarter du pouvoir; il va même jusqu'à tenter un rapprochement avec l'aile modérée du parti libéral en vue de réaliser une vaste coalition du centre. Son association avec l'entreprenant homme d'affaires Louis-Adélard Sénécal éveille la suspicion; d'où l'épithète de «sénécalistes», que les ultramontains — qualifiés eux-mêmes de « castors » — accolent à Chapleau et à ses partisans. La bataille entre les deux ailes du parti, à coups de brochures et d'éditoriaux, risque de diviser irrémédiablement le parti. Mais un compromis intervient au début de 1884. L'école de Cartier partagera désormais le pouvoir avec les ultramontains et le cabinet québécois aura des représentants des deux tendances. Ce modus vivendi renforce la position des ultramontains et accentue leur emprise au sein du parti. Avec le résultat qu'un certain nombre de modérés seront tentés de passer du côté des libéraux.

La désagrégation du parti conservateur ne s'explique pas uniquement par ce glissement vers la droite. D'autres tensions se font jour: conflits de personnalité et oppositions régionales. Elles s'expriment par exemple dans cette lutte sourde qui oppose Hector Langevin (représentant de la région de Québec), qui a pris la succession de Cartier à la tête de l'aile québécoise du parti fédéral, et Chapleau, qui représente la région de Montréal et qui conteste le leadership de Langevin.

Par ailleurs, dans les années 1880, le parti libéral se réorganise au Québec, sous la direction de Mercier et de Laurier. Il réussit à attirer une partie de la clientèle des conservateurs. S'ajoute à cela la question nationale, qui ressurgit à l'occasion de l'affaire Riel. La pendaison de Louis Riel en 1885 permet aux libéraux de jeter le discrédit sur les ministres conservateurs canadiens-français. Les conservateurs deviennent ainsi, aux yeux d'une fraction de l'électorat, le parti des orangistes et des « pendards ». Tous ces facteurs se conjuguent pour amener, à compter du milieu des années 1880, une désaffection croissante des électeurs envers le parti conservateur.

La montée du parti libéral

Pendant les 30 années qui suivent la Confédération, le parti libéral passe le plus clair de son temps dans l'opposition. Il a peine à ébranler la domination du parti au pouvoir. Il réussit cependant à élargir graduellement ses appuis.

Pour comprendre les difficultés initiales du parti libéral, il faut rappeler les antécédents de ce parti sous l'Union et, en particulier, l'épisode du rougisme. À la fin des années 1840, de jeunes intellectuels, regroupés autour du journal *L'Avenir*, se détachent peu à peu du parti réformiste de LaFontaine dont ils dénoncent le conservatisme. Parmi eux, on retrouve Jean-Baptiste-Éric Dorion, Joseph Papin, Joseph Doutre, Louis Labrèche-Viger, Charles Daoust et Charles Laberge. Ils représentent une première scission au sein du bloc canadien-français et formulent une idéologie radicale minoritaire. Qualifiés de rouges par leurs adversaires, ils vouent une grande admiration aux libéraux européens et à la démocratie de type américain. Les rouges veulent démocratiser les institutions québécoises, obtenir de sérieuses réformes dans l'éducation, séparer nettement l'État et l'Église en limitant le rôle de celle-ci au secteur religieux. Le rougisme atteint son apogée au milieu des années 1850, lors des percées électorales réalisées dans la grande région de Montréal.

Autour des rouges, se constitue peu à peu un parti libéral formé de divers éléments. On y retrouve le petit groupe des libéraux anglophones du Bas-Canada, avec Holton et Young, qui se rapproche des francophones. Il y a surtout un nombre croissant d'hommes politiques canadiens-français, comme Antoine-Aimé Dorion, qui, tout en conservant des idéaux démocrates, adoptent une attitude modérée et veulent éviter les conflits avec l'Église.

Cependant, le clergé québécois voit dans les rouges une menace sérieuse. C'est l'époque où, en Europe, les privilèges de l'Église catholique, y compris le pouvoir temporel de la papauté, sont attaqués avec force par les libéraux. Le clergé, qui craint la répétition de cette situation au Québec, est amené à s'opposer de plus en plus directement aux rouges, y compris par des condamnations en chaire, pendant les campagnes électorales.

Cette situation provoque, dans les années 1860, un net recul des rouges et leur marginalisation, à la fois dans leur parti et auprès de l'électorat. Dans son étude sur les rouges, Jean-Paul Bernard montre que l'élection de 1867 marque la fin du rougisme. Les députés libéraux élus après cette date sont très différents des radicaux des années 1850. Ceux-ci continuent à oeuvrer au sein du parti libéral, mais ils n'y sont plus qu'une minorité. Il est vrai que certaines idées réformistes — en particulier dans le domaine de l'éducation — continueront à être défendues par plusieurs libéraux, mais elles sont considérablement atténuées.

Ainsi, le parti libéral d'après 1867 n'est plus radical. Il présente un programme modéré qui ne s'éloigne pas tellement de celui de l'école de Cartier chez les conservateurs. Cependant, la faction la plus conservatrice du clergé met plusieurs décennies à reconnaître cette réalité nouvelle et continue à s'attaquer aux libéraux. D'autre part, plusieurs porte-parole du parti conservateur exploitent cette veine en associant les libéraux au radicalisme et à l'anti-cléricalisme.

Cherchant à se dégager de ce carcan, les dirigeants du parti prennent une série d'initiatives en vue de se dissocier publiquement du rougisme et de présenter à l'électorat un visage modéré. C'est ainsi qu'à l'élection fédérale de 1872, un groupe de jeunes libéraux, parmi lesquels on retrouve Louis-Amable Jetté et Honoré Mercier, fondent le parti national. Ce nouveau groupe n'existe que le temps d'une élection et contribue au succès de quelques libéraux. Dès l'année suivante, le parti libéral fédéral prend le pouvoir à la faveur du scandale du Pacifique.

C'est l'occasion pour les libéraux d'afficher leur modération. Le parti subit cependant des difficultés internes marquées par de fréquents changements de ministres canadiens-français. C'est à cette époque que Wilfrid Laurier entre au cabinet et commence son ascension au sein du parti. Au Québec, le chef libéral est, depuis 1867, Henri Gustave Joly; le « coup d'État » de Letellier de Saint-Just lui permet d'occuper pendant quelques mois le poste de premier ministre, mais le parti libéral n'a pas encore de bases électorales assez solides pour obtenir une nette majorité.

Sur le front de la lutte entre les libéraux et le clergé, l'événement le plus spectaculaire est probablement la double contestation d'élections qui a lieu en 1876. Dans les comtés de Charlevoix et de Bonaventure, les candidats libéraux défaits demandent l'annulation de l'élection à cause de l'influence indue exercée par les curés en faveur des conservateurs. Les décisions finales des tribunaux (dans l'un des cas on se rendra jusqu'en Cour suprême) seront favorables aux libéraux.

Le clergé n'est d'ailleurs pas unanime contre les libéraux. L'archevêque de Québec, Mgr Taschereau, membre d'une grande famille libérale, n'approuve pas l'intransigeance des ultramontains. La hiérarchie catholique est agitée par des luttes très vives et, pour rétablir la paix, Rome envoie en 1877 un enquêteur spécial, Mgr Conroy. Wilfrid Laurier en profite pour prononcer un important discours sur le « libéralisme politique » de type britannique, pratiqué au Canada, qu'il distingue du libéralisme catholique, rejeté par l'Église. Mgr Conroy accepte cette argumentation et convainc les évêques d'interdire aux curés de prendre position contre un parti ou un candidat. Cette victoire des libéraux n'élimine pas l'opposition du clergé ultramontain, mais elle améliore leurs positions face à l'Église.

Le virage à droite du parti libéral sera encore concrétisé, dans les années 1880, par la montée de nouveaux chefs. Wilfrid Laurier devient, au sein du parti libéral fédéral, le principal lieutenant canadien-français et, en 1887, il succède à Edward Blake comme chef du parti. Au Québec, Honoré Mercier prend la tête des libéraux en 1883.

Un événement spectaculaire, la pendaison de Louis Riel, vient, en 1885, favoriser leur cause. Riel avait pris la tête d'un soulèvement des Indiens et des Métis de l'Ouest du Canada contre le gouvernement fédéral. Cette crise est l'aboutissement d'un conflit entre deux civilisations. D'une part, les Indiens et les Métis, nomades ou semi-nomades, ont une économie basée sur la chasse et se considèrent propriétaires des territoires de l'Ouest. D'autre part, les Blancs, avec une technologie beaucoup plus avancée, veulent développer l'Ouest par la colonisation agricole; ils dépouillent les premiers occupants de leurs territoires, les parquent sur des réserves ou les repoussent de plus en plus loin vers le nord et déstructurent leur économie.

Cependant, au Québec, comme en Ontario d'ailleurs, les dirigeants politiques et religieux déforment le sens de ce conflit. Parce que les Métis rebelles sont en majorité francophones et catholiques, leur combat est présenté comme une étape de la lutte séculaire entre Canadiens français et Canadiens anglais. Lorsque le soulèvement de 1885 est écrasé par les troupes fédérales et que Louis Riel est traduit en justice à Régina puis condamné à mort pour trahison, l'opinion publique canadienne-française réclame du cabinet fédéral qu'il commue cette peine. Avec tout autant de force, l'opinion publique canadienne-anglaise, surtout en Ontario et dans l'Ouest, réclame la pendaison de Riel. Placé entre ces positions contradictoires, le gouvernement Macdonald tranche en faveur de la majorité: Riel sera pendu.

La réaction populaire est vive au Québec. Le parti conservateur devient le « parti des pendards ». On stigmatise les trois ministres canadiens-français à Ottawa qui sont restés à leur poste. Des conservateurs, surtout chez les ultramontains, se détachent de leur parti. Honoré Mercier prend la tête des mécontents. Il est l'un des orateurs à la célèbre assemblée du Champ-de-Mars qui réunit 50 000 personnes. Il commence son discours par ces mots: « Riel notre frère est mort ».

Mercier propose une union de tous les Canadiens français et crée à cet effet une nouvelle formation politique qui porte, comme en 1872, le nom de parti national. Il s'agit d'une alliance entre le parti libéral et les conservateurs dissidents. Ce qui pouvait rester de radicalisme dans le parti libéral est mis en veilleuse. À la tête du parti national, Mercier entretient la réaction populaire face à la pendaison de Riel grâce à une série d'assemblées publiques qui lui permettent de faire durer le mécontentement pendant un an, jusqu'aux prochaines élections, à l'automne 1886. Il y remporte la victoire.

Le passage de Mercier au pouvoir fait à nouveau la preuve que les libéraux québécois sont maintenant loin de leurs prédécesseurs, les rouges. Le gouvernement Mercier contribue à asseoir plus solidement le parti libéral appuyé par l'action conjointe du chef fédéral, Wilfrid Laurier. Ce mouvement sera temporairement ralenti, en 1891, par le scandale de la baie des Chaleurs qui entraîne la chute de Mercier. Mais, dès la fin du siècle, les

Louis Riel, 1844-1885, leader des Métis lors des rébellions de 1869-1870 et 1884-1885. On le voit dans le box des accusés lors de son procès à Régina où il sera déclaré coupable de trahison et condamné à être pendu. (Archives publiques Canada, C 1879)

libéraux sont solidement installés au pouvoir aux deux niveaux de gouvernement et dominent politiquement le Québec.

L'action politique ouvrière

Au milieu des luttes bipartisanes s'insère, encore marginale, l'action politique ouvrière. Celle-ci apparaît dans la foulée des progrès du syndicalisme. Très tôt, en effet, les dirigeants syndicaux se rendent compte de la nécessité d'une action au niveau politique pour obtenir les réformes qu'ils réclament. Cette action prend la forme de candidatures ouvrières dans certains comtés, lors des élections fédérales ou provinciales.

Si l'on excepte la tentative avortée de Médéric Lanctôt de se faire élire dans Montréal-Est en 1867, il faut situer dans les années 1880 les débuts de l'action politique ouvrière. Les Chevaliers du travail en sont les principaux responsables. Partisans de l'action politique, les chevaliers présentent des candidats dans des quartiers ouvriers montréalais en 1883, 1886 et 1887. Leur premier succès survient en 1888, à l'occasion d'une élection fédérale complémentaire. Alphonse Télésphore Lépine, membre des chevaliers et secrétaire du Conseil central des Métiers et du Travail de Montréal est alors député de Montréal-Est, avec l'appui tacite du parti conservateur. Deux ans plus tard, Joseph Béland, candidat ouvrier, est élu à l'Assemblée législative du Québec, cette fois avec l'appui du parti libéral. Ce sont là les deux seuls succès électoraux des Chevaliers du travail.

Cette action politique ouvrière a un caractère limité. Elle est purement électorale et concentrée sur un faible nombre de comtés. Elle ne s'appuie pas sur une organisation politique autonome. Les députés ouvriers doivent s'intégrer à l'un ou à l'autre des grands partis. Par leurs interventions, ils sont en mesure d'attirer l'attention sur les problèmes ouvriers, mais leur poids politique reste marginal.

Alphonse-Télésphore Lépine, député ouvrier. (Archives publiques Canada, C21088)

L'organisation des partis et les élections

Au 19e siècle, les partis politiques ne prennent pas encore la forme d'associations de citoyens. Leurs structures restent assez mal définies. Le parti est en réalité l'affaire des députés et de leurs organisateurs. Dans chacun des districts de Montréal, de Trois-Rivières et de Québec, on trouve un organisateur qui contrôle la caisse électorale et qui a la responsabilité des circonscriptions situées dans son district. Au niveau local, chaque circonscription et chaque paroisse a aussi son organisateur. Dans les villes, les partis s'appuient aussi sur des organismes d'une nature particulière, les clubs politiques. Ceux-ci fournissent une occasion de rencontre aux dirigeants et à leurs principaux partisans.

L'élément le plus visible de l'organisation reste cependant la presse de parti. Les journaux de l'époque sont, sauf exception, des organes partisans.

Chaque parti — et même chaque tendance au sein d'un parti — vise à avoir ses journaux à Québec, Trois-Rivières, Montréal, Saint-Hyacinthe et dans d'autres régions du Québec. On relève donc un foisonnement de publications dont plusieurs sont éphémères. Chacun de ces journaux formule et défend avec force les positions de son parti ou de son groupe.

L'organisation politique prend toute son importance en période électorale. Dans plusieurs circonscriptions, la différence entre la victoire et la défaite tient à la qualité de l'organisation. La corruption électorale est d'ailleurs érigée en système depuis le milieu du siècle. L'instrument principal en est le patronage qui permet au parti victorieux de distribuer, à même les fonds publics, les emplois et les contrats aux partisans ayant contribué de leur temps ou de leur argent aux succès du parti.

La législation électorale en vigueur à l'époque de la Confédération favorise d'ailleurs les abus de pouvoir et le recours à la violence. Il y a d'abord le fait que les élections n'ont pas lieu à la même date dans toutes les circonscriptions. Les assemblées de mise en candidature sont remplacées par le dépôt d'un bulletin de présentation signé par un certain nombre d'électeurs. La loi de 1875 — et c'est là sa réforme la plus fondamentale — introduit le vote secret. Elle introduit aussi des mesures plus sévères — allant jusqu'à l'annulation de l'élection — pour contrer les manoeuvres frauduleuses, l'achat des votes et les pressions indues sur les électeurs. Enfin la réforme prévoit un certain contrôle des dépenses électorales, abandonné en 1892, mais repris en 1895.

La réforme de 1875 établit des règles nouvelles qui seront à la base du système électoral pendant un siècle. Cette loi, qui réprime les abus les plus criants, n'élimine pas pour autant les pratiques frauduleuses. L'achat des consciences et les pressions sur les électeurs continueront à se faire, quoique plus subtilement. La substitution de personnes, la technique du télégraphe, l'utilisation de la violence se perpétuent dans les moeurs électorales. Dans ce contexte, le succès dépend souvent de la force de l'organisation électorale d'un parti (présence de représentants dans les bureaux de scrutin, service aux électeurs, etc.,). L'historien Marcel Caya attribue d'ailleurs une partie des difficultés des libéraux avant 1886 à la faiblesse de leur organisation électorale.

Au delà des pratiques électorales, on peut s'interroger sur les électeurs eux-mêmes. Le Québec est loin d'avoir le suffrage universel à cette époque. Le politicologue André Bernard a calculé que le nombre d'électeurs inscrits en 1871 ne représentait que 14,8% de la population. Le droit de vote repose alors sur le cens électoral. Un électeur doit être propriétaire de biens fonds d'une valeur minimale (le cens) fixée par la loi ou encore être locataire mais ayant des revenus équivalents. Seuls les hommes de plus de 21 ans et répondant à ces critères sont électeurs; les femmes possédant des biens ou des revenus suffisants ont perdu le droit de vote depuis 1849. Au cours de la période, des lois viennent élargir la base de l'électorat en octroyant le droit de vote à d'autres catégories de citoyens. À la fin du siècle, l'électorat représente 20% de la population. C'est un progrès modeste mais le revenu ou la propriété restent encore la base du système; les femmes en sont toujours exclues.

LA SUCCESSION DES GOUVERNEMENTS

De 1867 à 1896, dix hommes politiques ont occupé le poste de premier ministre du Québec, dirigeant douze ministères. C'est dire que, pour la plupart d'entre eux, leur mandat à la tête du Québec n'a guère duré plus que trois ou quatre ans. Certains — Ouimet, Joly, Mousseau et Flynn, — n'y restent qu'un peu plus d'un an. Trois premiers ministres — Chauveau, Chapleau et Taillon — quitteront leur poste pour se consacrer à la politique fédérale. Dans cette succession rapide de gouvernements, on peut distinguer quatre grandes étapes.

L'école de Cartier (1867-1878)

Les gouvernements qui se succèdent de 1867 à 1878 ont pour tâche essentielle de mettre en place les institutions de l'État, d'élaborer les grandes politiques et de créer des instruments de développement économique. Leur action est limitée par la faiblesse des revenus, aggravée, à compter de 1874, par la crise économique qui affecte les pays industrialisés.

En 1867, Joseph Cauchon, homme politique de la capitale, a bien failli devenir le premier des premiers ministres du Québec. Le lieutenant-gouverneur l'invite alors à former un cabinet, mais les représentants de la minorité anglophone s'opposent catégoriquement à ce choix. Ils reprochent à Cauchon de ne pas s'engager à donner une entière autonomie aux protestants en matière d'éducation. Cauchon ne sera donc pas premier ministre et le poste sera plutôt confié à Pierre-Joseph-Olivier Chauveau.

Chauveau est lié à George-Étienne Cartier et, avec lui, c'est « l'école de Cartier » qui s'installe au pouvoir. Il remporte facilement les élections de 1867, les conservateurs obtenant 50 des 65 sièges. Jusqu'à son entrée au cabinet, le nouveau premier ministre était lié de près au monde de l'éducation et il occupait le poste de surintendant de l'Instruction publique. Voulant continuer son action en ce domaine, il met sur pied un ministère de l'Instruction publique dont il est lui-même le titulaire. Sa première tâche est de mettre en place et de structurer les institutions de l'État. Il hérite de structures qui avaient été créées sous l'Union, comme, par exemple, tout le système d'administration de la justice (palais de justice, prisons, etc.). Il faut coiffer le tout de rouages administratifs, organiser des ministères, établir un budget.

Tableau 2
Les premiers ministres du Québec, 1867-1897

Nom	Parti	Date
1. Chauveau, Pierre-J.-O.	Cons.	15 juillet 1867
2. Ouimet, Gédéon	Cons.	27 février 1873
3. Boucherville, Charles-B. de	Cons.	22 septembre 1874
4. Joly, Henri-C.	Lib.	8 mars 1878
5. Chapleau, J.-Adolphe	Cons.	31 octobre 1879
6. Mousseau, J.-Alfred	Cons.	31 juillet 1882
7. Ross, John Jones	Cons.	23 janvier 1884
8. Taillon, L.-Olivier	Cons.	25 janvier 1887
9. Mercier, Honoré	Lib.	29 janvier 1887
10. Boucherville, Charles-B. de	Cons.	21 décembre 1891
11. Taillon, L.-Olivier	Cons.	16 décembre 1892
12. Flynn, Edmund J.	Cons.	11 mai 1896
13. Marchand, F.-Gabriel	Lib.	24 mai 1897

Source: Annuaire du Québec, 1966-1967.

Le gouvernement doit aussi définir son rôle dans le nouveau cadre fédéral et préciser les champs d'action qu'il entend privilégier. La préoccupation pour le développement économique du Québec est au centre des débats des parlementaires. Ces derniers sont hantés par l'importance de l'émigration aux États-Unis et voudraient enrayer ce mouvement. Leurs solutions sont économiques: ouvrir de nouvelles régions à la colonisation, favoriser la modernisation de l'agriculture, stimuler l'exploitation forestière et accélérer l'industrialisation. Au Québec comme ailleurs, la construction ferroviaire apparaît comme la solution miracle: elle stimulera le commerce et l'industrie et permettra aux agriculteurs et aux exploitants forestiers d'écouler leur production. En 1869, le gouvernement Chauveau fait adopter une politique d'aide financière aux chemins de fer qui amènera l'État québécois à investir de fortes sommes pour appuyer des entreprises ferroviaires privées.

L'autre volet de la politique économique du gouvernement Chauveau concerne l'agriculture et la colonisation. Le ministère (« département ») de l'Agriculture est réorganisé, la création de sociétés de colonisation est encouragée, une loi est adoptée dans le but d'exempter de saisie les biens des nouveaux colons. L'État subventionne également la construction des chemins de colonisation.

La capacité d'intervention gouvernementale est cependant limitée par la faiblesse financière de l'État québécois. La première difficulté à laquelle doit faire face le gouvernement Chauveau est celle de l'excédent de la dette accumulée antérieurement à 1867. Tant que cette question n'est pas réglée, il n'ose pas effectuer d'emprunts importants. D'autre part, le gouvernement doit compter avec des revenus courants qui restent modestes même si, entre 1867 et 1874, une conjoncture économique favorable permet une hausse constante des revenus forestiers.

Pierre-Joseph-Olivier Chauveau, 1820-1890, premier ministre du Québec, 1867-1873.(Archives publiques Canada, C26721

Gédéon Ouimet, 1823-1905, premier ministre du Québec, 1873-1874. (Archives publiques Canada, C33234)

Aux élections de 1871, Chauveau remporte à nouveau la victoire et il peut compter sur l'appui d'environ 45 députés. Le lancement du Programme catholique n'a pas trop perturbé le cours des choses puisqu'un seul programmiste est élu. Il permet cependant le renforcement, au sein du parti conservateur, de l'aile ultramontaine qui s'oppose à Chauveau et, plus globalement, à l'école de Cartier. D'autres tensions, de nature régionale, et des luttes de personnalités amènent des tiraillements dans le parti et entraînent le départ de Chauveau en 1873. L'un de ses ministres, Gédéon Ouimet, lui succède à la tête du gouvernement. S'identifiant lui aussi à l'école de Cartier, il tient les ultramontains à l'écart du pouvoir.

Le gouvernement Ouimet poursuit les politiques du cabinet précédent, mais, profitant du règlement de la question de la dette, il peut renforcer les interventions économiques de l'État. Il négocie en Angleterre le premier grand emprunt québécois, d'un montant de $4 millions. Et surtout il fait adopter en 1874 une politique de subventions aux chemins de fer, qui vise en particulier à accélérer la réalisation des deux projets de chemins de fer sur la rive nord du Saint-Laurent.

Le cabinet Ouimet n'a guère le temps de mettre en oeuvre ses politiques puisque, dès 1874, éclate le scandale des Tanneries. D'habiles spéculateurs fonciers réussissent à convaincre le cabinet d'échanger un terrain appartenant à l'État, situé à Saint-Henri des Tanneries, en banlieue de Montréal, et

Charles Boucher de Boucherville, 1822-1915, premier ministre du Québec, 1874-1878 et 1891-1892. (Archives publiques Canada, C33234)

destiné à construire un hôpital. En retour, ils offrent un terrain qu'ils affirment être de valeur égale, mais qui en réalité vaut dix fois moins. L'affaire prend les proportions d'un scandale et force le cabinet Ouimet à démissionner. Selon l'historien Marcel Hamelin, un tel scandale illustre bien l'incurie qui caractérise l'administration québécoise et la corruption qui règne.

La chute de Ouimet n'entraîne pas la perte du pouvoir pour les conservateurs. Charles-Eugène Boucher de Boucherville, un conseiller législatif, prend la relève. Il forme un nouveau cabinet avec des hommes qui

Henri Gustave Joly, 1829-1908, premier ministre du Québec, 1878-1879. On le voit présentant un document au lieutenant-gouverneur Luc Letellier de Saint-Just. Archives publiques Canada, PA 26577)

n'avaient pas été mêlés au scandale. Le nouveau premier ministre fait adopter une importante réforme électorale qui introduit, entre autres, le scrutin secret, la mise en candidature par un bulletin de présentation et la tenue des élections le même jour dans toutes les circonscriptions.

Les élections de 1875 ont lieu sous le régime de la nouvelle loi électorale. Les conservateurs, qui ont atténué leurs querelles internes, conservent assez facilement le pouvoir. Dès 1875, le premier ministre de Boucherville fait adopter une réforme scolaire, après avoir longuement consulté les évêques. La principale mesure est l'abolition du ministère de l'Instruction publique.

Le système scolaire québécois sera désormais administré par un haut-fonctionnaire, qui n'a pas à rendre de comptes à l'Assemblée législative; son travail est contrôlé par le Conseil de l'Instruction publique et ses comités catholique et protestant. En adoptant cette loi, l'Assemblée législative se retire, en pratique, du champ scolaire. L'État cède ses prérogatives aux évêques et aux dirigeants protestants. C'est là une décision lourde de conséquences pour l'avenir du Québec.

Dans un autre domaine, le gouvernement de Boucherville est aux prises avec la grave crise économique qui frappe le Québec à compter de 1874. L'une des activités principales, l'exploitation forestière, est sérieusement affectée et les revenus qu'en tire l'État subissent une forte dégringolade en 1874-1875. Il en est de même pour les revenus de la vente des terres de la couronne.

Mais c'est la question ferroviaire qui retient l'attention des hommes politiques. En 1875, le gouvernement décide de prendre en mains la construction du Québec, Montréal, Ottawa et Occidental, sur la rive nord du Saint-Laurent et de l'Outaouais. Nous avons indiqué antérieurement le contexte de cette étatisation et l'importance de ce chemin de fer pour le développement économique du Québec. Cette décision attise les rivalités régionales. Les députés de la rive sud réclament une aide plus substantielle pour leurs chemins de fer qui sont aussi en difficulté; ils ont gain de cause en 1876. Cette politique amène l'État québécois à réaliser d'importants emprunts au moment où ses revenus ordinaires subissent une forte baisse. Le gouvernement doit imposer de nouvelles taxes; il compte également sur les subventions que plusieurs municipalités, dont Montréal et Québec, avaient promises pour le chemin de fer de la Rive-Nord. En 1877, une mésentente survient entre le gouvernement et les municipalités au sujet du tracé du chemin de fer dans la région de Montréal. Invoquant des raisons d'économie et d'efficacité, le gouvernement modifie le tracé initialement prévu. La plupart des municipalités, mécontentes de ce changement et refusant de payer leur quote-part, le gouvernement présente un projet de loi pour les y contraindre. À Montréal et à Québec, ainsi que dans d'autres municipalités, des assemblées de protestation ont lieu. Le parti libéral s'empare de l'affaire et attaque à fond de train le gouvernement.

C'est alors qu'entre en scène le lieutenant-gouverneur Luc Letellier de Saint-Just. Celui-ci est un libéral qui a été nommé à ce poste en 1876 par le gouvernement fédéral, alors dirigé par les libéraux. Letellier souhaite mettre un gouvernement libéral en selle à Québec. Il prend prétexte du projet de loi sur les municipalités et d'une absence de consultation entre lui et le premier ministre. Dans un geste d'une constitutionnalité douteuse, il renvoie, en mars 1878, le cabinet de Boucherville et appelle, pour le remplacer, le chef de l'opposition libérale, Henri-Gustave Joly. C'est ce qu'on a appelé le « coup d'État » de Letellier de Saint-Just.

Joly devient ainsi le quatrième premier ministre du Québec. Étant minoritaire à l'Assemblée législative, il ne peut gouverner et déclenche des élections dans l'espoir d'obtenir une majorité.

Chapleau et les castors (1879-1885)

Profitant du mécontentement provoqué par les politiques du gouvernement de Boucherville, Joly est en mesure d'améliorer la position des libéraux lors des élections de 1878. Il fait élire une trentaine de députés, mais cela reste insuffisant pour lui assurer la majorité. Quelques conservateurs indépendants acceptent de se ranger du côté de Joly, permettant à celui-ci de continuer à gouverner. Sa position est toutefois précaire: à la session de 1878, les projets de loi gouvernementaux ne sont adoptés qu'avec une voix de majorité. Des élections partielles tenues en 1879 lui permettent de porter à 4 cette majorité.

Joseph-Adolphe Chapleau, 1840-1898, premier ministre du Québec, 1879-1882. (Archives publiques Canada, PA25540)

Joseph-Alfred Mousseau, 1838-1886, premier ministre du Québec, 1882-1884. (Archives nationales du Québec, GH1172-24)

Le cabinet Joly est, lui aussi, aux prises avec les effets de la crise économique. Il pratique des coupures dans les dépenses publiques, supprimant certains postes et abolissant la police provinciale. Il doit également faire face, en juin 1878, à l'agitation ouvrière. Les entrepreneurs chargés de la construction des édifices de la législature, à Québec, veulent réduire les salaires de $0,60 à $0,50 par jour. Les ouvriers protestent en débrayant et gagnent à leur cause les autres travailleurs de la construction de la ville. Plusieurs manifestations ont lieu dans les rues de Québec. Le pillage d'un magasin par des grévistes amène un appel à l'armée. L'affrontement entre grévistes et soldats se solde par un mort et dix blessés.

Joly réussit à mener à terme la construction du Québec, Montréal, Ottawa et Occidental et à apaiser les tensions qui s'étaient manifestées autour du choix du tracé. Il fait face cependant à une forte opposition parlementaire, qui s'est donné comme chef Joseph-Adolphe Chapleau. À Ottawa, le parti conservateur reprend le pouvoir à l'automne 1878. Quelques mois plus tard, le gouvernement fédéral décide de destituer le lieutenant-gouverneur du Québec, Luc Letellier de Saint-Just, et de nommer à sa place un conservateur, Théodore Robitaille. De son côté, le Conseil législatif du Québec, formé en majorité de conservateurs, s'oppose au gouvernement Joly et refuse de voter les subsides. Quant à Chapleau, il réussit à convaincre cinq députés ministériels de changer de camp. À l'automne 1879, le gouvernement Joly est défait en chambre et doit céder sa place à un gouvernement conservateur dirigé par Joseph-Adolphe Chapleau.

Le cinquième premier ministre du Québec gouverne dans une conjoncture favorable. La crise se résorbe. Le début des années 1880 est témoin d'une relance économique stimulée par les investissements ferroviaires liés à la construction du Canadien Pacifique et par l'industrialisation consécutive à l'adoption du tarif douanier protectionniste de 1879.

L'activité financière du gouvernement est marquée par l'accès au marché français. Le Québec réalise en effet, en 1881, son premier emprunt en France, d'un montant de $4 millions. La principale institution concernée, la Banque de Paris et des Pays-Bas, décide également d'investir au Québec en créant le Crédit foncier franco-canadien. Chapleau est lui-même impliqué dans la création de cette société, dont l'objectif est de prêter aux cultivateurs, aux municipalités et aux fabriques.

Mais la grande question qui occupe l'administration Chapleau est certainement celle du chemin de fer gouvernemental. Chapleau nomme comme gérant de l'entreprise l'homme d'affaires Louis-Adélard Sénécal. Sa grande préoccupation est de vendre le chemin de fer qui coûte cher à l'État et qui a nécessité d'importants emprunts. Le gouvernement voudrait que le QMO & O devienne le maillon québécois du réseau du Canadien Pacifique. Mais cette dernière compagnie n'est intéressée au début qu'à la partie ouest, entre Ottawa et Montréal; elle en fait l'acquisition en 1882, alors que la partie est est vendue à un syndicat financier dirigé par Sénécal.

Les liens qui unissent Chapleau à Sénécal provoquent l'opposition de certains conservateurs, en particulier des ultramontains. À la suite du « coup d'État » de 1878, le parti conservateur avait refait son unité pour combattre le gouvernement Joly, mais l'arrivée au pouvoir de Chapleau ranime les hostilités. La tension entre les deux ailes atteint alors un sommet. Chapleau

Caricature montrant le premier ministre Chapleau cherchant à vendre au gouvernement fédéral le chemin de fer Québec, Montréal, Ottawa et Occidental. (*Canadian Illustrated News*, 22 novembre 1879)

écarte systématiquement les ultramontains du pouvoir et ceux-ci attaquent avec virulence la gestion du premier ministre. Pour régler le problème, Chapleau souhaiterait une coalition des « modérés » libéraux et conservateurs. Il entreprend même des négociations à ce sujet avec Honoré Mercier, mais elles n'aboutissent pas.

Les élections de 1881 permettent à Chapleau de renforcer ses positions dans le parti et à l'Assemblée. Une cinquantaine de députés conservateurs sont élus. À la suite de la vente du chemin de fer, en 1882, il décide de passer à la scène fédérale où il espère devenir le chef de file des députés canadiens-français. Chapleau devient aussitôt ministre dans le cabinet Macdonald, alors que le ministre fédéral Joseph-Alfred Mousseau effectue le cheminement inverse et devient premier ministre du Québec.

Mousseau est dominé par Chapleau; mais n'ayant pas l'envergure de celui-ci, sa position devient vite inconfortable. Le groupe ultramontain s'est aguerri et multiplie ses attaques contre l'équipe au pouvoir. Au delà du premier ministre, c'est le tandem Chapleau-Sénécal qui est mis en cause. Mousseau tente en vain d'en venir à une entente avec les ultramontains et, de guerre lasse, il démissionne au début de 1884.

Il est remplacé par John Jones Ross, lui-même assez près des ultramontains. La chute de Mousseau marque l'établissement d'un nouveau rapport de force au sein du parti conservateur et les ultramontains ont désormais leur place au cabinet. Du côté libéral, Honoré Mercier succède à Joly comme chef du parti en 1883.

John Jones Ross, 1833-1901, premier ministre du Québec, 1884-1887. (Archives publiques Canada, PA25376)

Louis-Olivier Taillon, 1840-1923, premier ministre du Québec pour quelques jours en 1887 et de 1892 à 1896. (Archives publiques Canada, C21904)

Mercier et l'affirmation de l'État québécois (1886-1891)

L'arrivée de Ross au pouvoir marque une accalmie. L'administration courante semble prendre le pas sur les grands projets. Ayant refait leur unité, les conservateurs disposent d'une forte majorité à l'Assemblée et ne se sentent guère menacés par les libéraux. Mais, dès 1885, un événement extérieur vient bouleverser la quiétude gouvernementale: le soulèvement des Métis du Nord-Ouest canadien, sous la direction de Louis Riel. La pendaison de ce dernier provoque des remous importants au Québec. Nous avons déjà signalé les conséquences de cet événement sur l'alignement des partis. Le parti conservateur du Québec subit le contrecoup de l'attitude du gouvernement fédéral, qui a refusé de commuer la peine de mort prononcée contre Riel. Honoré Mercier crée le Parti national formé en majorité de libéraux et d'un certain nombre de conservateurs.

Aux élections de 1886, Mercier exploite à fond l'affaire Riel et le Parti national remporte la victoire. Le parti conservateur tente de rester au pouvoir et de détacher de Mercier les conservateurs nationaux, mais sans succès. Dans une ultime manoeuvre, Ross démissionne et cède sa place à l'ultramontain Louis-Olivier Taillon. Celui-ci n'est premier ministre que pendant quatre jours. À l'ouverture de la session, en janvier 1887, il est défait en chambre et doit démissionner. Honoré Mercier devient alors premier ministre.

Le gouvernement de Mercier se caractérise par l'affirmation du nationalisme canadien-français. Ce thème avait été l'élément intégrateur permettant l'alliance entre les libéraux et les conservateurs nationaux. Il avait été le thème central de l'élection de 1886 et il marquera fortement l'action de Mercier comme premier ministre.

L'exaltation du nationalisme a pour corollaire un certain conservatisme socio-politique. Pour s'assurer l'appui des conservateurs nationaux, les libéraux ont dû mettre en veilleuse certains aspects plus radicaux de leur programme, en particulier les réformes dans le domaine scolaire et les mesures pouvant sembler accroître l'intervention étatique ou remettre en cause les institutions traditionnelles.

L'une des formes d'expression du nationalisme consiste à exiger d'Ottawa le respect de l'autonomie provinciale. Mercier le fait avec force, ce qui est assez nouveau dans la vie politique québécoise. Il convoque même à Québec, en 1887, la première conférence interprovinciale de l'histoire de la Confédération, à laquelle participent cinq premiers ministres des provinces.

La défense, par un premier ministre québécois, du nationalisme canadien-français et catholique suscite des réactions négatives chez les anglo-protestants du Québec et des autres provinces du Canada. On le voit dans l'agitation consécutive au règlement de la question des biens des jésuites, en 1888. Il s'agissait là d'une séquelle de la conquête. La couronne britannique avait saisi les biens ayant appartenu aux jésuites et affecté les revenus qui en découlent à des fins d'éducation. Le retour des jésuites au Québec, au milieu du 19e siècle, pose le problème de la rétrocession de ces biens, ou d'une compensation équivalente, à cette communauté religieuse. Or le clergé ne s'entend pas sur ce point.

Les évêques estiment que ces biens ne reviennent pas seulement aux jésuites mais à l'ensemble de l'Église catholique du Québec, pour des fins d'éducation. À cause de cette mésentente, les premiers ministres du Québec n'avaient pas réussi à régler la question. Mercier décide de négocier directement avec Rome. Il offre à l'Église catholique du Québec une compensation globale de $400 000 dont le partage, entre les jésuites et les autres institutions religieuses, sera décidé par le pape. Et pour faire accepter cette décision par la minorité, il offre $60 000 pour les universités et collèges anglo-protestants. Grand branle-bas chez les orangistes ontariens, où l'on s'offusque de voir le pape intervenir dans un pays britannique et où on estime que la minorité a été injustement traitée. Pour s'opposer à cette mesure, ils fondent l'Equal Rights Association qui prône l'unilinguisme anglais au Canada et qui déclenche en Ontario et au Manitoba une campagne anti-canadienne-française.

Honoré Mercier, 1840-1894, premier ministre du Québec, 1887-1891. (Archives publiques Canada, C3844)

Dans le domaine économique, le gouvernement Mercier lance un important programme de dépenses publiques qui entraînera une augmentation substantielle des emprunts: construction et macadamisation de routes, érection de ponts en fer, construction ferroviaire. On met en particulier l'accent sur la nécessité de compléter les chemins de fer dans les régions éloignées et les zones de colonisation. Le plus important est sans doute le chemin de fer Québec et Lac Saint-Jean inauguré jusqu'à Roberval en 1887 et qui atteindra Chicoutimi en 1893.

Cette implantation s'inscrit dans un objectif plus vaste d'améliorer le sort des populations vivant en région de colonisation et de faire en sorte que l'agriculture qui s'y pratique puisse devenir plus rentable et mieux intégrée aux marchés. C'est le sens de la nouvelle loi forestière adoptée en 1888 et qui vise à mieux séparer les territoires de colonisation des zones d'exploitation forestière. Mais le geste le plus spectaculaire de Mercier en ce domaine est sans doute d'élever la colonisation au rang de ministère avec la création d'un ministère de l'Agriculture et de la Colonisation. Qui plus est, il engage le célèbre curé Labelle comme sous-ministre de la Colonisation.

Dans son ensemble, l'action de Mercier prend l'allure d'une politique de grandeur, accompagnée d'un certain faste et de gestes d'éclat. Et, comme toute politique de grandeur, elle vise la reconnaissance extérieure. En cinq ans de pouvoir, Mercier se rend deux fois en France et à Rome, en plus de participer à un important congrès catholique qui se tient à Baltimore. Partout il est reçu avec de grands honneurs. La France, la Belgique et le Vatican lui décernent des décorations.

Le prestige et la popularité de Mercier s'accroissent et, aux élections de 1890, les libéraux obtiennent une nette majorité des sièges. Mais en quelques mois tout sera remis en question. La corruption s'est installée dans l'entourage du premier ministre et, en 1891, éclate le scandale de la baie des Chaleurs. L'entrepreneur chargé de construire le chemin de fer de la baie des Chaleurs a obtenu du gouvernement une subvention de $175 000 à laquelle il n'avait pas vraiment droit. Il l'a obtenue par l'intermédiaire d'Ernest Pacaud, trésorier du parti libéral, à qui il a versé $100 000. Cette somme a permis à Pacaud de payer les dettes de certains ministres. Même si une commission n'a pu établir que Mercier connaissait cette transaction, le lieutenant-gouverneur Auguste-Réal Angers renvoie le premier ministre et appelle de Boucherville à lui succéder.

La fin d'un régime (1891-1897)

De Boucherville est premier ministre pour la seconde fois. Comme les élections de 1890 avaient donné une forte majorité aux libéraux, il se retrouve face à une Assemblée qui lui est opposée. Il déclenche donc des élections qui ont lieu au début de 1892. Contre Mercier, les conservateurs exploitent à fond le scandale de la baie des Chaleurs et d'autres cas de corruption. La plupart des conservateurs nationaux se détachent de Mercier et retournent au bercail du parti conservateur. C'est la fin du Parti national, tel que le concevait Mercier. L'exploitation des scandales permet un renversement complet par rapport aux élections de 1890. Les conservateurs balaient le Québec et se retrouvent au pouvoir face à une opposition libérale décimée.

Ce retour massif des Québécois aux conservateurs constitue plus un accident de parcours qu'un véritable réalignement des forces. Le parti conservateur est engagé dans un processus de déclin. Les vieilles querelles reprennent entre ultramontains et modérés. Pendant ce temps, Wilfrid Laurier, chef des libéraux fédéraux, implante solidement son parti au

Québec et prépare la chute des conservateurs aux deux paliers de gouvernement.

Au Québec, de Boucherville, qui ne siège pas à l'Assemblée mais au Conseil législatif, ne reste qu'un an à la tête du gouvernement et, en 1891, cède sa place à Louis-Olivier Taillon. Venant à la suite de Mercier et de sa politique de grandeur, les administrations de Boucherville et Taillon paraissent assez ternes. L'heure est à la modestie dans les actions gouvernementales.

Edmund James Flynn, 1847-1927, premier ministre du Québec, 1896-1897. (Archives nationales du Québec, GH370-90)

Les deux premiers ministres oeuvrent dans une conjoncture qui ne leur est pas particulièrement favorable. La première moitié de la décennie 1890 est une période de faible croissance économique et, à cause des importantes dépenses réalisées par Mercier, les finances de l'État sont grevées lourdement. Les conservateurs doivent pratiquer une politique d'économie, supprimant certains postes, remettant à plus tard des travaux publics. Ils doivent aussi imposer de nouvelles taxes qui se révèlent fort impopulaires.

Comme d'autres l'ont fait avant lui, le gouvernement Taillon se tourne vers la France pour ses emprunts. En 1893, il renouvelle pour deux ans un emprunt à court terme qui avait été réalisé par Mercier en 1891. Il voudrait cependant le remplacer par un emprunt à long terme et négocie cette question en 1894. Le trésorier provincial, J.S. Hall, s'oppose à ce projet d'emprunt français. Hall représente au cabinet les grandes institutions financières de Montréal et il est très lié au groupe de la Banque de Montréal. Il favorise plutôt un emprunt sur le marché anglais et, devant l'opposition du premier ministre, il démissionne du cabinet. La presse anglophone mène une campagne contre Taillon et le conflit sur cette question financière prend vite une saveur ethnique. Il y a risque que les députés anglophones passent en bloc à l'opposition, mais le gouvernement réussit à parer cette menace.

Dans le domaine économique, les gouvernements de Boucherville et Taillon se caractérisent, selon l'historien Robert Rumilly, par l'accent mis sur le développement de l'agriculture: pas de gestes spectaculaires, mais plutôt un ensemble de mesures visant à épauler l'action de groupes régionaux et à améliorer la qualité des produits. La conversion de l'agriculture québécoise à la production laitière atteint une ampleur nouvelle dans les années 1890. L'État subventionne par exemple la création d'une école d'industrie laitière à Saint-Hyacinthe et il encourage la formation de cercles et de coopératives agricoles.

Les conservateurs du Québec sont affectés par les difficultés que connaît leur parti au niveau fédéral. À Ottawa, la mort de John A. Macdonald, les rivalités internes, la succession rapide des premiers ministres (5 en 5 ans) et surtout le débat autour de la question des écoles du Manitoba affaiblissent le parti. Aux élections fédérales de 1896, Taillon accepte de quitter son poste de premier ministre du Québec pour se lancer dans la lutte. Peine perdue, puisque Wilfrid Laurier, à la tête du parti libéral, remporte la victoire et devient le premier premier ministre fédéral d'origine canadienne-française depuis la Confédération. Au Québec, Edmund James Flynn succède à Taillon à la tête du gouvernement. Mais la victoire de Laurier et son emprise de plus en plus grande sur le Québec laissent présager la fin prochaine du régime conservateur au Québec. Un régime qui a dominé la scène politique québécoise pendant 30 ans. Flynn tente, avant les élections prévues pour 1897, d'améliorer l'image de son gouvernement, mais il ne parvient pas à contrer la vague de popularité de Laurier et des libéraux. Ceux-ci obtiennent les deux tiers des sièges et Félix-Gabriel Marchand devient premier ministre. L'élection de 1897 amorce un règne libéral qui durera sans interruption jusqu'en 1936.

Orientations bibliographiques

Bernard, Jean-Paul. *Les Rouges: libéralisme, nationalisme et anticléricalisme au milieu du XIXe siècle.* Montréal, PUQ, 1971. 394p.

Caya, Marcel. « Aperçu sur les élections provinciales du Québec de 1867 à 1886 », *Revue d'histoire de l'Amérique française,* 29, 2 (sept. 1975): 191-208.

Désilets, Andrée. « La succession de Cartier, 1873-1891 », *Communications historiques,* Société historique du Canada, (1968): 49-64.

Hamelin, Jean et al. *Aperçu de la politique canadienne au XIXe siècle.* Québec, Culture, 1965. 154p.

Hamelin, Jean et al. « Les élections provinciales dans le Québec », no spécial, *Cahiers de Géographie de Québec,* 4, 7 (oct. 1959 - mars 1960): 5-207.

Hamelin, Jean et Marcel Hamelin. *Les moeurs électorales dans le Québec de 1791 à nos jours.* Montréal, Éditions du Jour, 1962. 125p.

Hamelin, Marcel. *Les premières années du parlementarisme québécois (1867-1878).* Québec, PUL, 1974. 386p.

Laforte, Denis et André Bernard. *La législation électorale au Québec, 1790-1967.* Montréal, Éditions Sainte-Marie, 1969. 197p.

Neatby, H. Blair et John T. Saywell. « Chapleau and the Conservative Party in Quebec », *Canadian Historical Review,* 37, 1 (mars 1956): 1-22.

CHAPITRE 15

LE GOUVERNEMENT FÉDÉRAL ET LE QUÉBEC

Le nouveau régime, qui entre en vigueur le 1er juillet 1867, institue un système de gouvernement comprenant un palier fédéral et un palier provincial. Quelle sera l'attitude des Québécois en général et de leurs représentants face à ce nouveau système? Quelle sera la part d'influence accordée au Québec et aux Canadiens français dans le cadre de ces nouvelles institutions et dans l'orientation des décisions politiques?

LES QUÉBÉCOIS ET LES INSTITUTIONS FÉDÉRALES

Le régime ayant été conçu par des politiciens se réunissant à huis clos, il n'est pas surprenant que les Québécois francophones l'accueillent sans enthousiasme. Les premières élections fédérales n'ont rien d'un référendum sur la question et les électeurs paraissent plus intéressés à discuter de problèmes locaux que de questions constitutionnelles. Les rouges, dirigés par Dorion, appuyés par de jeunes nationalistes regroupés autour du journal l'*Union nationale* et du club Saint-Jean-Baptiste, ont été incapables depuis

1864 de soulever la population contre le projet fédéral. Les conservateurs, dirigés par George-Étienne Cartier et appuyés par les grands intérêts financiers de Montréal, par Londres et le clergé, maintiennent leur emprise sur le Québec et réussissent à y faire élire 45 députés sur 65. Aux élections provinciales qui se tiennent au même moment — ce qui n'ajoute pas à la clarté du débat —, les conservateurs obtiennent de meilleurs résultats encore, faisant élire 51 députés sur 65. La défaite des opposants est complète et ceux-ci se résigneront rapidement au fait accompli. La légitimité du nouveau système ne sera pas remise en cause pendant de très nombreuses années, sauf par quelques individus très marginaux. Il semble même que, pour la classe politique tout au moins, le grand gouvernement soit le fédéral. L'ascendance qu'exercent Cartier et Langevin sur le gouvernement Chauveau à l'époque du double-mandat ou l'attitude d'un Chapleau qui démissionne de son poste de premier ministre à Québec pour devenir simple ministre à Ottawa en sont les indices.

Certes, le gouvernement fédéral dispose d'importants pouvoirs et de non moins importantes ressources financières, et il est seul susceptible, croit-on, de protéger les minorités françaises et catholiques hors du Québec. Quant aux anglophones du Québec, pour eux aussi, la grande scène politique est à Ottawa. Cependant, ils ne négligent pas la politique québécoise et ils veillent à défendre vigoureusement les intérêts financiers des milieux d'affaires et leurs droits en matière d'éducation. D'ailleurs le vocabulaire politique utilisé est significatif quant à la hiérarchie entre les deux niveaux de gouvernement. Le premier ministre fédéral porte le titre de *prime minister* tandis que celui du Québec est le *premier*, la Chambre basse fédérale porte le nom de *House of Commons*, comme à Londres, tandis que celle des provinces est une Assemblée législative, de même le représentant de la couronne à Ottawa est gouverneur général tandis qu'à Québec il est lieutenant-gouverneur, à Ottawa il y a un parlement et à Québec une législature, etc.

Les Québécois francophones ne boudent pas le nouveau régime même si celui-ci implique une diminution de leur influence à Ottawa. Sous le régime de l'Union, le Bas-Canada avait le même nombre de députés que le Haut-Canada ainsi que le même nombre de conseillers législatifs. Avec la Confédération, le Québec voit son importance relative diminuer. À la Chambre des communes, le principe de la représentation est strictement proportionnel à la population de chaque province. C'est ainsi que l'Ontario obtient 82 sièges contre les 65 accordés au Québec en 1867, et 92 contre 65 en 1896. Cette situation s'aggrave avec l'entrée de nouvelles provinces dans la fédération, puisqu'en 1867 le Québec a 65 sièges sur 181 et en 1896 il en a toujours 65 sur 213. Au Sénat, la représentation est régionale et le Québec, comme l'Ontario, dispose de 24 postes. Mais en 1867, il y a au total, 72 sénateurs et en 1896, il y en a 81.

Il est à noter toutefois que, même sous l'Union, les Canadiens français étaient minoritaires. En effet, les anglophones du Bas-Canada faisaient toujours élire un certain nombre des leurs dans les deux Chambres. Au lendemain de la Confédération, une quinzaine de députés du Québec à Ottawa sont anglophones, sans compter un certain nombre de sénateurs. Mentionnons cependant qu'avec le nouveau régime, les Canadiens français du Québec disposent majoritairement d'un gouvernement provincial.

Dans un système parlementaire, le cabinet et surtout le premier ministre jouissent d'un pouvoir considérable. À ce niveau, le régime fédéral apporte d'importants changements. Sous l'Union, le Cabinet était dirigé conjointement par un Canadien anglais et un Canadien français d'où les ministères Baldwin-LaFontaine, Brown-Sicotte, Macdonald-Cartier, etc. Au lendemain de la Confédération, Lord Monck, le gouverneur général, en s'adressant uniquement à J.A. Macdonald pour former le cabinet rompt définitivement avec cette tradition importante. De plus, le Québec n'a droit qu'à quatre postes au ministère, dont un est réservé à un anglophone. Les Canadiens français hors Québec ne sont pas représentés; au lieu d'un minimum de quatre ministres canadiens-français du Québec comme au temps de l'Union, il n'y en a plus que trois sur un total de treize ou quatorze. C'est ainsi que, dans la période 1867-1896, les Québécois francophones obtiennent environ 21% à 25% des postes. Généralement, ils occupent des ministères secondaires: secrétariat d'État, ministère du Revenu ou encore des portefeuilles où le « patronage » est important, tels les Travaux publics, les Postes ou l'Agriculture.

LE POIDS DE LA POLITIQUE FÉDÉRALE

Le gouvernement fédéral exerce son emprise sur le Québec non seulement par des moyens constitutionnels et financiers mais aussi par des moyens politiques. Le système bipartite tel qu'il fonctionne est extrêmement efficace à ce point de vue. Les partis libéral et conservateur sont des partis à la fois canadiens et provinciaux. Le personnel politique des deux niveaux de gouvernement est étroitement associé. Sous l'Union — en particulier dans les années 1840 —, les Canadiens français constituaient un groupe assez homogène et assez nombreux pour bloquer pratiquement le fonctionnement des institutions parlementaires. Le gouverneur Elgin était fort conscient de ce phénomène et il avait expliqué à Londres que les institutions fonctionneraient bien lorsque les Canadiens français se partageraient entre les deux principaux partis (tory et réformiste). Malgré tout, dans les années 1850 et 1860, même si les Canadiens français militent dans les deux partis, les conservateurs canadiens-français sont toujours assez nombreux pour peser très lourdement sur le fonctionnement du gouvernement. Avec la Confédération, un bloc de 35 ou 40 députés sur 181 peut toujours menacer le gouvernement, mais il n'a plus la force d'antan. Il est arrivé à l'occasion que les députés francophones du Québec exercent assez de pression pour arracher une décision qui leur était favorable, comme par exemple le renvoi du lieutenant-gouverneur Letellier après le « coup d'État », ou encore quelques millions de dollars pour le chemin de fer QMOO. Mais généralement les députés francophones sont divisés d'abord entre les deux partis, ensuite selon les régions, de même que par des conflits d'intérêts et de personnalités. La plupart du temps, le gouvernement arrive à leur imposer la ligne du parti, car leur réélection en dépend. Au niveau provincial, le même système partisan existe et les députés évitent de critiquer leurs vis-à-vis fédéraux de peur de nuire au parti. Dans le cas du Québec, où les conservateurs sont presque toujours au pouvoir à Ottawa et à Québec, contrairement aux autres provinces, le système partisan est extrêmement efficace pour maintenir la paix entre le fédéral et le provincial.

De 1867 à 1873, le système du double mandat, qui permettait à un député de siéger à la fois à Ottawa et à Québec, joue d'emblée en faveur de la domination des fédéraux. Le premier gouvernement Chauveau en particulier était accusé d'être inféodé au gouvernement fédéral par l'intermédiaire de Cartier et de Langevin, simples députés à Québec mais ministres influents à Ottawa. L'abolition de ce système de double mandat rendra la tutelle fédérale moins visible mais les partisans et les organisations sont les mêmes aux deux niveaux.

LES RELATIONS INTERGOUVERNEMENTALES

De 1867 à 1896, le rêve de Macdonald et de la plupart des « Pères de la Confédération » de voir s'édifier un État de plus en plus centralisé sera mis à rude épreuve. Pendant ces 30 premières années, les provinces réussissent en effet à affirmer leurs personnalités face au gouvernement central qui se voit contraint de freiner ses ambitions centralisatrices.

Le cadre général

L'immensité et la diversité du nouveau pays rend un fédéralisme moins centralisateur nécessaire. Et cela d'autant plus que les anciennes colonies réunies au sein de la confédération ont de solides traditions autonomistes et elles ne se reconnaissent pas de forte loyauté à l'égard de cette nouvelle entité politique qu'est le dominion du Canada. Les tensions ethniques et religieuses qui déchirent le pays rendent son unification encore plus difficile. La conjoncture économique défavorable de 1873 à 1896 accroît le mécontentement des provinces fort insatisfaites des ententes conclues en 1867, lesquelles ne leur laissent que de maigres ressources.

L'évolution vers un fédéralisme plus décentralisé sera confirmée et appuyée par le Conseil privé de Londres qui sert de tribunal de dernière instance en matière constitutionnelle. Le Conseil privé, à travers ses jugements, appuie les vues autonomistes des dirigeants provinciaux et sans doute de leur électorat, qui s'identifie plus facilement à la province qu'au gouvernement central.

Dès les premières élections fédérales, en 1867, la Nouvelle-Écosse exprime vigoureusement son opposition au nouveau régime qui lui fait perdre l'autonomie dont elle jouissait: sur ses 18 députés, 17 sont opposés à la Confédération. Il faudra le veto de Londres et une augmentation des subventions pour mettre un terme à son désir de sécession. Malgré tout, en 1886, le gouvernement Fielding menace à nouveau de séparer la Nouvelle-Écosse du Canada qu'il tient responsable des difficultés économiques de la province.

Dans l'Ouest, la situation n'est guère plus satisfaisante pour le gouvernement central. Le Manitoba et la Colombie britannique sont mécontents de la stagnation qui les afflige et de la politique ferroviaire d'Ottawa qui freine leur développement. Au delà des problèmes économiques de l'Ouest, il y a celui des Métis et des Indiens, dont bon nombre, dirigés par Riel, prendront les armes à deux reprises contre Ottawa. Ces deux rébellions se répercuteront sur les rapports entre Canadiens français et Canadiens anglais et placeront le gouvernement fédéral dans une situation difficile. De même la question des écoles du Nouveau-Brunswick et, plus tard, celle des écoles du Manitoba montrent à l'envi que le fédéralisme ne constituait pas une solution miracle aux problèmes ethniques. Le gouvernement fédéral sera contraint, par la majorité, à ne pas intervenir efficacement dans ces conflits et cela favorisera indirectement l'autonomie des provinces. Le prestige du gouvernement fédéral s'en trouvera affaibli, du moins aux yeux des Canadiens français du Québec et des autres provinces.

Pour comble, même la province la plus riche et la plus influente du pays s'oppose vigoureusement aux vues centralisatrices d'Ottawa. De 1867 à 1896, c'est l'Ontario qui prend la tête du combat pour l'autonomie provinciale. Dès 1868, les libéraux, qui sont dans l'opposition, dénoncent les manoeuvres centralisatrices des conservateurs fédéraux. Certes, ils sont en faveur de la Confédération, mais ils rappellent vigoureusement que le fédéralisme est à la fois union et séparation. Une des raisons primordiales qui avait amené l'Ontario à appuyer la Confédération, c'était le désir de contrôler ses affaires

Caricature illustrant la centralisation fédérale au temps de John A. Macdonald. (J.W. Bengough, *A Caricature History of Canadian Politics*, Archives publiques Canada, C78864)

locales et d'éviter ce qu'ils appelaient la « French Domination ». De plus, l'Ontario étant la province la plus riche, elle est, même dans les années difficiles, relativement indépendante d'Ottawa. Les Ontariens sont conscients que plus le fédéral élargit ses pouvoirs et augmente ses dépenses, plus ils devront payer pour les autres provinces moins fortunées. Lorsque la province est dirigée par le libéral Oliver Mowat, de 1872 à 1896, celui-ci conteste à maintes reprises et avec succès les décisions du fédéral, soit devant ses électeurs qui lui restent fidèles, soit devant le plus haut tribunal de l'Empire, le Conseil privé de Londres.

L'AANB étant particulièrement obscur, les tribunaux sont appelés à jouer un rôle important en matière d'interprétation. Dans une série de jugements, en particulier de 1883 à 1896, le Conseil privé donne une interprétation très favorable à ceux qui défendent l'autonomie des provinces. La cour s'oppose à l'idée que les provinces — dans les domaines que leur attribue la constitution — soit subordonnées au fédéral. Les juges écrivent en 1883: « Dans les limites des sujets précités (article 92) la législature locale exerce un pouvoir souverain, et possède la même autorité que le parlement impérial ou le parlement du Dominion aurait, dans des circonstances analogues ».

Cette théorie de la souveraineté des provinces dans leur sphère de juridiction en viendra, par la force des choses, à limiter le droit de désaveu du fédéral et même à limiter sérieusement le caractère général du préambule de l'article 91, qui autorise le gouvernement fédéral à légiférer en faveur de la paix, de l'ordre et de la bonne administration. Le Conseil privé estime qu'il faut limiter rigoureusement les pouvoirs du gouvernement fédéral, en particulier lorsqu'il s'agit des pouvoirs résiduaires ou lorsque le fédéral invoque la dimension nationale de certains problèmes locaux. Autrement, estime le Conseil, cela « détruirait en pratique l'autonomie des provinces ». Dans le même ordre d'idée, le tribunal reconnaît que le lieutenant-gouverneur représente directement la couronne dans les provinces et qu'il n'est pas un simple fonctionnaire d'Ottawa. C'est dire que les parlements provinciaux ne sont pas de simples conseils municipaux.

Au delà de l'aspect partisan qui amène des premiers ministres libéraux à joindre l'utile à l'agréable en combattant les conservateurs de Macdonald, au delà de la question du « patronage » — si important pour être réélu —, la lutte pour l'autonomie provinciale répond au particularisme marqué des diverses régions du nouveau pays, qui pousse dans le sens de la décentralisation.

En 1896, la constitution est toujours la même, mais l'interprétation qui en a été donnée a modifié sensiblement l'équilibre entre le fédéral et les provinces. Les gouvernements provinciaux seuls, ou coalisés comme à l'occasion de la première conférence interprovinciale de 1887, ont réussi, avec l'appui de leur électorat, à s'assurer une certaine autonomie qui est dans la logique du système fédéral.

Le cas québécois

Dans la période 1867-1896, tous les politiciens francophones du Québec sont, en principe, en faveur de l'autonomie provinciale; mais, en pratique, à l'exception d'Honoré Mercier, ils feront peu pour l'avancement de cette cause. Le facteur déterminant des relations fédérales-provinciales est l'esprit partisan qui anime aussi bien les conservateurs que les libéraux. Pendant les 30 premières années, sauf de 1873 à 1879 et de 1887 à 1891, les conservateurs sont au pouvoir à Ottawa et à Québec. Les conservateurs provinciaux sont dominés par leurs collègues fédéraux et ils n'osent rien faire qui pourrait nuire à l'aile fédérale de leur parti. Les libéraux sont tout aussi partisans et ils défendent la cause autonomiste lorsqu'elle coïncide avec leur intérêt étroitement politique.

Le Québec, contrairement à l'Ontario, est dans une situation précaire au point de vue financier et, partant, s'avère plus dépendant d'Ottawa et moins sensible à la question des droits provinciaux. C'est ainsi qu'au lendemain de la Confédération, le Québec abandonne à toutes fins utiles sa politique d'immigration, laissant le champ libre à Ottawa. Le premier ministre Macdonald, en faisant un minimum de concessions sur le plan financier (règlement de la dette Québec-Ontario, subventions pour le QMOO), empêche le problème de l'autonomie de se poser avec force au Québec. Les conservateurs provinciaux soutiennent qu'en obtenant d'Ottawa plus d'argent pour le Québec, ils évitent de recourir à l'imposition de taxes directes et défendent efficacement l'autonomie. Même George-Étienne Cartier, qui réalisait que l'acquisition d'un gouvernement provincial dominé par les francophones du Québec constituait pour eux un progrès politique par rapport au régime unitaire de l'Union, n'en soutenait pas moins que ce gouvernement provincial aurait l'avantage d'être peu coûteux et qu'il n'aurait pas à recourir aux taxes directes car il serait largement subventionné par Ottawa. Il faudra attendre une quinzaine d'années pour entendre un autre point de vue, celui d'Honoré Mercier. Allant à contre-courant, Mercier soutient que « le jour où il faudra compter fatalement et inexorablement avec le gouvernement d'Ottawa comme notre seule ressource pour nous tirer des embarras financiers dans lesquels on se trouve, ce jour-là marquera notre déchéance nationale ».

Non seulement les Québécois francophones perçoivent-ils le gouvernement fédéral comme le « grand » gouvernement, mais ils comptent sur lui pour assurer la protection des droits religieux et scolaires des minorités canadiennes-françaises hors du Québec, alors que plusieurs anglophones du Canada s'opposent à l'intervention fédérale au nom de l'autonomie provinciale. Les querelles ethniques et l'impuissance d'Ottawa à régler ces problèmes amènera progressivement les Québécois francophones à se tourner davantage vers le gouvernement du Québec. C'est avec Honoré Mercier que l'autonomie provinciale deviendra l'expression politique du nationalisme.

Cette attitude nouvelle est en gestation depuis des années. Les libéraux, étant presque toujours dans l'opposition, en profitent pour attaquer le gouvernement sur son inféodation aux conservateurs fédéraux en général. Ils dénoncent avec vigueur le double mandat. Wilfrid Laurier déclare à ce propos: « avec le simple mandat, Québec est Québec; avec le double mandat, ce n'est plus qu'un appendice d'Ottawa ». Dans ce cas, comme dans l'affaire

Les participants à la conférence interprovinciale de 1887 à Québec. (Archives publiques Canada, C11583)

du « coup d'État » de Letellier de Saint-Just, les libéraux se portent à la défense de l'autonomie provinciale. Il est vrai que cela coïncide avec leur intérêt partisan et qu'en d'autres circonstances, lorsqu'ils seront au pouvoir à Ottawa, ils seront moins autonomistes.

Le seul qui semble avoir une pensée autonomiste articulée, encore qu'elle ne soit pas tout à fait exempte de partisannerie, est Honoré Mercier, premier ministre de 1887 à 1891. Mercier s'inspire des thèses du juge Loranger qui reprend lui-même les idées qui ont cours en Ontario. Selon le juge Loranger, dans ses *Lettres sur l'interprétation de la Constitution*, les provinces ne sont pas subordonnées au fédéral, car chaque niveau de gouvernement est souverain dans son domaine de juridiction. De plus, selon lui, le gouvernement fédéral a été créé par les provinces, lesquelles ne lui ont cédé que quelques pouvoirs pour des fins interprovinciales. Mercier reprend ces idées pour étayer sa défense de l'autonomie.

À cette argumentation juridique, il juxtapose souvent une argumentation plus nationaliste. L'affaire Riel lui a permis d'insister davantage sur cette dimension. Il soutient notamment que, pour défendre leurs droits, les Canadiens français doivent s'unir au delà des lignes de parti et même former un parti national. Plus profondément, il est amené à dire que les droits des Canadiens français ne sont assurés qu'au Québec. Devenu premier ministre, il s'efforce d'exalter la fierté de ses compatriotes et il insiste, dans ses discours, sur le caractère français et catholique du Québec.

Cependant, ni Mercier ni aucun autre premier ministre du Québec de la période ne remettent en cause le fédéralisme comme tel. C'est pourquoi Mercier — avec le premier ministre Mowat — peut convoquer en 1887 à Québec la première conférence interprovinciale à laquelle refuse de participer le gouvernement fédéral. Les deux principales demandes des provinces sont le rajustement des subsides versés aux provinces et la limitation du droit de désaveu du gouvernement central. Même si la conférence ne semble pas avoir eu un grand impact sur le gouvernement fédéral, celui-ci doit prendre note de la possibilité d'un front commun contre sa politique.

De 1867 à 1896, dans le combat pour l'autonomie provinciale, le Québec est à la remorque de l'Ontario. Cependant, les conflits ethniques et religieux qui marquent la période ont pour effet d'exacerber le nationalisme canadien-français et, par ce biais, d'amener les Québécois francophones à pressentir quelque peu l'importance de leur gouvernement provincial.

Orientations bibliographiques

Bonenfant, Jean-Charles. *La naissance de la Confédération.* Montréal, Leméac, 1969. 155p.

Brunet, Michel. *Québec/Canada anglais. Deux itinéraires, un affrontement.* Montréal, HMH, 1968. p. 231-286.

Conférences fédérales-provinciales et conférences interprovinciales, 1887 à 1926. Ottawa, Imprimeur du roi, 1951. 112p.

Cook, Ramsay. *L'autonomie provinciale, les droits des minorités et la théorie du pacte, 1867-1921.* Étude no 4 de la Commission royale d'enquête sur le bilinguisme et le biculturalisme, Ottawa, Imprimeur de la reine, 1969. 82p.

Gibson, Frederick W. *La formation du ministère et les relations biculturelles.* Étude no 6 de la Commission royale d'enquête sur le bilinguisme et le biculturalisme, Ottawa, Imprimeur de la reine, 1970. 202p.

Hamelin, Marcel. *Les premières années du parlementarisme québécois (1867-1878).* Québec, PUL, 1974. 386p.

Lamontagne, Maurice. *Le fédéralisme canadien.* Québec, PUL, 1954. 298p.

Moore, A. Milton et al., *Le financement de la fédération canadienne.* Toronto, Association canadienne d'études fiscales, 1966. 164p.

Morison, J.-C. « Oliver Mowat and the Development of Provincial Rights in Ontario: A Study in Dominion - Provincial Relations, 1867-1896 », *Three History Theses*, (Toronto, The Ontario Department of Public Records and Archives, 1961). 308p.

Rapport de la Commission royale d'enquête sur les problèmes constitutionnels, Québec, 1956. 4 vol. (Rapport Tremblay)

Rapport de la Commission royale des relations entre le Dominion et les provinces. Volume I: *Canada: 1867-1939*, Ottawa, 1940. 285p. (Rapport Rowell-Sirois)

Smiley, Donald V. *The Canadian Political Nationality.* Toronto, Methuen, 1967. 142p.

D. CULTURES ET IDÉOLOGIES

CHAPITRE 16
DE NOUVEAUX THÈMES

L'existence dans une société comme le Québec de groupes divers — qu'il s'agisse de classes sociales, d'ethnies ou encore de groupes particuliers comme le clergé — peut donner naissance à des idéologies distinctes, parfois convergentes, parfois opposées. N'étant pas toutes formulées avec la même rigueur et n'ayant pas toutes la même diffusion, la tentation est forte pour l'historien de s'en tenir à celles qui ont la forme extérieure la plus articulée. C'est le cas au Québec, où on a mis l'accent sur l'opposition entre les libéraux les plus radicaux et les ultramontains les plus réactionnaires. L'historiographie a longtemps caractérisé les dernières décennies du 19e siècle comme étant celles d'une idéologie dominante, dite de conservation ou clérico-nationaliste, formulée par le clergé et les élites en place, mettant l'accent sur le caractère catholique, français, rural et conservateur de la société canadienne-française. Les recherches les plus récentes ont commencé à battre en brèche cette vision des choses et permettent de constater que le paysage idéologique n'a pas cette simplicité limpide.

Pour y voir plus clair, nous avons choisi d'examiner d'abord certains thèmes et de comparer, pour chacun d'eux, les positions des groupes en présence. Nous aborderons successivement trois composantes majeures de ces idéologies: leur vision des structures socio-économiques, leur conception de l'ordre social et politique et leur définition de la nation et du nationalisme. Nous tenterons ensuite de voir comment ces éléments se regroupent au sein des courants idéologiques.

IDÉOLOGIES ET STRUCTURES SOCIO-ÉCONOMIQUES

Pour bien comprendre la première composante, il faut se rappeler quelques éléments du contexte économique du dernier quart de siècle: un Québec avec une population à forte majorité rurale et agricole qui cherche à améliorer son sort en émigrant vers la ville ou vers l'étranger; une société où se développe le système capitaliste, que ce soit dans l'exploitation des richesses naturelles ou dans la production industrielle.

La toile de fond: le libéralisme économique

Au Québec comme ailleurs, en cette seconde moitié du 19e siècle, l'idéologie montante est certainement celle du libéralisme économique. Elle met plus l'accent sur l'individu que sur la collectivité et voit le progrès de la société comme la somme des réussites individuelles. La propriété et l'entreprise privées sont donc particulièrement valorisées. Les tenants de l'idéologie libérale s'opposent à tout ce qui peut sembler être une orientation de type socialiste et en particulier au syndicalisme et à l'action collective des travailleurs. Le libéralisme met également de l'avant l'idée de progrès, qui est à la fois nécessaire et bénéfique. Le développement économique, en particulier, est synonyme de progrès. On trouve à l'époque de nombreuses affirmations sur la nécessité de susciter de nouveaux investissements, de stimuler la production et les échanges, de développer l'agriculture, le commerce et l'industrie. L'idéologie libérale valorise l'effort individuel, le travail et l'éducation: elle soutient que le succès et la richesse sont accessibles à tous, à condition de travailler fort et avec persévérance. Il y a une place au soleil pour tout le monde; il suffit de la prendre. La validité de ce principe est attestée par les nombreuses *success stories*, les récits de la vie de ces immigrants pauvres ou de ces fils de cultivateurs qui, grâce à leur énergie et à leur talent, deviennent de grands hommes d'affaires riches et respectés.

Le libéralisme économique est l'idéologie de la bourgeoisie. Parce qu'elle domine l'activité économique, c'est d'abord la bourgeoisie anglophone qui l'exprime avec le plus de force et la presse anglo-montréalaise en est certainement le véhicule le plus important. Ajoutons-y les rapports du Board of Trade et ces nombreuses publications à la gloire du développement économique et du progrès matériel qui paraissent tout au cours de la période.

La bourgeoisie francophone n'est pas en reste et partage de plus en plus cette idéologie. S'y ajoute, dans son cas, l'idée du rattrapage. Il faut que les hommes d'affaires canadiens-français aient leur place au soleil, qu'ils obtiennent leur part du gâteau. Ce n'est évidemment pas une quelconque intervention de l'État qui leur donnera cette place, mais le travail et l'effort individuel; ce qui ne les empêche pas de réclamer eux aussi leur part de l'appui généreux que les trois paliers de gouvernement donnent à l'entreprise privée. Marcel Hamelin a bien montré comment le personnel politique québécois, entre 1867 et 1896, exprime avec force l'idéologie du libéralisme économique. La presse d'affaires francophone qui se développe dans les dernières décennies du siècle et qu'a étudiée l'historien Yves Saint-Germain, véhicule les mêmes idées. Les biographies d'hommes d'affaires et les études d'entreprises qui paraissent dans les journaux et les publications spécialisées sont l'occasion de souligner l'importance de l'effort personnel et de la persévérance, récompensés par le succès et la fortune. La bourgeoisie francophone, tout comme ses porte-parole politiques, souhaite un développement économique complet du Québec et appuie les progrès de l'agriculture.

Une résistance physiocratique: l'agriculturisme

Certains éléments, parmi les groupes dirigeants, ne partagent pas cette vision optimiste de l'avenir et cette recherche du progrès matériel. Ils voient s'effriter les anciennes structures socio-économiques: la primauté de la société rurale est remise en cause et des milliers d'agriculteurs québécois quittent définitivement la terre pour s'installer dans les villes, que ce soit au Québec ou aux États-Unis. Cette situation provoque une réaction physiocratique parfois bruyante désignée sous le nom d'agriculturisme.

En cette fin du 19e siècle, l'agriculture occupe encore une majorité de Québécois et elle tient une place importante dans les projets de société. Mais alors que les hommes d'affaires parlent en termes d'amélioration de la production, de spécialisation et d'accès aux marchés, les agriculturistes parlent de traditions, de valeurs morales, de modes de vie et s'expriment en termes théologiques. Pour l'historien Michel Brunet, « l'agriculturisme est avant tout une façon générale de penser, une philosophie de la vie qui idéalise le passé, condamne le présent et se méfie de l'ordre social moderne. C'est un refus de l'âge industriel contemporain qui s'inspire d'une conception statique de la société ». Les penseurs agriculturistes voient dans l'agriculture le mode de vie idéal où l'homme s'épanouit en relation avec Dieu et la nature. Ils décrivent la ville comme un lieu de perdition où la simplicité des moeurs cède la place au luxe et où l'ex-agriculteur perd son indépendance économique. Ils voudraient ralentir le processus d'industrialisation et enrayer l'exode rural par la colonisation agricole.

Le clergé catholique est le principal groupe parmi les tenants de l'agriculturisme. Le conservatisme profond qui marque l'ensemble de l'Église catholique au 19e siècle explique cette résistance au changement. La société rurale correspond à l'idéal catholique et c'est là que peut le mieux s'exercer le contrôle spirituel et moral du clergé. Le curé de campagne dirige ses ouailles et ne doit partager son pouvoir qu'avec quelques notables; dans les villes, il ne peut pas exercer aussi facilement la même influence. Il y a donc là une question de pouvoir. Peut-on parler aussi des bases matérielles de ce pouvoir? L'Église a d'importants investissements dans les campagnes qui peuvent paraître menacés par l'exode rural. Ce n'est là qu'une hypothèse, puisque les activités économiques de l'Église et du clergé n'ont guère été étudiées par les historiens. Ajoutons enfin que les clercs agriculturistes voient dans le caractère rural une dimension essentielle de la nation canadienne-française, qui est définie à la fois comme catholique, française et rurale.

Les agriculturistes ne se recrutent pas seulement au sein du clergé. Des intellectuels laïcs, des agriculteurs, des représentants de la petite et moyenne bourgeoisie adhèrent à ce courant. Mais il est évident que la bourgeoisie québécoise dans son ensemble n'accepte pas les thèses agriculturistes, qui sont une négation du libéralisme économique. Elle n'accepte pas de freiner l'industrialisation et le développement du capitalisme, de ralentir le progrès matériel. Marcel Hamelin a bien montré que les premiers parlementaires québécois ont parlé d'agriculture en termes économiques et que leur discours n'a rien d'agriculturiste. Les subventions qu'ils accordent à l'agriculture et à la colonisation répondent à des impératifs économiques et aussi à des considérations électorales puisque les ruraux sont la majorité des électeurs. Prétendre que les classes dirigeantes québécoises ont adhéré unanimement et sans réserve à l'agriculturisme ne paraît pas correspondre à l'expérience historique. Certes, le clergé représente une force et la bourgeoisie au pouvoir compose avec lui, mais pas au prix d'une édulcoration du libéralisme économique. Les concessions qui sont faites au clergé relèvent plutôt du champ du contrôle social.

Une résistance égalitaire: l'idéologie ouvrière

Les dernières décennies du 19e siècle sont aussi témoin de la formation d'une idéologie distincte des deux premières, émanant du mouvement ouvrier. Il s'agit d'une idéologie égalitaire, qui est formulée principalement par les Chevaliers du travail, dans les années 1880 et 1890, et qui remet en cause certains postulats du libéralisme économique. Les Chevaliers du travail ne s'opposent pas à l'industrialisation et au progrès technique. Ils constatent cependant que, contrairement à ce que prétendent les tenants de l'idéologie libérale, les chances ne sont pas égales pour tous et que le travail soutenu n'est pas généralement récompensé par le succès et la fortune. Le système capitaliste conduit surtout à l'exploitation du travail par le capital. Les chevaliers veulent une juste redistribution de la richesse créée par les travailleurs et proposent de remplacer le système du salariat par un système coopératif.

Le porte-parole le plus connu des chevaliers est Alphonse Télésphore Lépine, élu député d'un quartier ouvrier montréalais en 1888. Cette idéologie égalitaire demeure cependant marginale au Québec: les Chevaliers du travail sont concentrés à Montréal et ils ne disposent pas d'une presse qui leur permette de diffuser les idées au delà des cercles syndicaux.

Une version édulcorée de l'idéologie égalitaire sera formulée par les syndicats de la Fédération américaine du travail, à compter des années 1890. La FAT ne remet pas en cause le capitalisme et le libéralisme économique: elle cherche seulement à assurer aux travailleurs une meilleure part des profits. Elle constate que le système aboutit à la concentration du capital et, pour y répondre, elle préconise de remplacer l'action individuelle par la concentration des travailleurs et la négociation collective. Quant aux versions plus radicales de l'idéologie égalitaire — socialisme ou communisme — elles sont pratiquement absentes au Québec, du moins au sein des groupes organisés.

IDÉOLOGIES ET ENCADREMENT SOCIO-POLITIQUE

Les clivages idéologiques présentent une allure quelque peu différente, quand on les considère sous l'angle de l'encadrement socio-politique. La société québécoise de la fin du siècle est caractérisée par un conservatisme généralisé que certains voudraient même accentuer. Quant au radicalisme, il est nettement marginal.

Un conservatisme généralisé

Les historiens s'entendent assez facilement sur le profond conservatisme de la bourgeoisie canadienne dans les dernières décennies du 19e siècle. Cela est particulièrement manifeste dans l'attitude des hommes d'affaires et du personnel politique face aux problèmes sociaux créés par l'industrialisation. On ne dénote chez eux aucune volonté de modifier la situation et de s'adapter aux nouvelles réalités sociales. Le Canada est toujours à la remorque des États-Unis et de l'Angleterre en ces domaines et le sort réservé aux recommandations de la Commission d'enquête sur les relations entre le capital et le travail illustre bien l'état d'esprit des groupes dirigeants. Une autre manifestation de ce conservatisme est la force que conservent les traditions religieuses et familiales. La société canadienne maintient encore bien intactes à la fin du siècle les divisions religieuses qui, ailleurs, ont commencé à s'effriter.

Au Québec, le conservatisme est accentué par la présence d'un clergé catholique puissant et bien structuré. Celui-ci est perçu comme un facteur de stabilité pouvant assurer l'ordre social. On n'est donc pas surpris de voir l'alliance qui s'établit entre la bourgeoisie, tant francophone qu'anglophone, et le clergé. Les entrepreneurs cultivent les relations avec les curés et c'est avec une belle unanimité que la presse et les autorités religieuses condamnent les premières tentatives de syndicalisation. Lorsque certains prêtres, comme le père Honorat au Saguenay ou le père Paradis au Témiscamingue, s'avisent de combattre l'exploitation dont sont victimes leurs ouailles, ils sont vite rappelés à l'ordre ou déplacés.

Alors que, dans la plupart des pays, la seconde moitié du 19e siècle est témoin d'un recul des pouvoirs du clergé face à ceux de l'État, le Québec semble connaître une évolution inverse. Non seulement les positions juridiques de l'Église sont-elles raffermies, mais ses bases matérielles sont solidifiées: ses biens ne sont pas imposables et elle a le pouvoir de taxer la population catholique pour payer le coût des lieux de culte. Les prêtres agissent comme représentants de l'État pour les registres de l'état civil et, surtout, le clergé contrôle une part croissante du système d'éducation à tous les niveaux. L'Église est donc bien en mesure d'imposer ses conceptions morales et sociales: respect de l'autorité, obéissance aux directives des évêques, primauté de la famille, épuration des moeurs, condamnation formelle des phénomènes de déviance.

Le Québécois catholique est encadré de la naissance à la mort par le clergé. La paroisse sert à la fois de cadre religieux et de cadre institutionnel, puisque c'est à ce niveau que s'organisent les associations volontaires. Le système scolaire, le réseau hospitalier et les organismes d'aide sociale sont dominés ou contrôlés par l'Église. Aussi, peu de citoyens échappent au modèle social qu'elle propose.

Les anglo-protestants ne sont pas soumis au contrôle social du clergé catholique, en vertu d'une entente tacite de non-agression et de respect des institutions de chaque groupe religieux. Le clergé de chaque dénomination protestante a, au sein de son groupe, un poids moins considérable que son vis-à-vis catholique. La cohésion idéologique n'en est pas moins assurée, car la grande bourgeoisie, par son action philanthropique, contrôle étroitement les réseaux protestants d'éducation, de santé et de charité.

Le conservatisme de la bourgeoisie et du clergé s'exprime de multiples façons. Il y a d'abord l'attachement à la tradition, particulièrement évident dans le cas du nationalisme. Les dirigeants canadiens-anglais ne sont pas en reste, exaltant des traditions impériales et insistant sur les vertus du travail et de frugalité des pionniers. Dans tous les cas, la célébration du travail et de l'effort est au centre des conceptions sociales. Les inégalités existant dans la société sont considérées comme normales et voulues par Dieu. L'être humain ne sera récompensé pour ses gestes que dans l'au-delà; sur terre, il doit accepter sans se révolter les privations et les malheurs qui sont, eux aussi,

La rentrée au séminaire de Québec.

voulus par Dieu. Toute remise en cause de l'ordre social existant devient ainsi condamnable.

La famille est l'unité sociale de base responsable de l'individu, de son éducation et de sa protection. Toute tentative de l'État de se substituer à la famille est perçue comme une atteinte à l'ordre social. Quand des problèmes surgissent, c'est la charité privée qui doit permettre de suppléer aux insuffisances de la famille. La nécessité de l'action philanthropique fait partie intégrante de l'idéologie bourgeoise de la seconde moitié du siècle. Tout le champ de l'aide sociale reste donc domaine privé et si l'État subventionne, il doit le faire sans intervenir dans l'orientation de cette aide.

Le conservatisme se manifeste également dans le respect des institutions politiques. La monarchie constitutionnelle et le parlementarisme de type britannique ne sont à peu près jamais remis en cause. Cependant le champ politique est enjeu de débat. Le contrôle clérical doit-il s'étendre au pouvoir politique et à l'orientation des consciences? Cette question est au coeur de la lutte qui oppose deux groupes minoritaires au sein des élites québécoises: les ultramontains et les radicaux.

L'ultraconservatisme

Les ultramontains du Québec représentent l'aile droite de l'Église catholique, tant chez les clercs que chez les laïcs. Ce sont des intégristes qui résistent aux transformations de l'ère moderne. Ils s'organisent à compter du milieu du siècle et leur présence au Québec peut s'expliquer par trois phénomènes principaux. Il y a d'abord le succès de la réaction catholique des années 1840. Cela donne naissance à un certain triomphalisme religieux qui voudra s'exercer dans de nouveaux champs d'action et imposer de plus en plus les vues du clergé. Il y a ensuite les succès politiques des rouges qui prônent des idées radicales, en particulier la laïcisation de l'État. Pour résister à la montée des rouges, les ultramontains sentent le besoin de mieux s'organiser. Il y a enfin l'influence de la situation européenne où, dans plusieurs pays, l'Église perd certains de ses pouvoirs au profit de l'État; en Italie, la papauté perd le contrôle politique (ce qu'on appelle le pouvoir temporel du pape) sur son propre territoire (les États pontificaux). La crainte de voir la situation européenne se reproduire au Québec stimule le zèle des ultramontains. Cette crainte est d'ailleurs alimentée par les nombreux prêtres et religieux français qui ont été invités au Québec par Mgr Bourget.

La pensée ultramontaine repose sur le principe que le droit divin est supérieur au droit naturel. L'Église représentant le pouvoir de Dieu, et l'État celui des hommes, il en découle une primauté de l'Église sur l'État. Pour les ultramontains, les hommes politiques doivent soumettre leur action aux directives des évêques et adopter des lois qui soient conformes aux enseignements de l'Église. Dans ce contexte, il est normal pour les curés et les évêques de se prononcer sur toute question politique et d'indiquer aux électeurs catholiques dans quel sens et pour quel candidat ils doivent voter. Les ultramontains tenteront d'ailleurs de faire adopter ces principes par la population québécoise en présentant un Programme catholique lors des élections de 1871.

Au delà du problème des rapports entre l'Église et l'État, les ultramontains défendent, de façon générale, des positions ultraconservatrices sur toutes les questions sociales. Ils font preuve d'une intolérance souvent virulente à l'endroit de ceux qui ne partagent pas leurs vues et ils sont particulièrement acharnés à l'endroit de toute idée pouvant s'apparenter à ce qu'ils appellent le libéralisme. Voici en quels termes le journaliste Thomas Chapais fait sa profession de foi conservatrice, dans le *Courrier du Canada*, en 1884: « Ce sont nos idées, nos tendances, nos aspirations qui sont conservatrices. C'est dire assez que les principes les plus conservateurs sont nos principes, que les mesures les plus conservatrices sont nos mesures, que les hommes les plus conservateurs sont nos hommes. »

Les idées ultramontaines ne sont pas partagées par l'ensemble du clergé. Le noyau dur se trouve dans les diocèses de Montréal et de Trois-Rivières. Les chefs de file sont Mgr Bourget, évêque de Montréal jusqu'en 1876, et Mgr Laflèche, évêque de Trois-Rivières. La démission de Bourget en 1876 et son remplacement par un modéré, Mgr Fabre, affaiblit le mouvement dans la région montréalaise. Ces évêques sont appuyés par des laïcs intransigeants, comme le sénateur François-Xavier Trudel, qui publie le journal *L'Étendard*, ou Jules-Paul Tardivel, éditeur de *La Vérité*. Les ultramontains tentent d'imposer leurs vues et sont bientôt en guerre ouverte avec les éléments plus modérés de l'Église. Ils tentent d'obtenir l'appui du pape, mais

Louis-François Laflèche, 1818-1898, évêque de Trois-Rivières de 1870 à 1898. (Archives nationales du Québec, N377-201)

sans succès, surtout sous le pontificat de Léon XIII. À la fin du siècle, ils forment un groupe d'arrière-garde, de plus en plus marginalisé au sein du clergé et de la société, même s'ils ont réussi à s'assurer une certaine influence au sein du parti conservateur.

Les idées ultramontaines se heurtent en outre à une forte résistance de la part d'une majorité des hommes politiques. Ceux-ci veulent bien se servir au besoin de l'influence du clergé, mais ils ne tiennent pas pour autant à se soumettre à l'autorité des évêques. Les anglo-protestants sont plus particulièrement réfractaires au contrôle clérical et leur résistance renforce celle des dirigeants politiques canadiens-français. Cependant, en créant une pression constante, les ultramontains contribuent sans doute à accentuer le conservatisme social des groupes dirigeants.

Les Canadiens anglais ont, eux aussi, leurs groupes ultraconservateurs — orangistes, membres de l'Equal Rights Association, de la Protestant Protective Association, etc. —, qui sont tout aussi intransigeants que les ultramontains. Racistes et farouchements opposés à l'Église catholique, ils voudraient établir un pouvoir ayant comme caractéristique d'être blanc, d'origine anglo-saxonne et protestant, un objectif résumé dans le sigle WASP (White, Anglo-Saxon, Protestant). Les deux principaux groupes ethniques ne répondant pas à ces critères sont les Canadiens français et les Irlandais catholiques, qui deviennent les cibles principales des orangistes. Ces organisations ont eu un certain succès dans l'Ontario et dans l'Ouest, mais on connaît mal leur implantation au Québec où elles semblent s'être concentrées dans les régions rurales anglophones.

On pourrait sans doute également rattacher à un conservatisme social accentué et à l'intransigeance religieuse certaines manifestations de puritanisme. Des groupes protestants voudraient en effet imposer à l'ensemble de la société leurs conceptions morales. Ils réclament en particulier une intervention de l'État pour assurer le respect du dimanche et pour interdire la vente et la consommation de boissons alcooliques. Étant minoritaires au Québec, ces protestants puritains ne peuvent espérer y imposer leurs vues avec le même succès qu'en Ontario. Ils ont toutefois une certaine liberté d'action dans les municipalités où ils sont majoritaires.

Un réformisme marginalisé

À l'opposé de ces courants, le Québec a une tradition de radicalisme politique qui a connu ses moments les plus importants avec les patriotes dans les années 1830 et avec les rouges dans les années 1850. Après 1867, les radicaux se retrouvent au sein du parti libéral, où ils sont minoritaires. Se faisant surtout les défenseurs de la liberté de pensée et de la libérté de presse, ils s'opposent au clergé, qui estime avoir la responsabilité d'indiquer aux catholiques ce qu'ils ont le droit de penser.

Leur objectif principal est de restreindre le rôle du clergé aux questions religieuses proprement dites, aussi réclament-ils une séparation nette entre l'Église et l'État. L'école devient, pour ces radicaux, le symbole de l'emprise cléricale et c'est là qu'ils concentrent leurs attaques. Ils estiment que le système scolaire québécois souffre de nombreuses déficiences et que le clergé maintient le peuple dans l'ignorance. Ils réclament donc la déclericalisation de l'enseignement, des programmes d'étude plus adaptés au monde moderne et un accès plus généralisé à l'éducation par des mesures comme la gratuité de l'enseignement et des manuels et l'instruction obligatoire. Ils s'attaquent également aux privilèges dont jouit le clergé: les exemptions de taxes et le fait que les enseignants religieux, contrairement aux laïcs, ne soient pas soumis aux examens d'aptitude. Ils contestent enfin les pouvoirs que le clergé s'arroge d'interdire certains journaux et certains livres ou celui d'influencer le vote des électeurs.

Les radicaux veulent une société plus démocratique, sans toutefois aller bien au delà d'une démocratie électorale. S'ils réclament l'abolition du Conseil législatif et si plusieurs d'entre eux sont républicains, leurs idées ne sont pas pour autant l'expression d'une idéologie égalitaire. Leurs demandes relèvent essentiellement d'une lutte pour le pouvoir au sein de la bourgeoisie; elles n'ont rien de socialistes et ne visent pas à établir un nouveau rapport de forces au profit des paysans ou des travailleurs. Les radicaux sont des réformistes qui veulent changer certains aspects de l'ordre social mais qui ne remettent pas en cause les fondements socio-économiques de la société.

Les idées radicales sont exprimées dans des journaux, dont la plupart ont une existence éphémère. Le plus important est sans doute *La Patrie*, de Montréal, qui réussit à se maintenir en tempérant quelque peu son radicalisme. Ce groupe se recrute surtout chez les vieux rouges et chez les jeunes libéraux de la région montréalaise. Mais la détermination du parti libéral et de ses chefs de présenter à l'électorat un visage modéré a pour effet de les marginaliser.

Un autre courant minoritaire voit le jour au sein de la bourgeoisie à compter des années 1880. Il s'agit du courant de réforme urbaine qui s'inscrit dans le cadre plus vaste du mouvement progressiste nord-américain. Cette nouvelle orientation reste confinée à quelques éléments de la bourgeoisie montréalaise et se manifeste surtout dans la lutte à la corruption municipale dans la métropole. Il faut attendre la toute fin du siècle pour voir cette idéologie s'implanter un peu plus solidement et proposer tout un train de réformes sociales et politiques.

Des égalitaristes isolés

Le volet socio-politique de l'idéologie égalitaire est exprimé avec le plus de force et de cohérence par les Chevaliers du travail. Ceux-ci mettent plus d'accent sur la promotion de la classe ouvrière que sur la lutte des classes. En matière de relations de travail, ils ne prônent pas une stratégie de conflit, ils sont même, en principe, peu favorables au recours à la grève, préférant plutôt le recours à l'arbitrage obligatoire. Pour améliorer le sort de la classe ouvrière, les Chevaliers du travail privilégient d'abord l'éducation, en particulier l'éducation des adultes: création de cours du soir, ouverture d'écoles techniques, mise sur pied de bibliothèques publiques, etc. Ils demandent également l'adoption par l'État d'un ensemble de lois visant à améliorer les conditions de travail et à placer les travailleurs sur un pied d'égalité avec les représentants du capital. C'est pour obtenir une législation favorable aux ouvriers qu'ils se lancent dans l'action politique directe et soutiennent des candidats ouvriers lors de certaines élections.

Les Chevaliers du travail formulent une idéologie qui concerne l'ensemble de la classe ouvrière. En cela, ils se démarquent nettement de la Fédération américaine du travail, qui véhicule des conceptions plus étroites. La FAT s'intéresse essentiellement aux ouvriers de métier syndiqués et à leurs conditions immédiates de travail. Son action se situe essentiellement au niveau de la négociation de la convention collective. Son idéologie comporte peu de références aux problèmes généraux de la classe ouvrière ou aux questions d'éducation. Même minoritaire, l'idéologie égalitaire des syndicats ouvriers réussit à se faire entendre: plusieurs membres de la Commission d'enquête sur les relations entre le capital et le travail sont des Chevaliers du travail et le député Lépine expose au parlement canadien les vues des chevaliers. Leur poids politique est cependant trop faible pour faire accepter facilement les réformes qu'ils proposent.

LES NATIONALISMES

Les idéologies nationalistes tendent à faire de la nation l'axe principal autour duquel un groupe articule son projet de société. Elles ont occupé une place importante dans l'histoire du Québec et du Canada, car plusieurs définisseurs de situation ont cherché à rassembler la population autour de ce concept. Le nationalisme s'avère en effet un instrument fondamental pour unifier et cimenter une population au delà des classes qui la divisent. En revanche, celles-ci essaient d'utiliser le nationalisme en vue de défendre leurs intérêts et leurs privilèges. C'est en définitive les rapports qui existent entre les classes qui détermineront le contenu réel du nationalisme.

Il en découle que la nation peut recevoir des significations très diverses selon ceux qui la définissent et selon les circonstances et le milieu où s'élabore cette définition. Pour démontrer qu'un groupe constitue une nation, on invoque l'existence d'un ou plusieurs des facteurs suivants: le groupe a une histoire commune, il a une identité propre qui le distingue des groupes voisins, il est concentré sur un territoire, il possède une langue, une religion ou des traditions communes, etc.

Il n'est pas nécessaire cependant qu'une société ait toutes les caractéristiques que nous venons de mentionner pour se voir attribuer le titre de nation. Chaque cas en est un d'espèce. Certains sociologues vont même jusqu'à soutenir que le seul critère déterminant est subjectif. C'est-à-dire qu'il y a nation lorsque les membres d'une société sont convaincus qu'ils participent d'une même appartenance nationale. Il ne faut pas confondre la nation et l'État, car ce sont deux réalités distinctes, l'une relevant du domaine sociologique, l'autre du politique. Il arrive que des groupes aient avantage à associer les deux termes, soit pour dominer un groupe plus faible, soit pour donner plus de prestige à l'État. Si la nation n'est pas imaginaire, il importe de se rappeler que le nationalisme est une idéologie, donc une doctrine formulée par des individus et des groupes. C'est pourquoi il n'y a pas un nationalisme, mais des nationalismes qui évoluent avec le temps.

Le nationalisme canadien-français

Quelle que soit la définition que l'on donne du mot nation, il est certain que les Canadiens français se perçoivent et sont perçus au 19e siècle comme une nation qu'on appelle d'abord canadienne puis, peu à peu, canadienne-française, après la formation du Canada-Uni.

Le changement constitutionnel apporté par la Confédération suscite des débats qui amènent les intervenants à définir, entre autres, leur conception de la nation. Hommes politiques, évêques et journalistes, défenseurs ou adversaires du projet fédéral, malgré leur vocabulaire imprécis, partagent la même conception de la nation. Ce sont les caractères distinctifs d'un groupe qui en font une nation et, en ce qui concerne les Canadiens français, ces caractères sont surtout leur langue, leurs lois, leurs institutions et leur religion. En toile de fond, il y a l'histoire commune de ce peuple d'où ont surgi ces caractéristiques qu'il faut maintenir. Dans cette idéologie, les Canadiens français n'ont pas d'assise territoriale bien définie, alors que la problématique fédérale amène les hommes politiques à les traiter comme s'ils n'existaient qu'au Québec. C'est ainsi qu'on ne se préoccupe guère des quelque 150 000 Canadiens d'origine française qui vivent hors du Québec; on ne les rejoint qu'indirectement lorsqu'on discute de la question religieuse, puisque la très grande majorité professe le catholicisme.

Au problème de la base territoriale de la nation s'ajoute celui du cadre étatique dans lequel elle évolue. La nation canadienne-française a vécu, depuis ses origines, sans disposer d'une structure étatique qu'elle contrôlait. Celle-ci était régie par la métropole française, puis, après la conquête, par la métropole anglaise. Dans ce dernier cas toutefois, avec l'introduction du parlementarisme en 1791, les hommes politiques canadiens-français en vinrent à demander le *self-government*, du moins pour les matières internes. Londres refusa et ce fut la rebellion. Après l'Union, les Canadiens français étant minoritaires et Londres voulant se décharger du fardeau de ses colonies, on accorda le gouvernement responsable au Canada-Uni. Le projet fédéral marque un pas en avant puisqu'il accorde aux Canadiens français du

Québec, un État dans lequel ils sont majoritaires. Il est vrai que cet État n'est que provincial, sous la tutelle d'un État fédéral et d'un État impérial. Pour certains dirigeants canadiens-français, cet État provincial est jugé suffisant pour assurer la protection des institutions propres de la nation. D'autres pensent au contraire que la constitution accorde trop de pouvoirs au gouvernement central majoritairement canadien-anglais. La thèse qui prévaudra sera celle qui soutient que la nation canadienne-française peut s'épanouir au sein de la nation canadienne, sous l'égide de la couronne et dans le cadre de l'Empire. Les opposants finiront par se rallier à la thèse fondée sur l'idée que la nation canadienne-française se définit par ses composantes culturelles, tandis que la nouvelle nationalité canadienne n'est qu'une structure politique. Au delà des divergences idéologiques qui peuvent exister par ailleurs — adhésion ou non au libéralisme économique, conservatisme social ou radicalisme —, les représentants canadiens-français, tant au sein de la grande que de la petite bourgeoisie, partagent une même idéologie nationaliste à composante essentiellement culturelle.

Peu à peu cependant, au cours du dernier tiers du 19e siècle, les divers groupes ou individus définisseurs de la situation seront amenés à préciser leur conception de la nation, leurs projets d'action et à formuler une idéologie nationaliste qui tienne compte un peu plus de la dimension politique.

Les hommes politiques et les intellectuels modérés, conservateurs ou libéraux, qui d'ailleurs se rapprochent de plus en plus, s'entendent sur l'essentiel, même si, pour des raisons de politique partisane, ils s'opposent sur les moyens. Peu à peu, on découvre que le Canada français c'est plus que le Québec. On découvre les Acadiens et les Franco-manitobains, de même que les Franco-américains, qu'on cherche à rapatrier et qu'on invite à de grandes fêtes nationales au Québec. On rêve d'un grand Canada français, mais en même temps on réalise que le Québec est le foyer de ce Canada français. Les conflits scolaires et linguistiques qui surgissent régulièrement amènent les hommes politiques à prendre conscience — confusément il est vrai — de la nécessité de développer l'autonomie du Québec. Avec Mercier, l'autonomie provinciale devient l'expression politique du nationalisme canadien-français. Mercier, chef libéral, n'hésite pas à s'allier aux conservateurs nationaux à l'occasion de l'affaire Riel. Cependant, fidèle aux idées de son époque, il définit avec insistance la nation canadienne-française comme étant essentiellement catholique et française. Il soutient que les Canadiens français du Québec doivent s'unir au delà des lignes de parti et il dénonce la politique comme étant un grand facteur de division et d'affaiblissement de la nation.

Les ultramontains eux mettent l'accent sur le caractère d'abord religieux de la nation. « La foi est le support le plus puissant des nations », de dire Mgr Laflèche. Il découle aussi de cette conception ultramontaine que chaque peuple a reçu de la Providence une mission. Celle des Canadiens français, comme le démontrerait leur histoire, serait de propager le catholicisme en Amérique.

Les ultramontains, qui sont aussi très conservateurs, enseignent que l'autorité vient de Dieu. Ils sont amenés à prêcher le respect et l'obéissance aux institutions établies, que ce soit l'Empire ou la Confédération. Mais lorsque ces autorités attaquent la religion catholique ils doivent les combattre. C'est ainsi que les ultramontains adoptent des attitudes nationalistes lorsqu'on refuse aux catholiques du Nouveau-Brunswick certains de leurs droits scolaires; de même à propos des écoles du Manitoba et de l'affaire Riel. Un des penseurs du groupe ultramontain, Jules-Paul Tardivel, en viendra même à se faire le défenseur de l'indépendance du Canada français, car ses intérêts sont bafoués dans le système fédéral. Tardivel, qui n'a rien d'un révolutionnaire, ne recommande pas de travailler activement à l'indépendance mais plutôt d'attendre l'heure choisie par la Providence puisque c'est elle qui dicte le destin des nations. Il faut préciser cependant que Tardivel n'a guère de disciples, encore que, dans un cercle restreint, on admire son zèle religieux et on lit son journal *La Vérité*.

Au cours des trente premières années du nouveau régime, le nationalisme canadien-français s'est précisé. Cette idéologie — avec ses variantes — est largement partagée par les classes dirigeantes francophones et propagée par les hommes politiques, les membres du clergé et les journalistes. À certains moments, comme par exemple lors de l'affaire Riel, les élites sont capables de mobiliser la masse de la population en faisant appel à leurs sentiments nationalistes. D'autre part, des centaines de milliers de Canadiens français quittent le Québec à destination des États-Unis, nonobstant le discours idéologique des classes dirigeantes qui les invite à rester et à coloniser de nouvelles régions du Québec. Dans les villes, certaines organisations syndicales essaient de faire prendre conscience aux ouvriers de leurs intérêts spécifiques fort négligés dans le discours clérico-conservateur. Les Chevaliers du travail se donnent des assemblées francophones et, dans l'ensemble, manifestent plus de sensibilité à la spécificité culturelle de leurs membres que les syndicats internationaux affiliés à la Fédération américaine des travailleurs. C'est une des raisons qui rendra les chevaliers populaires auprès des travailleurs canadiens-français.

Le nationalisme canadien-anglais et l'impérialisme

L'Union des deux Canadas puis la Confédération favorisent la mise en oeuvre d'un processus de canadianisation des British North Americans. Il est vrai que ce mouvement sera lent en dehors du Canada central. Cependant, malgré leurs divergences, les Canadiens anglais ont en commun leur appartenance à l'empire britannique. Dans certains cas, ils insistent sur leur refus d'être des Américains même si eux aussi parlent anglais et sont majoritairement protestants et quelquefois antipapistes. Le nationalisme canadien a peu d'attraits pour les Canadiens français et les Irlandais catholiques. La langue et la religion sont de profonds facteurs de division au sein du nouveau dominion. Le choc entre les deux grands nationalismes ne se pose pas tant à l'intérieur du Québec après 1867, qu'entre le Québec et l'Ontario et, par la suite, entre le Québec et l'ensemble du Canada anglais.

Si, en 1867, la majorité accepte ou du moins se résigne à l'existence d'une province majoritairement française et catholique, elle n'entend pas faire du Canada un pays bilingue et biculturel. La création du Manitoba, la première et la seconde rébellion de Riel provoquent des conflits entre le Québec et l'Ontario. Celle-ci entend faire de l'Ouest une réplique britannique et anglo-protestante d'elle-même. L'Ontario est l'assise centrale du Canada avec 45% de la population totale du nouveau dominion. Et, dans la deuxième moitié du 19e siècle, cette province est « expansionniste et agressive », comme le souligne l'historien P.B. Waite. Si au Québec environ 85% de la population est catholique, en Ontario environ 83% est protestante; et l'Ontario est plus massivement anglophone que le Québec n'est francophone.

L'appartenance d'origine, la langue et la religion sont les traits dominants du nationalisme anglo-canadien au 19e siècle tout autant que du nationalisme canadien-français. Cela est frappant lorsqu'on examine, entre autres, les réactions du Canada anglais face aux conflits ethniques ou lorsqu'on examine l'idéologie de divers mouvements politiques ou religieux tels le Canada First Movement, le mouvement impérialiste, l'orangisme, ou la Protestant Protective Association. Pour les Anglo-Canadiens, leur pays, c'est l'ensemble du *British North America.* Dans cet ensemble, on tolère l'existence d'un Québec bilingue et majoritairement catholique. Pour le reste, le pays sera britannique. Dalton McCarthy et l'Equal Rights Movement lancent une campagne qui pose brutalement le problème et qui aboutira pratiquement à l'abolition des écoles catholiques et françaises au Manitoba.

Tout en faisant partie de l'Empire, le Canada jouit d'une grande autonomie interne. Dans les années 1880 et 1890 cependant, le mouvement impérialiste reprend une grande vigueur. À Goldwin Smith qui prétend que la géographie voue le Canada à l'annexion aux États-Unis, les impérialistes canadiens repliquent qu'au contraire l'histoire est plus forte que la géographie et que ce pays — né du refus de la révolution américaine — survivra s'il s'appuie sur l'Empire. C'est ainsi que, pour une certaine élite anglo-canadienne, l'impérialisme est l'expression de leur nationalisme canadien. La bourgeoisie canadienne a tout intérêt à consolider par des barrières idéologiques les barrières économiques fragiles qu'elle essaie d'instaurer face aux Américains au moyen d'une politique tarifaire protectionniste.

Cependant, dans leur vision du Canada, il n'y a guère de place pour les Canadiens français. L'historien Carl Berger résume bien leur attitude lorsqu'il écrit: « Les impérialistes étaient incapables ou ne voulaient pas reconnaître les Canadiens français comme rien de plus qu'un groupe minoritaire susceptible de causer des ennuis. Ce groupe pittoresque et réfractaire au progrès jouissait cependant de privilèges garantis par les lois impériales. »

Dans les trente premières années du régime fédéral, ce qui importe c'est d'unifier le British North America, de l'Atlantique au Pacifique, de bâtir un marché qui puisse résister à l'annexion américaine et de peupler ce territoire immense en puisant dans la population des îles britanniques et des États-Unis. La population canadienne en général, quant à elle, ne craint pas de s'exiler aux États-Unis ou de revenir au Canada par la suite selon ses intérêts économiques. De même, les travailleurs s'associent aux unions internationales de métiers ou aux Chevaliers du travail et paraissent peu sensibles au nationalisme encore que la politique tarifaire protectionniste qu'on qualifie astucieusement de « national policy » ne laisse pas leurs porte-parole indifférents.

L'économie, la société, la nation, trois thèmes majeurs autour desquels se polarisent les idéologies. Les courants qui se développent en cette fin du 19e siècle, sans être nombreux, le sont assez pour qu'on se garde de parler d'unanimité. Pour l'essentiel, la formulation de ces idéologies et les débats, quand il y en a, se font au sein des classes dirigeantes, bourgeoisie et petite bourgeoisie. Il n'y a d'ailleurs pas d'adéquation parfaite entre classe et idéologie. C'est ainsi qu'au sein de la bourgeoisie, le groupe francophone partage le libéralisme économique du groupe anglophone tout autant que son conservatisme social mais s'en distingue par son nationalisme. Le même groupe partage les vues du clergé sur la nation et l'encadrement social mais se démarque nettement de celui-ci quand au développement économique et au contrôle politique.

Ainsi, au cours des dernières décennies du siècle, on voit se dessiner peu à peu trois courants idéologiques principaux ayant chacun leurs variantes. L'idéologie libérale est celle de la bourgeoisie, tant anglophone que francophone, et d'une fraction de la petite bourgeoisie. Elle se caractérise par l'adhésion aux principes du libéralisme économique et par un conservatisme sur le plan socio-politique. Un courant minoritaire prône un radicalisme politique et favorise la laïcisation de l'État. Le nationalisme tient une place importante, mais il n'a pas le même contenu selon les groupes: chez les francophones, valorisation d'un nationalisme culturel pour les Canadiens français au sein de l'entité politique canadienne; chez les anglophones, manifestation d'un patriotisme britannique dans le cadre impérial, allié au respect des traditions canadiennes-françaises.

L'idéologie de conservation est véhiculée par le clergé et une partie de la petite bourgeoisie. Elle est centrée sur le nationalisme canadien-français dont les composantes principales sont la langue et les coutumes françaises, la religion catholique et le mode de vie rural. Elle prône un ordre social catholique où l'Église a un rôle de direction et de contrôle. La minorité ultramontaine veut même étendre ce contrôle aux activités politiques.

Quant à l'idéologie égalitaire, prônée principalement par les Chevaliers du travail, elle a un impact plus limité. Elle vise à l'amélioration de la classe ouvrière et à la réduction des inégalités sociales. La Fédération américaine du travail s'en tient à l'action plus proprement syndicale.

Au delà des différentes formulations, se pose le problème de la diffusion des idéologies. Elle se fait par des moyens nombreux. Il y a la diffusion orale: le discours politique, le discours patriotique, l'enseignement, le club politique. Il y a celle de l'imprimé: le journal, où l'éditorial, le reportage, le titre, le feuilleton, l'illustration et l'annonce publicitaire ont chacun leur fonction; la brochure, le livre, l'affiche. À cet égard, le clergé jouit d'une position avantageuse chez les catholiques, par son contrôle de l'appareil religieux et du système scolaire, et par ses imprimés, il diffuse avec force son message. L'idéologie bourgeoise du libéralisme économique est véhiculée par la presse à grand tirage qui se développe à compter des années 1880. Les radicaux et les syndicalistes s'appuient sur des moyens plus modestes et une presse à diffusion restreinte. Il est très difficile d'évaluer le degré d'influence de ces média. Entre le sermon à l'église, l'article à sensation et la parade de la Saint-Jean-Baptiste, quel moyen s'avère le plus efficace pour assurer l'adhésion de la population à une position idéologique?

Enfin, on ne peut étudier les idéologies du Québec sans évoquer la question des rapports avec des courants similaires existant ailleurs dans le monde. Il y a une circulation des idées et des hommes au delà des frontières. Elle se fait de multiples façons. Les hommes d'affaires, les dirigeants politiques et religieux du Québec voyagent à cette époque. Ils vont principalement aux États-Unis, en Angleterre, en France et à Rome. Les publications étrangères sont connues au Québec. Les libéraux européens inspirent les radicaux québécois. Les ultramontains s'abreuvent aux idées les plus conservatrices en France. La pensée officielle de l'Église catholique est définie par le Vatican. L'idée de progrès et le mythe de la réussite individuelle sont partagés par les milieux d'affaires des deux côtés de l'Atlantique. Le programme des organisations syndicales est en partie d'origine américaine. Dans ce contexte, doit-on parler d'autonomie, de parallélisme ou de colonialisme à propos des courants idéologiques québécois? Quelle est la part des influences étrangères? Dans l'état actuel de la recherche, ces questions restent encore à peu près sans réponse.

Orientations bibliographiques

Berger, Carl. *Imperialism and Nationalism, 1884-1914: A Conflict in Canadian Thought*. Toronto, Copp Clark, 1969. 119p.

Berger, Carl. *The Sense of Power*. Toronto, University of Toronto Press, 1970. 277p.

Bernard, Jean-Paul, dir. *Les idéologies québécoises au 19e siècle*. Montréal, Boréal Express, 1973. 149p.

Bernard, Jean-Paul. *Les Rouges: libéralisme, nationalisme et anticléricalisme au milieu du XIXe siècle*. Montréal, PUQ, 1971. 394p.

Bonenfant, Jean-Charles. *Thomas Chapais*. Montréal, Fides, 1957. 95p.

Brunet, Michel. « Trois dominantes de la pensée canadienne-française: l'agriculturalisme, l'anti-étatisme et le messianisme », *La présence anglaise et les Canadiens*. (Montréal, Beauchemin, 1958): 113-166.

Débats parlementaires sur la question de la Confédération des provinces de l'Amérique britannique du nord. Québec, Hunter, Rose et Lemieux, imprimeurs parlementaires, 1865. 1027p.

Dumont, Fernand et al. *Idéologies au Canada français, 1850-1900*. Québec, PUL, 1971.

Hamelin, Marcel. *Les premières années du parlementarisme québécois (1867-1878)*. Québec, PUL, 1974. 386p.

Monière, Denis. *Le développement des idéologies au Québec*. Montréal, Éditions Québec-Amérique, 1977. 381p.

Morton, W.L. *The Critical Years. The Union of British North America, 1857-1873*. Toronto, McClelland and Stewart, 1964. 322p.

Rioux, Marcel. « Sur l'évolution des idéologies au Québec », *Revue de l'Institut de sociologie* (Bruxelles), 1 (1968): 95-124.

Saint-Germain, Yves. *The Genesis of the French Language Business Press and Journalists in Quebec, 1871-1914*. Thèse de Ph.D. (histoire), University of Delaware, 1974.

Wade, Mason. *Les Canadiens français de 1760 à nos jours*. Montréal, Cercle du Livre de France, 1963. Tome I, 685p.

Waite, Peter B. *Canada 1874-1896*. Toronto, McClelland and Stewart, 1971. 340p.

CHAPITRE 17

LA PRODUCTION CULTURELLE

Traditionnellement, la production culturelle est vue principalement comme production artistique et analysée en faisant appel à des concepts et à des jugements de nature esthétique. Il existerait de grandes oeuvres, élaborées à des époques différentes et dont le seul lien explicatif serait une notion de beau immuable et transcendental. Cette conception est remise en cause depuis assez longtemps en ce qui concerne la littérature, mais depuis peu dans le domaine de l'histoire de l'art.

En réalité, comme toute production humaine, la production culturelle doit se comprendre en prenant en compte les conditions de production des oeuvres. Comme l'écrit le sociologue Pierre Francastel, « l'oeuvre d'art [...] est un lieu de rencontre entre des esprits, elle est un signe, un signe relais au même titre que tous les autres langages et il est aussi absurde de penser que les édifices ou les tableaux puissent posséder une existence, indépendamment du double effort de l'artiste et du spectateur, que de croire à l'existence de mots qui, par leur assemblage, constitueraient, en dehors des usages, des langages ». C'est donc dans cet esprit que nous avons abordé la production culturelle; elle est un signe, un signe intelligible qui rend compte de la réalité sociale qui l'a produit.

Ici encore, mais peut-être plus qu'ailleurs, nous devons évoquer la carence de l'historiographie, car l'étude de la production culturelle procède encore par un éclatement et un cloisonnement disciplinaires qui rend les recoupements très difficiles par exemple entre l'évolution des sociétés et celle de la littérature, celle de la musique et celle de l'architecture.

Nous avons choisi de retenir pour le moment deux secteurs, la littérature et la peinture, avec quelques aperçus sur la sculpture. Ils nous serviront de témoins et d'illustration des rapports entre la culture et la société. La production culturelle ne se limite évidemment pas à ces seuls secteurs. Il n'est que d'évoquer la multiplicité des dimensions culturelles d'une société pour s'en convaincre, qu'il s'agisse par exemple de la musique, de l'architecture ou des arts de spectacle. Enfin, nous n'abordons que l'aspect production de la culture, mais nous devons au moins évoquer les problèmes de sa diffusion et de sa consommation; de la même façon, il faut souligner l'importance, pour l'histoire du Québec, de la culture populaire que l'on connaît plutôt mal et que l'on commence à découvrir dans la foulée des travaux des anthropologues, des ethnographes et des folkloristes.

LA LITTÉRATURE*

La littérature québécoise du dernier tiers du 19e siècle traduit bien le hiatus qui s'est développé entre le discours officiel de l'idéologie clérico-nationaliste et la réalité du phénomène culturel. Alors qu'idéologues et critiques littéraires imposent aux créateurs les sentiers souvent stériles de la défense des valeurs nationales, religieuses et conservatrices, le public-lecteur semble faire sa nourriture quotidienne d'une littérature étrangère présentant une vision du monde fort différente.

L'influence française

Quoi qu'on ait longtemps dit et écrit, les liens entre la France et son ancienne colonie, surtout pour ce qui relève de l'influence intellectuelle, demeurent très étroits tout au long du 19e siècle. Le livre français, qui connaît — avec les journaux — une diffusion accrue par les perfectionnements de l'imprimerie, parvient régulièrement et abondamment jusqu'aux rives du Saint-Laurent. La publicité que lui font revendeurs et libraires, à l'arrivée de chaque navire en provenance des ports anglais, montre bien l'intérêt soutenu du public pour la littérature française. Pour des ouvrages

* Cette section a été rédigée par Sylvain Simard.

politiques, scientifiques, philosophiques ou religieux, mais aussi pour la poésie et le roman. Pour le roman d'abord, et ce depuis la poussée romantique des années 1830 et 1840. Certes, on apprécie les titres consacrés des grands auteurs de l'époque — Balzac, Stendhal, Chateaubriand —, mais la vogue va nettement, dès les années 1830, au roman historique, fantastique et, plus tard, aux divers avatars des *Mystères de Paris*, ainsi qu'aux innombrables variations du mélodrame populaire. Le public est à tel point friand de ce genre que l'écrivain français Henri-Émile Chevalier, fraîchement débarqué à Montréal, s'empresse d'écrire les *Mystères de Montréal* et une douzaine d'autres romans qui combinent, sur une toile de fond exotiquement canadienne, tous les procédés des romans populaires français, américains et anglais contemporains.

Il est très difficile d'évaluer l'impact et la diffusion de cette littérature dont les principaux ressorts romanesques sont les intrigues à rebondissements multiples, les reconnaissances miraculeuses, les crimes mystérieux, les passions déchaînées, et dont les personnages types sont l'orpheline vertueuse, la prostituée repentie, l'aristocrate socialiste, car ces ouvrages sont non seulement en vente dans les librairies de Montréal, Trois-Rivières et Québec, mais aussi sans doute dans la valise des colporteurs. De plus, c'est par les feuilletons dans les journaux qu'ils parviennent à la connaissance du public. Public restreint, évidemment, car les illettrés sont encore très nombreux en 1867. Il n'en demeure pas moins que les publications de livres et de journaux augmentent régulièrement à cette époque. De fait, les années 1880 voient les débuts d'une presse populaire: *La Patrie* et *La Presse*, journaux quotidiens d'information créés sur des modèles européens et américains sont les diffuseurs privilégiés de l'idéologie libérale. Ils doivent une part de leur succès à leur alléchante première page presque toute consacrée aux feuilletons romanesques. Aussi *La Minerve*, l'*Événement*, le *Journal de Québec*, le *National* et le *Pays* doivent-ils sans exception puiser chaque jour dans Georges Ohnet, Alexandre Dumas, Eugène Sue et des dizaines d'autres auteurs populaires, matière à satisfaire le goût insatiable du public pour ces romans à épisodes. Il y avait là une source d'autant plus attrayante qu'elle était gratuite et inépuisable, n'étant limitée par aucune convention concernant les droits d'auteurs. Malgré la censure vigilante dont ils sont l'objet, ces textes n'en véhiculent pas moins certaines valeurs typiques de leurs sociétés et pays d'origine, valeurs qui s'opposent au conservatisme religieux ambiant.

La réaction moralisante

Cette infiltration d'idées étrangères et « modernes » suscite, par réaction, chez certains auteurs, la volonté de donner une direction différente à la littérature autochtone naissante. Pour eux, la population canadienne-française a une vie paisible et calme; inutile, donc, de chercher dans ces nouvelles oeuvres les piments des précédentes (passions, crimes, suicides). Selon l'abbé Henri-Raymond Casgrain — et cette vision marquera profondément la prose et la poésie —, la littérature canadienne doit être « essentiellement croyante et religieuse », « favoriser les saines doctrines », « faire aimer le bien, admirer le beau et faire connaître le vrai » et surtout « moraliser le peuple » en ouvrant son coeur à tous ces nobles sentiments. C'est dans cet esprit qu'il propose aux écrivains d'illustrer dans leurs oeuvres la sainteté de l'agriculture, de puiser leurs sujets dans les hauts faits des ancêtres héroïques sous le régime français et de faire revivre les belles légendes d'antan. Quelques années plus tard, Hector Fabre — homme de grande culture et francophile notoire — fera écho à ces exigences nationalistes en mettant en garde les gens de lettres canadiens contre une transposition abusive sur les bords du Saint-Laurent de certaines réalités ou sensibilités typiquement françaises qui ne sauraient survivre à une telle transplantation. La littérature canadienne se voit ainsi assigner un rôle actif dans le combat pour la défense de la spécificité culturelle et idéologique canadienne. Malheur aux quelques écrivains qui tenteraient — ne fût-ce qu'un moment — de s'évader de ce pieux champ de bataille.

Une centaine d'écrivains

Qui sont ces écrivains du deuxième tiers du 19e siècle? Peu nombreux, une centaine, ils doivent tous chercher leurs moyens de subsistance hors de l'activité littéraire. On les retrouve ainsi aux comités de rédaction des journaux, à la salle des traducteurs, au greffe, à la bibliothèque ou aux archives des deux parlements. Ces emplois sont les seuls qui leur permettent de consacrer le temps minimal nécessaire à la création. Bien qu'aucune étude n'ait précisé quelles étaient leurs origines sociales, on peut constater cependant qu'ils sont, pour la plupart, issus d'un milieu rural et ce, jusqu'aux dernières années du siècle pendant lesquelles apparaissent des écrivains issus de la ville. Relativement pauvres, sans compétence professionnelle ou technique — ils ont en général suivi le cours classique et tâté du droit —, ils doivent, pour s'assurer un emploi rémunérateur, faire appel à l'amitié des politiciens. Vulnérables et dépendants, il n'est pas étonnant qu'ils soient les chantres serviles d'une esthétique et d'une idéologie cléricale et conservatrice, exception faite des quelques ténors radicaux que sont le pamphlétaire Arthur Buies, le poète Louis-Honoré Fréchette et le romancier Honoré Beaugrand. Buies et Fréchette eux-mêmes — en dépit de leur anticléricalisme viscéral — ne véhiculent-ils pas une vision du monde fort peu différente de celle d'Octave Crémazie ou de Basile Routhier? Eux aussi célèbrent la mystique agricole et la colonisation comme la mission sacrée de la race française en Amérique.

C'est Honoré Beaugrand qui, le premier, fera ouvertement et systématiquement l'éloge du capitalisme à l'américaine dans son roman

Jeanne la Fileuse. Parue tout d'abord en feuilleton dans la *République* de Fall River (Massachusetts), puis cinq ans plus tard, en 1880, dans son journal *La Patrie* et éditée sous forme de livre en 1888, cette oeuvre reflète dans ses avatars d'impression, ceux de toute la littérature canadienne de l'époque. Décidé à se porter vigoureusement à la défense des populations franco-américaines, injustement calomniées au Québec, Beaugrand fait un tableau favorable des conditions de travail dans les filatures de la Nouvelle-Angleterre, alors que la plupart de ses contemporains s'en tiennent aux stéréotypes du conservatisme et du nationalisme de repli. Le fossé se creuse entre deux types de culture. D'une part, la grande presse propage quotidiennement, auprès d'un public de plus en plus vaste, l'esthétique « exotique » des romans français et des *success stories* américaines; d'autre part, les écrivains nationaux, dont les oeuvres n'atteignent qu'un public fort restreint, se limitent à des genres figés (poèmes épiques, romans paysans) et à des sujets vétustes (romans historiques, essais sur la conquête du sol ou à la gloire des zouaves pontificaux). Ainsi, à la culture officielle, au discours des élites ressassant la supériorité du mode de vie ancestral par le biais de formes littéraires tout entières soumises au prosélytisme d'un conformisme médiocre, s'oppose une littérature plus « populaire », une culture du réel, du vécu ou de l'évasion. Aucune étude sérieuse de cette littérature n'a été entreprise jusqu'à ce jour, étude qui nous apprendrait sans doute la nature des liens qu'elle entretient avec une société fascinée par le développement industriel.

Il faut souligner encore que le 19e siècle est bien, et avant tout, le siècle du roman. L'Église ne s'y était pas trompée: après avoir condamné, en un premier temps, ce genre dangereux par nature, elle décide très tôt de « tourner contre lui les armes de l'ennemi », selon l'expression de Tardivel. Dans cet esprit, une collection dirigée par l'abbé Casgrain, subventionnée par le gouvernement du Québec, diffuse à un public scolaire plus de 175 000 exemplaires d'ouvrages québécois.

Le théâtre, pour sa part, en est réduit à la manne de nombreuses tournées venues de France ou des États-Unis. Le public pourtant ne manque pas, si l'on en juge par l'accueil triomphal fait à Sarah Bernhardt lors de son passage à Montréal en 1880. Les représentations se jouent à guichet fermé malgré leur condamnation explicite par l'évêque, Mgr Fabre.

Quant à la poésie, elle ne touche qu'un public limité et pourtant son rôle mérite qu'on s'y arrête. Il est paradoxal de constater que les poètes, pour nombreux qu'ils soient, n'en occupent pas moins — à l'exception de Fréchette et, à un moindre degré, de Chapman — une place restreinte dans une société où le public littéraire reste fort limité. Et ce, bien que de 1867 à 1896 près de 80 recueils poétiques soient publiés pour une trentaine de romans.

La poésie

Le professeur David Hayne a distingué trois phases dans la poésie romantique canadienne entre 1860 et 1890. De 1859 à 1866, alors que le gouvernement canadien siège à Québec, la poésie trouve son expression dans deux revues, *Les Soirées Canadiennes* et *Le Foyer Canadien*. De 1867 à 1875, elle connaît un net déclin, malgré la publication de *La voix d'un exilé* de Fréchette et des modestes recueils de Casgrain et de Sulte. Après 1875, la relève est assurée par les poètes nés vers 1850. Fortement influencée par l'esthétique romantique françaisc des années 1820-1850, la poésie de cette dernière période est consternante de pauvreté, exception faite d'une partie de l'oeuvre de Fréchette et de certains poèmes de Pamphile Le May, Alfred

Louis Honoré Fréchette, 1839-1908. (Archives nationales du Québec, GH570-38)

Garneau et William Chapman. Le modèle français est un véritable carcan qui interdit non seulement l'originalité formelle, mais encore tout intérêt pour le renouveau des mouvements réaliste et parnassien. Ce vague romantisme collectif reflète bien les limites des choix culturels que la morale, la religion et l'idéologie imposent aux auteurs québécois, les tenant éloignés des révolutions esthétiques de la seconde moitié du siècle et très souvent d'une poésie authentique parce qu'individuelle.

L'oeuvre de Louis Honoré Fréchette se distingue cependant. Le personnage ne cesse d'attirer l'attention de ses contemporains pendant une quarantaine d'années. Admirateur de Lamartine, de Chateaubriand et surtout de Victor Hugo, dont il tente d'être la réplique québécoise, Fréchette représente presque à lui seul, depuis l'exil de Crémazie, la poésie nationale. Reconnu très jeune comme un poète imaginatif et talentueux, il reçoit en 1880 le prix Monthyon de l'Académie française et est consacré « barde national »; il devient le poète officiel qui célèbre d'une oeuvre de circonstance telle inauguration, telle fête et est l'objet de l'adulation des foules. Ce qui ne saurait faire oublier qu'en anticlérical actif et libéral bon ton, Fréchette se fait le chantre de la république française dans une société qui a peu de sympathie pour cette « mauvaise France », destructrice et régicide. Ce n'est pas sans une certaine sensibilité qu'il imite Lamartine et surtout Hugo, et sa poésie, à l'image de ses modèles, ne manque ni d'invention verbale, ni d'images évocatrices, ni d'un souffle et d'une puissance qui font oublier ses faiblesses. Ces quelques vers, extraits de la *Légende d'un peuple* — réplique canadienne de *La légende des siècles* —, en font foi:

> Amérique! — salut à toi, beau sol natal!
> Toi, la reine et l'orgueil du monde occidental!
> Toi qui, comme Vénus, montes du sein de l'onde,
> Et du poids de ta conque équilibres le monde!
>
> Quand, le front couronné de tes arbres géants,
> Vierge, tu secouais au bord des océans,
> Ton voile aux plis baignés de lueurs éclatantes;
> Quand drapés dans leurs flots de lianes flottantes,
> Tes grands bois ténébreux, tout pleins d'oiseaux chanteurs
> Imprégnèrent les verts de leurs âcres senteurs;
> Quand ton mouvant réseau d'aurores boréales
> Révéla les splendeurs de tes nuits idéales;
> Quand tes fleurs sans fin, quand tes sommets neigeux,
> Tes tropiques brûlants, tes pôles orageux,
> Eurent montré de loin leurs grandeurs infinies,
> Niagaras grondants, blondes Californies!
> Amérique, au contact de ta jeune beauté,
> On sentit reverdir la vieille humanité!

Fréchette consacre des milliers de vers à célébrer la gloire des ancêtres et l'épopée du peuple canadien. Bien qu'il conteste dans ses articles, essais et discours l'idéologie conservatrice cléricale, sa poésie ne s'en inspire pas moins de l'histoire de François-Xavier Garneau et du patriotisme de Crémazie. Là encore, l'individu s'efface devant la nécessité du combat collectif pour la survivance de l'intégrité nationale et religieuse. Cependant, ce discours, pas plus que celui des romanciers ou des pamphlétaires, ne semble avoir de prise sur l'évolution sociale marquée par la montée croissante de l'urbanisation et de l'industrialisation.

Le roman

La littérature romanesque, issue en grande partie de la réaction à la littérature dite « légère » des feuilletons français, anglais et américains, se consacre donc à la peinture des moeurs honnêtes et paisibles des laborieux paysans canadiens. Déjà, en 1844, Patrice Lacombe avec *La terre paternelle* et, plus tard, P.-J.-O. Chauveau dans *Charles Guérin* (1853) avaient témoigné de ce choix qui laisse aux « vieux pays » le monopole des « romans ensanglantés » et des passions exacerbées.

Cette option propagandiste maintient la production romanesque dans une contraignante soumission aux modèles et stéréotypes idéologiques, soumission dont les deux romans d'Antoine Gérin-Lajoie, *Jean Rivard le défricheur* et *Jean Rivard, économiste*, sont les illustrations les plus significatives. À l'image de ses confrères, l'auteur se défend d'avoir voulu écrire un roman, mais affirme n'être que le narrateur des véritables aventures « d'un jeune homme sans fortune, né dans une condition modeste, qui sut s'élever par son seul mérite à l'indépendance de fortune et aux premiers honneurs de son pays ». Refuser la fiction romanesque, c'est bien pour Gérin-Lajoie avouer que son personnage n'est que l'outil d'une histoire exemplaire qui a pour fonction de convaincre ses compatriotes lecteurs de la primauté de la campagne sur la ville et de la colonisation de nouvelles régions sur toute carrière libérale, c'est-à-dire de la nécessité d'abandonner pour des champs fertiles ces impasses de l'instruction.

Ce personnage, Jean Rivard, vient de terminer sa rhétorique au séminaire de Nicolet lorsque son père meurt. N'ayant pour tout héritage que cinquante louis, il doit abandonner ses études; refusant l'alternative qui s'offre à lui — la carrière en droit pour un jeune homme sans protecteur et voué à la médiocrité, ou l'établissement sur une petite terre d'une vieille paroisse surpeuplée du Saint-Laurent — il décide d'aller coloniser une terre du canton de Bristol. Jean choisit un lot qu'il achète à bon prix et s'enfonce dans la forêt en compagnie de son « engagé », Pierre Gagnon, qui est à la fois son « Vendredi », son faire-valoir romanesque sur le mode du contre-point comique. Cette terre donne très vite ses premières moissons, une maison confortable succède bientôt à la cabane de bois rond qui abritera le bonheur conjugal sans nuages de Jean Rivard et Louise Routhier, épouse et mère modèle. Très vite, grâce à de petites industries agricoles naissantes (potasse et sucre d'érable) et à l'ouverture d'une route reliant Rivardville à la civilisation, notre héros connaît une certaine forme de prospérité. Dans le second volet du diptyque, *Jean Rivard, économiste* (1864), Gérin-Lajoie nous expose des idées sociales qu'il a puisées chez Frédéric Le Play et ses disciples. L'afflux de nouveaux colons impose à la cellule pionnière de se constituer en structure sociale, c'est-à-dire de fonder une paroisse, d'établir une réglementation scolaire, commerciale et industrielle. L'âme de cette entreprise, c'est bien sûr Jean Rivard qui, arrivé « aux plus hauts honneurs du pays », à savoir maire puis député, n'en demeure pas moins fidèle à l'imagerie bucolique et... s'en retourne cultiver ses champs.

Ce bref résumé, qu'on ne s'y trompe pas, n'est pas la caricature de la fable, c'est le roman lui-même qui, malgré les affirmations de son auteur, relève bien de la fabulation. Si les intentions de Gérin-Lajoie tendaient vers le réalisme, la narration s'engage délibérément dans le féerique ou l'épique. Récoltes et productions miraculeuses, crédits et débouchés providentiels, soumission totale de la nature au héros, deus ex machina, rien ne manque à Jean Rivard pour être la preuve vivante du bien-fondé des théories sociales de son auteur, rien, pas même une totale liberté à l'égard des règles de la vraisemblance. Ainsi, le lecteur ne peut-il que sourire devant la naïveté du contraste qu'établit Gérin-Lajoie entre ville et campagne sous le biais d'une correspondance entre Rivard et Gustave Charmesnil, le condisciple qui a fait le mauvais choix. Prisonnier de la ville, esclave d'une profession libérale, le pauvre Gustave apparaît comme la victime citadine qui n'aspire qu'à la quiétude rurale.

Il est difficile d'évaluer l'impact réel d'un tel livre. A-t-il su provoquer des vocations pionnières, d'autres Rivard-paradis? On en doute. Le succès du livre, qui est réédité sept fois au 19e siècle, s'explique bien plutôt par l'action conjuguée du prosélytisme des élites conservatrices et du charme involontairement romanesque du récit. Les autres romans paysans du 19e siècle répéteront la dichotomie manichéenne de la ville et de la campagne. Plus évasion vers l'idylle que description, l'agriculture restera pour les romanciers du terroir l'image de leur refus d'un réel quotidien difficile et peu glorieux.

De la même façon, c'est pour fuir la pauvreté matérielle et l'impuissance politique que bon nombre d'écrivains, profondément marqués par l'échec de 1837 — selon la thèse de Roger Le Moine —, se réfugient dans le roman historique. S'inspirer des études de Garneau, de Ferland et de nombreuses monographies sur les héros de la Nouvelle-France, c'est démontrer la relativité des fortunes historiques, revaloriser le vaincu du présent par la gloire d'un passé mythifié, tout en utilisant un genre qui avait fait ses preuves en Angleterre comme en France, avec Walter Scott, Balzac et Dumas, entre autres.

Le passé du roman historique n'a que peu de rapports avec l'histoire du régime français, soumis qu'il est aux paramètres idéologiques du 19e siècle. Ainsi, leurs héros relèvent-ils tous d'une typologie caricaturale: canadiens, nobles au sens propre comme au sens figuré, beaux et toujours bruns, ou brunes, peau d'albâtre, taille de guêpe et orphelines... Les héroïnes s'évanouissent fort romantiquement, c'est-à-dire dès que l'occasion s'en présente, tout en restant héroïques et pures. Véritable Jeanne d'Arc, l'héroïne du *Chevalier de Mornac* de Joseph Marmette dompte d'un regard noir Mains Sanglantes, le chef indien dont elle est la captive, personnage dont la cruauté n'a d'égale que la lubricité. Mains Sanglantes, capable en un seul jour de tuer - non sans les avoir martyrisées — une vingtaine de victimes, déposera les armes devant ce modèle d'amour virginal, dompté par le noble regard de celle qui veut se conserver intacte pour son fiancé. Dans le même ordre de réalisme, il faut noter que les méchants ne sont jamais des Canadiens mais les autres, Anglais, Iroquois, « mauvais » Français, dont la laideur trahit la noirceur de leur âme... Les intrigues, quant à elles, ne réservent que peu de surprises: le bon jeune homme veut épouser la jeune orpheline, elle est enlevée; n'écoutant que son grand coeur, il parvient, malgré une foule

Laure Conan, 1845-1924. (Archives nationales du Québec, GH1070-84)

d'embûches,... est-il besoin de continuer? Le cadre est construit à grand renfort de détails historiques plaqués dans les temps morts de l'intrigue, mais, à l'exception des romans de Laure Conan et de *Jacques et Marie* de Napoléon Bourassa, aucune de ces oeuvres n'a su utiliser la documentation dont elles sont nourries. Il leur manque aussi cet art du portrait, que l'on retrouve chez Fenimore Cooper, par exemple. À ce titre, il est remarquable de constater qu'elles méprisent, quand elles ne l'ignorent pas, le « coureur de bois », figure authentique qui aurait pu donner naissance à un type littéraire original. Lorsqu'il apparaît, c'est pour être condamné au nom d'une morale de la stabilité et du sédentarisme; celui qui échappe aux lois du groupe ne saurait être un héros. Il convient cependant de réserver une place à part au livre de Laure Conan, *Angéline de Montbrun* (1884), le seul qui présente aujourd'hui un intérêt non exclusivement historico-sociologique. Par l'utilisation des techniques narratives alternées et fortement individualisées que sont le roman épistolaire et le journal intime, l'auteur met à jour la complexité d'un coeur qui refuse le bonheur humain après le décès du père et se réfugie dans l'exercice de la spiritualité. Le lecteur contemporain peut y lire en filigrane, rompu qu'il est aux analyses de type freudien, un récit naïf d'une relation incestueuse, un récit qui ne doit rien cependant aux clichés psychanalytiques des confessions contemporaines et qui trouve une résonnance profondément authentique de la souffrance.

L'essai

L'essai littéraire dans la stricte acception du terme semble devoir être considéré comme un genre mineur au 19e siècle. L'élite littéraire, pétrie de transcendance religieuse par les collèges classiques, accorde peu de place à l'inquiétude du discours introspectif. Les essayistes québécois se mettent d'abord et avant tout au service de la cause de l'idéologie clérico-nationaliste dont ils sont, plus que les poètes et les romanciers, à la fois les ouvriers et les théoriciens. Éloignés des réalités concrètes, empêtrés dans une rhétorique de convention, enfermés dans le dogmatisme d'une idéologie étroite, ils témoignent à leur façon du foisonnement mais aussi des limites de la vie culturelle de leur époque.

Quelle que soit l'importance de leur production, ces discours, articles, sermons et conférences n'en appartiennent pas moins pour la plupart à des groupes minoritaires, sans véritable influence sur la formation de l'opinion. De nombreux historiens et sociologues s'y sont trompés et n'ont vu dans le 19e siècle que l'affrontement de deux grandes tendances — le libéralisme radical et l'ultramontanisme — parce que c'est autour de celles-ci que se définissent les essayistes de l'époque. Aux anti-cléricaux Arthur Buies, Joseph Doutre, Louis-Antoine Dessaulles, s'opposent les ultras réactionnaires Jules-Paul Tardivel, Louis-François Laflèche, Thomas Chapais ou Adolphe Routhier. Vision manichéenne qui permet certes des analyses claires et convaincantes, mais laisse dans l'ombre une réalité fondamentale: ces auteurs ne véhiculent et ne défendent que des idéologies marginales. Buies, brillant pamphlétaire des effets du cléricalisme sur le développement culturel québécois, est un franc-tireur dont l'anachronique combat est voué à l'échec. Jules-Paul Tardivel, qui à l'instar de Veuillot en France dirige un journal intégriste, est condamné à plusieurs reprises par la hiérarchie religieuse. L'ultramontanisme dont on voudrait faire l'emblème du conservatisme religieux au Canada ne représente, en fait, que lui-même et quelques fanatiques. L'Église canadienne qui soutient Cartier et Macdonald ne saurait être résumée aux propos d'un Tardivel qui stigmatise le chemin de fer, lèpre du matérialisme en Amérique! Si l'on veut approcher de plus près les réalités de cette époque, il est préférable d'entreprendre la lecture de l'oeuvre sereine et spirituelle d'un Hector Fabre. Journaliste, homme

Le chien d'or, thème du célèbre roman de William Kirby. (Archives nationales du Québec, GH473-20)

politique et diplomate, l'ambivalence de ses prises de position, qui mêlent conservatisme et libéralisme modéré, reflète bien celle des intellectuels québécois envers le progrès technique américain et les séduisantes disputes esthétiques et philosophiques françaises. Ses ambiguïtés sont plus caractéristiques de la pensée canadienne que les certitudes dogmatiques que l'on a érigées en fer de lance.

Il n'a été question ici que de littérature savante, c'est-à-dire écrite. Ce qu'il est convenu d'appeler la « littérature populaire » n'a pas encore fait l'objet d'une étude sérieuse qui sût lui attribuer un cadre et une situation. L'influence du conte et de la légende sur la production romanesque laisse entrevoir l'existence d'une culture orale riche et complexe qui n'hésite pas à transgresser les tabous. De plus, nous n'avons tenu compte que de la littérature d'expression française. Bien que Montréal ait été la métropole anglaise la plus prospère tant sur le plan financier qu'universitaire, avec l'Université McGill, il semble bien, si l'on se fie aux études existantes — celle de Carl F. Klinck en particulier —, que la production littéraire de langue anglaise au Québec ait été fort limitée. Tandis que Rosanna Eleonor Mullis (Madame J.-L. Leprohon, 1829-1879) et William Kirby (1817-1906), avec *Golden Dog*, épousent parfaitement la tradition du roman historique francophone, l'érudit James Macpherson Lemoine crée une oeuvre bilingue qui s'intègre bien dans le contexte littéraire de la vieille capitale. Dans le même temps, Halifax et Toronto connaissaient l'éclosion d'oeuvres originales. La littérature des *Montrealers* du 19e siècle restait ironiquement dans l'obédience de la culture française.

LA PEINTURE ET LA SCULPTURE*

Les oeuvres d'art sont le reflet de la société qui les a vu naître. Cette simple affirmation est parfois contestée de nos jours au nom d'une nouvelle prise de conscience de la spécificité de l'oeuvre d'art plastique, par rapport à tout autre mode d'expression. Réduire les oeuvres d'art à de simples produits idéologiques de la société reviendrait à négliger leur caractére spécifique et à les confondre avec toute autre forme du discours idéologique. Si les peintres et les sculpteurs n'avaient voulu que transmettre des idées, ils n'auraient fait ni peintures, ni sculptures. Ils se seraient portés sur la place publique pour y tenir des discours politiques ou autres. Mais aussi bien, ils ne l'ont pas fait et, lorsqu'ils l'ont fait, c'était souvent sans grand rapport avec leur activité artistique. En négligeant ce fait, la sociologie de l'art passerait à côté de son objet.

Il y a sans doute beaucoup de vrai dans cette position que l'on qualifie habituellement de *formaliste*, parce qu'elle s'intéresse davantage à la forme des oeuvres qu'à leur contenu. Ce n'est pas de leur contenu que les oeuvres plastiques tirent leur spécificité, puisqu'elles le partagent avec le discours verbal. C'est bien plutôt de la forme, ici non-verbale, là verbale, dans laquelle ce contenu est mis en oeuvre, que vient son caractère spécifique.

Il n'en reste pas moins que les oeuvres d'art n'existeraient pas si ce n'était d'une certaine conjoncture qui les voit naître et conditionne leur diffusion. Pas d'oeuvres d'art sans artiste; pas d'oeuvres d'art sans patron et pas d'artistes ni de patrons sans idéologie. Ces conditions de production de l'oeuvre d'art méritent d'être étudiées. C'est le point de vue que nous adopterons ici, bien conscients de ce qu'il laisse de côté.

Une tradition conservatrice

Des conditions d'existence de l'oeuvre d'art et de sa diffusion, celle qui est de plus de conséquence est d'ordre idéologique. On l'a vu, le paysage idéologique de la période est varié même s'il est dominé par le conservatisme. La persistance de certains modes d'expression, chez les sculpteurs et les peintres, paraît confirmer cette observation. Ainsi, Ferdinand Villeneuve (1831-1909) sculpte encore au début de notre période des statuettes de bois doré dans le style ancien, comme celles qu'il fit vers 1865 pour l'église Saint-Isidore de Dorchester. Henri Angers (1870-1963) pousse encore plus avant dans le temps. C'est en 1909 qu'il exécute quatre grandes sculptures sur bois « dans l'esprit des anciens sculpteurs d'autrefois » représentant les quatre

* Cette section a été rédigée par François-Marc Gagnon.

évangélistes pour l'église de Saint-Ambroise de Lorretteville. Les peintres illustrent la même tendance. Certes les « grands » de la peinture québécoise au milieu du 19e siècle s'éteignent au début de la période, sauf Antoine Plamondon qui ne mourra qu'en 1895, quinze ans après avoir été nommé premier vice-président de la Royal Canadian Academy. Théophile Hamel meurt en 1870 et Cornelius Kreighoff, deux ans plus tard. Mais leur style ne disparaît pas aussitôt avec eux. Deux disciples de Théophile Hamel, Ludger Ruelland (1827-1896) et Joseph-Arthur-Eugène Hamel (1845-1932), son neveu, prolongent le style de leur maître jusqu'à la fin du siècle, s'exerçant au portrait en dépit de la concurrence de la photographie qui finira pas les battre sur leur propre terrain.

Napoléon Bourassa, 1827-1916. (Archives nationales du Québec, N177-28)

Napoléon Bourassa et son influence

Ces phénomènes de « survivance » sont symptomatiques du conservatisme de la période, mais ne témoignent pas d'une grande créativité. Napoléon Bourassa (1827-1916), tentera de faire autre chose que simplement répéter les formules de ses devanciers. Certes, on ne pourrait faire de Bourassa un révolutionnaire! Nationaliste ardent — il avait épousé la fille de Louis-Joseph Papineau —, il avait été marqué, lors de son passage à Rome et à Florence durant les années 1850, par l'idéologie des Nazaréens. Ces peintres allemands entendaient non seulement proposer une forme nouvelle de romantisme, mais exprimer ouvertement dans leurs peintures leur sentiment religieux. Ils auront ainsi indirectement une grande influence sur la sensibilité religieuse du Québec. Non seulement Bourassa mais même Ozias Leduc, à ses débuts, subissent leur influence. Bourassa est spécialement impressionné par l'intérêt des Nazaréens pour le Moyen Âge et veut, comme eux, revenir à des formes anciennes d'associations d'artistes, comme la guilde ou la corporation. Il va sans dire que ces essais anachroniques n'ont pas plus de succès au Québec qu'en Allemagne, mais ils donnent ici et là l'occasion de collaborer à des projets collectifs qui sont importants en leur temps. Celui qui passionne Bourassa est la chapelle Notre-Dame-de-Lourdes, à Montréal. Il veut en faire une oeuvre collective et, à la manière d'un maître d'oeuvre du Moyen Âge, s'entoure d'apprentis auxquels il entend transmettre les secrets de son art. Bourassa s'intéresse aussi à la peinture murale. Jusqu'à lui, elle s'était confinée à des sujets religieux. Il lui paraît que les grands sujets historiques intéressent ses compatriotes. En cela, il voit juste, car ce genre se développe beaucoup au Québec, après et grâce à lui. Son *Apothéose de Christophe Colomb*, qui l'occupe pendant six ans (1859-1865), témoigne de son engagement dans cette direction.

Bourassa est convaincu aussi de l'importance de développer l'éducation artistique au Québec. En cela, il est précédé par l'abbé Chabert qui, dès 1871, donne, dans le cadre des écoles des Arts et Manufactures, des classes de peinture et de sculpture à Montréal. L'initiative de Bourassa date de 1877. Mais l'une et l'autre annoncent de loin la création des écoles des Beaux-arts à Québec (1921) et à Montréal (1922).

Parmi les étudiants que Bourassa associe à son projet de Notre-Dame-de-Lourdes, un jeune sculpteur deviendra célèbre: Louis-Philippe Hébert (1850-1917). Né à Sainte-Sophie d'Halifax, il revient alors d'une folle équipée à Rome, à la défense des intérêts du Vatican, sous le pape Pie IX en 1869. Après son retour, il s'installe à Montréal et, en 1871, il rejoint le groupe des apprentis de Bourassa à Notre-Dame-de-Lourdes. Talent précoce, il produit ses oeuvres avant 1893 et appartient donc à la présente période. Comme son maître, il contribue à étendre le champ de la sculpture traditionnelle au Québec au delà de la statuaire religieuse. Il s'illustre surtout dans les grands monuments historiques où son style académique lui assure une grande popularité. On connaît son monument à Jacques Cartier (1885) à Ottawa et surtout son fameux monument à Maisonneuve (1893) sur la place d'Armes à Montréal. Entre temps, il obtient la commission d'une série de sculptures historiques pour la façade du nouveau parlement de Québec en 1887.

Le reste de la carrière de Hébert nous intéresse moins ici. Voulant parfaire sa formation à Paris, il réussit à exposer régulièrement dans les

Salons de la très conservatrice Société des Artistes français entre 1893 et 1913. Il meurt en 1917 à Montréal.

L'oeuvre de Hébert, comme celle de Bourassa, témoigne malgré tout du conservatisme général de la période. Tout en étant plus innovateurs que les peintres et les sculpteurs qui ne font que répéter les formules du passé, ils se développent sans introduire de véritable rupture dans la tradition.

Si l'on peut avancer, dans une certaine mesure, que les artistes qui précèdent sont davantage liés au courant idéologique du clérico-nationalisme, un autre groupe surgit, qui reflète lui l'espèce de libéralisme diffus qui gagne de plus en plus de terrain vers la fin du siècle. Pour retrouver les manifestations de ce courant, il faut chercher ailleurs que dans les canaux traditionnels de la diffusion des arts: l'Église et la bourgeoisie avide de portraits. C'est durant la période 1867-1896 que se mettent en place les premières institutions d'art et que se développe le goût des collections privées. Or, c'est le nouveau milieu ainsi créé qui permet l'apparition de nouvelles tendances et de nouveaux styles.

Un courant novateur

La plus importante de ces institutions est dans sans contredit l'Art Association of Montreal, qui deviendra en 1948 le Musée des beaux-arts de Montréal. Pour longtemps, l'Art Association est le seul forum où les artistes peuvent exposer publiquement leurs oeuvres au Canada. On y tient chaque année, depuis le milieu des années 1860, un Salon du printemps sans équivalent dans le reste du Canada. Même après la création de plusieurs institutions artistiques canadiennes — comme, par exemple, l'Ontario Society of Artists à Toronto en 1872, la Royal Canadian Academy of Arts et la Galerie nationale du Canada, créées en 1880 —, Montréal reste la capitale des arts. C'est là que se trouve le principal marché pour les artistes. Ainsi, malgré ses aspirations « nationales » avouées, la Royal Canadian Academy of Arts s'empresse de présenter à Montréal les oeuvres de sa première exposition annuelle montrée d'abord à Ottawa en mars 1880. Après tout, c'est à Montréal que l'argent se trouve! Non seulement l'argent, mais les collectionneurs.

On imagine mal la richesse et l'ambition des collections accumulées par la grande bourgeoisie d'affaires du temps. Sir William Van Horne a le goût éclectique et collectionne aussi bien les grands maîtres du passé comme Le Greco, Constable, Rembrandt, Hals et Reynolds, que les « modernes » comme Théodore Rousseau, Renoir et Monet. James Ross possède un Ruisdaël et un Rembrandt. R.B. Angus a un magnifique Constable et Lord Strathcona, un non moins extraordinaire Turner. Ces millionnaires montréalais ne collectionnent pas que de la peinture étrangère. Ils sont prêts à encourager les peintres canadiens dans la mesure où leur peinture

La galerie de l'Art Association, à Montréal, inaugurée en 1879. (*L'Opinion publique*, 12 juin 1879)

correspond à leur goût et à leur formation. Aussi contribuent-ils beaucoup à faire de Montréal la capitale des arts au Canada à l'époque.

Leur goût les porte d'abord vers le paysage. Cela ne peut guère étonner. Après tout, ils oeuvrent dans un vaste pays, y construisent des chemins de fer et ne sont pas insensibles à ses aspects pittoresques. Les peintres de la période ne peuvent pas ne pas les rejoindre dans cet enthousiasme: le paysage est de loin le genre le plus pratiqué. Descendant le Saint-Laurent jusque dans les provinces atlantiques, ou s'aventurant au nord de Toronto, et même vers l'Ouest au delà des Grands Lacs, ils en rapportent des images d'un pays aux vastes dimensions et à l'atmosphère lumineuse. La première école de paysagisme canadien date de cette époque. Joseph Légaré, qui les précède dans le temps, reste un cas isolé, une exception qui confirme la règle.

Lucius R. O'Brien, 1832-1899: *Sunrise on the Saguenay*, 1880. (Galerie nationale du Canada, 113)

Sunrise on the Saguenay (1880) de Lucius R. O'Brien (1832-1891) est probablement une des oeuvres clés de la période. Les effrayants pans de rocher qui tombent à la verticale sur la gauche de la composition se perdent dans une brume lumineuse. De petits esquifs à voile au pied de la falaise donnent l'échelle de l'ensemble. Sur la droite, la lumière envahit tout et suggère une expansion sans limite de ce côté. Déjà, une vue d'Allan A. Edson (1846-1888) décrivant *Mount Orford and the Owl's Head from Lake Memphremagog* (1870), peinte dix ans plus tôt, comprenait toutes ces caractéristiques. La vue d'Edson est dépourvue de personnages, mais une chaloupe occupant le premier plan en tient la place. Même la brume n'est pas absente de cette composition grandiose.

Quand, vers la fin de 1885, le dernier rail du Canadien Pacifique est posé et que le pays se trouve unifié au moins par un ruban de fer, on ne manque pas de commissionner les artistes pour célébrer l'événement. La vogue des paysages n'en est qu'accrue. Durant les quelques années qui suivent 1885, presque tous les paysagistes canadiens de quelque conséquence voyagent dans l'Ouest du Canada, à titre d'invités du CPR, pour aller y peindre les Rocheuses. Il en sort une quantité de grands tableaux tendant à exprimer le caractère grandiose, voire sublime, de cette partie du pays. Ainsi, dans *In the Rocky Mountains* (1886) de John Arthur Fraser (1838-1898), non seulement

Allan A. Edson, 1846-1888: *Mount-Orford Morning*, 1870. (Galerie nationale du Canada, 1398)

les montagnes sont repoussées à l'arrière-plan, mais des petits personnages et un canot près d'un lac au premier plan semblent rendre la montagne plus écrasante. La mise en place du sujet (la montagne s'enfonce vers la gauche) suggère une forte expansion lumineuse vers l'extérieur de la composition. Cela n'est pas sans contribuer à l'impression de sublime qu'on ne peut manquer de ressentir devant ce tableau de grandes dimensions (110,4 × 120,7 cm). Les mêmes remarques peuvent s'appliquer aux nombreuses vues des forêts de la Colombie britannique qui dominent les expositions à Montréal et à Toronto, vers la fin du 19e siècle, et dont le meilleur exemple est peut-être *A British Columbian Forest* (1888) de Lucius O'Brien.

La vogue des grands paysages pittoresques chez les collectionneurs montréalais n'est pas exclusive. À l'exemple de leurs collègues américains, qui les précèdent dans cette direction, ils s'intéressent aussi à la peinture française et spécialement aux peintres de l'école de Barbizon. On sait que cette école tire son nom du petit village situé près de la forêt de Fontainebleau, où quelques peintres, dont Théodore Rousseau (1812-1867) et Jean-François Millet (1814-1875), se sont groupés autour de Jean-Baptiste Corot (1796-1875). L'importance attachée par les peintres romantiques à l'expression des émotions amène ces peintres à étudier la nature d'une manière plus intime et plus affectueuse qu'on ne l'avait fait avant eux. Les grands arbres de la forêt de Fontainebleau, spécialement les chênes, deviennent le sujet de prédilection de Théodore Rousseau. L'inspiration de Millet est plus variée; il introduit des personnages dans ses paysages. Son *Semeur*, exposé au Salon de 1850, ou son *Angélus* sont dans toutes les mémoires. Mais le sujet de Millet est moins l'individu lui-même que la dignité du travail. Il cherche moins à représenter des individus, les membres

John Arthur Fraser, 1838-1898: *In the Rocky Mountains*, maintenant intitulé *Unidentified Landscape*. (Galerie nationale du Canada, 6454)

d'une classe de la société, que des types et des actions exemplaires. Cette remarque est importante pour comprendre la psychologie des collectionneurs de Millet et de ses émules au Canada.

Intéressés par les maîtres français du groupe, les collectionneurs montréalais ne négligent pas en effet ceux qu'on peut nommer les représentants canadiens de la tendance. On mesure le sérieux de leur engagement en ce sens par l'anecdote suivante. En 1882, le célèbre écrivain Oscar Wilde s'arrête à Toronto au cours de sa fameuse tournée nord-américaine. Il est accueilli très chaleureusement et, en retour de la fête qu'on lui fait, il daigne s'intéresser à la production artistique locale. Il s'entiche bientôt de la production du peintre ontarien Homer Watson (1855-1936), en qui il voit un « Constable canadien ». Il commande même un tableau à l'artiste, ce qui contribue à son succès quand il lui est livré en 1888. Mais voilà qui est plus étonnant. Dans son enthousiasme, Wilde s'offre à piloter Watson s'il consent à quitter son patelin natal, Doon, petit village situé près de Kitchener en Ontario, et à l'accompagner en Angleterre. On s'attend à ce que Watson saute aussitôt sur l'occasion! Il n'en fait rien. À ce moment, Watson gagne modestement sa vie de la vente de ses tableaux et il ne s'agit pas pour lui de lâcher la proie pour l'ombre. Or, qui achète la peinture de Watson à ce moment? Ce sont surtout des collectionneurs montréalais. Sa première vente importante est faite dès 1877 à Alexander C. Hutchison, architecte montréalais. Ce n'est que cinq ans après l'invitation d'Oscar Wilde que Watson se rend en Angleterre et y connaît le succès promis. Wilde le présente alors au peintre James Whistler et l'introduit au Chelsea Club à Londres.

Ce voyage londonien ne nuit pas à sa carrière. Bien au contraire. Mais c'est encore à Montréal qu'on saisit pleinement la signification d'une reconnaissance par Wilde et par les cercles anglais, après le retour de Watson au Canada en 1891. Son tableau intitulé *Log-cutting in the Woods* (1893) remporte le premier prix au Salon du printemps de l'Art Association of Montreal et est aussitôt acquis par Lord Strathcona. Ce succès attire de nouveau l'attention et relance une fois de plus sa carrière à Montréal. Son patron le plus important y est James Ross qui lui achète plusieurs tableaux et invite Watson et sa femme à l'accompagner dans des croisières au Cap-Breton et en Nouvelle-Écosse. Ross enfin tire les ficelles pour assurer une grande exposition à Londres, aux prestigieuses galeries Goupil.

L'engouement des collectionneurs montréalais pour Watson s'explique par leur goût pour les peintres de l'école de Barbizon sinon pour la tendance réaliste française dont ils croient retrouver la manière chez lui. Au cours de son séjour en Europe (1887-1891), celui-ci fait un bref séjour à Paris et prend contact avec les oeuvres de Millet, Daubigny, Corot, Théodore Rousseau, Mauve, etc... Il ne fait pas de doute que sa peinture est marquée par ce contact, *Log-cutting in the Woods* (1893), qui présente au premier plan deux bûcherons en train de tailler à la scie un tronc d'arbre posé au sol, est tout à fait dans l'esprit de la peinture de Millet.

Homer Watson participe peu de la tendance de l'école de Barbizon, car après tout il en a une connaissance dérivée et tardive. C'est Horatio Walker (1850-1938) qui est le grand représentant de la tendance au Québec. Fils d'un exploitant forestier, Horatio Walker, après avoir travaillé pour la firme Notman-Fraser à Toronto, s'installe à New York en 1878, revenant occasionnellement au Canada. En 1881, il se rend en Europe où il découvre l'importance de l'oeuvre de Jean-François Millet. De retour à New York en 1883, il acquiert une maison d'été sur l'île d'Orléans et prend l'habitude d'alterner ses séjours entre les États-Unis et le Canada. Bien qu'il vende plutôt aux États-Unis, il n'est pas ignoré des collectionneurs montréalais. Charles Porteous, entre autres, l'encourage constamment. Se retirant vers la fin de sa vie sur l'île d'Orléans, il y est visité par Mgr Albert Tessier qui filme le peintre dans son domaine. Horatio Walker se rattache tout entier à la peinture de l'école de Barbizon. Il a lui-même exprimé en quoi consistait sa thématique dans un texte cité par John Russel Harper: « La vie pastorale des gens de nos campagnes, le noble travail de l'habitant, le magnifique panorama qui l'entoure, les aspects variés de nos saisons, le calme de nos matins, la sérénité de nos soirées, les mouvements de sac et de ressac de nos

Homer Ransford Watson, 1855-1936: *Log-cutting in the Woods*, 1894. (Musée des Beaux-Arts de Montréal)

marées que j'ai pu observer des rivages de mon île, ce temple sacré des muses et ce don des dieux aux hommes; tels sont mes sujets picturaux préférés. J'ai passé la majeure partie de ma vie à tenter de peindre la poésie, les joies simples, le dur travail quotidien de la ferme, la beauté sylvestre au milieu de laquelle l'habitant passe sa vie paisible, les gestes du bûcheron et du laboureur, les couleurs brillantes du lever et du coucher du soleil, le chant du coq, les tâches quotidiennes de la ferme, en somme toutes les activités qui prennent place, du matin au soir, autour d'une grange. »

Si on arrive aisément à comprendre ce qui motive les collectionneurs montréalais à acheter de grands paysages pittoresques montrant le Canada comme un vaste pays à exploiter et à transformer, on ne peut pas ne pas se demander ce qui peut bien les attirer vers la peinture de Watson ou de Walker, influencés par l'école de Barbizon. Que peuvent bien avoir en commun ces grands entrepreneurs montréalais avec l'univers d'ouvriers forestiers et de paysans canadiens-français de l'île d'Orléans? Sont-ils motivés par le plaisir d'accrocher sur les murs de leurs riches demeures montréalaises l'image des classes ouvrières et paysannes qu'ils exploitent? Ou participent-ils secrètement à l'idéologie agriculturiste sous des dehors de libéralisme? Il suffit de les formuler pour que ces hypothèses paraissent tout à fait farfelues.

Il faut bien voir que le monde rural et le monde des ouvriers forestiers présentés dans la peinture de Watson et de Walker sont déjà fortement interprétés. On nous présente moins des paysans que les vertus traditionnelles des paysans, celles qui sont parfaitement définies dans le texte de Walker que nous venons de citer: l'ardeur au travail, la vie bien réglée selon les rythmes de la nature (cycles diurne et saisonnier) et les joies simples (« easy joys », dit plutôt Walker).

Cette vision idéalisée du monde paysan n'a que peu de rapport avec la réalité. Elle en donne une vue bien austère, pour ne pas dire bien maussade. Il arrivait bien au couple fervent de l'*Angélus* de Millet de fêter le mardi-gras! Il n'est même pas sûr que ce bel idéal vertueux corresponde aux modèles de la classe paysanne du temps. Après tout, les patriotes de 1837 se sont déjà recrutés dans ses rangs. C'est qu'en réalité l'idéal de travail, d'endurance et de stabilité correspond bien plus à celui que se donne la classe des entrepreneurs capitalistes. Aussi, loin de confirmer l'importance de l'idéologie agriculturiste, le succès de ces peintres auprès des grands entrepreneurs montréalais prouve qu'il ne suffisait pas de peindre des paysans au travail pour être un partisan du retour à la terre. Autrement dit, les rapports entre la thématique d'une peinture et une idéologie ne sont pas forcément univoques, précisément parce que le peintre peut traiter ses thèmes de manière symbolique. Nous croyons que c'est le cas ici et qu'en réalité les paysans et les ouvriers des tableaux de Watson et de Walker ne sont que des symboles dans lesquels l'idéologie libérale aime exprimer ses propres aspirations.

Orientations bibliographiques

De Grandpré, Pierre. *Histoire de la littérature française du Québec*. Tomes 1 et 2. Montréal, Beauchemin, 1971.

Harper, J.-R. *La peinture au Canada*. Québec, PUL, 1966. 442p.

Mailhot, Laurent. *La littérature québécoise*. Paris, PUF, 1974. Que Sais-je? no 1579. 127p.

Ostiguy, J.R. *Un siècle de peinture canadienne (1870-1970)*. Québec, PUL, 1971. 206p.

Reid, Dennis. *A Concise History of Canadian Painting*. Toronto, Oxford University Press, 1973. 319p.

Robert, Guy. *La peinture au Québec depuis ses origines*. Ottawa, Iconia, 1978. 221p.

Simard, Sylvain. *L'image du Canada en France 1850-1914*. Thèse de doctorat (lettres), Université de Bordeaux III, 1975. 726p.

TROISIÈME PARTIE

LA PÉRIODE 1896-1929

A. L'ÉCONOMIE

Trois éléments principaux marquent l'évolution de l'économie québécoise entre 1896 et 1929. Le premier, la formidable poussée des nouveaux secteurs liés à l'exploitation des richesses naturelles, est inséparable de l'introduction massive de la production hydro-électrique. Le second, la tendance à la monopolisation, transforme les structures financières des entreprises et permet la création de vastes ensembles de production et de vente. Enfin, le troisième, l'urbanisation, voit non seulement la croissance des agglomérations, mais encore la création de nouvelles villes et, en contrepartie, le déclin de l'importance des campagnes dans tous les aspects de l'économie.

Les transformations que nous venons d'évoquer sont inséparables de la conjoncture de ces années. En 1896, le renversement de la tendance à la baisse des prix marque le départ d'une phase de prospérité sans précédent dans les pays industrialisés. Un peu partout, l'euphorie succède à la prudence des décennies antérieures: les prix et les profits suivent la même tendance à la hausse et la période apparaît comme une espèce d'âge d'or du capitalisme. Dans presque tous les pays, on a trouvé des expressions évocatrices pour désigner ces années: « la belle époque » en France, la splendeur édouardienne en Grande-Bretagne ou le « Gilded Age » — l'époque dorée — aux États-Unis. Les classes dirigeantes voient l'avenir avec un optimisme croissant. C'est l'époque où culminent les grandes réussites bourgeoises; aux États-Unis, les Rockefeller, Carnegie et J.P. Morgan apparaissent au sommet de leur gloire et de leurs extravagances somptuaires: Vanderbilt fait ériger en Caroline du nord un véritable château renaissance. Le chocolatier français Menier achète l'île d' Anticosti pour en faire une réserve de chasse et s'essayer à l'exploitation forestière. À Montréal, les somptueux hôtels particuliers du quartier Saint- Antoine ou de Westmount témoignent de la nouvelle affluence. Car, dépendant des États-Unis et de la Grande-Bretagne, le Canada profite de la nouvelle conjoncture internationale. Wilfrid Laurier déclare avec optimisme que le 20e siècle sera celui du Canada. Précisons que, pour d'autres classes de la société, la période n'a pas la même signification; les ouvriers notamment subissent les effets négatifs de l'inflation et leurs conditions d'existence ne progressent pas dans la même mesure que l'enthousiasme et les profits des autres.

Dans l'ensemble donc, la période 1896-1929 est marquée du sceau de la prospérité, d'où sans doute le plus grand impact de la crise de 1929 sur les imaginations. Pourtant, comme pour les années 1873-1896, on note une alternance de cycles plus courts ayant chacun une phase de hausse et de baisse. Ces cycles correspondent à des fluctuations à court terme; en réalité, la période est marquée par un long mouvement de hausse des prix qui dure de 1896 à 1920, auquel succède un mouvement de baisse.

De 1896 à 1913, trois éléments sont à la base de la prospérité: la mise en valeur de l'Ouest canadien, la construction ferroviaire et la poussée industrielle au Canada central. Dans l'historiographie canadienne, cette période est celle du « Wheat Boom ». Devant la hausse des prix du blé sur les marchés extérieurs, on assiste à un essor de la production dans l'Ouest canadien, accompagné d'une extension imprudente des emblavures; pour produire davantage, on n'hésite pas à mettre en culture certaines zones où les conditions climatiques ne sont pas favorables à la culture du blé. D'autre part, c'est également la période où l'on construit deux nouveaux chemins de fer transcontinentaux. Enfin, au Québec et en Ontario, le tournant du siècle correspond à une reprise des investissements et à un essor industriel important, au point que certains ont affirmé que l'industrialisation du Québec datait de ce moment.

Ces diverses initiatives s'accompagnent d'une hausse importante des investissements étrangers, particulièrement britanniques et américains. Et ces investissement privés ont un effet d'entraînement indéniable sur les dépenses publiques: les différents niveaux de gouvernement engagent de fortes sommes à des titres divers; même les municipalités promettent des subventions aux entreprises qui s'installent sur leur territoire. Deux petites récessions, vers 1904 et 1907, apparaissent plutôt comme des accidents de parcours.

Déjà, en 1912, l'inflation devient sérieuse au Canada et, en 1913, c'est le début d'une récession qui correspond en fait au resserrement des impérialismes dans le monde. On ressent la situation sur le marché des capitaux qui devient plus difficile, et sur les marchés d'exportation des produits agricoles. Au début, la guerre aggrave la récession en perturbant les circuits économiques et la production et en accentuant le chômage.

Peu à peu, la situation s'améliore. L'enrôlement permet de réduire le nombre des sans-emploi, puis les besoins de guerre du Canada et des alliés relancent la production, tant agricole qu'industrielle. Pour les alliés, le blé canadien devient une denrée stratégique; il en est ainsi pour toutes les productions alimentaires. C'est donc dire que, durant ces années, les gouvernements provoquent l'augmentation de la capacité de production agricole, ce qui entraînera un surinvestissement de la part des agriculteurs. La guerre stimule aussi l'industrie. Les secteurs traditionnels, comme le textile et la chaussure, doivent répondre aux besoins militaires, tandis que de nouveaux secteurs sont créés de toutes pièces, comme celui de l'armement. Dans les dernières années de la guerre, l'industrie canadienne tourne à plein rendement.

Avec le retour de la paix, se pose la question de la reconversion de l'économie. Les années 1920-1922 sont marquées par une récession qui est d'autant plus ressentie qu'elle affecte à la fois l'agriculture et l'industrie et que la baisse des prix est brutale. Les cultivateurs qui avaient été amenés à accroître leur capacité de production se retrouvent avec des surplus et un niveau d'endettement important. Plus grave encore, le retour à la paix s'accompagne de la fermeture des marchés agricoles européens, chaque pays voulant protéger sa propre production. Une crise analogue de surproduction et de reconversion affecte également l'industrie.

La reprise s'amorce dès les années 1923-1924 et, à partir de 1925, on assiste à un essor sans précédent des investissements et de la production, en particulier dans le secteur industriel. Ce sont les « années folles » qui se termineront abruptement un certain jeudi d'octobre 1929. Le krach de Wall Street n'est pas, en lui-même, la cause de la grande dépression qui suivra, il en est le symptôme et peut-être le détonateur. Le krach est d'abord une crise de confiance d'ordre financier, boursier. En principe, l'effondrement des valeurs boursières n'a pas comme corollaire l'effondrement de la valeur réelle des actifs des entreprises. En d'autres termes, si les actions d'une compagnie perdent 80% de leur valeur sur le marché, cela ne signifie aucunement que ses usines ont perdu 80% de leur valeur réelle. Cependant, dans une conjoncture de surinvestissement, cela signifie que l'entreprise peut être acculée à la faillite parce que ses créanciers exigeront d'être remboursés et qu'elle ne peut plus trouver de financement. Voilà ce qui rend cette crise inévitable: le surinvestissement signifie une capacité de production accrue, mais également un niveau d'endettement plus élevé et la nécessité d'un marché encore plus actif pour écouler la production. Or, rien de cela ne se produit. La longue période de prospérité commencée en 1896 rend cette crise plus remarquable encore: depuis cette année-là, il y avait bien eu des récessions, mais jamais on n'avait assisté à une telle débandade.

Nous analyserons la période en examinant d'abord la montée des nouveaux secteurs liés aux richesses naturelles et la production manufacturière. Après les transformations du capitalisme, nous verrons l'évolution des échanges et des communications, puis l'urbanisation et la production agricole, pour terminer sur un aperçu des politiques économiques.

CHAPITRE 18

RICHESSES NATURELLES ET INDUSTRIALISATION

A la fin du 19e siècle, la structure industrielle du Québec est surtout caractérisée par la présence d'industries manufacturières légères qui emploient une abondante main-d'oeuvre à bon marché et, secondairement, par l'existence d'une industrie de biens d'équipement, concentrée à Montréal. Cette production est essentiellement destinée au marché canadien. Une seule production importante, celle du sciage, s'appuie sur les richesses naturelles et vise un marché extérieur.

Or, voici qu'à partir de la toute fin du siècle se développent plusieurs secteurs nouveaux, basés sur l'exploitation des richesses naturelles, qui, en quelques années, modifient profondément la structure industrielle québécoise. Ces nouveaux secteurs sont l'hydro-électricité, les pâtes et papiers, l'électro-métallurgie, l'électro-chimie et les mines.

UN NOUVEAU FRONT INDUSTRIEL

Les nouvelles entreprises présentent un certain nombre de traits communs qui les distinguent de celles de l'époque précédente. Elles diffèrent d'abord quant à leur localisation. Les entreprises traditionnelles, utilisant une main-d'oeuvre abondante, tendaient à se rapprocher des bassins de population rurale les plus importants. La nature de leur production, biens de consommation ou d'équipement destinés au marché canadien, les incitent aussi à s'installer près des grandes voies ferrées. Ce qui explique la forte concentration de l'industrie dans la vallée du Saint-Laurent, principalement dans la plaine de Montréal. Les nouvelles industries doivent répondre à d'autres exigences. Les établissements s'installent soit près des matières premières, pour en réduire le coût de transport, soit près des sources d'énergie électrique. Plusieurs de ces nouveaux établissements se situent en dehors de l'ancienne zone industrielle, à la périphérie du Québec habité, dans les régions de colonisation, ou dans les villes qui leur servent de débouchés.

La plupart des nouvelles industries se sont développées grâce à une série de découvertes technologiques réalisées à la fin du siècle. Elles requièrent une technologie complexe et coûteuse importée d'Europe et surtout des États-Unis. Le type d'exploitation et l'équipement requis exigent généralement la construction d'unités de production de dimensions considérables. Aussi les investissements doivent-ils être substantiels, souvent de l'ordre de plusieurs millions de dollars; le petit industriel local doit céder la place à de puissantes sociétés jouissant de solides appuis financiers.

Le développement basé sur l'exploitation des richesses naturelles ne peut pas se faire à partir des seules demandes québécoise et canadienne. C'est la demande étrangère, en partie britannique, mais surtout américaine, qui commande ce développement. Les nouvelles productions seront donc en grande partie orientées vers l'exportation, ce qui est très différent des productions antérieures. Le problème qui se pose alors est celui du degré de transformation que subira le produit au Québec avant d'être exporté. Dans la plupart des cas, on s'en tiendra à une transformation primaire (fabrication de pâte ou de papier journal, de lingots d'aluminium); l'élaboration des produits finis (industries de l'édition ou des produits de l'aluminium) se fera aux États-Unis.

L'ampleur des investissements requis, le rôle déterminant de la demande américaine et la nécessité d'importer la technologie expliquent que le capital américain prenne une place de premier plan dans le développement des industries basées sur les richesses naturelles. L'historien économiste Albert Faucher parle du « caractère continental » de cette industrialisation. Le rôle moteur du capital américain n'empêche pas les capitalistes canadiens-anglais liés aux grandes banques montréalaises de participer à ce développement, surtout dans les secteurs du papier et de l'hydro-électricité. Quant aux entrepreneurs canadiens-français, ils n'occupent qu'une place marginale.

À cause de la complexité de la technologie, ces nouvelles entreprises font appel à un personnel qualifié d'ingénieurs et de techniciens recevant des salaires élevés. Ainsi, les besoins en main-d'oeuvre des usines de papier provoquent la fondation d'une école technique en Mauricie. La demande de travailleurs non qualifiés reste néanmoins très forte. L'essor du papier, par exemple, stimule les opérations d'abattage, où les bûcherons sont majoritairement des cultivateurs ou des colons. Dans l'ensemble, ces nouvelles entreprises emploient essentiellement une main-d'oeuvre masculine.

LES PRINCIPAUX SECTEURS

L'hydro-électricité

Au coeur de ces transformations, apparaît l'hydro-électricité, dont le Québec devient l'un des grands pays producteurs. Même si l'existence de l'électricité est connue depuis fort longtemps, sa production sur une grande échelle ne débute dans le monde qu'à la fin du siècle. Au cours des années 1870, on avait utilisé de l'énergie électrique produite par un générateur, mais c'est en 1882 que Thomas Edison inaugure à New York sa première centrale électrique. Dans les années suivantes, les travaux d'Edison, de Westinghouse et d'autres inventeurs permettent de lancer la production industrielle de l'électricité et de régler les problèmes de distribution. Cependant, les premières centrales sont de petites dimensions et utilisent l'électricité thermique. La construction du barrage de Niagara Falls, aux États-Unis, terminée en 1895, inaugure l'ère des grands barrages et l'utilisation systématique de la force de l'eau.

Au Québec, la production d'électricité à partir d'une source thermique commence dans les années 1880, alors que plusieurs entreprises sont créées à Montréal; à la même époque, de petits barrages sont érigés sur certaines rivières. Le premier grand barrage, celui de Shawinigan, est mis en chantier en 1898, trois ans seulement après la fin de la construction de celui de Niagara. Le Québec entre donc à peu près en même temps que les États-Unis dans l'ère de l'électricité. Au début, ce sont le capital et la technologie américains qui mettent en valeur le potentiel énergétique du Québec. Ce potentiel est considérable à cause du grand nombre de rivières, de leur débit puissant et de leur forte dénivellation, en particulier sur la partie nord du territoire, formée par le Bouclier canadien. La capacité de production hydro-électrique connaît une forte croissance pendant les trois premières décennies du 20e siècle, passant de 83 000 chevaux-vapeur en 1900 à 2 322 000 en 1930. Le rythme est particulièrement rapide avant la Première Guerre mondiale, période de construction des premiers grands barrages, et au cours des années

Le barrage de Shawinigan en 1929. (Archives publiques Canada, PA15576)

1920, alors que des installations de grande envergure sont mises en service au Saguenay, dans l'Outaouais et sur le Saint-Laurent.

Dans ce secteur, les entreprises tendent rapidement au monopole, au moins régional, car il est peu rentable d'installer plusieurs réseaux de distribution sur un même territoire. Quelques géants émergent au cours de la période. La Shawinigan Water & Power Co. est, de loin, le plus grand producteur. Formée pour la construction du barrage de Shawinigan, elle s'implante solidement dans la Mauricie et sur une partie de la rive sud du Saint-Laurent. Elle fournit de l'électricité à Montréal et, en 1923, elle prend le contrôle de la société Quebec Power qui dessert le marché de Québec et sa région. Cette entreprise exerce en quelque sorte un leadership et réalise de nombreuses innovations technologiques.

La Montreal Light, Heat & Power est le résultat de la fusion de plusieurs entreprises de gaz et d'électricité sous l'égide de grands financiers montréalais. Il s'agit essentiellement d'une entreprise de distribution qui achète l'électricité produite par d'autres, en particulier la Shawinigan. La compagnie exploite, dans tous les sens du mot, le riche marché montréalais où elle réalise des profits que l'historien John H. Dales qualifie de fabuleux.

L'ère de l'électricité: poteaux, fils et tramways, rue Saint-Jacques à Montréal, en 1910.
(Archives de la Commission de transport de la Communauté urbaine de Montréal)

Trois autres grandes compagnies se partagent le marché québécois. La société Southern Canada Power produit l'électricité de la région de l'Estrie. Pendant les années 1920, deux autres grandes entreprises sont mises sur pied: la Gatineau Power Co., qui dessert l'Outaouais et une partie des Laurentides et qui vend une part importante de sa production à l'Ontario; la Duke-Price Power Company, qui produit son électricité au Saguenay principalement pour répondre aux besoins de l'aluminerie de l'Alcan et de la société papetière Price. Il existe aussi de nombreuses petites entreprises locales ou municipales, mais leur part du marché est négligeable.

La grande disponibilité d'énergie électrique et la possibilité de la vendre à un coût assez bas aux industriels entraînent l'installation d'entreprises qui en consomment de grandes quantités, dans les secteurs de l'électro-métallurgie et de l'électro-chimie. De même, les usines de pâtes et papiers sont amenées à utiliser l'énergie excédentaire des centrales pour répondre à leurs besoins. Selon Dales, la Shawinigan, au moins à ses débuts, joue un rôle actif dans ce domaine; ayant à trouver un débouché pour sa production, elle provoque l'installation dans la Mauricie de plusieurs entreprises.

Les pâtes et papiers

Parmi les nouvelles industries, la plus importante est certainement celle des pâtes et papiers. De petites entreprises de fabrication de papier s'étaient implantées au Québec au 19e siècle, mais cela reste très modeste en comparaison avec l'essor extrêmement rapide dans les trois premières décennies du 20e siècle. Comment expliquer un tel essor?

Au cours du 19e siècle, un certain nombre d'innovations technologiques ont permis de réaliser la fabrication de papier à partir d'une pâte de bois. Particulièrement importante est l'invention de la machine à papier de Fourdrinier, qui permet la fabrication continue. Les machines de ce type font leur apparition au Québec dans les années 1880. Avec leurs résineux les forêts québécoises constituent des réserves considérables de bois, recherché en particulier dans la fabrication du papier journal. Mais innovations et ressources ne suffisent pas; il faut aussi assurer un débouché à la production. Là encore la demande américaine joue un rôle déterminant, puisqu'elle connaît une très forte hausse au début du siècle. Deux facteurs principaux l'expliquent: la montée du journal à sensation et le développement de la publicité qui fait augmenter de façon substantielle le volume des journaux.

Pour répondre à cette demande croissante, les producteurs américains sont de plus en plus désavantagés par rapport aux entreprises canadiennes. D'abord, les forêts des États-Unis se sont en partie épuisées, suite à une exploitation abusive, et les mouvements de conservation qui se développent visent à limiter l'utilisation de ce qui en reste. En outre, les espèces de bois disponibles dans plusieurs régions se prêtent moins bien à la fabrication de papier journal que les conifères des forêts canadiennes. Les Américains ont de plus en plus de difficulté à produire à aussi bon compte qu'au Canada. En Amérique du Nord, on en arrive au cours de la période à une spécialisation régionale. Les fabricants américains se lancent plutôt dans d'autres produits que le papier journal, comme les papiers fins. Le Canada devient le grand producteur de papier journal, fournissant ultimement environ 80% de la consommation nord-américaine. Au sein de la production canadienne, le Québec occupe le premier rang.

La valeur de la production de pâte et de papier au Québec passe de $5 millions en 1900 à $14 millions en 1910; en 1922, elle atteint déjà $75 millions et elle touche un sommet de $130 millions en 1929. Globalement, le secteur des produits du papier occupait en 1900 et 1910 le neuvième rang dans l'ensemble de la production industrielle du Québec, avec respectivement 3,8% et 5% de la valeur brute de la production. En 1922, ce secteur est passé au deuxième rang, avec près de 12% du total.

La première entreprise moderne installée au Québec dans ce secteur est la société Laurentide, établie à Grand-Mère en 1877 par John Foreman, Montréalais d'origine écossaise qui s'était associé à des industriels américains oeuvrant déjà dans le secteur du papier. En 1896, l'entreprise est rachetée par un investisseur américain et un groupe de financiers canadiens liés à la Banque de Montréal et au Canadien Pacifique. Jouissant de solides assises, la Laurentide, véritable entreprise pionnière en son domaine, devient, selon le sociologue Jorge Niosi, la plus grosse entreprise canadienne de papier journal entre 1898 et 1919. La réorganisation de la Laurentide coïncide avec la première vague d'implantation d'entreprises de pâtes et papiers au Québec, qui se fait au tournant du siècle et qui est surtout visible dans deux régions reconnues jusque-là pour leur production forestière. En Mauricie, en plus de la Laurentide à Grand-Mère, on voit en 1900 la Brown Corporation, une société américaine, s'installer à La Tuque et la Belgo Canadian Pulp, fondée par des intérêts belges, s'implanter à Shawinigan. Au Saguenay-Lac Saint-Jean, la Compagnie de Pulpe de Chicoutimi, présidée par J.-E.-A. Dubuc, est fondée en 1898 et deviendra en quelques années un important producteur. D'autres installations sont mises en service, comme l'usine de Damase Jalbert à Val-Jalbert. La compagnie Price, particulièrement importante dans la région pour ses opérations forestières et ses scieries, se lance à son tour dans la production papetière. Des usines sont également ouvertes dans d'autres régions. Les établissements de cette première époque restent encore de petites dimensions. La plupart des entreprises ne produisent au point de départ que de la pâte de bois (la « pulpe ») qui est exportée pour être transformée en papier aux États-Unis et en Angleterre. Mais, pour accroître leur rentabilité, les producteurs québécois sont rapidement amenés à fabriquer eux-mêmes le papier journal.

Une autre étape de la migration vers le nord de l'industrie nord-américaine des pâtes et papiers découle des changements des politiques

L'usine de pâte à papier de J.-E.-A. Dubuc à Chicoutimi, au début du siècle. (Alex Girard, *La province de Québec*, 1905)

gouvernementales entre 1910 et 1913. Pour accroître la transformation sur place du bois, le gouvernement du Québec interdit, en 1910, l'exportation du bois à pâte coupé sur les terres publiques. Il suit en cela l'exemple de l'Ontario qui avait adopté cette mesure en 1900. Dès 1911, le gouvernement américain réagit en imposant des droits de douane sur le papier provenant de régions où existe un tel embargo. Cette mesure défavorise surtout les acheteurs américains de papier journal qui doivent payer plus cher pour leur produit; aussi, ils font pression sur leur gouvernement et obtiennent la levée de ces droits de douane en 1913.

Surtout entre 1915 et 1925, de très forts investissements sont réalisés au Québec dans l'industrie des pâtes et papiers. Les usines existantes sont agrandies et plusieurs nouvelles entreprises sont attirées dans ce secteur par la forte demande de papier journal. Cette course à l'investissement a rapidement des effets négatifs. La capacité de production dépasse la demande et la concurrence entre les compagnies amène une guerre des prix à partir de 1925. Certaines sociétés papetières sont éliminées; c'est le sort que subit le groupe Dubuc, de Chicoutimi. Des usines sont fermées, dont celle de Val-Jalbert en 1927. Cette fermeture entraîne le départ des habitants et un village fantôme témoigne encore de l'âpreté de cette guerre du papier.

Les financiers tentent de trouver une solution dans la concentration. Le plus important mouvement dans cette direction, au Québec, est celui du groupe de compagnies liées à la Banque Royale et à son président, Herbert Holt. La Canada Power & Paper Corporation, créée en 1928 (elle deviendra la Consolidated Paper en 1931) regroupe cinq grandes entreprises papetières: la St. Maurice Paper, de Trois-Rivières, la Wayagamack Pulp & Paper, du Cap-de-la-Maledeine, la Belgo Paper, de Shawinigan, la Laurentide de Grand-Mère et la Port-Alfred Pulp & Paper, ainsi que leurs filiales. Mais cela ne fait que reporter la guerre des prix à un autre niveau. Quelques grands du papier dominent le secteur à la fin des années 1920: l'International Paper, société américaine ayant au Canada une filiale nommée Canadian International Paper (CIP); la Canada Power & Paper; l'Abitibi Power & Paper, surtout installée en Ontario, mais avec quelques usines au Québec; la société Price, présente au Québec depuis plus d'un siècle.

Les grands producteurs canadiens cherchent à régler la crise par des ententes pour fixer un prix de base du papier journal permettant à toutes les entreprises de réaliser des profits. Leurs tentatives échouent surtout à cause du refus de la puissante International Paper d'y participer. À la fin des années 1920, la guerre qui oppose les sociétés papetières canadiennes groupées autour de la Banque Royale et l'International Paper liée aux banques du groupe Rockefeller, se termine par la victoire du groupe américain.

L'électro-métallurgie et l'électro-chimie

La période 1897-1929 est également témoin de l'implantation au Québec de deux industries nouvelles: celles de l'aluminium et des produits chimiques. Il s'agit, dans les deux cas, d'industries devant utiliser de grandes quantités d'énergie électrique dans le processus de fabrication. Elles auront donc tendance à s'installer là où l'électricité est abondante et à bon marché. La proximité de l'énergie est plus importante que celle des matières premières pour déterminer la localisation de l'usine, d'autant plus que la technologie de l'époque ne permet pas de transporter à bas prix des quantités massives d'énergie sur de grandes distances. Ainsi, pour l'aluminium, la matière première — la bauxite — est importée de Guyane, mais la réduction se fait à l'électrolyse. Il s'agit d'ailleurs d'un procédé récent, mis au point à la fin des années 1880. La construction du barrage de Shawinigan entraîne l'installation dans cette ville d'une aluminerie, mise en service en 1901. Une autre étape est franchie vers 1924 avec l'installation de l'Aluminium Company of America (ALCOA) qui deviendra l'Alcan, à Arvida, au Saguenay; cette implantation est liée à l'aménagement du Saguenay à l'île Maligne.

Dans l'industrie chimique, on a découvert à la fin du 19e siècle comment fabriquer du carbure de calcium avec un procédé électrique. À la recherche de débouchés pour son électricité, la Shawinigan Water & Power réussit à

Une ville nouvelle: Arvida et son usine d'aluminium en 1928. (Archives publiques Canada, PA15582)

provoquer l'implantation d'une entreprise spécialisée dans cette production en 1901; la Canada Carbide Company deviendra d'ailleurs une filiale de la compagnie d'électricité. À partir du carbure de calcium, on obtient de l'acétylène, de l'acide acétique et un grand nombre de produits chimiques utilisés dans la fabrication industrielle. Pendant la guerre de 1914-1918, les besoins de matériel militaire créent une forte demande dans ce secteur et entraînent la naissance, autour de la Canada Carbide, de diverses entreprises connexes. Shawinigan devient alors l'un des grands centres de l'industrie chimique au Canada. Cette industrie réussit à surmonter sans trop de mal les difficultés de l'après-guerre et connaît une nouvelle expansion dans les années 1920. L'industrie chimique québécoise ne se limite pas au carbure de calcium et à ses dérivés, mais elle doit une partie de sa croissance à cette production utilisatrice d'électricité.

La production minière

Parmi les nouveaux secteurs liés à l'exploitation des richesses naturelles, celui des mines se développe assez tardivement. L'image du Québec pays minier est en effet une réalité du 20e siècle. Et contrairement aux autres secteurs que nous avons examinés précédemment, il ne s'agit pas principalement d'une activité industrielle, mais plutôt d'une activité

L'usine de la société Canadian Electro-Products à Shawinigan en 1918. (Archives publiques Canada, PA24468)

d'extraction de matières premières qui sont ensuite exportées pour être transformées. Certains producteurs voient un avantage à effectuer un premier traitement sur place. Ils construisent des concentrateurs et parfois une usine d'affinage où sont éliminés une partie des déchets, ce qui permet d'obtenir un minerai de plus haute teneur et d'en réduire les coûts de transport. L'industrialisation liée à l'exploitation minière dépasse rarement, au Québec, ce type de traitement primaire. Malgré ces retombées limitées, le secteur minier n'en modifie pas moins de façon notable l'économie de certaines régions, comme l'Estrie et surtout l'Abitibi (le développement minier de la Côte-Nord se fait à une période postérieure).

À la veille de la Première Guerre mondiale, l'extraction minière est encore presque inexistante au Québec et elle se résume à deux types de produits. Il y a d'abord les carrières qui fournissent les matériaux de construction (pierre et sable, principalement). Dispersées sur le territoire, ces entreprises ne semblent atteindre des dimensions plus considérables qu'aux abords des grandes villes. L'extraction de l'amiante a commencé à se

Mine d'amiante à Black Lake en 1888. (Archives publiques Canada, C38069)

développer dans l'Estrie dans les années 1880-1890. Dès cette époque, le Québec en devient le premier producteur mondial. Le volume de la production est en hausse au début du siècle mais sa valeur reste faible, car les mines québécoises contiennent surtout des fibres courtes dont le prix est nettement inférieur à celui des fibres longues. L'extraction se fait autour de cinq centres miniers principaux: Asbestos, Coleraine, Black Lake, Thetford Mines et East Broughton. Le seul traitement que subit le minerai, au delà de son extraction, est l'opération de séparation du minerai et de la roche. Les usines où se fait ce travail commencent à être mécanisées. Les étapes ultérieures de transformation sont réalisées dans les pays acheteurs, principalement aux États-Unis et en Europe.

La production d'amiante est encore très instable à l'époque. Il y a un grand nombre d'entreprises d'extraction qui se livrent une forte concurrence. Quand la demande ou les prix sont en hausse, de nouvelles mines sont mises en service; elles sont fermées dès que survient une crise. Certaines

La rue principale de Rouyn en 1924. (Archives publiques Canada, PA13702)

mines sont exploitées directement par des acheteurs américains, comme la société Johns-Manville, qui s'assurent ainsi un approvisionnement régulier. Les producteurs indépendants tentent à quelques reprises de s'organiser pour réduire la concurrence et limiter les effets désastreux de la surproduction. Ces efforts sont régulièrement mis en échec par l'arrivée de nouveaux concurrents. Finalement, en 1925, est constituée l'Asbestos Corporation qui regroupe 11 entreprises et devient ainsi le principal producteur. Cette restructuration contribue, à la fin de la période, à stabiliser l'industrie.

À l'époque où est fondée l'Asbestos Corporation, d'autres explorations minières sont en cours, mais à l'autre extrémité du Québec, en Abitibi. Dans la zone qui va, en gros, de Rouyn à Val d'Or, se trouvent d'importants gisements de métaux, principalement le cuivre, l'or, le zinc et l'argent, que l'on trouve dans des proportions variables selon les endroits; la région de Val d'Or, comme son nom l'indique, est surtout riche en or, celle de Rouyn, en cuivre. Cette structure géologique prolonge une zone semblable qui se trouve dans le nord-est de l'Ontario et qui a été ouverte antérieurement à l'exploitation minière. Il faut dire que l'Abitibi n'a été rattaché au Québec qu'en 1898. Les communications avec le reste du Québec demeurent difficiles jusqu'à la construction du chemin de fer du Transcontinental national, peu avant la guerre. Le train permet de lancer en Abitibi une colonisation de type agro-forestier qui s'amorce vers 1912.

Même si des tentatives ont eu lieu antérieurement, la véritable exploration minière en Abitibi ne commence sérieusement que vers 1920. Les prospecteurs, pour la plupart venus d'Ontario, sont à la recherche de

Le smelter de la compagnie Noranda à Rouyn, en 1927. (Archives publiques Canada, PA13834)

mines d'or. Ils en trouveront, mais la principale découverte de la période est celle de la mine Horne, dans le canton de Rouyn, qui contient de l'or et surtout du cuivre. Elle est exploitée par la société Noranda Mines, qui met en chantier ses installations en 1926. Celle-ci érige une fonderie (*smelter*) puis un concentrateur à Noranda. L'exploitation commence en 1927. Dès 1929, une filiale de la compagnie, la Canadian Copper Refiners, érige à Montréal-Est une raffinerie où sera traité le minerai en provenance de Noranda. D'autres découvertes minières sont faites, au cours des années 1920 et 1930, dans les secteurs de Rouyn, Malartic et Val d'Or-Bourlamaque. Mais, dans la plupart des cas, l'exploitation ne commencera qu'après 1930.

C'est donc à la fin des années 1920 que l'activité minière prend de l'importance au Québec. Les matériaux de construction dominent toujours la production mais leur importance relative est en déclin: ils représentent 60% de la valeur totale de la production en 1910 et 40% en 1929. Viennent ensuite les minéraux industriels qui, en 1929, représentent près du tiers de la production totale; il s'agit principalement de l'amiante dont la production est en hausse assez régulière, passant d'environ 30 000 tonnes par année à la fin du 19e siècle à 300 000 en 1929. Le changement le plus significatif se situe du côté des métaux qui ne fournissaient que 2% de la valeur produite en 1910 et qui voient leur part grimper à 29% en 1929. Le cuivre domine la production métallique en 1929, suivi d'assez loin par l'or, le zinc, l'argent et le plomb.

Globalement, l'ensemble de la production minière passe de $1,6 million en 1898 à $46,5 millions en 1929. Ce secteur reste caractérisé par le faible degré de transformation au Québec même, sauf pour le cuivre et pour certains matériaux de construction.

Orientations bibliographiques

Faucher, Albert. « Le caractère continental de l'industrialisation au Québec », *Histoire économique et unité canadienne*, (Montréal, Fides, 1970): 161-178.

Dales, John H. *Hydroelectricity and Industrial Development. Quebec 1898-1940.* Cambridge, Harvard University Press, 1957. 269p.

Gérin-Lajoie, Jean. « Histoire financière de l'industrie de l'amiante », Pierre-Elliot Trudeau, dir., *La grève de l'amiante*, (Montréal, Éditions du Jour, 1970): 93-121.

Guthrie, John A. *The Newsprint Paper Industry. An Economic Analysis.* Cambridge, Harvard University Press, 1941. 274p.

Lebourdais, D.M. *Metals and Men: The Story of Canadian Mining.* Toronto, McClelland and Stewart, 1957. 416p.

Niosi, Jorge. « La Laurentide (1887-1928): pionnière du papier journal au Canada », *Revue d'histoire de l'Amérique française* , 29, 3, (déc. 1975): 375-415.

Piédalue, Gilles. « Les groupes financiers et la guerre du papier au Canada, 1920-1930 », *Revue d'histoire de l'Amérique française*, 30, 2 (sept. 1976): 223-258.

Ryan, William. *The Clergy and Economic Growth in Quebec (1896-1914).* Québec, PUL, 1966. 348p.

CHAPITRE 19

LA PRODUCTION MANUFACTURIÈRE

À cause du caractère nouveau et parfois spectaculaire de leurs installations et en raison de leur implantation dans les régions neuves, les entreprises liées à l'exploitation des richesses naturelles ont provoqué l'intérêt, sinon la fascination des contemporains. Les historiens n'y ont pas échappé et plusieurs d'entre eux ont eu tendance à ramener l'industrialisation québécoise à ces secteurs et à voir dans leur implantation le signe du démarrage industriel. Il s'agit là d'une vision pour le moins tronquée de l'histoire économique québécoise.

Comme nous l'avons vu, pendant la seconde moitié du 19e siècle, le Québec s'était doté d'une structure manufacturière qui s'appuyait principalement sur l'industrie légère (chaussure, textile, vêtement) et secondairement sur l'industrie lourde (fer et acier, matériel de transport). Or, cette structure antérieure ne disparaît pas au 20e siècle. Elle connaît des réaménagements importants et, si sa place dans l'ensemble diminue, elle n'en continue pas moins à dominer la production manufacturière.

L'ESSOR DE LA STRUCTURE TRADITIONNELLE

La structure manufacturière est centrée sur le marché intérieur canadien, qui est en pleine expansion au début du siècle. Dans la décennie qui

La construction de locomotives aux ateliers du Canadien Pacifique, à Montréal, 1914-1918. (Archives publiques Canada, PA24510)

précède la guerre, le Canada connaît en effet la plus forte vague d'immigration de son histoire; la moitié du contingent se dirige vers les centres industriels de l'Est, alors que l'autre alimente le peuplement agricole de l'Ouest. L'arrivée de ces nouveaux consommateurs est un premier stimulant pour la production. Deux autres facteurs contribuent à accroître la demande des produits manufacturés: la commercialisation de l'agriculture, qui intègre les ruraux au circuit de la consommation, et le mouvement d'urbanisation.

Les entreprises existantes entrent dans une phase d'expansion considérable. Il en résulte de nombreux agrandissements d'usine qui nécessitent parfois un déménagement vers la banlieue. La croissance phénoménale de la banlieue montréalaise, au début du siècle, en témoigne. La ville industrielle de Maisonneuve, en banlieue de la métropole, se développe de cette façon en attirant sur son territoire des entreprises établies à Montréal depuis quelques années — parfois quelques décennies — et qui doivent agrandir leurs installations. Pour elles, le déménagement permet de décupler la production en peu de temps.

Autre dimension importante mais encore mal connue: la rationalisation de la production par l'amélioration des méthodes de gestion et par l'emploi de machines de plus en plus complexes. L'introduction de l'électricité dans les usines modifie d'ailleurs les conditions de la production. La machine à vapeur cède peu à peu la place au moteur électrique, beaucoup plus efficace et autonome. Dans les grandes entreprises, les méthodes de gestion du personnel remplacent les relations de type paternaliste de l'époque antérieure.

Ayant augmenté leur efficacité et leur productivité, parfois regroupées dans des concentrations, les entreprises sont en mesure d'étendre la gamme de leurs produits. La diversification prend quelquefois la forme d'une spécialisation des usines ou des ateliers au sein d'une même entreprise. Elle se fait aussi par la création de filiales qui sont chargées de la fabrication d'un produit particulier.

La diversification industrielle ne se manifeste pas seulement au sein de l'entreprise; elle se perçoit également dans l'ensemble de la structure manufacturière. On voit se développer des secteurs industriels représentant une technologie nouvelle et qui étaient jusque-là peu ou pas représentés au Québec. Les meilleurs exemples sont les produits pétroliers et les appareils électriques.

La valeur brute de la production manufacturière du Québec (tableau 1) fait un bond considérable au cours de la période, passant de près de $154 millions en 1900 à $1,1 milliard en 1929. Si on élimine du calcul le coût des matières premières qui entrent dans la fabrication d'un produit, on obtient la valeur ajoutée: celle-ci connaît une croissance comparable et même légèrement supérieure à celle de la valeur brute. Deux sous-périodes sont témoins d'une croissance particulièrement forte: 1900-1910 et 1925-1929. Les données exprimées en dollars courants peuvent cependant être trompeuses, car le Canada connaît, pendant la seconde décennie du siècle, un taux élevé d'inflation, en particulier au cours de la guerre. Les données exprimées en dollars constants permettent de dégonfler ces chiffres et de mieux rendre compte du niveau réel de production. L'historien Marc

Vallières a calculé, pour chacune des trois décennies, le taux annuel moyen de croissance d'après les données exprimées en dollars constants (tableau 2). On y perçoit nettement les fortes poussées de la première et de la troisième décennies.

La part de la production québécoise dans l'ensemble canadien marque cependant un certain déclin, surtout pendant les deux premières décennies. En 1900, le Québec assurait 32,9% de la valeur brute de la production canadienne, mais seulement 26,6% en 1918; le pourcentage remonte légèrement par la suite et, de 1919 à 1929, il se situe entre 28% et 29%. L'Ontario maintient beaucoup mieux ses positions, de sorte que l'écart entre le Québec et l'Ontario s'élargit quelque peu, surtout entre 1900 et 1918 (Graphique 1).

Au chapitre de la structure industrielle, la répartition par secteurs (tableau 3) indique des éléments de changements, mais aussi une remarquable continuité. Les articles de cuir — principalement la chaussure —, si importants au 19e siècle, subissent une dégringolade spectaculaire, passant du 2e rang avec 13,7% de la valeur de la production au 10e rang avec seulement 3,5% du total. De même, les produits du bois sont en perte de vitesse et glissent du 4e au 8e rang. À l'inverse, les produits du papier connaissent une ascension rapide qui les fait passer du 9e au 2e rang.

Le secteur des aliments et boissons reste toujours en tête de la production, dont il assure environ le cinquième de la valeur brute. Il s'agit là d'un secteur très diversifié. On y trouve des industries déjà fortement concentrées comme celles du sucre, de la brasserie et de la distillerie. On y trouve aussi des industries très marquées par la concurrence, où existent une foule d'établissements dispersés sur le territoire: beurreries et fromageries, boulangeries, biscuiteries. En outre, la part de la valeur ajoutée assurée par cette industrie est beaucoup moins élevée à cause du poids du coût des produits agricoles dans la valeur totale.

La montée des nouveaux secteurs liés à l'exploitation des richesses naturelles apparaît très nette. Le papier, les métaux autres que le fer, les minéraux non métalliques et les produits chimiques ne représentaient en 1900 qu'un peu plus de 9% de la production manufacturière québécoise; en 1929, leur pourcentage a grimpé à 22%. Leur part de la valeur ajoutée est encore plus considérable (11% et 26%); il faut dire toutefois que, jusqu'en 1934, les statistiques de la valeur ajoutée comprennent les coûts en combustible et en électricité, facteurs que ces industries consomment en grande quantité. Chacun des quatre secteurs accroît sa part de la production au cours de la période, mais celui des produits du papier domine nettement.

La progression de ces quatre secteurs modifie sensiblement le tableau d'ensemble de la production, mais sans faire disparaître une autre caractéristique majeure de l'industrie québécoise: sa dépendance envers des

Tableau 1
Valeur brute et valeur ajoutée de la production manufacturière du Québec, 1900-1929 (en milliers de dollars)

Année	Valeur brute*	Valeur ajoutée*	Valeur brute**	Valeur ajoutée**
1900	153 574	68 593	246 112	109 725
1910	340 117	159 111	433 270	202 689
1917	766 100	380 900	514 506	255 809
1918	857 800	403 700	516 747	243 193
1919	916 500	420 200	524 614	240 527
1920	1 053 000	499 600	518 209	245 866
1921	729 500	339 800	508 717	236 960
1922	679 300	346 000	535 726	272 871
1923	784 086	383 423	614 006	300 253
1924	746 859	361 603	576 720	279 230
1925	788 067	376 349	588 989	281 278
1926	867 620	426 435	665 863	327 272
1927	951 604	477 268	747 528	374 916
1928	1 023 269	520 600	814 705	414 491
1929	1 106 475	569 828	888 022	457 326

* En dollars courants.

** En dollars constants (1935-39: 100).

Source: Marc Vallières, *Les industries manufacturières du Québec 1900-1959*, 132, 136, 145, 149.

Tableau 2
Taux moyens annuels de croissance de la valeur brute et de la valeur ajoutée de la production manufacturière du Québec en dollars constants par période de 10 ans, 1900-1930

Année	Valeur brute	Valeur ajoutée
1900-10	5,51	5,94
1910-20	1,79	0,14
1920-30	5,07	6,08

Source: Marc Vallières, *Les industries manufacturières du Québec 1900-1959*, 45.

Tableau 3
Pourcentage de la valeur brute de la production des groupes d'industries par rapport à la valeur brute totale du Québec, 1900-1929

Rang en 1929	Rang en 1900	Groupes	1900	1910	1922	1929
1	1	Aliments et boissons	22,2	17,1	22,6	18,3
10	2	Articles de cuir	13,7	9,1	5,3	3,5
3	3	Vêtements	11,1	11,7	9,5	9,7
8	4	Produits du bois	11,0	13,1	6,3	5,4
6	5	Produits du fer et de l'acier	8,6	8,7	5,3	7,1
4	6	Textiles	8,3	7,4	10,1	7,7
7	7	Tabac et produits du tabac	5,5	5,6	8,4	6,7
5	8	Outillage de transport	5,4	8,7	3,0	7,4
2	9	Produits du papier	4,3	5,0	11,8	12,5
9	10	Produits chimiques	2,8	2,7	5,3	4,1
12	11	Impression, édition, etc.	2,4	1,8	3,1	2,9
14	12	Appareils et fournitures électriques	1,2	2,4	1,5	2,5
15	13	Produits des minéraux non-métalliques	1,1	1,8	2,0	2,3
11	14	Produits des métaux autres que le fer	1,0	3,3	1,2	3,3
13	15	Divers	0,9	1,1	1,4	2,6
17	16	Articles en caoutchouc	0,3	0,3	1,5	1,8
16	17	Dérivés du pétrole et du charbon	0,2	0,3	2,0	2,2

Source: Marc Vallières, *Les industries manufacturières du Québec, 1900-1959*, 170, 172. Les groupes sont ceux établis par le Bureau fédéral de la statistique.

secteurs produisant des biens de consommation et utilisant une main-d'oeuvre à bon marché. En effet, si la chaussure est en déclin relatif, il n'en est pas de même pour les secteurs du vêtement, du textile et du tabac, qui maintiennent leurs positions. L'industrie québécoise de la chaussure connaît encore une période d'expansion au début du siècle, quoique son rythme de croissance soit moins rapide que celui d'autres secteurs. Mais sa production plafonne dans les années 1920 et cette industrie cesse d'être un facteur de croissance. La confection de vêtements occupe le troisième rang de la production québécoise, tant en 1900 qu'en 1930, même si sa part diminue légèrement; au cours de la période, ce secteur assure environ 10% à 11% du total québécois. Le textile suit de près et passe du 6e au 4e rang. Le tabac reste au 7e rang tout en augmentant sa part de l'ensemble; sa croissance est attribuable à la généralisation de la cigarette. Dans leur ensemble, ces quatre secteurs voient leur importance relative diminuer, passant de 38% à 23% de la valeur de la production. Ils restent tout de même des éléments importants de la structure manufacturière et emploient des effectifs de main-d'oeuvre considérables.

Les produits du fer et de l'acier étaient étroitement associés à l'outillage de chemins de fer au 19e siècle. À eux deux, ils représentent environ 14% de la

Graphique 1
Part de la valeur brute de la production manufacturière canadienne assurée par le Québec et l'Ontario, 1900-1930

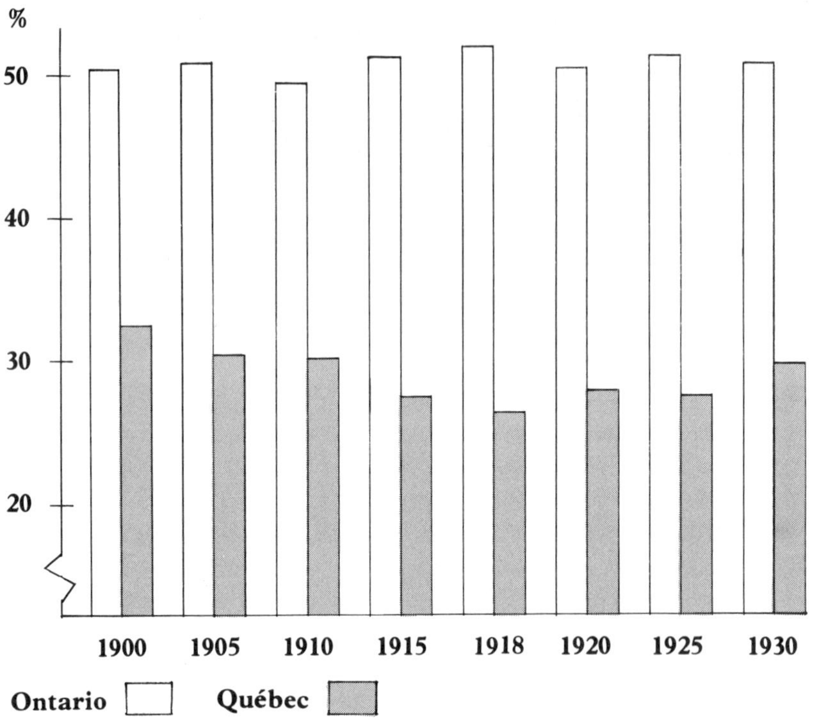

production, tant en 1900 qu'en 1929. Ils connaissent toutefois des variations sensibles au cours de la période. Dans le secteur du fer et de l'acier, le Québec occupe de plus en plus une place secondaire par rapport à l'Ontario. Il n'y a pas d'aciérie au Québec; on s'y spécialise dans la transformation des produits finis ou semi-finis du fer et de l'acier déjà affinés ailleurs. Malgré cela, ce secteur occupe une place qui n'est pas négligeable: au 5e rang en 1900, au 6e en 1929; sa part décline légèrement. Quant à l'outillage de transport, il bénéficie de la présence à Montréal des ateliers des grandes sociétés ferroviaires. S'il passe du 8e au 5e rang, sa part de production fluctue sensiblement. De plus, le Québec voit lui échapper au profit de l'Ontario une nouvelle production, celle des automobiles.

Signalons enfin les progrès de deux secteurs relativement nouveaux: les appareils électriques et les dérivés du pétrole et du charbon. Leur poids dans la structure industrielle reste cependant assez faible, puisqu'en 1929 ils ne fournissent respectivement que 2,5% et 2,2% de la valeur de la production. Ainsi, l'industrie québécoise, tout en conservant ses secteurs traditionnels et une structure héritée du 19e siècle, connaît, entre 1900 et 1929, une phase de modernisation et de diversification qui modifie le poids relatif de plusieurs secteurs.

L'avionnerie de la société Canadian Vickers, à Montréal, en 1920. (Archives publiques Canada, C36956)

UNE ÉCONOMIE EN RETARD?

Mais quelle place l'industrie prise globalement occupe-t-elle dans l'ensemble de l'économie québécoise? Selon toutes les apparences, sa part de la production totale de biens et de services s'accroît, mais il n'est pas facile de la mesurer avec précision. Un premier moyen pour y parvenir consiste à comparer l'industrie avec l'autre grand secteur de production, l'agriculture. Il faut pour cela recourir à des estimés de la valeur brute de la production agricole établis par l'économiste André Raynauld (voir le chapitre sur l'économie rurale). On constate ainsi qu'en 1900 la valeur brute de la production manufacturière est 3,3 fois plus élevée que celle de l'agriculture et qu'en 1929 elle l'est 6,7 fois plus.

Des calculs publiés dans l'Annuaire du Canada, portant cette fois sur la valeur nette de la production au Québec, indiquent que, de 1922 à 1929, la part de l'agriculture tombe de 29,3% à 19,7%, alors que celle de l'industrie manufacturière est en hausse, passant de 40,9% à 47,3%; les autres secteurs les plus importants sont l'exploitation forestière et la construction, qui représentent chacune de 10% à 12% de l'ensemble. Ces deux mesures, si imparfaites soient-elles, n'en indiquent pas moins un ordre de grandeur. Elles permettent de constater que l'industrie représente, tout au cours de la période, le secteur le plus important de l'économie québécoise et que sa part de la production s'accroît.

Par ailleurs, son impact sur le marché du travail n'est pas négligeable. Le secteur manufacturier emploie environ le cinquième de la main-d'oeuvre totale, mais sa part décroît légèrement, passant de 21,7% en 1911 à 20,5% en 1921 et à 19,6% en 1931. À cette dernière date, le pourcentage au Québec est supérieur à la moyenne canadienne (16%), mais inférieur à celui de l'Ontario (22%). En chiffres absolus, la main-d'oeuvre employée dans l'industrie s'accroît, passant de 141 921 en 1911 à 201 273 en 1931. Si sa part relative diminue, c'est le résultat de la montée rapide du secteur des services.

Au problème de l'importance de l'industrialisation québécoise, se rattache tout le débat autour du soi-disant retard du Québec qui fait l'objet d'une abondante littérature. Selon différents auteurs, le Québec aurait eu un démarrage industriel nettement en retard sur celui des autres régions du Canada et singulièrement de l'Ontario. Cette interprétation est particulièrement formulée dans la célèbre thèse Faucher-Lamontagne dont nous avons déjà parlé. Selon ces auteurs, la période 1866-1911 en serait une de retard industriel pour le Québec à cause de son manque de charbon et de fer, les deux matières de base de l'économie industrielle. Selon eux, le véritable démarrage du Québec se ferait après 1911, grâce aux nouveaux secteurs liés aux richesses naturelles.

La thèse du retard a été abondamment critiquée au cours des deux dernières décennies, en particulier par les économistes John H. Dales et André Raynauld. Il faut dire qu'elle s'appuyait sur une connaissance encore embryonnaire de l'histoire économique. Les recherches plus récentes ont permis de montrer, comme nous l'avons vu, l'importance de la première base industrielle du Québec, dans les dernières décennies du 19e siècle, et la place qu'y occupe le secteur du fer et de l'acier. Elles ont également permis de situer dans une plus juste perspective les nouveaux secteurs liés aux richesses naturelles qui, tout en constituant un puissant stimulant à l'industrialisation québécoise, n'en représentent tout de même qu'une dimension partielle.

Il existe certes un écart entre les niveaux de production du Québec et de l'Ontario au profit de cette dernière province, mais il ne faut pas conclure à une lenteur ou à un retard de la première. André Raynauld montre qu'à long terme, les rythmes de croissance des industries ontarienne et québécoise sont tout à fait comparables. Il constate qu'entre 1870 et 1957, « la production manufacturière a crû à un taux annuel de 5,48 pour cent en Ontario et de 5,53 pour cent dans le Québec ». Même si, en courte période, l'écart entre les deux s'accentue — comme pendant les années 1910 —, il s'amenuise par la suite. Pour Raynauld, « le problème du Québec n'est pas celui d'un retard de

La scierie Murphy à Rivière-à-Pierre. (Archives publiques Canada, PA23476)

croissance mais celui d'une croissance dont les caractéristiques structurelles et démographiques sont différentes de celles de certaines autres provinces du pays ». En effet, la structure industrielle du Québec comprend une plus forte proportion d'industries légères par rapport à l'industrie lourde que ce n'est le cas en Ontario. Par ailleurs, la natalité élevée du Québec lui donne une population plus jeune où le taux de participation à la main-d'oeuvre est plus bas. Les revenus obtenus par ceux qui ont un emploi sont donc répartis sur un plus grand nombre de personnes qui ne sont pas sur le marché du travail, ce qui donne un revenu per capita plus bas qu'en Ontario.

Cette question du soi-disant retard, qui implique une comparaison entre le Québec et l'Ontario, ne doit pas être confondue avec ce qu'on a appelé l'infériorité économique des Canadiens français au sein du Québec. Dans l'historiographie, ce deuxième problème renvoie à la situation de minoritaires qu'occupent les entrepreneurs canadiens-français dans le contrôle de l'économie du Québec. Ce phénomène est abordé dans le chapitre sur la bourgeoisie.

Quelle que soit la mesure utilisée, quel que soit le point de comparaison, il ne fait aucun doute que le Québec des premières décennies du 20e siècle a atteint le stade d'une société industrielle, où la production des biens manufacturés représente l'élément moteur de l'économie.

Orientations bibliographiques

Angers, François-Albert et Roland Parenteau. *Statistiques manufacturières du Québec*. Montréal, École des Hautes Études commerciales, 1966. 166p.

Durocher, René et Paul-André Linteau, dir. *Le retard du Québec et l'infériorité économique des Canadiens français*. Montréal, Boréal Express, 1971. 127p.

Raynauld, André. *Croissance et structure économiques de la province de Québec*. Québec, ministère de l'Industrie et du commerce, 1961. 657p.

Vallières, Marc. *Les industries manufacturières du Québec 1900-1959. Essai de normalisation des données statistiques en dix-sept groupes industriels et étude sommaire de la croissance de ces groupes*. Thèse de M.A. (histoire), Université Laval, 1973. 234p.

CHAPITRE 20

CAPITALISME DE MONOPOLE ET INVESTISSEMENT ÉTRANGER

CONCURRENCE ET CONCENTRATION

Dans les pays industrialisés, le capitalisme subit une transformation importante à la fin du 19e siècle et au début du 20e. C'est à cette époque que se réalise le passage d'un capitalisme de concurrence à un capitalisme de monopole. Tant que la plupart des établissements étaient encore de taille modeste, il était relativement facile pour des hommes entreprenants de se lancer dans les affaires et, pendant la seconde moitié du 19e siècle, on assiste à une multiplication des entreprises en concurrence les unes avec les autres. Mais, assez tôt, les guerres de prix s'avèrent ruineuses et les hommes d'affaires cherchent à mettre un frein à la concurrence par la monopolisation. La première méthode à laquelle ils ont recours est le cartel, c'est-à-dire un accord entre des entreprises qui s'entendent pour fixer les prix ou pour se partager le marché. De telles ententes se généralisent à la fin du siècle, mais elles sont difficiles à maintenir, car il se trouve toujours un concurrent pour les briser et essayer d'étendre ainsi sa part du marché.

On recourt alors à une solution plus radicale: la concentration des entreprises par la formation d'un trust. Cette méthode permet à l'entreprise plus puissante ainsi formée d'éliminer les concurrents récalcitrants et de dominer le marché. Au Canada, le mouvement de concentration est amorcé dès les années 1880, mais il ne prend son essor qu'à compter du début du 20e siècle. Deux formes principales de concentration ont alors cours. La plus connue et la plus spectaculaire est la concentration horizontale qui regroupe des entreprises oeuvrant dans un même secteur et fabriquant un même produit. Quant à la concentration verticale, elle amène l'intégration d'entreprises qui sont à des étapes différentes de la fabrication d'un produit.

Louis-Joseph Forget, 1853-1911, financier montréalais. (Archives Notman, Musée McCord)

Le financier Max Aitken, 1879-1964, devenu Lord Beaverbrook en 1917. (Archives Notman, Musée McCord)

Le développement de la société par actions, qui remplace peu à peu l'entreprise familiale traditionnelle, facilite la réalisation de concentrations. La fusion d'entreprises devient également une opération financière: de nouvelles actions sont émises, on réévalue les actifs en gonflant artificiellement leur valeur et les promoteurs sont en mesure de réaliser de substantiels profits de spéculation.

Le rôle des institutions financières dans le mouvement de concentration au Canada est encore mal connu. Dans plusieurs pays européens, les grandes banques ont pris le contrôle d'entreprises industrielles et provoqué le processus de concentration. On a pu parler dans ce cas d'un capital financier, résultat de la fusion entre capital bancaire et capital industriel, le premier dominant l'autre. Au Canada, l'historien Gilles Piédalue a identifié des réseaux financiers centrés sur les grandes banques. L'existence de tels réseaux ne signifie pas pour autant que les banques canadiennes contrôlent les sociétés industrielles. Il semble plutôt qu'on soit en présence de groupes financiers cherchant à contrôler à la fois des banques, des sociétés ferroviaires et des entreprises commerciales, industrielles, ou de services publics. Ces groupes financiers, ayant à leur tête des hommes comme Herbert Holt, Louis-Joseph Forget, Max Aitken, réalisent les principales fusions d'entreprises au Canada.

Il faut en outre tenir compte du rôle des entreprises américaines dans le processus de monopolisation au Canada. Quand les maisons-mères américaines fusionnent, les filiales canadiennes font de même. C'est ainsi que la création aux États-Unis d'un trust de la machinerie utilisée dans la fabrication des chaussures, la United Shoe Machinery Co., est aussitôt suivie de la constitution d'un trust semblable au Canada, la United Shoe Machinery Company of Canada. Parfois la filiale canadienne est créée de toutes pièces après la constitution du trust aux États-Unis. Souvent aussi, la filiale est mise sur pied grâce à l'achat par le trust américain d'entreprises canadiennes existantes. La monopolisation n'est d'ailleurs qu'un des aspects de la pénétration du capital étranger au Canada.

Quand on traite de la question des monoples, il est difficile d'isoler le cas québécois. Les grands monopoles créés au 20e siècle le sont à l'échelle du Canada ou, à tout le moins, de l'Ontario et du Québec. Nous devons donc aborder le problème dans son ensemble. Au Canada, le processus de monopolisation, pour la période qui nous concerne, se fait en deux étapes bien distinctes: pendant les années qui précèdent la Première Guerre mondiale et au cours des années 1920.

Le début du 20e siècle est d'abord marqué par un important mouvement de concentration bancaire. Le nombre de banques à charte au Canada passe de 37 en 1896 à 22 en 1914. Le système bancaire canadien devient alors beaucoup plus centralisé et plusieurs banques régionales sont absorbées par les grandes institutions montréalaises et torontoises. Trois d'entre elles occupent une position dominante: la Banque de Montréal et la Banque Royale, ayant leur siège social à Montréal, et la Banque canadienne de Commerce, ayant son siège social à Toronto. La centralisation financière est manifeste également dans la multiplication des succursales bancaires, dont le nombre passe de 533 en 1896 à 3049 en 1914. Les fusions bancaires ont probablement facilité le mouvement de concentration des entreprises dans d'autres secteurs.

Les concentrations les plus spectaculaires de la période 1900-1914 ont lieu dans les services publics et dans les secteurs du textile, du fer et de l'acier, du ciment et dans certaines industries alimentaires. La Montreal Light, Heat & Power fournit un bon exemple de concentration dans les services publics. Cette société est formée en 1901 sous l'égide de Louis-Joseph Forget et de Herbert Holt. Elle regroupe une compagnie de gaz et trois compagnies d'électricité. En 1903 la nouvelle entreprise achète à un prix très élevé son principal concurrent et s'assure ainsi le monopole de la distribution du gaz et de l'électricité à Montréal. Cette situation lui permet d'imposer aux consommateurs montréalais des tarifs élevés et de réaliser des profits considérables qui sont périodiquement camouflés par des réorganisations financières de la compagnie.

Dans le textile, une première vague de concentration avait eu lieu en 1890 et 1892, alors qu'étaient formées la Dominion Cotton Mills Ltd. et la Canadian Coloured Cottons, regroupant chacune sept usines. En 1904, une nouvelle étape est franchie avec la création de la Dominion Textile Company. Cette nouvelle société absorbe quatre entreprises: la Dominion Cotton Mills Ltd., la Merchants Cotton Company Ltd., la Montmorency Cotton Mills Co. Ltd., la Colonial Bleaching and Printing Co. Ltd. Le groupe financier qui réalise cette opération ne verse qu'une somme de $500 000 et obtient en retour des actions de la Dominion Textile pour une valeur de $5 millions, soit un cadeau de $4,5 millions. Comme les dividendes sont versés sur ce capital artificiellement gonflé, les promoteurs bénéficieront, au cours des décennies suivantes, d'un rendement annuel moyen de 98% sur leur mise de fonds réelle. De tels profits ne pourront être réalisés qu'en vendant le textile à des prix élevés au consommateur.

Cet exemple illustre à quel point la concentration d'entreprises peut être profitable pour ses promoteurs. La deuxième vague de concentrations atteint son point culminant entre 1909 et 1912, avec 58 fusions impliquant 247 entreprises. Parmi celles-ci, mentionnons la création en 1909, sous l'égide du financier Max Aitken, de la Canada Cement qui regroupe 11 entreprises de cimenterie. La Steel Company of Canada (STELCO), formée en 1910, réunit diverses entreprises de fer et d'acier du Québec et de l'Ontario, dont le principal producteur québécois, la Montreal Rolling Mills; dans ce cas précis, l'opération a pour résultat de faire passer le centre de décision en Ontario.

Ainsi, à la veille de la Première Guerre mondiale, plusieurs industries ont connu le processus de concentration et de monopolisation. Cependant, des secteurs y échappent encore. C'est le cas pour certains secteurs nouveaux — comme les pâtes et papiers et les mines — et pour certaines industries plus anciennes — comme la chaussure, le vêtement et la plupart des produits alimentaires —, où coexistent un grand nombre d'entreprises.

Le mouvement de concentrations reprend de plus belle au cours des années 1920. Le processus de fusion bancaire est complété. Des 19 banques à charte en opération à la fin de la guerre, il n'en reste plus que 11 en 1929. Entre 1923 et 1929, au Canada, sont réalisées 228 concentrations qui provoquent l'absorption de 644 entreprises. Des secteurs très variés sont affectés par ce mouvement. Il faut en particulier signaler les nombreuses fusions qui marquent les industries du secteur alimentaire: brasseries, distilleries, conserveries, produits laitiers, etc., ainsi que le secteur des pâtes et papiers. La réorganisation de ce dernier secteur est particulièrement importante pour le Québec. La majorité des entreprises papetières sont impliquées dans ces regroupements. La fusion la plus spectaculaire est sans doute celle qui mène à la création, en 1928, de la Canada Power and Paper Co., dont nous avons déjà parlé.

L'INVESTISSEMENT ÉTRANGER

Le Québec et le Canada ont toujours été fortement dépendants des investissements étrangers pour assurer leur développement, et ce depuis les débuts de la Nouvelle-France. L'afflux de capital étranger permet de compenser l'insuffisance du capital autochtone et d'assurer un équipement plus rapide du pays; il en résulte par contre des conséquences négatives qui ne sont pas négligeables. Les retombées économiques, une fois l'investissement initial réalisé, profitent souvent plus au pays prêteur qu'au Canada, puisque les bénéfices sont réexportés sous diverses formes (profits, intérêts, achats de biens et de services) et que la recherche et l'innovation se font à l'extérieur du pays. Plus globalement, la présence du capital étranger a pour résultat que des décisions importantes concernant le développement économique du Canada sont prises dans d'autres pays, créant ainsi un état de dépendance et de satellisation.

Si cette situation de dépendance a toujours caractérisé l'histoire canadienne, elle prend une dimension nouvelle pendant les premières décennies du 20e siècle, alors que des changements significatifs surviennent dans la nature et l'origine de l'investissement. Ici encore, les données disponibles ne permettent pas de traiter séparément le cas québécois et il faut aborder cette question pour l'ensemble du Canada.

Le premier changement vient de l'ampleur nouvelle des investissements étrangers, qui passent de $1,2 milliard en 1900 à $7,6 milliards en 1930 (tableau 1). Deux périodes sont témoins d'un accroissement particulièrement important: celle de 1905-1914 et les années 1920.

L'accroissement substantiel des sommes investies de l'étranger s'accompagne d'une modification radicale de l'origine de ces capitaux (tableau 2). En 1900, les capitaux en provenance du Royaume-Uni dominent massivement, avec 85% du total. En 1930, les États-Unis sont devenus majoritaires (61%), alors que les investissements britanniques ne dépassent guère le tiers de l'ensemble. Ce changement devient particulièrement perceptible pendant la Première Guerre mondiale et la même tendance se poursuit au cours des années 1920. Avec une participation variant de 1% à 5%, les autres pays ne pèsent jamais d'un poids considérable dans la balance.

Tableau 1
Investissements étrangers au Canada, 1900-1930

Année	Millions de $
1900	1 232
1905	1 540
1910	2 529
1913	3 746
1914	3 837
1916	4 323
1918	4 526
1920	4 870
1922	5 207
1924	5 616
1926	6 003
1930	7 614

Source: M.C. Urquhart et K.A.H. Buckley, *Historical Statistics of Canada*, 169.

Tableau 2
Répartition en pourcentage des investissements étrangers au Canada, par pays d'origine, 1900-1930

Année	Royaume-Uni	États-Unis	Autres pays
1900	85	14	1
1905	79	19	2
1910	77	19	4
1913	75	21	5
1914	72	23	5
1916	66	30	4
1918	60	36	4
1920	53	44	3
1922	47	50	3
1924	42	55	3
1926	44	53	3
1930	36	61	3

Source: M.C. Urquhart et K.A.H. Buckley, *Historical Statistics of Canada*, 169.

Le passage de la dépendance britannique à la dépendance américaine affecte la nature du capital étranger au Canada. Les Britanniques font surtout de l'investissement indirect, c'est-à-dire du prêt d'argent sous forme d'obligations. Ils contribuent en particulier à financer les grandes dépenses d'infrastructure: construction de chemins de fer et travaux publics de toute nature. Les Américains, de leur côté, font surtout de l'investissement direct, sous forme d'actions de société. Ils ne se contentent pas d'un rôle de prêteur, ils sont directement propriétaires des entreprises et ils investissent massivement dans les activités de production. Pour le Canada, le passage de l'investissement britannique à l'investissement américain signifie donc un contrôle accru de l'étranger sur son économie, par la propriété directe. Voyons d'un peu plus près les étapes de cette évolution.

Entre 1896 et 1914, la croissance économique rapide, l'immigration massive et le peuplement de l'Ouest canadien nécessitent de forts investissements. L'une des plus importantes réalisations de cette période est la construction de deux nouveaux chemins de fer transcontinentaux, construction qui sera en grande partie financée par du capital britannique. Pendant cette période, les Britanniques investissent près de $2 milliards au Canada, principalement sous forme d'obligations. La Grande-Bretagne est d'ailleurs la plus grande puissance financière du monde et elle exporte ses capitaux sur tous les continents. À cette même époque, les États-Unis deviennent eux aussi des fournisseurs de capitaux, mais leurs investissements sont surtout concentrés en Amérique latine et aux Antilles. Entre 1900 et 1914, les investissements américains au Canada s'accroissent de façon notable, passant de $168 millions en 1900 à $881 millions en 1914. Ils sont dirigés surtout vers l'industrie manufacturière et l'exploration minière. La pénétration américaine se fait principalement par l'implantation de filiales. Elle vise deux objectifs: alimenter en matières premières les industries américaines (c'est le cas pour les mines et les pâtes et papiers), ou pénétrer un nouveau marché en fabriquant ou en assemblant dans des usines au Canada (*branch-plants*) des produits conçus et mis au point aux États-Unis.

La Première Guerre mondiale vient modifier ces orientations. On constate d'abord un recours massif à l'épargne. La presque totalité de l'effort de guerre du gouvernement canadien est financé par des emprunts intérieurs (au montant d'environ $2 milliards). Les investissements étrangers n'en totalisent pas moins $1 milliard entre 1914 et 1918, provenant surtout des États-Unis. En effet, la Grande-Bretagne, qui doit financer son propre effort de guerre, réduit de façon radicale ses exportations de capitaux. On assiste même, à compter de 1915, à un début de désinvestissement britannique au Canada. Les États-Unis, qui n'entrent en guerre qu'en 1917, ne font pas face au même problème et sont en mesure de remplacer les Britanniques comme principaux fournisseurs de capitaux.

Les tendances qui se sont manifestées pendant la guerre se poursuivent au cours des années suivantes. Le développement économique est assuré par

La pénétration des produits américains au Québec. (*La Presse,* 2 juillet 1912)

un recours proportionnellement plus substantiel qu'auparavant à l'épargne. Le financement de l'effort de guerre avait fait constater l'importance des épargnes des Canadiens que les progrès réalisés du côté des institutions financières permettent de mieux cueillir. Les banques disposent d'un bon réseau de succursales. D'autres types d'institutions sont en croissance, en particulier les compagnies d'assurances. Les grandes sociétés de placement comme Wood, Gundy & Co., Nesbitt, Thomson & Co. et A.E. Ames & Co. jouent un rôle clé dans le financement des entreprises, car l'intérêt pour l'activité boursière s'accroît de façon spectaculaire au cours des années 1920.

Ainsi, l'investissement étranger est moins important, mais il devient, au cours des années 1920, beaucoup plus direct et plus visible. Le retrait relatif des Britanniques, amorcé pendant la guerre, se poursuit, mais le volume global de leurs investissements reste élevé; en 1930, le stock de capital britannique investi au Canada se situe à près de $2,8 milliards. Le capital américain fait de son côté un bond considérable, passant de $1,6 milliard en 1918 à près de $4,7 milliards en 1930. La présence américaine s'oriente surtout dans l'exploitation des richesses naturelles et dans la production industrielle. Le Canada devient ainsi de plus en plus une succursale économique des États-Unis, leur fournissant des matières premières et achetant des produits conçus à l'étranger et assemblés en partie au Canada avec une technologie étrangère et des capitaux étrangers.

De la farine Robin Hood aux céréales Kellogg, des appareils électriques Westinghouse aux automobiles Ford, les Québécois deviennent de plus en plus familiers avec les produits américains fabriqués au Canada. S'ils contribuent à en assurer la rentabilité, les Québécois profitent cependant très peu des investissements industriels américains, puisque la majorité des usines sont implantées en Ontario. En 1931, seulement 16% des usines américaines installées au Canada se trouvent au Québec.

À la fin de la période, la bourgeoisie canadienne conserve encore la haute main sur les secteurs industriels anciens qui s'étaient développés au siècle précédent: le fer et l'acier, le textile, le vêtement, la chaussure, les aliments et les boissons. Les Américains dominent les secteurs industriels nouveaux. En 1932, ils contrôlent 82% de la production d'automobiles, 68% de celle des appareils électriques; ils sont solidement implantés dans l'industrie pétrolière, les produits pharmaceutiques, le caoutchouc, la machinerie et les minéraux non métalliques. Dans les pâtes et papiers ils contrôlent environ le tiers de la production. Ce dernier secteur est le théâtre, au cours des années 1920, d'une vive lutte entre la bourgeoisie canadienne et la bourgeoisie américaine. En 1930, le Canada est très nettement en voie d'intégration à l'empire américain.

Orientations bibliographiques

Bonin, Bernard. *L'investissement étranger à long terme au Canada. Ses caractères et ses effets sur l'économie canadienne.* Montréal, École des Hautes Études commerciales, 1967. 462p.

Clement, Wallace. *The Canadian Corporate Elite. An Analysis of Economic Power.* Toronto, McClelland and Stewart, 1975. Chap. 2.

Clement, Wallace. *Continental Corporate Power. Economic Linkages between Canada and the United States.* Toronto, McClelland and Stewart, 1977. 408p.

Dales, John H. *Hydroelectricity and Industrial Development. Quebec 1898-1940.* Cambridge, Harvard University Press, 1957. 269p.

Levitt, Kari. *La capitulation tranquille.* Montréal, Réédition-Québec, 1972. 220p.

Marshall, Herbert, Frank Southard, jr. et Kenneth W. Taylor. *Canadian-American Industry. A Study in International Investment.* Toronto, McClelland and Stewart, 1976. 360p. (1re édition en 1936).

Naylor, Tom. *The History of Canadian Business 1867-1914.* Toronto, James Lorimer, 1975. 2 vol.

Niosi, Jorge. *Le contrôle financier du capitalisme canadien.* Montréal, PUQ, 1978. 216p.

Piédalue, Gilles. « Les groupes financiers du Canada 1900-1930. Étude préliminaire », *Revue d'histoire de l'Amérique française,* 30, 1 (juin 1976): 3-34.

Roby, Yves. *Les Québécois et les investissements américains (1918-1929).* Québec, PUL, 1976. 250p.

Weldon, J.C. *Consolidations in Canadian Industry 1900-1948.* Ottawa, Combines Investigation Commission, 1948. 65p.

CHAPITRE 21

ÉCHANGES ET COMMUNICATIONS

LES TRANSPORTS

Dans le domaine des transports, la période marque une rupture. Avant la guerre, de fortes sommes sont investies dans des systèmes conventionnels: chemins de fer et navigation. L'essor de l'automobile vient bouleverser la situation et revaloriser le réseau routier. En fin de période, l'aviation commerciale ajoute un nouvel élément de transformation dans ce secteur.

Le dernier boom ferroviaire

À partir de 1897, le gouvernement du Québec cesse de jouer un rôle actif dans la construction ferroviaire. C'est le gouvernement fédéral qui prend la relève en favorisant la création de deux nouveaux réseaux transcontinentaux s'ajoutant à celui du Canadien Pacifique. Le peuplement des Prairies et la hausse phénoménale de la production de blé militent en faveur d'un accroissement des moyens de transport pour expédier les céréales vers l'est. Deux groupes réussissent à obtenir l'appui du gouvernement fédéral: le Grand-Tronc et le Canadian Northern.

Le Grand-Tronc propose au gouvernement fédéral de prolonger vers l'ouest sa ligne principale qui dessert déjà le sud de l'Ontario et du Québec en utilisant comme ports d'expédition Montréal et, en hiver, Portland aux

Le tunnel du Canadien Nord sous le Mont Royal. (Archives du Canadien National)

États-Unis. Le gouvernement Laurier voudrait un terminus d'hiver canadien, situé dans les provinces de l'Atlantique. Il désire également que le nouveau transcontinental passe par Québec et favorise l'ouverture de nouvelles régions au nord. En cela, il répond aux désirs d'hommes d'affaires et de politiciens de Québec et du Saguenay-Lac Saint-Jean qui rêvent d'un chemin de fer allant à la baie James et permettant de coloniser les terres argileuses du Bouclier canadien.

Le Grand-Tronc qui n'est guère intéressé à cette orientation nordique, en arrive à une entente avec le gouvernement fédéral: une filiale du Grand-Tronc, le Grand Trunk Pacific, construira la partie ouest du nouveau transcontinental, de Winnipeg à Prince Rupert. Le gouvernement fédéral se chargera lui-même de la partie est, baptisée Transcontinental National. Ce dernier reliera Moncton à Winnipeg; traversant le fleuve à la hauteur de Québec et le Saint-Maurice près de La Tuque, il obliquera vers l'ouest pour passer à travers l'Abitibi et le nord de l'Ontario. L'entente prévoit qu'à la fin de la construction, le Transcontinental National sera loué au Grand-Tronc. Le nouveau réseau est terminé à la veille de la Première Guerre mondiale. Cette voie vers le nord permet l'ouverture de l'Abitibi à la colonisation à compter de 1912.

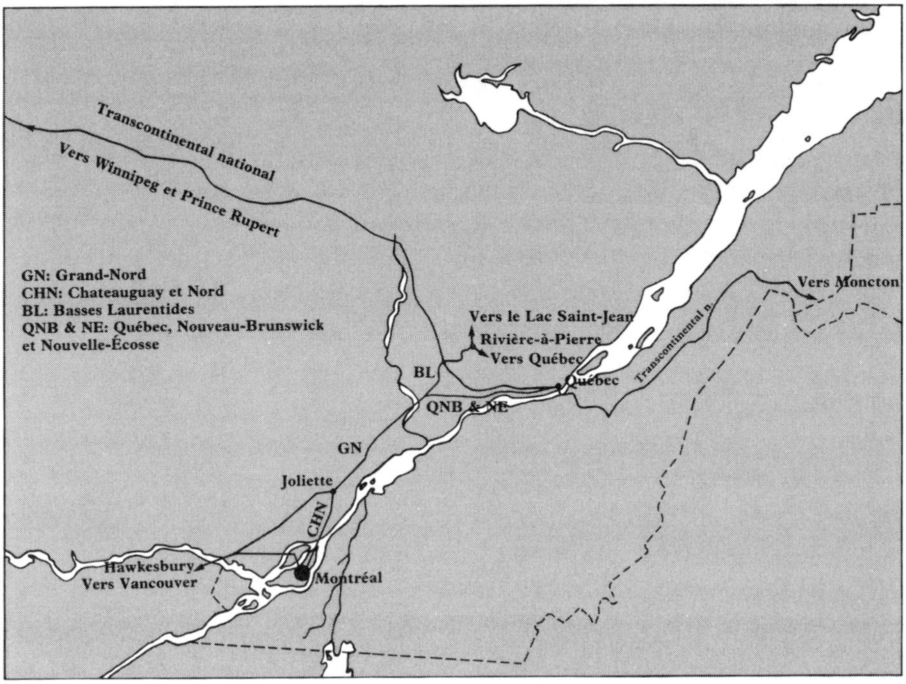

Les nouvelles lignes ferroviaires construites au début du 20e siècle

La constitution du troisième réseau transcontinental, celui du Canadian Northern, se fait de façon graduelle, pendant une vingtaine d'années. Elle est l'oeuvre de deux promoteurs, William Mackenzie et Donald Mann qui, à compter de 1896, achètent de petites entreprises ferroviaires et construisent un réseau de voies ferrées au Manitoba. Au début du siècle, leurs opérations s'étendent du lac Supérieur jusqu'à l'ouest du Manitoba et leur ligne principale est bientôt prolongée jusqu'à Edmonton, en Alberta. Mackenzie et Mann commencent aussi à acquérir de petites entreprises ferroviaires dans l'est, en Ontario, au Québec et en Nouvelle-Écosse, dans l'espoir de les intégrer un jour à un réseau transcontinental.

En 1903, Mackenzie et Mann font leur entrée au Québec avec l'acquisition du réseau du Grand Nord (Great Northern Railway of Canada). Cette entreprise est à la tête d'un ensemble de voies ferrées desservant la rive nord du Saint-Laurent et de l'Outaouais en passant à travers les régions de colonisation. La ligne principale relie Proulx-Jonction, en Mauricie, à Hawkesbury, sur la rive ontarienne de l'Outaouais, en passant par Shawinigan, Joliette et Saint-Jérôme. À Hawkesbury s'établit une correspondance avec d'autres lignes allant vers l'ouest. La compagnie du Grand Nord avait fait l'acquisition du chemin de fer des Basses-Laurentides (Lower Laurentian Railway). Cette nouvelle ligne permettait de prolonger vers l'est la voie du Grand Nord jusqu'au chemin de fer Québec et Lac Saint-Jean, où

Chute de la travée centrale du pont de Québec en 1916. (Archives publiques Canada, C55787)

des droits de péage donnaient accès à la ville de Québec. Le Grand Nord a également deux autres filiales. Le Chateauguay et Nord (Chateauguay & Northern Railway) relie l'est de Montréal à Joliette à compter de 1903. Le chemin de fer de colonisation de Montfort et de Gatineau dessert la région située au nord de Lachute. Les deux promoteurs se retrouvent donc à la tête de ce petit réseau en 1903. L'ensemble est déficitaire, mais ils espèrent le rentabiliser en l'intégrant à un réseau plus vaste. Ils créent en 1903 une nouvelle filiale, le Quebec, New Brunswick and Nova Scotia Railway, avec l'objectif de relier le Québec aux provinces de l'Atlantique. Seule la ligne joignant la voie principale du Grand Nord à Québec est mise en chantier. En 1906, Mackenzie et Mann regroupent leurs propriétés québécoises au sein du Canadien Nord Québec (Canadian Northern Quebec Railway). L'année suivante, ils font l'acquisition du chemin de fer Québec et Lac Saint-Jean.

Il faudra encore quelques années aux promoteurs du Canadien Nord pour relier, grâce à l'aide du gouvernement fédéral, les différentes composantes de leur réseau canadien et ainsi créer un nouveau transcontinental. C'est chose faite en 1915, alors que les trains du Canadien Nord peuvent rouler de Québec à Vancouver. Le maillon québécois est formé des lignes acquises antérieurement. Il faut toutefois trouver le moyen de pénétrer au coeur de Montréal sans effectuer de coûteuses expropriations. Le Canadien Nord adopte une solution audacieuse: percer sous le Mont-Royal un tunnel qui amènera ses trains au centre de la ville.

Pendant la décennie qui précède la guerre, le gouvernement fédéral, porté par l'optimisme général de l'époque, a donc favorisé la création de deux nouveaux transcontinentaux qui deviennent très vite un fardeau. Le trafic est-ouest n'est pas suffisant pour rentabiliser trois grands réseaux. Les coûts de construction s'avèrent beaucoup plus élevés que prévus et, pour cette raison, le Grand-Tronc refuse de louer le Transcontinental National. Le déclenchement de la guerre aggrave les problèmes. Les difficultés économiques qui en résultent défavorisent les nouveaux chemins de fer. Ceux-ci ne peuvent plus obtenir de financement sur le marché de Londres. Le gouvernement fédéral est impliqué, car il a garanti le paiement des intérêts sur les emprunts consentis pour en financer la construction. Or les

Un chemin de colonisation en Abitibi. (Archives nationales du Québec, N-1175-3)

compagnies ne peuvent plus payer ces intérêts. Le gouvernement aide financièrement les entreprises, mais il doit trouver une solution permanente. Celle-ci entraîne l'étatisation des grands réseaux, à l'exception du Canadien Pacifique, et leur administration par une société para-gouvernementale, les Chemins de fers nationaux du Canada (le Canadien National). L'intégration a lieu entre 1920 et 1923 et amène sous la coupe du Canadien National cinq éléments principaux: le Grand-Tronc, l'Intercolonial, le Transcontinental National, le Grand Trunk Pacific, et le Canadian Northern. Le siège de la nouvelle société est établi à Montréal, ce qui, ajouté à la présence du Canadien Pacifique, confirme la métropole dans son rôle de capitale du transport ferroviaire au Canada.

Les ports et la navigation

Au cours de la période, d'importants investissements sont réalisés dans l'aménagement des installations portuaires canadiennes. La croissance de la production de blé des Prairies, qui avait justifié l'expansion du réseau ferroviaire, rend également nécessaire la construction d'installations de stockage et de chargement dans les ports qui sont des terminus maritimes. En outre, l'augmentation générale du volume des importations et des exportations, liée à la croissance de la population, justifie de tels travaux.

Le port de Montréal en 1928. (Archives publiques Canada, PA44433)

À Montréal, on mène à bien de vastes projets de réaménagement des installations portuaires au cours des deux décennies qui précèdent la Première Guerre mondiale. Au terme de ces travaux, la physionomie du port est complètement transformée. Ces projets sont mis en oeuvre par la Commission du Havre grâce à des prêts à long terme du gouvernement fédéral.

Le premier objectif est d'augmenter l'espace d'accostage et de permettre la venue de navires ayant un plus fort tirant d'eau. Pour cela, on doit draguer le lit du fleuve. On remplace la plupart des anciens quais par des quais à haut niveau dont certains ont la forme de jetées s'avançant dans le fleuve. On augmente également l'espace disponible en construisant de nouveaux quais dans la partie est du port, dans le secteur Hochelaga-Maisonneuve. En 1914, toute la rive du fleuve entre l'embouchure du canal Lachine et Maisonneuve est encoffrée dans du béton. Plus à l'est, face à la Longue-Pointe et à Montréal-Est, des quais sont érigés en certains endroits pour répondre aux besoins de grandes entreprises, principalement des cimenteries et des raffineries.

Les nouveaux quais, plus élevés, sont à l'abri des inondations et on construit un mur pour protéger les parties basses de la ville. Il devient dès lors possible d'ériger sur le territoire du port des installations permanentes, à l'abri des crues printanières: de vastes hangars à marchandises, un réseau intégré de voies ferrées et des installations pour la manipulation des céréales (élévateurs et système de convoyeurs jusqu'au point d'amarrage des navires).

Grâce à ces transformations, Montréal devient le grand port d'exportation des céréales vers l'Europe. À partir de 1922, il subit la concurrence de Vancouver, qui commence à exporter le blé canadien via le canal de Panama. D'autres villes du Saint-Laurent veulent aussi leur part du gâteau; Québec et Sorel obtiennent, à la fin de la période, la construction d'élévateurs à grains; Trois-Rivières n'aura le sien qu'en 1938.

En plus des installations portuaires, les conditions de la navigation s'améliorent. Il faut d'abord noter la disparition des voiliers, à l'exception de goélettes destinées au cabotage. La construction de navires plus rapides permet de réduire la durée des traversées de l'Atlantique. Sur le fleuve, les brise-glaces sont utilisés à partir de 1908 et l'usage de la télégraphie sans fil permet d'être informé sur l'état des glaces dans le golfe, rendant la navigation plus sûre.

Les débuts de l'automobile

En moins de deux décennies, l'arrivée de l'automobile bouleverse complètement les priorités en matière de transports. Objets de curiosité, les premières automobiles semblent réservées à des sportifs excentriques, mais, très rapidement, la production en série en généralise l'usage.

La croissance du parc automobile québécois (tableau 1) est très rapide. Le Québec reste cependant loin derrière l'Ontario dans l'utilisation de ce nouveau moyen de transport. Deux dimensions du phénomène sont à considérer ici: l'impact de certains types de véhicule sur les systèmes de transport et l'effet de l'ensemble des automobiles sur le réseau routier.

Les véhicules à moteur ne se limitent pas aux automobiles à usage personnel; en même temps que celles-ci, se répand l'utilisation de la voiture-taxi, de l'autobus et du camion. Les deux premiers modifient nettement les données du transport des passagers. Dans les villes, ils permettent plus de rapidité et plus de souplesse; sur les trajets interurbains, les autobus remplacent de plus en plus les chemins de fer. Ces derniers subissent aussi la concurrence du camion pour le transport des marchandises, mais l'impact de ce phénomène reste encore limité avant 1930. En milieu urbain, les camionneurs remplacent rapidement les charretiers et les chauffeurs de taxi délogent les cochers.

L'automobile a aussi un effet décisif sur la qualité du réseau routier. Les routes du 19e siècle sont généralement en très mauvais état et elles ne sont pas du tout adaptées à la conduite automobile. Mais l'amélioration des routes relève des autorités municipales et celles-ci ne se montrent guère intéressées à hausser les taxes pour financer des investissements de voirie. Le principe des subventions gouvernementales aux municipalités pour fins de voirie avait été adopté au 19e siècle, mais les sommes versées restent faibles.

Tableau 1
Nombre de véhicules automobiles immatriculés au Québec et en Ontario, 1906-1930

Année	Québec	Ontario
1906	167	1 176
1910	786	4 230
1915	10 112	46 520
1920	41 562	177 561
1925	97 418	342 174
1930	178 548	562 506

Source: M.C. Urquhart et K.A.H. Buckley, *Historical Statistics of Canada*, 550.

Au début du 20e siècle, des réformes s'imposent. Les associations d'automobilistes font des demandes en ce sens. Un groupe de pression, l'Association des bonnes routes, canalise les revendications auprès du gouvernement québécois. En 1907, le gouvernement avait lancé une politique d'amélioration des routes rurales, mais c'est la « loi des bons chemins » de 1912 qui marque une étape nouvelle. Le gouvernement met une somme de $10 millions à la disposition des municipalités pour améliorer le réseau routier. On forme, au sein du ministère de l'Agriculture, un département de la voirie qui devient un ministère autonome en 1914.

Le réseau routier apparaît particulièrement important pour assurer l'essor du tourisme. La première route moderne du Québec, construite en 1912-1913, joint d'ailleurs Montréal à la frontière américaine. Après la guerre, la voirie devient l'une des grandes priorités gouvernementales et occupe la plus grande part du budget de l'État.

L'avion

L'avion est mis au point au début du siècle mais, à l'origine, il a surtout un caractère sportif. Il faut attendre les années 1920 pour qu'on en fasse

L'apparition des véhicules automobiles rend nécessaire le déneigement des rues en hiver. (Archives de la ville de Montréal)

véritablement un usage commercial. À la toute fin des années 1920, l'aviation civile au Canada est en pleine expansion alors que le nombre de passagers et le volume des marchandises et du courrier transportés connaissent une hausse rapide. L'avion permet de transformer les communications avec les régions éloignées et les villes minières mal desservies par les moyens de transport conventionnels. Mais, dans l'ensemble, l'effet de l'avion sur les transports au Québec reste très limité pendant la période.

LES COMMUNICATIONS

Outre les transports proprement dits, les autres moyens de communication sont aussi transformés et jouent un rôle nouveau dans l'activité économique. Le plus ancien des media, le journal, subit à la fin du 19e siècle

Le pont Jacques-Cartier en construction, en 1928. (*Annual Report of the Harbour Commissionners of Montreal*, 1928)

des mutations profondes. Le Québec suit en cela l'exemple américain. Le journal québécois du 19e siècle était un journal d'opinion plus que de nouvelles, au tirage restreint et lié de près à un groupe politique.

Ce type de journal fait place à la presse à grand tirage et à bon marché à partir des années 1880-1890. Elle ne vise plus un petit groupe de lecteurs cultivés mais veut atteindre le grand public. La concentration accrue de la population dans les villes et la proportion beaucoup plus élevée de Québécois sachant lire lui crée un marché. Ce nouveau journal attire des lecteurs en mettant l'accent sur la nouvelle, le fait divers et le reportage à sensation, en utilisant abondamment la photographie et l'illustration, et en développant des rubriques spécialisées susceptibles d'intéresser des publics différents. Au Québec, le *Montreal Daily Star* et *La Presse* sont les premiers à lancer ce type de journalisme et ils seront bientôt imités par plusieurs autres publications. À Montréal, au début du siècle, *La Presse* et *La Patrie* luttent vivement pour capter les lecteurs en faisant la surenchère à la sensation. *La Presse* est le plus grand quotidien du Canada en 1899 avec un tirage de 63 000; à la veille de la guerre, il dépasse les 120 000 exemplaires.

Parmi les transformations du journal, il faut souligner aussi la place considérable qu'occupe la publicité. Les grands journaux créent une section des petites annonces. Les entreprises commerciales achètent de pleines pages de publicité pour faire connaître leurs produits. Les techniques de commercialisation se trouvent ainsi modifiées et les rentrées publicitaires représentent une part accrue du revenu des entreprises de presse. La publicité dans les journaux est aussi abondamment utilisée pour la propagande de guerre, pendant le premier conflit mondial.

Si le télégraphe électrique est utilisé depuis le milieu du 19e siècle, il faut attendre le début du 20e pour que soit mise au point la télégraphie sans fil (TSF). À ses débuts, la TSF est surtout utilisée pour les besoins des échanges commerciaux ou comme aide à la navigation. Quelques années plus tard, on découvre le moyen d'utiliser la TSF pour transmettre la voix humaine; le développement de la radio est dès lors possible.

En 1920, la compagnie Marconi met en marche à Montréal la première station de radio au Canada. Deux ans plus tard, le premier poste de langue française (CKAC) obtient son permis. Ce nouveau moyen de communication devient très populaire à partir de la fin des années 1920. Dès leurs débuts, les stations privées de radio diffusent abondamment de la publicité.

LE COMMERCE ET LE CRÉDIT

Les structures des échanges représentent une dimension importante du développement économique. Malheureusement, les études historiques font souvent défaut en ce domaine et nous devrons nous contenter de quelques remarques générales.

Le commerce international

Il est très difficile d'étudier isolément le commerce extérieur du Québec pour la période 1896-1929. Les données statistiques disponibles concernent l'ensemble du Canada et ne peuvent pas toujours être réparties par province. Nous savons que le Québec joue un rôle important dans le commerce extérieur canadien, ne serait-ce qu'à titre d'intermédiaire. Les produits canadiens exportés vers l'Europe passent en grande partie par le port de Montréal. C'est ce qui se passe avec les céréales de l'Ouest, dont une partie est dirigée vers les États-Unis; par contre, Montréal expédie également en Europe des céréales américaines. Dans le cas du commerce canado-américain, la position du Québec comme intermédiaire est moins importante, puisque ce commerce peut se faire directement par chemins de fer ou par la navigation sur les Grands Lacs.

Le Québec n'est pas seulement une voie de passage, il exporte ses propres produits et, surtout, des matières premières. Au premier rang de ces exportations, viennent les produits de la forêt: pâte de bois, papier journal, bois à pâte et bois scié. Les États-Unis sont, dans ce cas, le principal client, bien qu'une partie de la production de pâte et de papier se dirige vers l'Angleterre. Les produits des mines, en particulier l'amiante et le cuivre, sont également écoulés sur les marchés étrangers.

Le Québec est aussi importateur de matières premières: la bauxite pour ses alumineries, le coton pour ses filatures, le sucre pour ses raffineries, le charbon pour le chauffage de ses maisons et de ses usines. Il importe également un grand nombre de produits manufacturés et de produits alimentaires.

Les structures du commerce extérieur et ses institutions varient d'un produit à l'autre. Les exportateurs de céréales sont concentrés à Montréal, où ils se regroupent dans l'Association de la halle au blé (Corn Exchange); ils ont des liens étroits avec les armateurs. Dans le cas du papier journal, les sociétés papetières s'occupent elles-mêmes de trouver des clients à l'étranger et d'expédier leurs produits; elles créent parfois des sociétés de vente à cet effet. Dans le secteur du bois de sciage, la structure du commerce est beaucoup plus décentralisée et morcelée; les entrepreneurs forestiers dans les régions productrices établissent des liens avec des importateurs américains. Il est donc difficile de dresser un tableau précis de ces institutions pour l'ensemble du Québec.

Le commerce intérieur

La grande variété et le morcellement caractérisent aussi le commerce intérieur. Une étude menée par l'économiste François-Albert Angers pour 1930 permet de décrire la situation dans ce secteur à la fin de la période.

Distinguons deux niveaux: le commerce de gros et le commerce de détail. À cette date, le Québec compte 2 932 établissements de gros dont les ventes nettes totalisent $904 796 000. À côté des maisons de gros proprement dites, on retrouve les succursales de ventes de manufacturiers, les agents, les courtiers, les entrepôts de magasins à succursales, etc. On relève déjà une forte concentration des ventes aux mains de très grosses entreprises. Seulement 12% des établissements ont des ventes supérieures à $500 000, mais ils contrôlent 71% des ventes totales. Le commerce de gros est aussi concentré géographiquement, puisque 63% de tous les établissements se trouvent à Montréal et qu'ils contrôlent 85% des ventes du Québec.

Le commerce de détail est plus morcelé, puisqu'on compte 34 286 établissements en 1930. Environ la moitié de ceux-ci vendent des produits alimentaires: épiceries et boucheries, magasins de confiseries, etc. En fait, le commerce de détail est très varié; la classification du recensement en retient 123 types. Dans plusieurs cas, le petit établissement est la règle générale, mais, dans certains secteurs, les grands magasins ou les réseaux de

Le grand magasin Morgan, à Montréal, en 1930. (Archives de la ville de Montréal)

succursales annoncent un début de concentration. Angers constate qu'en 1930, sept magasins à rayons ne représentant que 0,02% du total des établissements faisaient 8% des affaires. Les 175 entreprises de magasins à succursales font, quant à elles, 18% de toutes les ventes au détail. La répartition géographique est bien différente de celle des commerces de gros, puisque seulement 37% des établissements de détail sont à Montréal; ils n'en réalisent pas moins 60% des ventes totales du Québec.

Les banques à charte restent, tout au cours de la période, les institutions les plus importantes. Ce secteur connaît d'ailleurs un réaménagement d'envergure marqué par la concentration des sociétés et par la multiplication des succursales.

Au Québec, on relève la disparition de plusieurs banques, en particulier de toutes celles ayant leur siège social à l'extérieur de Montréal. La Banque de Saint-Jean et celle de Saint-Hyacinthe font faillite en 1908. L'Union Bank of Canada déménage son siège social de Québec à Winnipeg en 1913. La Banque des Cantons de l'Est (Eastern Townships Bank) de Sherbrooke est absorbée par la Banque canadienne de Commerce en 1912. La Banque de Québec passe sous la coupe de la Banque Royale en 1917 et la Banque

Nationale, ayant son siège à Québec, évite de justesse la faillite en s'intégrant à la Banque d'Hochelaga pour former la Banque Canadienne Nationale.

À Montréal même, plusieurs banques disparaissent. La Banque Ville-Marie fait faillite en 1899. La Banque Jacques-Cartier, en difficulté en 1899, est réorganisée l'année suivante sous le nom de Banque Provinciale du Canada. La Banque de Montréal absorbe successivement la Bank of British North America (1918), la Merchants Bank (1922) et la Molsons Bank (1925), toutes ayant leur siège à Montréal.

À la fin de la période, Montréal est le siège de quatre banques: les deux plus grandes du Canada (Banque de Montréal et Banque Royale) et les deux institutions contrôlées par des Canadiens français (Banque Canadienne Nationale et Banque Provinciale). La Barclay's Bank, filiale d'une institution britannique, s'installe en 1929 mais représente encore peu de choses. Les cinq autres banques du Canada ont leur siège social à Toronto. L'actif de toutes les banques du Québec s'accroît substantiellement pendant la période, passant de $147 124 000 en 1896 à $2 066 927 000 en 1929.

Tableau 2
Actif des banques ayant leur siège social au Québec, 1913-1929 (en milliers de $)

Banque	1913	1923	1929
Banque de Montréal	241 991	663 661	896 936
Bank of British America	63 975	—	—
Merchants Bank	83 217	—	—
Molsons Bank	50 302	73 261	—
Banque Royale du Canada	178 624	536 778	962 028
Banque de Québec	21 179	—	—
Banque Canadienne Nationale	—	—	154 539
Banque d'Hochelaga	32 530	71 593	—
Banque Nationale	24 213	52 864	—
Banque Provinciale du Canada	13 077	36 939	53 424
Union Bank of Canada	79 567	—	—
Barclay's Bank			4 542
TOTAL	788 675	1 435 096	2 071 469
Actif total des banques du Canada	1 551 263	2 700 424	3 521 089

Source: Annuaires du Canada.

Cela ne signifie pas que le Québec soit doté de bons services bancaires. Il semble en effet que la qualité de ceux-ci soit très inégalement distribuée sur le territoire et que Montréal soit beaucoup mieux servie que les autres centres. L'historien Ronald Rudin constate que, au moins jusqu'en 1914, les grandes

Le coeur financier du Canada: la rue Saint-Jacques, à Montréal. (Archives de la ville de Montréal)

banques anglophones de Montréal ne se montrent guère intéressées au développement interne du Québec. Elles n'ont que très peu de succursales dans les villes à l'extérieur de Montréal et elles ne prêtent guère aux entrepreneurs canadiens-français. Ces derniers, en quête de financement, se tournent vers les banques francophones qui tentent de répondre à leurs besoins, mais dont les ressources en capital sont limitées.

À la veille de la guerre, le Québec est l'une des provinces canadiennes les plus mal desservies. En 1912, on n'y compte qu'une succursale bancaire par 4 547 habitants, alors que la moyenne canadienne est de une pour 2 606. Après la guerre, le réseau de succursales s'étend de façon notable et les banques canadiennes-françaises en sont principalement responsables. Celles-ci comptent, en 1923, plus de la moitié (319) des 632 succursales de banques établies au Québec. Elles ont en outre plusieurs centaines de sous-agences, s'occupant principalement de recevoir les dépôts. En 1929, les 1 169 succursales et sous-agences au Québec se répartissent ainsi: 524 pour la Banque Canadienne Nationale, 281 pour la Banque Provinciale du Canada, 130 pour la Banque de Montréal, 89 pour la Banque Royale et 145 pour les autres institutions. Tous ces bureaux n'ont évidemment pas la même importance, mais leur répartition indique bien l'inégalité d'accès aux services financiers.

C'est d'ailleurs pour répondre au problème de l'insuffisance d'institutions d'épargne et de crédit que sont fondées les caisses populaires. L'initiative revient à Alphonse Desjardins, un ancien journaliste devenu sténographe à la Chambre des communes d'Ottawa. Il veut lutter contre le fléau de l'usure chez les ouvriers et les cultivateurs. Après avoir étudié les systèmes de banques populaires en Allemagne et en Italie, il s'en inspire pour mettre au point une formule originale. Son principal objectif est de généraliser l'habitude de l'épargne, même modeste, et de faciliter l'accès au crédit pour les paysans et les travailleurs. En décembre 1900, il fonde sa première caisse populaire à Lévis; lorsque celle-ci commence ses opérations, le mois suivant, elle n'a qu'un capital de $26. Les débuts sont donc plus que modestes, mais l'adoption de la loi des syndicats coopératifs par la législature du Québec, en 1906, permet une première expansion du mouvement. Grâce à cette reconnaissance juridique, Desjardins peut multiplier les fondations de caisses, généralement établies sur une base paroissiale.

Desjardins compte sur l'appui très actif du clergé québécois. Dans plusieurs paroisses, le curé est le véritable organisateur de la caisse populaire. Les évêques, en particulier Mgr Bégin de Québec, épaulent l'action de Desjardins et certains prêtres se transforment en propagandistes de l'oeuvre, rédigeant des brochures et prononçant des conférences. L'appui du clergé est déterminant au cours des premières décennies, car Desjardins fait face à de fortes oppositions, en particulier celle de l'Association des marchands-détaillants et celle de la Banque Nationale, qui voient dans les caisses populaires des concurrents. La mort du fondateur, survenue en 1920, n'arrête pas l'expansion du mouvement. À la fin de la période, on compte au Québec 178 caisses regroupant 44 835 sociétaires et, en 1929, l'actif total s'élève à $11 millions. Cela est encore peu quand on le compare à l'actif des banques (tableau 2), mais c'est un pas important, compte tenu des milieux où les caisses sont implantées.

Alphonse Desjardins, 1854-1920, fondateur des caisses populaires.

À côté des banques à charte et des caisses populaires, on relève un autre type d'institutions propres au Québec. Il s'agit des deux banques d'épargne, la Banque d'épargne de la cité et du district de Montréal et la Caisse d'économie de Notre-Dame de Québec, fondées au milieu du 19e siècle. En 1929, elles ont un actif total de $77,6 millions.

Le secteur financier ne se limite pas aux institutions de type bancaire. On assiste d'ailleurs à une multiplication des intermédiaires financiers au cours de la période. Au premier rang, viennent les sociétés d'assurances qui sont de trois types: assurance-vie, assurance-incendie et assurances générales. Les premières sont particulièrement importantes, car elles constituent d'immenses réservoirs d'épargne et représentent un levier économique de poids. Outre les sociétés britanniques et américaines oeuvrant au Canada, on compte un grand nombre de compagnies canadiennes d'assurance-vie. À la fin de la période, ce secteur est largement dominé par une entreprise, la Sun Life, dont le siège est alors à Montréal. La présence francophone dans l'assurance-vie est minime. Du côté des assurances générales, on assiste à un essor dans des domaines nouveaux comme l'assurance-automobile et l'assurance-vol.

Les sociétés de fiducie jouent un rôle croissant comme intermédiaires financiers. Agissant comme administrateurs des biens d'individus ou de successions et comme agents de sociétés, elles interviennent dans plusieurs secteurs de l'économie. Deux entreprises montréalaises, le Royal Trust, lié au groupe de la Banque de Montréal, et le Montreal Trust, associé à la Banque Royale, contrôlent en 1926 plus de 60% des actifs des sociétés canadiennes de fiducie.

Le développement des sociétés par actions et les fusions d'entreprises favorisent par ailleurs le progrès des maisons de courtage et des sociétés de placement. L'engouement pour la spéculation boursière, à la fin des années 1920, accentue temporairement l'importance des courtiers en bourse. D'autres types d'intermédiaires financiers apparaissent également, comme les sociétés de financement ou les compagnies de petits prêts. La multiplication des institutions n'amène pas pour autant une dispersion du pouvoir économique. Celui-ci reste toujours concentré aux mains des administrateurs de quelques sociétés de banque, d'assurance-vie et de fiducie.

Orientations bibliographiques

Angers, François-Albert. « Les institutions économiques », Esdras Minville, dir., *Notre milieu*, (Montréal, Fides et École des Hautes Études commerciales, 1946): 367-421.

Beaulieu, André et Jean Hamelin. « Aperçu du journalisme québécois d'expression française », *Recherches sociographiques*, 7, 3 (sept.-déc. 1966): 305-348.

Easterbook, W.T. et H. Aitken. *Canadian Economic History*. Toronto, Macmillan, 1967. Chap. XVIII.

Glazebrook, G.P. de T. *A History of Transportation in Canada*. Toronto, McClelland and Stewart, 1967. 2 vol. (1re édition en 1938).

Guillet, Edwin C. *The Story of Canadian roads*. Toronto, University of Toronto Press, 1966. 246p.

Linteau, Paul-André. « Le développement du port de Montréal au début du 20e siècle », Société historique du Canada, *Communications historiques*, (1972): 181-205.

Murray, Gilles. « Le commerce », Esdras Minville, *Montréal économique*, (Montréal, Fides et École des Hautes Études commerciales, 1943): 243-272.

Regehr, T.D. *The Canadian Northern Railway*. Toronto, Macmillan, 1976. 543p.

Rudin, Ronald. *The Development of Four Quebec Towns, 1840-1914. A Study of Urban and Economic Growth in Quebec*. Thèse de Ph. D., Université York, 1977.

Roby, Yves. *Alphonse Desjardins et les caisses populaires 1854-1920*. Montréal, Fides, 1964. 149p.

CHAPITRE 22

UN QUÉBEC URBAIN

Pendant les premières décennies du 20e siècle, le Québec affiche un visage plus nettement urbain. La majorité de sa population vit dans les villes et le mouvement d'urbanisation s'étend, avec une intensité variable, sur l'ensemble du territoire. Des changements affectent le réseau urbain et l'organisation des villes.

UNE EXPANSION GÉNÉRALISÉE

Au début du siècle, on relève déjà la présence d'un peu plus du tiers des Québécois dans les villes (tableau 1). Trente ans plus tard, on y trouve près de 60% de la population. L'accroissement de la population urbaine se fait de façon régulière, puisqu'elle gagne environ huit points de pourcentage d'un recensement à l'autre.

Le taux d'urbanisation du Québec se situe constamment au-dessus de la moyenne canadienne et l'écart entre les deux tend à s'accentuer. La comparaison entre le Québec et l'Ontario permet de constater que les deux provinces s'urbanisent sensiblement au même rythme. Mais l'écart qui s'était créé entre elles au 19e siècle existe toujours; il augmente entre 1911 et 1921 pour se resserrer pendant les années 1920, de sorte qu'en 1931 il est de moins de 4 points de pourcentage.

C'est le recensement de 1921 qui permet de constater que le Québec est devenu un territoire majoritairement urbain. Selon l'historien William Ryan, le passage du cap des 50% s'est fait vers 1915. Le constat du recensement de 1921 alarme un certain nombre d'intellectuels traditionnalistes, rédacteurs au *Devoir* ou à l'*Action française*, mais leur proposition de freiner l'urbanisation n'a guère de succès.

Tableau 1
Taux d'urbanisation (en %),
Québec, Ontario, Canada, 1901-1931

Année	Québec	Ontario	Canada
1901	36,1	40,3	34,9
1911	44,5	49,5	41,8
1921	51,8	58,8	47,4
1931	59,5	63,1	52,5

Source: L.O. Stone, *Urban Development in Canada*, 29.

Il y a évidemment des différences selon les groupes ethniques, comme nous l'avons vu au chapitre sur la population. Les Britanniques, bien qu'ils aient encore des effectifs importants dans certains comtés ruraux, se concentrent de plus en plus à Montréal. Il en est de même pour les immigrants d'autres origines qui s'installent en très grande majorité dans la métropole. Le taux d'urbanisation des Canadiens français est moins élevé, mais il augmente rapidement au cours de la période.

Par ailleurs, le taux global d'urbanisation masque d'importantes variations régionales. La plaine de Montréal est beaucoup plus massivement urbaine que la Gaspésie et certaines régions s'urbanisent plus rapidement que d'autres. A la fin du 19e siècle, le réseau urbain québécois était caractérisé par le poids considérable des deux pôles principaux, Montréal et Québec, et par l'existence d'un ensemble de petites villes dans la plaine de Montréal et dans les Cantons de l'Est. Entre 1897 et 1929, on assiste à l'urbanisation rapide de régions qui sont à la périphérie de ce réseau initial: la Mauricie, le Saguenay-Lac Saint-Jean et, à la toute fin de la période, l'Abitibi.

Cette urbanisation est liée étroitement à l'exploitation des richesses naturelles. Les facteurs de localisation des nouvelles usines de pâtes et papiers, de produits chimiques et de l'électro-métallurgie amènent la création de villes en dehors du réseau pré-existant.

La Mauricie (les comtés de Maskinongé, Saint-Maurice et Champlain) est encore largement rurale en 1901 et en 1911 (tableau 2) mais elle s'urbanise très rapidement par la suite et, en 1931, 60% de sa population est urbaine. Au début du siècle, la Mauricie ne rassemblait que 2,6% de la population urbaine du Québec; trente ans plus tard, sa part est passée à 4,8%.

Tableau 2
La population urbaine
en Mauricie et au Saguenay-Lac Saint-Jean

	Population urbaine de la région (%)		Population urbaine de la région/ population urbaine du Québec (%)	
Année	Mauricie	Saguenay-L. St-J.	Mauricie	Saguenay-L. St-J.
1901	22,2	19,3	2,6	1,1
1911	23,8	31,8	2,3	1,7
1921	52,9	44,0	4,8	2,4
1931	60,2	53,8	4,8	3,1

Source: Recensements du Canada.

Le Saguenay-Lac Saint-Jean (région formée des comtés de Chicoutimi et de Lac Saint-Jean) connaît une évolution comparable. C'est au départ une région rurale à base agro-forestière. L'industrie des pâtes et papiers et celle de l'aluminium viennent modifier les choses. La population urbaine s'accroît de façon rapide et régulière au cours des trois décennies et atteint 53,8% en 1931. La part de la région dans l'ensemble de la population urbaine du Québec passe de 1,1% à 3,1%.

Ces deux régions rassemblent donc, en 1931, près de 8% de la population urbaine du Québec. L'extension vers le nord du réseau des villes n'est cependant pas suffisante pour modifier de façon notable la trame urbaine existante. Le trait dominant, le poids considérable de Montréal, n'est pas remis en question. La part de la population urbaine de l'île de Montréal dans la population urbaine du Québec se situait à 52,9% en 1901. Elle passe à 56,2% en 1911, à 54,0% en 1921 et à 54,7% en 1931. Cependant, la part relative des autres composantes du système tend à diminuer au cours de ces trente années: celle de Québec et de sa banlieue passe de 10,5% à 7,8%; celle des villes de la plaine de Montréal, de 7,3% à 4,9%; celle des Cantons de l'Est et des Bois-Francs, de 9,6% à 7,9%. La croissance urbaine est donc générale, mais elle est plus rapide à Montréal et dans les villes nouvelles du nord du Québec.

L'urbanisation croissante du Québec se manifeste aussi dans l'augmentation du nombre des municipalités urbaines (tableau 3). Même si certaines unités disparaissent à la suite de fusions, d'autres sont créées ailleurs. Quelques-unes de ces municipalités forment la banlieue d'une grande ville; tout en étant distinctes juridiquement de celle-ci, elles font partie de ce que les recenseurs appellent maintenant un complexe urbain. Les plus importants de ces complexes urbains, ceux qui ont 5 000 habitants et plus, sont au nombre de 10 en 1901; on en compte 13 en 1911, 17 en 1921 et 20 en 1931. À l'exception de Montréal et de Québec, la plupart de ces complexes urbains restent cependant de petite taille. Le Québec n'a pas véritablement de villes moyennes; celles qui peuvent aspirer à ce titre, Sherbrooke, Hull et Trois-Rivières-Cap-de-la-Madeleine, n'ont en 1931 qu'une population variant de 29 000 à 43 000 habitants.

Tableau 3
Nombre de cités, villes et villages constitués au Québec, 1901-1931

Année	Cités*	Villes	Villages
1901	11	40	138
1911	8	65	160
1921	21	86	251
1931	25	97	301

* Une ville ayant plus de 6 000 habitants peut obtenir l'appellation de cité; ce titre ne lui confère aucun pouvoir supplémentaire.

Source: Recensement du Canada, 1951

Au chapitre des fonctions urbaines, l'industrie continue à être un important moteur de croissance. C'est ainsi, par exemple, que l'expansion de l'industrie manufacturière dans les années qui précèdent la Première Guerre mondiale explique la croissance rapide que connaît alors Montréal et la multiplication des municipalités de banlieue. L'industrie basée sur l'exploitation des richesses naturelles est le facteur clé de la croissance et parfois même de la création des villes de la Mauricie et du Saguenay-Lac Saint-Jean. La dépendance étroite à l'égard d'une ou deux industries peut cependant être un facteur d'instabilité: en cas de ralentissement de ces secteurs, toute l'économie de la ville s'en trouve affectée. Or, un grand nombre de villes ont à cette époque une base industrielle limitée; l'absence de diversification lie étroitement leur sort à celui de l'entreprise dont elles dépendent.

Cependant, à côté de la fonction industrielle, le secteur tertiaire devient également moteur de croissance urbaine. Au Québec, la proportion des

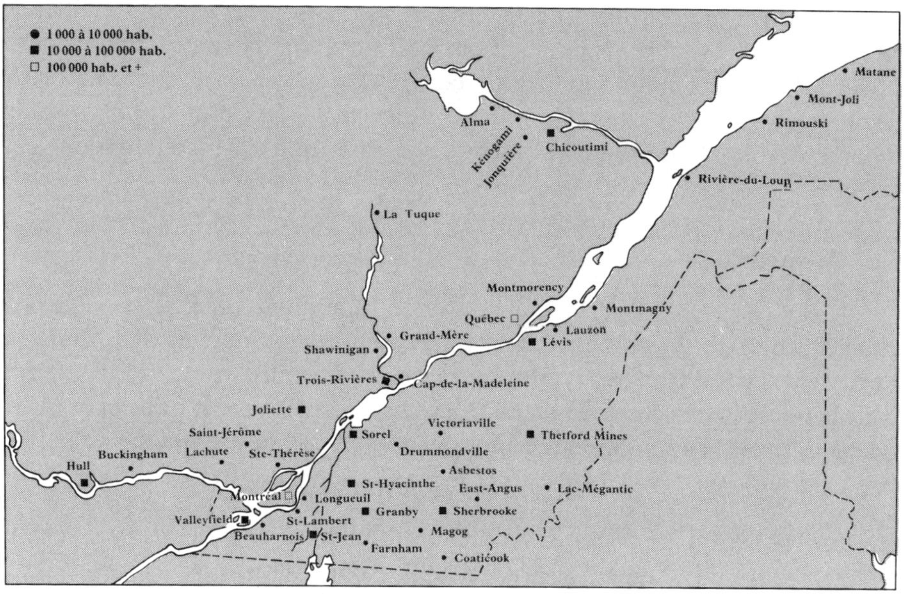

Le réseau urbain québécois, 1931

emplois dans le secteur tertiaire passe de 26,5% en 1901 à 40,4% en 1931. On assiste à un regroupement plus prononcé des activités de service dans les villes: institutions financières, services administratifs, hôpitaux, collèges et universités, etc. Résultat de la concentration de la population dans les villes, ce regroupement accentue le phénomène. D'ailleurs, la nature spécialisée de certains de ces services en limite la dispersion sur le territoire. La montée du secteur tertiaire a pour effet de favoriser la croissance et la domination des centres métropolitains.

La période que nous étudions est également caractérisée par des transformations dans l'aménagement interne des villes, particulièrement visibles dans la région montréalaise. Les progrès du transport en commun favorisent l'expansion du territoire urbanisé et la création de municipalités de banlieue, accentuant ainsi certaines spécialisations de l'espace urbain. L'étude des principales villes du Québec permettra de préciser l'ampleur de ces transformations.

LA MÉTROPOLE ET LA CAPITALE

Le tableau 4 montre l'évolution de la population dans les principales villes du Québec — celles qui ont plus de 3 000 habitants — au cours de la période. On en compte une quarantaine, en plus des zones métropolitaines de Montréal et de Québec. Il ne s'agit pas ici d'examiner l'évolution de chacune d'elles; l'état embryonnaire des recherches en histoire urbaine ne le permettrait d'ailleurs pas. Nous nous attarderons aux plus importantes et nous tenterons de dégager des portraits d'ensemble à l'échelle régionale.

Montréal

Le paysage urbain du Québec est évidemment dominé par le poids considérable de Montréal. La population urbaine de l'île de Montréal dépasse les 345 000 en 1901; elle atteint presque le million en 1931. C'est dire qu'à la fin de la période près de 30% des Québécois vivent sur l'île et que plus de la moitié de la population urbaine s'y trouve. La ville elle-même rassemble la plus grande part de ces effectifs et sa population passe de 267 730 à 818 577.

Cette croissance importante s'explique par de nombreux facteurs qui tiennent tout autant aux avantages accumulés par la métropole au cours du 19e siècle qu'aux circonstances nouvelles qui apparaissent au 20e siècle.

La production industrielle reste encore la base de l'économie montréalaise. Entre 1900 et 1929, la valeur de la production, pour Montréal et sa banlieue, passe de $87,4 à $731,9 millions, soit 55% de la production totale du Québec en 1900 et 63% en 1929. On retrouve à Montréal les deux poussées de croissance qui se manifestent pour l'ensemble de l'industrie canadienne. Les quinze années qui précèdent la Première Guerre mondiale sont, pour l'industrie montréalaise, une période de forte expansion. La métropole profite de l'avantage d'une structure industrielle bien établie et diversifiée. Les entreprises existantes répondent à la demande nouvelle en agrandissant de façon notable leurs installations. L'industrie de la chaussure, par exemple, trouve un second souffle à cette époque. Une telle expansion nécessite la construction d'usines plus vastes qui, dans plusieurs cas, seront installées en banlieue.

La guerre freine l'expansion industrielle, mais la reprise des années 1920 se manifeste aussi à Montréal. Si la chaussure entre dans une phase de stagnation, les autres secteurs traditionnels de Montréal poursuivent leur croissance: vêtement, textile, tabac, produits du fer et de l'acier. De nouveaux secteurs se développent, comme ceux des appareils électriques et des dérivés du pétrole. Les entreprises industrielles s'implantent surtout le long de deux grands axes: d'une part, la voie d'eau — le canal et le fleuve — de Lachine à Montréal-Est; d'autre part, la voie ferrée qui traverse l'intérieur de l'île, d'Outremont à Maisonneuve. La principale exception est l'industrie du vêtement, qui s'installe dans l'axe des rues Saint-Laurent et Bleury. Les moyens de transport conventionnels restent donc encore des facteurs de localisation déterminants. Montréal conserve d'ailleurs sa prééminence dans le domaine des transports; elle est toujours à la tête des grands réseaux

Le centre-ville de Montréal en 1929. (Archives publiques Canada, PA44338)

ferroviaires. À la suite de l'étatisation du Grand-Tronc et du Canadian Northern, le siège de l'administration des Chemins de fer nationaux est établi à Montréal. Les importants aménagements portuaires réalisés au début du siècle confirment la ville dans son rôle de principal port du Canada et l'expansion vers l'Ouest canadien en fait la plaque tournante des exportations de blé vers l'Europe.

Après la guerre, on ne retrouve cependant plus d'investissements substantiels dans les moyens de transport classiques. Les progrès de l'automobile et du camion nécessitent l'amélioration du réseau routier et la construction de nouveaux ponts tout autour de l'île. L'ouvrage le plus spectaculaire à cet égard est le pont du Havre (plus tard baptisé Jacques-Cartier), qui relie Montréal à Longueuil, sur la rive sud du Saint-Laurent, et qui est inauguré officiellement en 1930.

Mais un facteur de plus en plus important dans la croissance économique de Montréal est la montée des activités de commerce, de finance et de services. Le rôle de centre financier du Canada, que la ville partage avec Toronto, est confirmé par la concentration bancaire. Montréal est, rappelons-le, le siège des deux plus puissantes banques du pays, la Banque de Montréal et la Banque Royale. Elle abrite également la direction des deux banques canadiennes-françaises qui subsistent après la fusion de 1923. À côté des banques, se multiplient les sociétés d'assurances, les maisons de courtage et autres institutions financières. Les nouveaux édifices en hauteur de la rue

Saint-Jacques, mis en chantier dans les années 1920, témoignent de la présence et de l'importance des sociétés financières montréalaises.

Au delà du seul secteur financier, il y a une multitude de services spécialisés, tels les universités, les grands hôpitaux, les services culturels qui sont concentrés dans la métropole et qui accentuent son rayonnement sur les régions environnantes. Mais beaucoup d'autres services, comme le commerce au détail et les services personnels, sont essentiellement destinés à la population locale. L'augmentation rapide des effectifs dans ces secteurs témoigne de l'importance de la croissance endogène de la ville: par sa masse même, la population montréalaise génère une demande de biens et de services qui devient facteur de croissance. Les emplois de vendeurs

Tableau 4
Population des principales villes du Québec, 1901-1931

Municipalité	1901	1911	1921	1931
Région de Montréal				
Ville de Montréal	267 730	467 986	618 506	818 577
Ile de Montréal (pop. urbaine)	346 061	543 449	714 466	991 768
Saint-Jérôme	3 619	3 473	5 491	8 967
Joliette	4 220	6 346	9 116	10 765
Sorel	7 057	8 420	8 174	19 320
Saint-Hyacinthe	9 210	9 797	10 859	13 448
Saint-Jean	4 030	5 903	7 734	11 256
Valleyfield	11 055	9 449	9 215	11 411
Lachute	2 022	2 407	2 592	3 906
Sainte-Thérèse	—	—	—	3 292
Longueuil	2 835	3 972	4 682	5 407
Saint-Lambert	1 362	3 344	3 890	6 075
Beauharnois	1 976	2 015	2 540	3 729
Région de Québec				
Ville de Québec	68 840	78 710	95 193	130 594
Québec et sa banlieue	68 840	78 710	101 084	141 091
Lévis	7 783	7 452	10 470	11 724
Lauzon	3 416	3 978	4 966	7 084
Montmorency	—	1 717	1 904	4 575
Région de l'Estrie				
Sherbrooke	11 765	16 405	23 515	28 933
Magog	3 516	3 978	5 159	6 302
Coaticook	2 880	3 165	3 554	4 044

	1901	1911	1921	1931
Farnham	3 114	3 560	3 343	4 205
Thetford Mines	3 256	7 261	7 886	10 701
Victoriaville	1 693	3 028	3 769	6 213
Drummondville	1 450	1 725	2 852	6 609
Asbestos	783	2 224	2 189	4 396
Granby	3 773	4 750	6 785	10 587
East-Angus	—	—	3 802	3 566
Lac Mégantic	1 883	2 816	3 140	3 911
Région de la Mauricie				
Trois-Rivières	9 981	13 691	22 267	35 450
Cap-de-la-Madeleine	—	—	6 738	8 748
Shawinigan	2 768	4 265	10 625	15 345
Grand-Mère	2 511	4 783	7 631	6 461
La Tuque	—	2 934	5 603	7 871
Région du Saguenay-Lac Saint-Jean				
Chicoutimi	3 826	5 880	8 937	11 877
Jonquière	—	2 354	4 851	9 448
Kénogami	—	—	2 557	4 500
Alma	—	—	850	3 970
Est du Québec				
Montmagny	1 919	2 617	4 145	3 927
Rivière-du-Loup	4 569	6 774	7 703	8 499
Rimouski	1 804	3 097	3 612	5 589
Mont-Joli	822	2 141	2 799	3 143
Matane (St-Jérôme de)	1 176	2 056	3 050	4 757
Ouest du Québec				
Hull	13 993	18 222	24 117	29 433
Buckingham	2 936	3 854	3 835	4 638
Rouyn	—	—	—	3 225
Aylmer	2 291	3 109	2 970	—

Source: Recensements du Canada.

d'automobile, de garagistes, d'agents d'assurances, de téléphonistes, de commis de bureau représentent de nouvelles possibilités pour les Montréalais, anciens et nouveaux.

La métropole attire d'ailleurs comme un aimant les Québécois originaires des campagnes. C'est par dizaines de milliers qu'ils y viennent, dans l'espoir d'un sort meilleur. Montréal draine une part considérable de l'exode rural qui se dirige de moins en moins vers les États-Unis. Une forte immigration, originaire d'Angleterre, d'Europe de l'Est et du sud de l'Europe, s'oriente également vers Montréal. Bien peu de ces nouveaux venus y trouveront « le succès et la fortune » que leur annonce la publicité des

Au début du siècle, de nombreux promoteurs lancent des projets de développement urbain dans la banlieue montréalaise et promettent des profits rapides aux acheteurs de terrains. (*La Presse*, 10 août 1912)

promoteurs. Pour la grande majorité d'entre eux, les conditions de travail et de vie seront difficiles.

Entre 1901 et 1931, la population montréalaise s'est accrue de plus de 600 000 personnes. Cet afflux modifie sensiblement l'espace urbanisé à la fois quant au territoire occupé et quant à la spécialisation. La ville s'étend maintenant dans toutes les directions. Dans les dernières décennies du 19e siècle, une première ceinture de villes de banlieue s'était développée autour de la ville proprement dite. Elle se double d'une seconde ceinture au début du 20e siècle. Plusieurs petites municipalités vivent alors leur heure de gloire. Parmi les plus importantes on trouve, à l'ouest, Verdun, Ville-Émard et Westmount; au nord, Outremont, Saint-Louis et DeLorimier; à l'est, Maisonneuve et la Longue-Pointe. Dans la plupart des cas, elles sont dominées par un petit groupe de promoteurs fonciers et de bourgeois locaux qui espèrent réaliser des profits rapides en stimulant par divers moyens le « progrès » de leur ville.

Il en résulte une croissance et un aménagement désordonnés. Les conseils municipaux sont souvent en lutte les uns contre les autres pour attirer les entreprises. Divisées, les petites municipalités peuvent difficilement résister aux pressions des grandes sociétés exploitant les services publics. Les dirigeants politiques de Montréal souhaitent éliminer la concurrence des villes de banlieue en les intégrant. Pour leur part, les promoteurs sont heureux, une fois les forts investissements d'installation

Le tramway favorise l'expansion du territoire urbanisé et la croissance des villes de banlieue. (Archives de la Commission de transport de la Communauté urbaine de Montréal)

réalisés, de pouvoir partager la note avec l'ensemble des Montréalais. Le mouvement d'annexion favorise donc des intérêts divers et il s'accélère au début du siècle. Montréal n'avait annexé que 4 municipalités de banlieue entre 1883 et 1893. Le mouvement reprend, après une pause de 12 ans, et, entre 1905 et 1918, Montréal absorbe 19 autres municipalités, dont 11 en 1910. Seules sont restées autonomes les deux enclaves bourgeoises d'Outremont et de Westmount et quelques villes à la limite de l'espace urbanisé comme Verdun et Lachine. Le territoire ainsi intégré à la ville de Montréal est cependant loin d'être entièrement occupé et le peuplement de cet espace se fera graduellement au cours des quatre décennies suivantes. Pendant les années 1920, les villes encore existantes, à l'exception de Verdun et d'Outremont, ne s'accroissent guère.

Le transport en commun est un facteur important d'expansion territoriale. Les tramways électriques, mis en service en 1892, permettent de transporter rapidement et avec régularité des milliers de travailleurs. Il devient alors possible de résider assez loin de son lieu de travail; on favorise

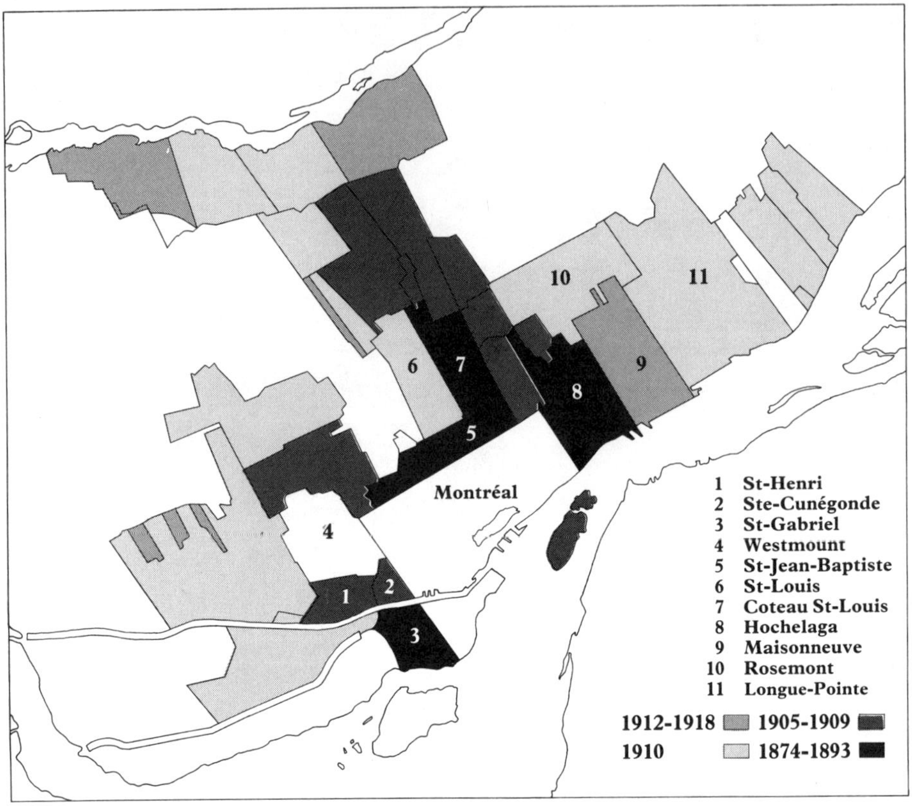

Le mouvement d'annexion à Montréal, 1883-1918

ainsi la création de quartiers ou de villes de banlieue à vocation résidentielle. Les promoteurs jouent un rôle important dans la détermination de ces spécialisations de l'espace urbain. Cela est particulièrement vrai dans les petites villes de banlieue, où ils exercent une influence considérable sur le conseil municipal. Cependant, on voit apparaître au début du siècle des préoccupations de planification publique. Les idées à la mode en matière d'aménagement mettent l'accent sur les grands boulevards bordés d'arbres, les parcs et les édifices publics majestueux.

En ce domaine, le projet le plus ambitieux est celui que met en oeuvre la ville de Maisonneuve entre 1910 et 1915. L'équipe d'hommes d'affaires qui dirige alors la municipalité lance un vaste projet d'embellissement destiné à faire de Maisonneuve le « jardin de Montréal ». On met en chantier quatre grands édifices publics: l'hôtel de ville, le marché, l'établissement de bains et le poste de pompiers; certains de ces édifices copient des modèles architecturaux américains. Le projet propose également la réalisation de trois grandes avenues: le boulevard Pie IX, qui traverse l'île du sud au nord; le boulevard Morgan, qui ouvre une perspective sur deux des nouveaux édifices

DEMAIN, LA CITE DE MAISONNEUVE CELEBRERA

La JOURNEE de MAISONNEUVE

A une réunion récente du Conseil de Ville de Maisonneuve, grâce à l'initiative du leader, le conseil décidait de célébrer, dimanche le 27 mai, la "Journée de Maisonneuve".

Le but de cette fête est de faire connaître au public en général et aux manufacturiers en particulier les immenses ressources au point de vue industriel, commercial, aussi comme placement financier que possède cette ville progressive.

Toutes les dispositions nécessaires ont été prises pour faire de cette fête un événement qui fera époque dans l'histoire de la ville de Maisonneuve.

À Maisonneuve: politique de grandeur et promotion urbaine. (Archives de la ville de Montréal)

publics; la rue Sherbrooke, qui suit le sommet du coteau. Le tout est complété par la création de l'immense parc Maisonneuve, où l'on prévoit ériger des installations culturelles et sportives; la réalisation de ce dernier élément est compromise par la guerre et l'aménagement du parc Maisonneuve ne se fera que graduellement, au cours des décennies suivantes.

Le cas de Maisonneuve reste cependant exceptionnel. Les efforts de planification à l'échelle de l'île sont limités. C'est ainsi qu'une commission métropolitaine des parcs, créée en 1912, reste inopérante faute de fonds. Certaines villes commencent à adopter la technique du zonage pour mieux séparer les fonctions résidentielles des activités commerciales ou industrielles, ou encore pour assurer une plus grande homogénéité dans les quartiers d'habitations de luxe. Il ne faut toutefois pas se faire d'illusions sur le caractère public de ces interventions. Les promoteurs restent très influents au sein des conseils municipaux et la planification n'est souvent que le sceau officiel donné aux projets privés. Les investissements publics, comme dans le cas de Maisonneuve, visent à permettre une plus grande rentabilité des projets privés.

Plusieurs des grands services publics restent d'ailleurs entre les mains de l'entreprise privée. À Montréal, l'aqueduc est municipalisé depuis le milieu du 19e siècle, mais, dans les villes de banlieue, la distribution de l'eau est assurée par la Montreal Water & Power Co. et continuera de l'être après leur annexion à Montréal. La distribution du gaz et de l'électricité est contrôlée par la Montreal Light, Heat & Power Co., alors que le transport en commun est assuré par la Montreal Street Railway Co., qui deviendra la Montreal Tramways Co. Ces entreprises jouissent d'un monopole presque absolu et tirent des profits élevés de leur exploitation du marché montréalais. Les critiques se font nombreuses à l'égard de ces trusts et plusieurs hommes d'affaires souhaitent leur municipalisation afin d'obtenir des services publics à bon marché. Mais leurs tentatives n'ont guère de succès car, en contribuant aux caisses électorales, les sociétés exploitant de tels services s'assurent des appuis politiques importants. La seule réalisation en ce sens est l'achat par la ville de Montréal, en 1927, du réseau de la Montreal Water & Power Co.; cette acquisiton, au coût de $14 millions, permet aux financiers propriétaires de l'entreprise de réaliser des gains substantiels.

Ainsi, par la croissance de sa population, par l'expansion de son territoire, par la concentration des activités économiques qu'on y trouve, la fonction métropolitaine de Montréal se développe. Son caractère cosmopolite aussi. Jusqu'à la fin du 19e siècle, la population montréalaise était essentiellement d'origine française ou britannique. La situation se modifie pendant les trois premières décennies du siècle, comme nous l'avons vu dans l'étude de la population. Sur l'île de Montréal, les personnes d'autres origines passent de 16 233 en 1901 (4,5% du total) à 135 262 en 1931 (13,5%). Les Juifs originaires de l'Europe de l'Est forment près de la moitié de ce contingent; ils sont suivis d'assez loin par les Italiens.

Le cosmopolitisme montréalais n'est qu'un des aspects qui distinguent la métropole des autres villes du Québec. Montréal est devenue une grande ville de type nord-américain, avec tous les problèmes d'amplitude que cela pose, mais aussi avec les avantages de dynamisme, de diversité et d'ouverture sur le monde qu'une telle situation procure.

Québec

Même si Québec a un rythme de croissance inférieur à celui de sa rivale d'autrefois, elle n'en connaît pas moins une progression qui tranche avec la relative stagnation de la période antérieure. Sa population passe en trente ans de 68 840 à 130 594; l'addition de la proche banlieue permet d'ajouter environ 10 000 habitants à ce chiffre. Sur la rive sud, Lévis et Lauzon ont des effectifs représentant près de 15% de ceux de la capitale.

Cette croissance s'appuie en partie sur l'industrie. La structure industrielle de la ville est caractérisée par une production de biens de consommation, faisant appel à une main-d'oeuvre à bon marché. Au premier chef, vient la chaussure, suivie de la production de corsets, de celle du tabac et de la confection.

La situation de Québec en ce qui concerne les transports s'est améliorée. La ville est desservie par les deux nouveaux chemins de fer transcontinentaux: le Canadien Nord y a son terminus oriental et le Transcontinental

Québec au début du siècle. (Archives nationales du Québec, GH1070-89)

National traverse le fleuve à cet endroit. La construction du pont de Québec représente d'ailleurs un événement à la fois important et spectaculaire. Elle est ponctuée par deux accidents majeurs, en particulier l'effondrement de sa superstructure en 1907. Ouvert en 1917, le pont rend les communications plus faciles et plus régulières avec la rive sud. Quant au port, il reste important dans l'activité économique de Québec, puisque les gros transatlantiques doivent s'y arrêter, ne pouvant remonter le fleuve jusqu'à Montréal. La ville est ainsi la porte d'entrée de la majorité des immigrants qui arrivent au Québec pendant la période. D'importantes installations portuaires ont été aménagées à la fin du 19e siècle.

Québec doit également une partie de son essor à son rôle de capitale. Certes, l'activité gouvernementale reste modeste, quand on la compare à la situation actuelle, mais elle contribue à l'emploi d'effectifs qui vont croissant.

Le mouvement de concentration des entreprises à l'échelle canadienne provoque une certaine marginalisation de la bourgeoisie de Québec. Celle-ci cesse, entre autres, de jouer un rôle important dans les entreprises ferroviaires régionales. Le chemin de fer Saguenay et Lac Saint-Jean est absorbé par le Canadien Nord; le Québec Central est loué au Canadien

Pacifique. Les deux institutions bancaires de la ville — la Banque de Québec et la Banque Nationale — sont absorbées par des entreprises plus considérables. La bourgeoisie de Québec n'en disparaît pas pour autant et elle continue à jouer un rôle à l'échelle régionale. Québec est en effet la métropole pour tout l'est du territoire. Ses hommes d'affaires approvisionnent et financent les marchands locaux des deux côtés du fleuve, jusqu'à la Gaspésie et la Côte-Nord. C'est la grande ville où on effectue les achats importants, où on obtient des services spécialisés.

À Québec, l'expansion du territoire urbanisé et la croissance de la population se font vers le nord et l'est, dans les quartiers de Saint-Roch, Saint-Sauveur, Saint-Vallier et Limoilou. Les hauteurs de la ville sont toujours occupées par les grandes institutions religieuses et gouvernementales et par la bourgeoisie. L'expansion vers la banlieue est très faible et se concentre au nord-est, vers Giffard et Beauport. Plus loin à l'est, Montmorency, ville de filatures, compte 4 575 habitants en 1931.

LES AUTRES VILLES

Dans la plaine de Montréal, les six villes satellites qui forment une couronne autour de la métrople voient leur importance diminuer. Saint-Jérôme, Joliette et Saint-Jean croissent à un rythme plus rapide que Sorel et Saint-Hyacinthe. Quant à Valleyfield, très dépendante de la filature, elle semble avoir atteint un plafond et subit même une chute de population au cours de la même période. L'amélioration et l'accélération des communications vers Montréal fait probablement perdre à ces villes leur rôle de relais entre la métropole et les régions rurales.

Dans la grande région des Cantons de l'Est et des Bois-Francs, la structure antérieure se maintient (tableau 4). Elle est caractérisée par un réseau de petites villes disséminées sur le territoire et, pour la plupart, dépendantes d'une ou deux grandes entreprises. Quelques-unes, parmi les plus anciennes, marquent un certain essoufflement: Coaticook, Farnham et Magog. D'autres, au contraire, connaissent une croissance très rapide; ce sont des villes manufacturières, comme Drummondville, Victoriaville et Granby, ou des villes minières, comme Thetford et Asbestos.

Sherbrooke voit aussi sa population s'accroître à un rythme rapide et sa vocation de métropole régionale se précise. Elle rassemble une part croissante de la population de la région: 4,8% en 1901 et 9,1% en 1931. Le réseau de l'Estrie semble donc constituer un sous-ensemble équilibré et structuré.

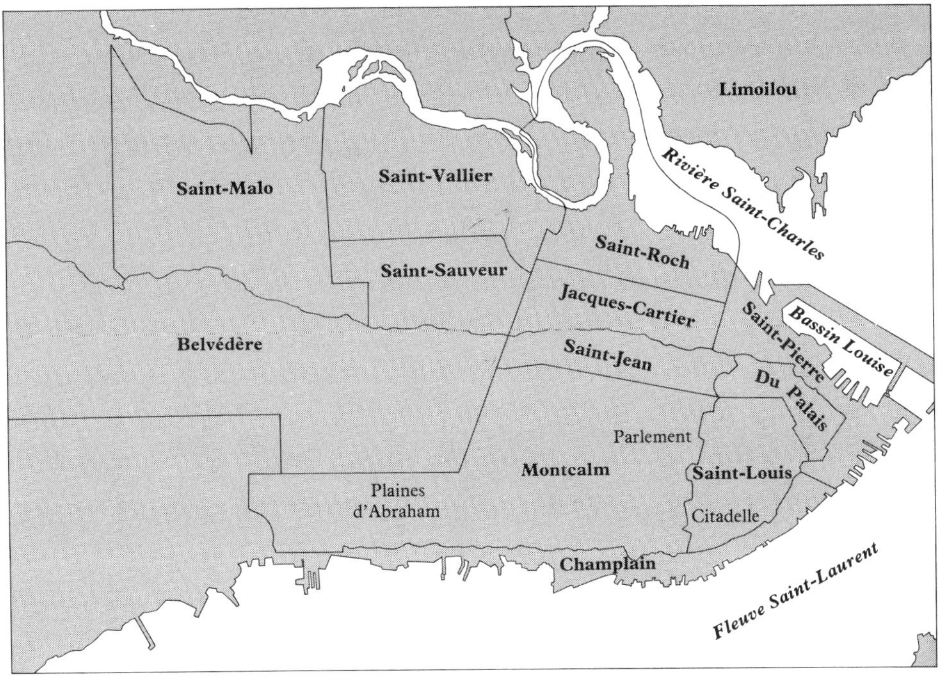

Les quartiers de Québec vers 1914

Toutefois, son importance dans l'ensemble du Québec décline et aucune de ces villes ne réussit à exercer un véritable contrepoids à la forte polarisation autour de Montréal et de Québec.

En Mauricie, l'urbanisation est, nous l'avons vu, un phénomène récent. On y trouve trois pôles urbains principaux. Le plus important est formé de Trois-Rivières, à laquelle s'ajoute la nouvelle ville du Cap-de-la-Madeleine; il rassemble 13% de la population de la région en 1901 et un peu plus de 30% en 1931. Le vieux poste de traite fondé par Laviolette devient au 20e siècle l'une des capitales mondiales du papier. La croissance y est rapide, surtout entre 1911 et 1931 (tableau 4). L'essor général de la région donne une nouvelle impulsion à son rôle de métropole régionale. Un second pôle urbain, formé de Grand-Mère et de Shawinigan, rassemble en 1931 environ 15% de la population de la région. Shawinigan est une « ville de compagnie » typique. La municipalité est inexistante lorsque la chute est vendue en 1897. La compagnie d'électricité obtient la création de la ville de Shawinigan Falls, dont elle planifie elle-même l'aménagement. Après quelques années, la croissance de la population et la diversification économique permettront à la municipalité de se libérer de la tutelle de la compagnie. Le troisième pôle urbain de la Mauricie, beaucoup plus au nord, est formé de la ville papetière de La Tuque, qui groupe en 1931 plus de 5% de la population régionale.

Un rue de Sherbrooke en 1912. (Archives publiques Canada, PA10413)

Au Saguenay-Lac Saint-Jean, on retrouve — comme en Mauricie — une métropole régionale, Chicoutimi, qui existait avant l'arrivée des industries liées aux richesses naturelles et qui connaît une nouvelle progression grâce à elles. Chicoutimi est le centre le plus important de la région en 1901 (10% de la population); elle l'est toujours en 1931, alors qu'avec ses deux municipalités de banlieue elle rassemble 13% des effectifs de la région. Quant aux autres villes, elles sont de création toute récente et leur existence est étroitement liée à la production d'électricité, de papier et d'aluminium. Le couple Jonquière-Kénogami a, en 1931, une population comparable à celle de l'agglomération de Chicoutimi; Alma connaît également un peuplement rapide pendant les années 1920. Signalons enfin les villes voisines de Bagotville et de Port-Alfred, qui ont ensemble près de 5 000 habitants en 1931.

On ne retrouve pas de structure aussi forte dans l'est du Québec. L'économie régionale est basée sur l'agriculture, la pêche et l'exploitation forestière. Ces activités ne donnent pas naissance à de grandes villes. On trouve plutôt des centres de commerce et de service où, parfois, comme à Rimouski, la fonction religieuse est importante.

Dans l'ouest du Québec, on ne peut guère parler de réseau urbain. Hull est le seul centre d'importance, avec près de 30 000 habitants en 1931. L'économie de la ville s'articule autour des produits de la forêt et de l'usine de papier Eddy. La proximité de la capitale fédérale, Ottawa, est un autre facteur qui influence la croissance de la ville.

Ainsi, depuis le tournant du siècle, le caractère urbain du Québec s'est nettement affirmé. La ville devient symbole de création d'emplois et de prospérité. Elle draine une partie des ruraux et soumet de plus en plus ceux qui restent à la campagne à ses impératifs de consommation.

Orientations bibliographiques

Blanchard, Raoul. *L'Ouest du Canada français. Montréal et sa région.* Montréal, Beauchemin, 1953. 399p.

Cooper, John Irwin. *Montreal. A Brief History.* Montréal, McGill-Queen's University Press, 1969. 217p.

Linteau, Paul-André. *Histoire de la ville de Maisonneuve, 1883-1918.* Thèse de Ph.D. (histoire), Université de Montréal, 1975. 427p.

Minville, Esdras, dir. *Montréal économique.* Montréal, Fides et École des Hautes Études commerciales, 1943. 430p.

Stone, Leroy O. *Urban Development in Canada.* Ottawa, Dominion Bureau of Statistics, 1967. 293p.

CHAPITRE 23

L'ÉCONOMIE RURALE

Dans l'ensemble de l'économie québécoise, le secteur agricole voit son importance relative diminuer durant les trente premières années du siècle. Ce secteur subit également des transformations profondes qui apparaîtront avec de plus en plus de netteté au lendemain de la Première Guerre mondiale: essentiellement, il s'agit du recul définitif des cultures céréalières et de l'essor de la production laitière.

LES PRODUCTEURS

La croissance de la population permet de suivre l'évolution de l'agriculture dans l'économie globale du Québec. Trois mesures de cette croissance peuvent être examinées: la population rurale, la population agricole et la main-d'oeuvre agricole. Entre 1891 et 1931, la population du Québec s'accroît de 93,1%, tandis que la hausse de la population rurale n'atteint que 7,3%. Cela indique l'ampleur du mouvement de migration interne que vit le Québec durant ces années; manifestement, les campagnes se vident au profit des villes, puisque le pourcentage de la population rurale du Québec passe de 66,4% en 1891 à 36,9% en 1931.

Il est à noter que ces pourcentages valent pour l'ensemble de la population rurale, y compris celle qui habite les villages. Si nous cherchons à voir l'évolution du côté de la population agricole proprement dite, c'est-à-dire celle dont les emplois sont directement liés à l'agriculture, la situation est un peu différente. D'après les estimés de G.V Haythorne publiés dans *Land and Labour*, la population agricole du Québec subit un fléchissement de près de 5% entre 1891 et 1931. Elle baisse de 1891 à 1901, mais remonte légèrement pour atteindre un sommet en 1911, après quoi la baisse reprend, régulière.

Enfin, le mouvement est perceptible si nous regardons l'évolution de la proportion de la main-d'oeuvre agricole par rapport à la main-d'oeuvre totale. En 1891, plus de 45% de la main-d'oeuvre québécoise est classée comme agricole, tandis qu'en 1931, cette proportion est passée à 30%.

L'évolution de la composition de la main-d'oeuvre agricole montre une stabilité relative durant ces quarante années. Les cultivateurs exploitants représentent toujours plus de la moitié de cette main-d'oeuvre, tandis que la part des travailleurs membres de la famille se situe autour de 40% et celle des travailleurs engagés autour du dixième. Ces chiffres indiquent une main-d'oeuvre agricole avant tout familiale. À titre de comparaison, pour la même période, la moyenne des travailleurs engagés au Canada se situe à 15,3% et en Ontario à 17,1%. Toutefois, cette structure évolue lentement: l'importance des cultivateurs exploitants passe de 59% en 1891 à 50% en 1931, tandis que celle des travailleurs salariés passe de 7,3% à 10,6%.

L'examen de ces données permet d'avancer que si l'importance de l'agriculture diminue relativement à l'ensemble de l'économie et que s'il y a exode rural, on ne trouve pas moins une plus grande stabilité au niveau de l'emploi agricole. La main-d'oeuvre agricole résiste en effet beaucoup mieux à la tendance de baisse.

De 1891 à 1931, la répartition régionale de la population agricole montre trois modifications sensibles, si l'on se base sur le nombre total de fermes. La partie montréalaise de la plaine du Saint-Laurent perd de l'importance. Alors qu'en 1891 elle comptait 32% des fermes québécoises, quarante ans plus tard, elle n'en compte plus que 23,7%. En second lieu, la région de l'Estrie ainsi que celle de la partie est de la plaine, de Sorel aux environs de Québec, conservent une remarquable stabilité, avec 45% du total des fermes. Enfin, les régions qui se partagent le tiers restant connaissent des mouvements divergents; tandis que le Bas du fleuve, la Gaspésie et le Lac Saint-Jean connaissent une hausse, l'Outaouais marque une baisse et l'Abitibi-Témiscamingue, qui figurait pour quantité négligeable en 1891, compte près de 3% des fermes en 1931. L'analyse de l'évolution de la population agricole confirme ces tendances. Derrière cette évolution, nous pouvons voir deux phénomènes: d'une part, l'exode rural qui affecte

Une ferme de la région de Joliette, en 1925. (Archives publiques Canada, PA19964)

régulièrement la plaine de Montréal, comme l'avait déjà remarqué Raoul Blanchard, et d'autre part le mouvement de colonisation des premières décennies du 20e siècle. Précisons qu'il ne faut pas confondre le nombre de fermes avec leur production et leur productivité.

UNE PRODUCTION PLUS ÉQUILIBRÉE

Il est assez malaisé d'évaluer avec précision la part de la production agricole dans l'ensemble de la production québécoise pour la période antérieure aux années 1920. Si l'on juge d'après la tendance de cette décennie et si l'on pense à l'évolution de la population, nous pouvons cependant émettre l'hypothèse d'une baisse graduelle. Le tableau 1 nous permet de voir les modifications qui surviennent entre 1922 et 1929.

Ainsi, la production agricole voit son importance relative diminuer en fonction de la montée de nouveaux secteurs dans l'économie. Précisons toutefois que la valeur globale de la production agricole progresse (tableau 2). Les fluctuations des données annuelles reflètent les aléas de la conjoncture et indiquent les grands traits de l'évolution de l'agriculture québécoise.

Le tableau 2 indique bien la progression de la valeur brute de la production, avec les effets combinés de la surproduction de la guerre et ceux de l'inflation entre 1917 et 1920. À partir de 1921, les prix agricoles s'effondrent brusquement pour reprendre à peu près leur niveau d'avant-guerre. La reprise générale de 1924-1925 est visible ici, avec la remontée de la valeur au fur et à mesure que l'on approche de 1929.

Tableau 1
Pourcentage de la production nette de chaque secteur, 1922, 1926, 1929

Secteur	1922	1926	1929
Agriculture	29,3	24,3	19,7
Forêts	12,7	11,6	10,1
Pêcheries	0,3	0,4	0,3
Chasse aux fourrures	0,5	0,3	0,2
Mines	2,4	3,0	4,4
Électricité	3,0	3,0	3,9
Construction	9,4	12,0	12,3
Travail à façon et réparations	1,5	1,5	1,9
Manufactures	40,9	43,9	47,3

Source: Annuaire du Canada, 1932.

Tableau 2
Valeur brute de la production agricole en milliers de $ courants, 1890-1929

Année	Valeur brute	Année	Valeur brute
1890	42 105	1919	257 723
1900	46 188	1920	266 367
1910	69 570	1921	184 068
1911	91 883	1922	154 085
1912	65 040	1923	135 679
1913	79 363	1924	142 713
1914	87 720	1925	161 613
1915	92 090	1926	159 492
1916	93 988	1927	158 943
1917	135 392	1928	168 475
1918	231 056	1929	165 288

Source: A. Raynauld, *Croissance et structure économiques...*, 590.

La cueillette du lait en 1910. (Archives publiques Canada, PA11677)

L'agriculture québécoise devient plus nettement de type mixte, c'est-à-dire que le revenu agricole est composé de produits de grandes cultures (graminées, pommes de terre) et de ceux de l'élevage laitier. Dans le dernier cas, il faut inclure, outre le lait, le beurre et le fromage, les produits de cet élevage. De plus, la production du porc s'ajoute comme son complément en quelque sorte, puisqu'il permet d'utiliser fort économiquement le résidu de production laitière, le petit lait.

D'après les calculs de l'économiste André Raynauld, la proportion des grandes récoltes dans la production agricole oscille autour de 80% vers 1900-1910, tandis que celle des produits laitiers forme 20%. Il ne peut s'agir ici que d'un ordre de grandeur puisque la production agricole brute devrait comprendre certains autres éléments. Le tableau 3 est mieux détaillé et nous permet de voir dans leur variété les composantes du revenu agricole selon les grands secteurs. Les principaux éléments sont, en ordre décroissant, les grandes cultures, les produits laitiers, l'élevage et la volaille. Dans le dernier cas, il s'agit d'un progrès récent. En 1929, ces quatre produits forment 94% du revenu. On remarquera que la baisse de l'importance des grandes cultures, qui est constante jusqu'en 1929 — sauf au moment de la surproduction due à la guerre —, est compensée par la montée des produits laitiers.

Dans le domaine des grandes cultures, la période 1896-1929 est marquée par le recul définitif du blé au profit d'autres graminées, dont le foin, l'avoine et, dans une mesure moindre, l'orge et le sarrazin. Toutefois, les programmes des gouvernements provincial et fédéral pour augmenter la production agricole pendant la guerre amènent un retour en force du blé: de 932 000 boisseaux en 1911, la récolte passe à plus de 6 millions de boisseaux en 1918. C'est dire que la politique avait porté fruit. Mais ce n'est là qu'un phénomène temporaire et la tendance à la baisse du blé reprend avec la fin de la guerre.

Tableau 3
Composantes du revenu agricole, 1918-1929

Source de revenu	1918	1920	1922	1923	1927	1929
Cultures	69,3	71,7	62,0	57,2	50,6	48,0
Animaux	10,2	6,7	6,9	6,6	11,7	13,0
Laine	1,0	0,4	0,4	0,5	0,5	0,4
Produits laitiers	14,5	15,8	21,9	26,3	27,2	28,1
Fruits et légumes	2,0	1,7	2,8	3,1	2,6	2,5
Volaille et oeufs	1,3	1,2	3,5	3,8	5,2	5,0
Animaux à fourrure	—	—	—	—	0,3	0,9
Produits de l'érable	1,1	1,5	1,6	1,5	1,1	1,5
Tabac	0,6	0,6	0,7	0,7	0,5	0,4
Trèfle et semences	—	0,2	0,1	0,2	0,1	—
Miel	—	—	—	—	0,2	0,2

Source: Annuaires du Canada et *Annuaires du Québec.*

Les agriculteurs seront lents à délaisser la culture du foin qui, vers la fin du siècle dernier, avait été très rentable. Précisons que le Québec produit un surplus de foin, qui dépasse les besoins de son élevage laitier. D'après le géographe Raoul Blanchard, malgré les progrès de l'automobile, entre 1920 et 1930 qui font baisser considérablement la demande, les producteurs tardent à s'adapter et hésitent avant d'abandonner une production qui ne demande pas un travail trop considérable. Par ailleurs, l'essor de la culture de l'avoine semble davantage lié au caractère facile de cette production qu'à sa valeur comme fourrage. En effet, si cette céréale est avantageuse au plan nutritif pour les chevaux, ce n'est pas le cas pour le reste du bétail. Or, d'après les observateurs, c'est aussi une culture beaucoup moins exigeante, surtout

Le marché au foin à Montréal, en 1917. (Archives publiques Canada, PA70056)

quant à la qualité des sols, ce qui expliquerait sa popularité auprès des agriculteurs. Enfin, un problème de fond subsiste: les terres sont épuisées et les rendements s'en ressentent. La généralisation des engrais chimiques met du temps à se faire et en attendant, les résultats se répercutent sur l'élevage et la production laitière à cause de la carence de certains éléments dans l'alimentation du bétail.

La production laitière progresse d'une façon constante: son importance dans le revenu agricole passe de 14,5% en 1918 à 28,1% en 1929. Toutefois, cette croissance ne va pas sans problèmes assez graves. Après 1910, date de l'arrivée des produits de Nouvelle-Zélande sur les marchés britanniques, le marché d'exportation des produits laitiers canadiens tend à diminuer. Par ailleurs, le Québec tend à se spécialiser dans la production du beurre entre 1901 et 1911, ceci au détriment de la production fromagère. D'après Normand Perron, la fabrication québécoise, aux prises avec des problèmes de qualité des produits qui sont signalés dès 1896, n'arrive pas à s'affirmer sur les marchés extérieurs. Le début des années 1920 inaugure une période de marasme pour la production laitière: les exportations de fromage déclinent, alors qu'on note une hausse modérée du cheptel et du nombre de producteurs.

Il existe au niveau local des conditions qui expliquent ce marasme. En effet, chaque paroisse tient à son établissement de transformation du lait; la production se fait donc dans de petites unités à un coût de revient élevé. La période de lactation n'allant que d'avril-mai à octobre-novembre, la transformation du lait doit s'adapter à ces contraintes. Cependant, il semble

Une ferme à Cap-à-l'Aigle, en 1910. (Archives publiques Canada, PA9736)

que, suite à l'amélioration du régime alimentaire des animaux en hiver, on soit en passe de régler ces problèmes et d'arriver à étendre la période de lactation. Raoul Blanchard souligne l'abandon graduel de la pratique qui consistait à mélanger de la paille à la nourriture des vaches l'hiver. Dans l'ensemble, la production laitière progresse lentement entre 1896 et 1929 mais, vers la fin de la période, il semble bien qu'il y ait incapacité à diversifier la production autrement qu'en beurre et fromage, ce qui cause une certaine stagnation.

Il est difficile de caractériser l'agriculture québécoise de cette époque. D'un côté, se développe une agriculture accrochée à des marchés urbains précis et qui tente de s'y adapter constamment et de l'autre, se maintient une agriculture de subsistance telle que nous l'avons définie lors de l'étude de la période de 1867-1896. Ce dernier type est en régression lente et diminue au fur et à mesure qu'on approche un marché urbain. Dans l'un et l'autre cas, il s'agit d'une agriculture familiale; elle emploie peu de main-d'oeuvre salariée et la famille joue un rôle très important comme unité de production et de consommation de base.

Outre ces traits profonds, il faut dire un mot ici du phénomène de la spécialisation régionale et locale. Petit à petit émergent à travers le Québec des productions spécifiques. La plus connue est sans doute l'extension du maraîchage autour des grandes villes, et de Montréal en particulier. Soulignons aussi le tabac à pipe dans la région de Joliette, vieille spécialisation sur le point d'être bouleversée par l'introduction du tabac jaune (à cigarette) vers 1935. Il y a également la pomiculture autour de Montréal, entre autres dans les municipalités de Saint-Hilaire, Rougemont, Saint-Bruno et Oka. D'après Raoul Blanchard, il s'agit de plantations très anciennes, remontant au régime français avec toutefois un apport américain au 19e siècle. Cependant, l'essor de la pomiculture articulée au marché urbain date du début du 20e siècle. Comme on a pu le constater, il s'agit dans tous les cas de spécialisations très localisées dans l'espace, au point qu'on peut même parler de spécialisations paroissiales et elles sont toutes liées à la proximité d'un marché urbain.

DES MARCHÉS EN EXPANSION

Les marchés traditionnels de l'agriculture québécoise sont les villes du Québec, ainsi que, pour certaines productions, les États-Unis et l'Angleterre. L'essor des villes amène, pour les agriculteurs des régions immédiates, un débouché pour certains types de production: légumes, produits laitiers et viande. Si Montréal polarise l'agriculture d'une région entière, le même effet existe à une échelle plus modeste ailleurs. Raoul Blanchard cite le cas de Rivière Croche en 1931, dont les 35 familles d'agriculteurs vivent de l'exclusivité de l'approvisionnement de La Tuque et du chantier de la Haute Croche. Toutes les villes possèdent au moins une paroisse de leur voisinage immédiat, dont l'agriculture est orientée en fonction des besoins urbains.

C'est principalement pour répondre à la demande américaine que l'agriculture québécoise s'est tournée vers la production de foin durant le dernier quart du 19e siècle. Jusqu'en 1930, la demande demeure plutôt ferme, dans un premier temps elle avait même été stimulée par l'économie de guerre. D'après Raoul Blanchard, ce sont les paroisses de la plaine qui se sont mises en frais de se spécialiser dans cette culture et il cite le cas d'une paroisse expédiant jusqu'à 500 wagons de foin par année. Ce n'est donc pas étonnant de constater que le foin constitue à lui seul la moitié de la valeur des grandes cultures pour les années 1910, 1920 et 1930. C'est la production qui trouve le plus facilement preneur et dont les rendements sont très satisfaisants.

Il existe un autre marché américain important à cette époque, celui du lait nature destiné à l'approvisionnement de l'État de New York. Cette production intéresse surtout les agriculteurs de la région montréalaise et s'étend aussi à la zone frontalière de l'Ontario. Dans ce cas, l'expédition

Des labours rudimentaires dans la région de Baie Saint-Paul en 1929. (Archives publiques Canada, C31469)

rapide par train constitue une condition essentielle d'où la localisation très précise de la zone de production dans une région bien pourvue en chemins de fer.

L'exportation québécoise destinée à la Grande-Bretagne consiste surtout en fromage et en bacon. C'est à partir de la fin de la guerre de 1914 que le Québec commence à développer ce dernier marché auparavant desservi majoritairement par l'Ontario.

Outre ces débouchés traditionnels, durant la période 1896-1929, l'agriculture québécoise dessert de nouveaux marchés diversifiés; certains sont éphémères, d'autres moins. Le foin par exemple trouve un débouché dans l'Ouest canadien à cause de la spécialisation accrue des Prairies dans la culture du blé. Ce marché durera aussi longtemps que les chevaux ne seront pas remplacés par l'automobile et le tracteur. De la même manière, les marchés de guerre absorbent la surproduction de grains québécois, mais, dès la fin des hostilités, les agriculteurs sont aux prises avec des surplus. Les marchés les plus durables sont liés à la consommation urbaine. La culture maraîchère et l'aviculture offrent les meilleures possibilités.

Un marché au Champ-de-Mars, à Montréal, vers 1925. (Archives de la ville de Montréal)

LES EXPLOITATIONS ET LES TECHNIQUES

Du côté des exploitations, nous constatons un double mouvement: d'une part, une baisse du nombre de fermes, celles-ci passant de 174 996 en 1891 à 135 957 en 1931, et d'autre part une augmentation régulière de leur superficie moyenne. Ces deux mouvements indiquent la disparition graduelle des petites exploitations. En 1901, la taille moyenne par ferme s'établit à 103 acres de superficie totale, dont 53 en culture; vingt ans plus tard, cette superficie atteint 127 acres, dont 66 en culture.

Le mouvement de concentration se produit surtout entre les recensements de 1911 et de 1921, soit au moment de la Première Guerre mondiale. Mais, avant d'en chercher les causes, voyons un peu comment se répartissent les fermes québécoises selon certaines grandes catégories de superficie.

Le tableau 4 montre un net recul des petites exploitations; alors qu'en 1901 les fermes de 50 acres et moins formaient près du quart de l'ensemble, cette proportion est ramenée en 1931 à 18%. Par ailleurs, ce sont les exploitations qui mesurent entre 101 et 200 acres qui ont le plus nettement progressé. Enfin, ici aussi, le tableau fait ressortir le changement qui s'est produit pendant la décennie de la guerre.

Tableau 4
Répartition des fermes d'après la superficie,
1901-1931 (en %)

Fermes	1901	1911	1921	1931
10 acres et moins	9,7	10,7	5,1	5,2
11-50 acres	14,3	14,8	12,5	13,1
51-100 acres	32,7	32,8	33,4	33,8
101-200 acres	31,6	30,8	35,7	37,5
201 acres et plus	11,7	10,9	13,3	10,4

Source: E. Minville, *L'agriculture*, 490.

Le mouvement de concentration des exploitations que nous avons mis en relief n'affecte pas uniformément toutes les parties du territoire. D'après l'agronome René Monette, « les grandes fermes sont aux régions excentriques, les petites au voisinage des centres importants et les fermes de moyenne étendue, aux régions intermédiaires ». En effet, dans les fermes des régions périphériques, l'importance des parties boisées, donc encore inexploitées, explique cette plus grande taille. Ainsi, dans ces régions, une augmentation de la superficie moyenne n'est pas nécessairement l'indice d'une production ou d'une productivité accrue. La taille d'une ferme est fonction d'un certain nombre de variables, dont le prix de la terre et l'importance de la proportion en « bois debout ». Côté prix, d'après Gérard Filion dans l'étude *Notre Milieu* (1942), la fourchette des valeurs des terres au Québec en 1931 va de $17 700 pour une terre dans l'île de Montréal ou l'île Jésus à $2 700 pour une étendue égale en Gaspésie. Le calcul de la valeur moyenne à l'acre montre un écart plus grand, puisque cette valeur passe de $230 pour les terres à jardinage de l'île Jésus et de l'île Bizard, à $25 dans le comté de Labelle.

Cependant, d'autres facteurs entrent en jeu pour expliquer ce mouvement. Le géographe Raoul Blanchard estime que, dans la plaine de Montréal, c'est la culture du foin qui a poussé les agriculteurs à s'endetter pour acheter plus de terre et plus de machinerie. Gérard Filion donne trois causes à l'augmentation de la superficie moyenne: l'épuisement des sols, l'utilisation de la machinerie et l'agriculture spéculative autour des grands centres. De son côté, l'historien Robert Migner souligne l'importance des marchés de guerre dans l'endettement des cultivateurs, qui achètent à la fois plus de terre et plus de machinerie.

Même si, dans l'état actuel de nos connaissances sur le monde agricole, il nous semble prématuré de caractériser une exploitation moyenne québécoise, nous emprunterons à une enquête de l'Union catholique des cultivateurs de 1925, telle que rapportée par Robert Migner, les caractéristiques suivantes. L'exploitation a une superficie de 100 acres, dont 56 en

Un exemple de mécanisation agricole, à Bolton, en 1912. (Archives publiques Canada, PA10324)

culture. Les productions dominantes y sont le foin, le grain et les pommes de terre, pour les cultures, et le lait, les animaux de boucherie, les oeufs et la laine, pour les autres.

Côté mécanisation, la progression semble rapide, surtout si nous prenons comme indice le nombre de voitures et de camions, puis le nombre de tracteurs. Au recensement de 1921, moins de 7% des exploitations possèdent un véhicule, soit 9 549 voitures ou camions pour les 137 619 fermes du Québec. Les tracteurs sont encore plus rares, puisqu'on en compte seulement 944. Dix ans, plus tard, on compte 30 410 véhicules pour 135 957 exploitations, ce qui donne un pourcentage de 22%. Le nombre de tracteurs est passé à 2 281. La progression plus rapide du nombre de véhicules sur celui des tracteurs montre que le cheval continue d'être une source d'énergie très importante pour la culture, tandis que camions et automobiles remplacent le cheval comme moyen de transport pour les personnes et les denrées. Il ne faudrait pas conclure trop vite cependant à l'absence, sur la ferme, de toute autre force motrice; les moteurs à essence fixes jouent à cette époque un rôle très important. On en retrouve 27 113 en 1921 et 34 033 en 1931, soit, en moyenne, une proportion de près de 20% et de 25% des fermes respectivement.

Il ne faudrait pas réduire la mécanisation à ces seuls éléments; l'importance des machines aratoires proprement dites croît régulièrement

Cochons aidant au défrichement en Abitibi en 1923. (Archives nationales du Québec, N1175-27)

depuis la deuxième moitié du 19e siècle. Toutefois, les données statistiques sont encore mal connues et surtout trop discontinues dans le temps pour qu'on puisse conclure d'une façon définitive sur ce point. Un fait demeure: si l'agriculture du Québec est moins mécanisée que celle de l'Ontario ou des provinces de l'Ouest, il s'agit là d'une différence de niveau seulement.

D'une manière générale et d'après certains observateurs, les problèmes de l'agriculture québécoise sont moins liés à la mécanisation qu'à la lenteur de la pénétration des nouvelles façons culturales et au problème des rendements. Tous les avis concordent: le terre est épuisée parce qu'insuffisamment fertilisée. Et ces insuffisances sont à leur tour liées aux carences de sources de crédit. La question du crédit agricole est agitée depuis longtemps dans les campagnes, mais ce n'est qu'à partir des années 1920, en particulier avec l'UCC, que des demandes systématiques seront faites. Finalement, à la toute fin de notre période, soit en 1928, le gouvernement québécois décide de participer au plan fédéral de crédit agricole; et celui-ci commence à être appliqué dès l'année suivante.

Le ministère québécois de l'Agriculture joue un rôle de premier plan dans l'encadrement des agriculteurs. D'abord limité à un rôle d'agent

Une ferme de subsistance de la région de Baie Saint-Paul, en 1929. (Archives publiques Canada, C31467)

distributeur de subventions aux sociétés agricoles, le gouvernement intervient de plus en plus directement. Dans le domaine de la diffusion des connaissances et des nouvelles techniques, une date est à retenir, celle de 1913. C'est en effet à partir de cette année-là que le gouvernement du Québec engage ses premiers agronomes, manifestant ainsi, d'après le sociologue Bruno Jean, sa volonté de rationaliser et d'augmenter la production. Les agronomes ont à leur disposition certains instruments, dont les fermes expérimentales et les fermes modèles. Les premières fermes expérimentales relèvent du gouvernement fédéral et six d'entre elles sont implantées au Québec entre 1911 et 1928. Les fermes modèles appartiennent à des cultivateurs ayant passé un contrat avec le ministère de l'Agriculture, pour utiliser des semences choisies et des pratiques culturales bien définies; elles servent donc de véhicule de vulgarisation dans les différentes régions.

L'enseignement agricole progresse: outre les trois écoles supérieures d'agriculture, celles de Sainte-Anne-de-la-Pocatière (1858), de l'Institut agricole d'Oka (1893) et du Macdonald College (1907), on ouvre, à partir de 1926, les premières écoles moyennes d'agriculture destinées à décentraliser l'enseignement secondaire agricole. Enfin, les journaux agricoles continuent de servir de moyen de vulgarisation des connaissances.

LA COLONISATION ET L'EXPLOITATION FORESTIÈRE

Nous avons vu, pour la période précédente, les liens qui unissaient la colonisation proprement dite et l'exploitation forestière; la complémentarité de ces deux activités est encore le facteur dominant.

Le mouvement de colonisation continue, après 1896, à ouvrir de nouvelles paroisses. Après avoir atteint les plateaux laurentiens et appalachiens avant les années 1880, l'ouverture des nouvelles terres pousse les colons encore plus loin sur les plateaux. Vers le nord-ouest, on s'installe sur le versant de la baie d'Hudson du Bouclier canadien. Toutefois la guerre marque un essoufflement, précisément au moment où Louis Hémon fait paraître son célèbre roman *Maria Chapdelaine* (1914), qui met en scène une famille de « faiseurs de terres » et immortalise ainsi la région du Lac Saint-Jean comme prototype de zone de colonisation.

Au début du siècle, les régions de colonisation active sont le Lac Saint-Jean, l'Outaouais et le Témiscamingue, le Bas-Saint-Laurent et la Gaspésie. Dans l'une des plus anciennes, celle du Lac Saint-Jean, l'extension du terroir est pratiquement terminée vers 1910. Elle se poursuit dans la vaste région de l'Outaouais et du Témiscamingue où, en plus du lac du même nom, il faut signaler la vallée de la rivière Rouge qui ouvre la région de Labelle. Un peu plus à l'est, dans les cantons de Berthier et de Joliette, il faut signaler aussi la vallée de la Mattawin. Dans le Bas-Saint-Laurent, c'est l'époque où l'on s'installe dans l'arrière-pays et dans la vallée de la Matapédia, tandis qu'en Gaspésie, la région de la baie des Chaleurs connaît une activité importante.

La dernière région du Québec à s'ouvrir à ce genre de colonisation est l'Abitibi, qui n'est guère accessible avant la construction du Transcontinental National vers 1912. C'est à cette époque que débute l'ouverture de la région à l'agriculture; ce sont néanmoins les années 1930 qui verront les tentatives d'implantation massive des colons.

Le rôle du clergé est encore dominant à cette période; ce sont les prêtres qui animent le mouvement et on retrouve le personnage du missionnaire-colonisateur. L'État se charge de la publicité, par exemple en publiant des brochures, en éditant des cartes, etc. Mais son rôle le plus important est dans la construction des routes et dans leur entretien qui, d'après E. Minville, absorbe la majeure partie du budget de la colonisation. Avant 1921, les postes importants du ministère sont — outre les chemins — les octrois aux sociétés de colonisation et l'aide financière à l'immigration et à la publicité. C'est en 1923 qu'on commence à verser des primes de défrichement.

Camp de bûcherons au lac Vlimeux, à la fin du 19e siècle. (Archives nationales du Québec, collection Wurtele, F-80)

La colonisation est liée de près à la progression de l'exploitation forestière et l'agriculture qui se pratique dans ces régions a toujours de la difficulté à dépasser le stade de la subsistance. Dans certains cas, notamment du côté de l'Abitibi et de la Gaspésie, d'autres activités, comme les mines et les pêcheries, remplacent parfois la forêt comme activité complémentaire. Dans tous les cas, le verdict de G.V. Haythorne se vérifie: là où l'agriculture est le complément d'une autre activité économique, c'est toujours elle qui en souffre. Tout en notant l'accroissement de la population dans les zones de colonisation, il ne faut pas perdre de vue que les surplus de population sont davantage attirés par les États-Unis et par les villes québécoises en plein essor.

Vers la fin du siècle, l'exploitation forestière québécoise est en passe de connaître sa troisième expansion, causée celle-là par l'essor de l'industrie des pâtes et papiers. Les deux premières avaient été celle du bois équarri, puis celle du bois de sciage (construction). Le tableau des principaux produits du bois nous permet de voir la progression rapide du bois de pâte entre 1900 et 1930; dans ces trois décennies, la production s'accroît de près de 600%.

Remarquons cependant la persistance de deux autres secteurs importants. Le bois de chauffage d'abord, production destinée au marché québécois et qui ne reculera qu'assez tard devant les autres combustibles, et le bois de sciage ensuite, qui continue, malgré une sensible diminution, à représenter une part significative de la production totale.

Tableau 5
Principaux produits du bois
(en millions de pieds cubes), 1900-1930

Produits	1900	1910	1920	1930
Bois équarri	5,5	0,2	—	—
Bois de sciage	258,0	158,0	183,0	137,0
Bois à pâte	44,8	92,0	184,0	283,0
Bois de chauffage	276,3	258,8	303,0	286,8
Bois à lattes	—	4,8	5,8	4,5
Bois à bardeaux	—	9,7	7,0	4,3
Traverses	16,2	5,7	12,2	6,6
Poteaux	1,1	—	0,5	0,6
Piquets	15,6	—	0,1	0,2
Bois à bobines	—	—	13,3	0,6

Source: E. Minville, *La forêt*, 354.

La forêt demeure un secteur fondamental de l'économie québécoise. Cette importance n'apparaît peut-être pas dans les données relatives à la main-d'oeuvre, puisque les cultivateurs qui partagent leur temps entre la ferme et la forêt ne sont recensés que comme cultivateurs. Pour sa part, G.V. Haythorne estime que 75% de la main-d'oeuvre en forêt vient des fermes. Si l'on rappelle l'importance des produits forestiers dans l'industrie manufacturière, sa prééminence devient évidente.

Orientations bibliographiques

Filion, Gérard. « L'agriculture », Esdras Minville, dir., *Notre milieu*, (Montréal, Fides, 1942): 133-151.

Haythorne, G.V. et L.C. Marsh. *Land and Labour*. Toronto, Oxford University Press, 1941. 568p.

Jean, Bruno. *Les idéologies éducatives agricoles (1860-1891) et l'origine de l'agronomie québécoise*. Cahiers de l'ISSH, Québec, Université Laval, 1977. 237p.

Létourneau, Firmin. *Histoire de l'agriculture*. s.l., s.d., 1968. 398p.

Létourneau, Firmin. *L'U.C.C.* Oka, s.e., 1949. 246p.

Migner, Robert-Maurice. *Le monde agricole québécois et les premières années de l'Union catholique des cultivateurs (1918-1930)*. Thèse de Ph.D. (histoire), Université de Montréal, 1975. 424p.

Minville, Esdras, dir. *L'agriculture*. Montréal, Fides, 1943. 555p.

Minville, Esdras, dir. *La forêt*. Montréal, Fides, 1944. 414p.

Monette, René. « Essai sur le mode de mise en valeur des exploitations agricoles québécoises », *Agriculture*, II, 3 (septembre 1945): 227-244; II, 4 (décembre 1945): 357-374; III, 3 (septembre 1946): 247-263.

Perron, Normand. « Genèse des activités laitières au Québec, 1850-1960 », Normand Séguin, dir., *Agriculture et colonisation*, (Montréal, Boréal Express), à paraître.

Raynauld, André. *Croissance et structure économiques de la province de Québec*. Québec, ministère de l'Industrie et du commerce, 1961. 657p.

CHAPITRE 24

LES POLITIQUES ÉCONOMIQUES

Les transformations économiques dont nous venons d'esquisser les grands traits amènent une réaction, un réajustement de la part des gouvernements. Il y a une évolution des institutions sur laquelle nous reviendrons dans l'étude de l'État. Il y a aussi toutes les politiques gouvernementales face au développement économique. En ce domaine, le gouvernement québécois voit s'accroître et se préciser son rôle; il met au point des stratégies nouvelles et ses politiques sont l'objet de débats qui marquent la société québécoise. Il ne faut pas négliger par ailleurs l'impact des politiques fédérales sur le développement du Québec, en particulier pendant la guerre.

L'INTERVENTION QUÉBÉCOISE

À la fin du siècle dernier, on assiste à une véritable réorientation de l'action gouvernementale en matière économique. Les subventions aux chemins de fer et l'aide à la colonisation sont remplacées par une politique de soutien à l'exploitation des richesses naturelles et à l'industrialisation.

Réorientation des politiques

Deux facteurs expliquent ce changement de cap. La demande nationale et internationale pour les richesses naturelles du Québec, dont nous avons déjà parlé, amène une implication de l'État qui est propriétaire des ressources hydrauliques, des terres publiques et des richesses du sous-sol. Par ailleurs, les libéraux qui prennent le pouvoir en 1897 manifestent le désir de profiter des retombées de la nouvelle conjoncture.

Les libéraux mettent ainsi en vigueur de nouvelles politiques économiques qu'ils appliqueront avec continuité tout au cours de la période. Leur objectif est double. Ils se servent d'abord des richesses naturelles pour renflouer les finances de l'État, car le Québec avait connu une période difficile sur ce plan entre 1892 et 1897. Les revenus des terres publiques représentent alors la plus importante source de financement des activités gouvernementales et le nouveau gouvernement a intérêt à appuyer et à stimuler la demande pour les ressources hydrauliques et forestières; la hausse de revenus qui en résulte permet en quelques années d'assainir la situation financière. L'autre objectif est de stimuler le développement économique et de créer des emplois car, dans la pensée libérale, le développement est synonyme de progrès. Les libéraux sont convaincus que c'est l'industrie et non la colonisation qui permettra d'enrayer l'émigration aux États-Unis; la création d'emplois industriels devient dès lors pour eux une priorité.

Qu'est-ce qui caractérise les nouvelles politiques économiques? D'abord l'abandon presque complet de l'aide aux chemins de fer et à la colonisation. On se rappelle qu'au cours des décennies précédentes, un effort financier considérable avait été consenti pour doter le Québec de chemins de fer régionaux; l'objectif étant largement atteint à la fin du siècle, le gouvernement cesse presqu'entièrement de subventionner les entreprises ferroviaires. Le gouvernement fédéral prend, d'une certaine façon, la relève puisque, entre 1903 et 1915, il subventionne deux nouvelles lignes transcontinentales qui traversent le Québec. D'autre part, la colonisation cesse d'être une préoccupation majeure; on choisit plutôt l'industrie comme moteur de développement. Cela devient évident en 1901, quand le premier ministre Parent abolit le ministère de la Colonisation pour l'intégrer à celui des Travaux publics. Devant l'opposition du mouvement nationaliste et de certains milieux cléricaux, le ministère de la Colonisation est rétabli en 1905, mais les efforts qui se font dans cette direction ne sont que des concessions envers les éléments traditionnels, bruyants politiquement, et n'amènent pas un engagement très fort de la part de l'État.

Les gouvernements qui se succèdent de 1897 à 1936 font adopter des lois et prennent des mesures favorables à l'exploitation des richesses naturelles par les grandes compagnies, leur accordant des privilèges nombreux et étendus et leur concédant de vastes territoires. Ces ressources, en particulier le potentiel hydro-électrique, deviennent des atouts que l'on fait miroiter auprès des investisseurs américains pour les inciter à établir des usines au Québec. Cela est particulièrement évident au cours des années 1920, alors que, selon l'historien Yves Roby, « les libéraux semblent mobilisés pour une vaste opération de promotion industrielle ».

Des liens très étroits se tissent d'ailleurs entre le personnel politique et les administrateurs des grandes compagnies. Il n'est pas rare de voir des ministres siéger aux conseils d'administration des grandes compagnies ou agir à titre d'avocats pour celles-ci. Ces pratiques deviennent courantes à l'époque Taschereau (1920-1936).

On trouve une bonne illustration d'intervention gouvernementale dans l'affaire du cartel des producteurs de papier. C'est le premier ministre Taschereau, aidé de son collègue de l'Ontario, qui incite une compagnie récalcitrante, l'International Paper, à hausser ses prix et à se joindre au Newsprint Institute, mis sur pied par les autres entreprises pour se sortir du marasme dans lequel elles se trouvent.

Un autre aspect de l'intervention gouvernementale est l'équipement en infrastructures. L'abandon de la politique ferroviaire ne signifie pas un retrait du secteur des transports et c'est maintenant le réseau routier, si longtemps négligé, qui est l'objet d'attentions. La généralisation rapide de l'automobile nécessite un vigoureux coup de barre en ce domaine: la politique des bonnes routes, adoptée en 1912, et la création en 1914 du ministère de la Voirie témoignent de cette orientation nouvelle. Au cours des années 1920, la voirie est de loin le poste le plus important du budget de l'État québécois.

Nationalisme et développement

L'exploitation rapide des richesses naturelles et l'attitude très accueillante du gouvernement vis-à-vis du capital américain suscitent des réactions. Les plus vives viennent des milieux nationalistes regroupés autour d'Henri Bourassa avant la guerre, puis autour de Lionel Groulx et de la revue *L'Action française* au cours des années 1920. Les nationalistes font pression sur le gouvernement afin que l'exploitation des richesses naturelles serve d'abord les Québécois, et plus particulièrement la bourgeoisie canadienne-française. Leur lutte porte principalement sur trois points: la propriété des ressources, la participation du capital canadien-français et la transformation des produits au Québec.

La question de la propriété des ressources se pose d'abord à propos des chutes d'eau dont l'aménagement permet la production d'énergie électrique. La politique en vigueur est de vendre ces chutes aux enchères. Les nationalistes et leurs alliés conservateurs réclament que le gouvernement loue plutôt les chutes par bail emphytéotique (pour 99 ans) de sorte qu'à la fin de la période de location, la chute soit remise à l'État. Le gouvernement accède à cette demande en 1907.

La propriété publique serait mieux assurée si l'État prenait lui-même en charge la production de l'électricité. C'est d'ailleurs la solution qu'adopte la province voisine en 1906, avec la création de l'Hydro-Ontario. Mais l'étatisation n'intéresse pas le gouvernement québécois et les nationalistes n'insistent pas trop. Il faudra attendre les années 1930 pour que la question de l'étatisation de l'électricité fasse l'objet d'un vaste débat public. Avant 1930, on songe plutôt à des solutions de nature locale comme la municipalisation. Un certain nombre de municipalités — les plus importantes sont Sherbrooke et Westmount — ont leur propre service d'électricité. Mais il s'agit d'exceptions. Dans la plupart des cas, l'énergie électrique est produite et distribuée par des entreprises privées. La question de la municipalisation est surtout discutée à Montréal, où la puissante Montreal Light, Heat & Power impose des tarifs élevés et réalise des profits fabuleux. Mais l'entreprise réussit à contrer toutes les velléités de municipalisation.

La question de la propriété se pose différemment dans le cas des forêts. Le gouvernement du Canada-Uni avait mis fin dès le milieu du 19e siècle à la vente des forêts situées sur les terres de la couronne: les entrepreneurs forestiers obtiennent, moyennant paiement d'une redevance, des concessions annuelles renouvelables. Les nationalistes s'en prennent à l'ampleur des concessions attribuées par le gouvernement libéral. Ils voudraient que celui-ci ne concède que les ressources énergétiques et forestières immédiatement exploitables afin de conserver la propriété de ce qui reste pour les générations futures. Sur cette question, ils n'ont pas gain de cause.

Un autre grand sujet de débat est la participation du capital canadien-français au développement des ressources. Les gouvernements libéraux ne se préoccupent guère de savoir d'où vient l'argent: le plus offrant l'emporte. Ils veulent industrialiser le Québec et ils sont convaincus que cela ne pourra pas se faire sans la venue du capital américain. La vente de la chute de Shawinigan illustre bien leur attitude. Après entente avec deux entrepreneurs locaux, le gouvernement conservateur avait offert la chute aux enchères avec une mise à prix de $10 000. Entre-temps, les libéraux remportent les élections et aussitôt le nouveau ministre des Terres et Forêts, S.-N. Parent, modifie les conditions de vente. Non seulement la mise à prix est portée à $50 000, mais l'acheteur éventuel devra dépenser $2 millions dans les 18 mois qui suivent la vente et verser $200 000 par année en salaires, en plus de s'engager à mettre en service la centrale dans un délai de 20 mois. Les nouvelles conditions dépassent largement les moyens des deux hommes d'affaires canadiens-français et la chute est achetée par un capitaliste américain, qui trouvera principalement aux États-Unis les capitaux requis.

Si les nationalistes veulent une meilleure place pour les capitalistes canadiens-français dans le développement économique du Québec, ils ne s'entendent pas sur les moyens. La majorité propose des solutions volontaristes: regroupement d'hommes d'affaires mettant en commun leurs ressources, politique d'achat chez nous, etc. Une minorité, moins traditionnaliste, voudrait que l'État intervienne pour favoriser la bourgeoisie canadienne-française.

Le parti libéral n'est guère favorable à ce genre d'intervention. Certes, on souhaite que les Canadiens français participent davantage au développement économique, mais ils doivent le faire dans le cadre de la libre entreprise, en ne comptant que sur leurs efforts individuels. Le gouvernement peut tout au plus les encourager dans cette direction par la création d'écoles spécialisées qui permettent de former en plus grand nombre des hommes d'affaires et des techniciens canadiens-français. Dans certains cas toutefois, il est amené à faire des exceptions. C'est ainsi qu'en 1923 le gouvernement Taschereau intervient pour sauver de la faillite l'une des trois banques canadiennes-françaises, la Banque Nationale, à laquelle est liée une bonne partie de la bourgeoisie de la capitale. Il provoque la fusion de cette institution en difficulté avec la Banque d'Hochelaga pour former la Banque Canadienne Nationale. Mais il s'agit là d'une intervention ponctuelle qui reste exceptionnelle.

Une troisième question est au centre des débats sur les politiques économiques, celle de la transformation des produits au Québec. L'exploitation des richesses naturelles a des effets d'entraînement importants si les matières premières sont transformées sur place plutôt qu'exportées à l'état brut. Ayant pour objectif de créer des emplois, les gouvernements libéraux souhaitent amener les entreprises exploitantes à transformer les matières premières au Québec même. Ils sont cependant réticents à recourir à des mesures coercitives pour y parvenir. À l'encontre du mouvement nationaliste qui réclame des politiques assez fermes, ils craignent que les investisseurs ne s'en aillent ailleurs, s'ils se montrent trop exigeants.

Dans le domaine des pâtes et papiers, le gouvernement québécois dispose toutefois d'une marge de manoeuvre plus grande parce que la demande américaine de papier journal est forte. À la fin du 19e siècle, il impose une taxe sur le bois à pâte coupé sur les terres publiques qui est exporté sans transformation. Le mouvement nationaliste réclame plus: l'interdiction pure et simple de ces exportations comme l'Ontario l'a fait en 1900. Un tel embargo est également réclamé par les producteurs canadiens. Le gouvernement Gouin cède aux pressions en 1910: dorénavant, tout le bois coupé sur les terres publiques devra être transformé au Québec. La mesure, qui ne s'applique cependant pas au bois coupé sur des terrains privés, contribue, parmi bien d'autres facteurs, à accélérer le mouvement continental de migration vers le nord de l'industrie des pâtes et papiers.

L'exportation d'électricité suscite des préoccupations semblables. En 1924, lorsque des capitalistes proposent de financer la construction d'un barrage à Carillon, à la condition que la majeure partie de l'électricité produite soit exportée aux États-Unis, Taschereau s'y oppose. Permettre l'exportation d'électricité équivaudrait à renoncer à sa politique d'utiliser l'énergie pour attirer des entreprises et créer des emplois. Dans le domaine minier, on assiste cependant au laisser-faire le plus total. Le gouvernement n'intervient pas pour amener les producteurs à transformer sur place les matières premières.

Dans l'ensemble, on peut dire que les préoccupations gouvernementales restent à court terme. Visant l'industrialisation à tout prix et la création immédiate d'emplois, les politiques de développement par et au service de l'étranger prennent le pas sur les politiques de type nationaliste dont la réalisation exige de dépasser le court terme.

L'IMPACT DES POLITIQUES CANADIENNES

De juridiction provinciale, les richesses naturelles sont au centre des politiques économiques de l'État québécois. C'est cependant l'État fédéral qui détient les principaux pouvoirs en matière économique et ses politiques font sentir leur impact au Québec. Deux questions retiendront notre attention: la poursuite de la Politique nationale et l'intervention gouvernementale dans l'économie à l'occasion de la guerre.

La Politique nationale

La période 1896-1929 est caractérisée par le maintien de la Politique nationale qui s'appuie sur trois éléments: protection douanière pour les industries canadiennes, aide aux chemins de fer et stimulants à l'immigration et au développement de l'Ouest.

Après leur prise du pouvoir en 1896, les libéraux fédéraux maintiennent la politique tarifaire des conservateurs en y apportant certains réaménagements. Le plus important est l'adoption d'un régime de préférence britannique en vertu duquel on accorde une réduction des droits de douane sur les produits importés de Grande-Bretagne. En 1910, le parti libéral revise toutefois sa position sous la pression des agriculteurs de l'Ouest. Il négocie alors avec les États-Unis une entente de réciprocité prévoyant l'abolition ou la réduction des droits de douane sur certains produits. Suite à la défaite du gouvernement Laurier, en 1911, ce projet d'entente est abandonné et l'ancienne politique tarifaire sera maintenue jusqu'à la crise des années 1930.

Une partie importante de l'industrie québécoise se situe dans les secteurs protégés par le tarif. Il n'est donc pas étonnant que les industriels et les syndicats ouvriers du Québec soient d'ardents partisans de la politique tarifaire, dite nationale. Mais l'un des effets de cette politique est de favoriser l'implantation américaine. La création de filiales canadiennes est une façon de contourner le mur tarifaire et de permettre aux produits américains de pénétrer au Canada. En ce sens, la Politique nationale favorise surtout l'industrialisation de l'Ontario, puisque les filiales de sociétés américaines s'implantent massivement dans cette province.

Le second volet de la Politique nationale est la construction ferroviaire. On construit, au début du siècle, deux nouvelles voies transcontinentales pour lesquelles on engage des investissements énormes. L'effet d'industrialisation induit par le développement ferroviaire est limité à la région de Montréal. La ville de Québec y gagne toutefois une nouvelle vocation de centre de communications et agrandit son aire d'influence. Mais comme les nouveaux chemins de fer, particulièrement le Transcontinental National, traversent au Québec des zones peu peuplées, leur impact reste limité. Le Transcontinental National favorise l'ouverture de l'Abitibi à la colonisation et permettra plus tard d'expédier une partie de la production minière.

Le troisième volet de la Politique nationale, l'immigration, est centré sur le peuplement de l'Ouest. En ce domaine, le gouvernement fédéral se montre très actif; les immigrants arrivent en très grand nombre durant les années qui précèdent la guerre et au cours des années 1920. Ceux qui vont dans l'Ouest représentent un nouveau marché de consommateurs pour l'industrie québécoise. En outre, une moitié de ces nouveaux venus se dirigent vers le Québec et l'Ontario. On en retrouve une bonne partie dans les camps liés aux chantiers de construction du nord du Québec et dans les nouvelles villes minières. C'est toutefois vers les centres urbains, surtout à Montréal, que ces nouveaux Québécois se dirigent. Juifs d'Europe de l'Est ou Italiens, ils forment la nouvelle main-d'oeuvre à bon marché de l'industrie et de la construction.

L'impact de la guerre

Le déclenchement de la guerre provoque en 1914 des bouleversements dans l'économie canadienne. Le gouvernement fédéral se fait attribuer par le parlement des pouvoirs extraordinaires de contrôle de l'activité économique. Même s'ils ne sont pas pleinement utilisés, ils amènent un degré d'intervention gouvernementale inconnu jusque-là. Dans l'utilisation de ces nouveaux pouvoirs, le gouvernement fédéral fait preuve de beaucoup d'inexpérience.

L'objectif est de concentrer les décisions relatives à la production afin de maximiser l'effort de guerre. Le Canada devient alors un des principaux

Pendant la guerre, le gouvernement fédéral mobilise l'économie pour la production militaire. On voit ici des ouvrières dans une usine de munitions à Verdun. (Archives publiques Canada, PA24437)

fournisseurs des Alliés. Une série d'organismes sont mis sur pied pour contrôler l'approvisionnement en munitions, en nourriture et en combustible. L'industrie canadienne, dont la production est ralentie au début du conflit, se réoriente vers la production de guerre et tourne à plein régime en 1918. C'est d'abord l'industrie ontarienne qui est favorisée et, secondairement, celle du Québec. La guerre a par ailleurs un impact important sur l'agriculture québécoise en permettant l'équipement des fermes et en stimulant la production de denrées alimentaires.

Le gouvernement fédéral tente d'étendre son contrôle sur les gouvernements provinciaux en voulant bloquer les emprunts que ceux-ci font à l'étranger. Au Québec, le premier ministre Lomer Gouin s'oppose vivement à cette mesure et Ottawa doit retraiter.

Pour financer son effort de guerre, le gouvernement fédéral doit recourir à de nouvelles mesures financières. Il hausse d'abord les droits de douane, puis doit se résoudre à créer de nouveaux impôts: taxes sur les profits des sociétés et surtout impôt sur le revenu, créé en 1917 et qui doit être aboli à la fin de la guerre. Ces ponctions sur l'épargne s'avèrent insuffisantes et le gouvernement doit effectuer de lourds emprunts. Il va d'abord à New York, puis se tourne pour la première fois vers le marché intérieur en offrant aux Canadiens des obligations baptisées « Bons de la Victoire ».

À la fin de la guerre, le gouvernement fédéral doit continuer d'intervenir pour faciliter la conversion de l'économie à la production de paix. Il tente cependant de se retirer le plus tôt possible, de revenir à la normale en laissant le contrôle de l'activité économique à l'entreprise privée. Mais il reste évidemment des séquelles. La très lourde dette de la guerre et celle des chemins de fer l'obligent à maintenir l'impôt sur le revenu, contrairement à ce qui avait été initialement prévu. De la même manière, il poursuivra les programmes à frais partagés ou « plans conjoints » qu'il avait imposés aux provinces pendant la guerre.

Orientations bibliographiques

Roby, Yves. *Les Québécois et les investissements américains (1918-1929)*. Québec, PUL, 1976. 250p.

Levitt, Joseph. *Henri Bourassa and the Golden Calf. The Social Program of the Nationalists of Quebec, 1900-1914*. Ottawa, Éditions de l'Université d'Ottawa, 1969. 178p.

Roy, Jean-Louis. *Les programmes électoraux du Québec*. Montréal, Leméac, 1970. Tome I, 236p.

B. LA SOCIÉTÉ

La société québécoise ne connaît pas, après 1900, de rupture aussi fondamentale que celle qu'elle avait vécue dans les dernières décennies du 19e siècle. La montée d'une bourgeoisie industrielle, la prolétarisation des artisans et la création d'une classe ouvrière ont représenté des bouleversements fondamentaux. Après 1900, on assiste plutôt à la consolidation et à l'expansion de cette nouvelle structure sociale. La bourgeoisie accroît son emprise grâce à la concentration; la classe ouvrière et les travailleurs en général voient leurs effectifs grossir suite à la prolétarisation d'un grand nombre de migrants des campagnes et de l'étranger. Ces deux classes, ainsi que la petite bourgeoisie, tentent d'affermir leurs positions en créant des organisations d'encadrement.

Au chapitre des conditions de vie, certaines nouveautés — comme l'électricité et l'automobile — ou le caractère de plus en plus urbain du Québec peuvent donner l'illusion d'un bouleversement important. Mais en scrutant bien, on constate que, pour la masse de la population, les conditions d'existence restent difficiles et les améliorations se font à un rythme très lent. Dans des domaines comme la qualité de l'habitat et de l'environnement, les droits des femmes ou l'accès à l'éducation, les groupes réformistes se heurtent à des résistances farouches et doivent se contenter d'une modernisation très partielle et très incomplète.

CHAPITRE 25

BOURGEOISIE ET PETITE BOURGEOISIE

L'évolution de la structure économique canadienne et québécoise vers un capitalisme de monopole a son pendant dans la structure sociale: la grande bourgeoisie accroît de façon substantielle son pouvoir.

LA GRANDE BOURGEOISIE ET LA CONCENTRATION DU POUVOIR

Ce phénomène est particulièrement visible dans le secteur financier. Dans le cas des banques, trois institutions — Banque de Montréal, Banque Royale et Banque canadienne de Commerce — détiennent ensemble le tiers des actifs bancaires en 1900. Trente ans plus tard, leur part du total est passée à 72%. En 1926, deux sociétés de fiducie, le Royal Trust et le Montreal Trust, contrôlent ensemble 62% des actifs de leur secteur. Dans l'assurance-vie, la concurrence est plus importante, mais deux grandes sociétés, la Sun Life et la Canada Life, n'en dominent pas moins ce secteur, en 1900 comme en 1930. Cette situation a pour résultat que d'immenses ressources financières sont placées entre les mains d'un petit nombre d'administrateurs. Ceux-ci, par

Le St. James Club, à Montréal. (Archives Notman, Musée McCord)

leur acceptation ou leur refus de prêts ou d'autres formes de financement, possèdent un droit de vie ou de mort sur la grande majorité des sociétés commerciales ou industrielles. Les petites et les moyennes entreprises sont particulièrement vulnérables à cet égard, car seules les plus solides peuvent réaliser un financement interne qui les dispense d'un recours aux institutions financières.

Par ailleurs, la monopolisation qui s'opère dans les secteurs industriel et commercial permet aux entreprises de contrôler les marchés, de fixer les prix, de décider des produits qui seront ou ne seront pas fabriqués et d'imposer ces choix aux consommateurs grâce au recours à la publicité massive.

Mais la concentration du pouvoir va encore plus loin, puisque des liens de plus en plus étroits unissent les dirigeants des grandes sociétés financières, commerciales et industrielles. C'est ainsi qu'on assiste à la constitution de véritables réseaux, généralement centrés sur une institution financière. En identifiant les administrateurs communs à diverses entreprises, l'historien Gilles Piédalue a pu isoler ces grands réseaux pour 1930. La présence d'administrateurs siégeant simultanément au conseil de deux entreprises n'implique pas nécessairement le contrôle de l'une par l'autre, bien que ce soit souvent le cas; elle révèle à tout le moins l'existence de réseaux d'information et de coopération.

Certains grands bourgeois sont membres de très nombreux conseils d'administration et possèdent une influence considérable; leurs avis pèsent lourdement auprès des hommes d'affaires et des dirigeants politiques. Montagu Allan est l'un de ces hommes; il représente le cas d'une fortune transmise d'une génération à l'autre. Fils de Hugh Allan, qui était déjà l'un des plus riches bourgeois montréalais à l'époque de la Confédération, il collectionne les postes d'administrateurs: en 1912, il en compte 24, dont 6 présidences. Herbert S. Holt représente le cas d'un fortune plus récemment acquise. Immigrant d'origine irlandaise et de religion protestante, ingénieur de formation, il commence sa carrière en obtenant des contrats de construction du Canadien Pacifique, dans les années 1880. Au cours de la décennie suivante, il amorce à Montréal une ascension rapide qui le mènera à la présidence de la Banque Royale (de 1908 à 1934) et au conseil d'administration de multiples entreprises.

Herbert Samuel Holt, 1856-1941. (Archives Notman, Musée McCord)

Louis-Joseph Forget — tout comme Max Aitken ou Arthur J. Nesbitt, parmi d'autres — représente un autre profil de carrière: celui du courtier en valeurs qui, grâce à sa participation à des réorganisations d'entreprises et à des fusions, réalise des bénéfices importants et obtient des blocs d'actions dans de nombreuses sociétés. Son neveu et associé, Rodolphe Forget, est également un financier très actif.

Enfin, Lomer Gouin, premier ministre du Québec de 1905 à 1919, représente un autre type de participation à la grande bourgeoisie: celle de l'homme politique dont l'expérience et l'influence peuvent s'avérer

Tableau 1
Postes d'administrateur détenus par Herbert S. Holt, 1912

Président

- Montreal Light, Heat & Power Co.
- Royal Bank of Canada
- Montreal Trust Co.
- Colonial Bleaching & Printing Co.
- Kaministiquia Power Co.
- Montreal Gas Co.
- Calgary Power Co.
- Imperial Writing Machine Co.

Vice-président

- Steel Co. of Canada
- American Bankers Association
- Permanent Insurance Agency
- Dominion Textile Co.
- Canada Paper Co.

Administrateur

- Montreal Cotton Co.
- Shawinigan Water & Power Co.
- Canadian General Electric Co.
- Carlton Hotel Co.
- Canadian Pacific Railway Co.
- Ogilvie Flour Mills Co.
- National Trust Co.
- Canadian Car Co.
- London Street Railway Co.
- Detroit Railway
- Toledo Railways & Light Co.
- Sun Life Insurance Co.
- Imperial Life Assurance Co.
- Monterey Railway & Light Co.

Source: Morgan, *Canadian Men and Women of the Time*, 544.

précieuses. Pendant qu'il dirige les destinées du Québec, il siège au sein de plusieurs conseils d'administration et, à l'écoute des grands hommes d'affaires, il tient compte de leurs désirs dans l'élaboration de ses politiques. À sa retraite de la vie publique, il se voit offrir un siège au conseil d'administration de la puissante Banque de Montréal et dans d'autres sociétés. Il devient en quelque sorte l'un des porte-parole du groupe lié à la Banque de Montréal auprès des dirigeants politiques.

Cette grande bourgeoisie oeuvre à l'échelle canadienne et souvent à l'échelle internationale. Son action dépasse largement le cadre québécois, bien que près de la moitié de ses effectifs aient encore leur base d'opération au Québec, principalement à Montréal. Les travaux des historiens Acheson et Piédalue sur les caractéristiques des administrateurs des plus grandes sociétés canadiennes permettent de constater que 49% d'entre eux résident dans la « région du Saint-Laurent » (le Québec et l'est de l'Ontario jusqu'à Kingston) en 1910; vingt ans plus tard, on en trouve encore 46% dans la même région. Mais la région de l'« Ontario péninsulaire », centrée sur Toronto, gagne en importance, puisque le pourcentage d'administrateurs qui y résident passe de 27% à 38% pendant la même période.

Le recrutement des membres de ce groupe se fait aussi dans un cercle plus restreint. Si, en 1885, 32% d'entre eux étaient nés d'un père agriculteur ou artisan, ce n'est plus le cas que pour 16% en 1910; quant au groupe de 1930, aucun de ses membres n'est d'origine modeste. À la fin de la période, tous les administrateurs sont nés d'un père qui était membre des professions libérales, homme d'affaires, manufacturier ou directeur gérant. Les Canadiens français sont peu nombreux à ce niveau. Selon Piédalue, ils ne représentent que 2,4% des effectifs du groupe en 1910 et 4,6% en 1930.

Ainsi, de 1897 à 1930, la société québécoise est nettement dominée par une grande bourgeoisie qui a augmenté substantiellement son contrôle de l'économie et son pouvoir, tout en limitant son recrutement. Elle est massivement anglophone et concentrée à Montréal. Cette grande bourgeoisie doit cependant composer avec d'autres groupes au sein de la société et, parmi ceux-ci, le gros des effectifs de la bourgeoisie québécoise.

LA MARGINALISATION DE LA MOYENNE BOURGEOISIE

Pour la moyenne bourgeoisie, la concentration et la monopolisation signifient la perte de nombreux instruments économiques. Plusieurs entreprises de moyenne envergure sont intégrées lors de fusions ou doivent disparaître parce qu'elles ne peuvent pas concurrencer les monopoles. La moyenne bourgeoisie perd aussi le contrôle de certains instruments de développement économique. Les chemins de fer à vocation régionale sont intégrés au sein des grands réseaux; les banques ayant des assises régionales disparaissent, à l'exception de deux institutions montréalaises à capital francophone. Il en résulte donc, pour cette couche au sein de la bourgeoisie, une perte d'autonomie et d'influence au niveau économique. Elle ne disparaît pas pour autant, car elle maintient une présence active dans certains domaines.

Il faut d'abord constater que certains secteurs ont subi moins que d'autres les effets de la monopolisation et restent encore fortement concurrentiels. Des industries comme celle de la chaussure, du vêtement, des scieries, des portes et chassis, de l'imprimerie, et plusieurs autres sont encore marquées par la présence d'un grand nombre d'entreprises d'envergure moyenne. Il en est de même pour plusieurs secteurs du commerce de gros. Tout le secteur foncier et immobilier est également peu touché par la monopolisation. Ce sont là les domaines principaux où se situent les assises économiques de la moyenne bourgeoisie. Même dans les secteurs monopolisés, certaines entreprises indépendantes, qui représentent un faible pourcentage de la production totale, peuvent susbsister et être rentables parce qu'elles ont des assises régionales et un marché bien concentré géographiquement. Il y a d'ailleurs encore, dans les premières décennies du 20e siècle, des possibilités de carrières ou de création d'entreprises dans des domaines nouveaux ou dans des secteurs en expansion.

Une caractéristique importante de la moyenne bourgeoisie est la dimension régionale de ses assises économiques, bien que, dans certains cas, des entrepreneurs étendent leurs opérations sur une plus grande échelle. À ce niveau d'ailleurs, l'entreprise garde souvent une dimension familiale et on ne voit guère se constituer des réseaux de compagnies comme ceux de la grande bourgeoisie.

Cette moyenne bourgeoisie semble très active en politique, dans les municipalités ou au sein du gouvernement québécois et des partis. Les contrats gouvernementaux de toute nature contribuent à la fortune de plusieurs représentants de ce groupe. Si la grande bourgeoisie peut faire en sorte que les politiques des gouvernements provincial et fédéral servent ses intérêts, la moyenne bourgeoisie sait très bien utiliser ou orienter les politiques municipales et même, dans certains cas, celles du gouvernement québécois. Dans l'ensemble de l'économie, la moyenne bourgeoisie se voit donc reléguée au second plan. On assiste à une certaine marginalisation de ce groupe, mais pas à sa disparition.

LA PLACE DES FRANCOPHONES

Nous avons vu que la présence francophone au sein de la grande bourgeoisie reste marginale. Même en 1930, seulement 4,6% des administrateurs des grandes sociétés canadiennes sont des Canadiens français. La figure la plus connue de l'époque est le sénateur Louis-Joseph Forget, courtier en valeurs et administrateur de nombreuses sociétés, qui meurt en 1910. Le sénateur Frédéric-Liguori Béique, que le *Montreal Star* classe comme « millionnaire » en 1911, est administrateur de la Banque d'Hochelaga, puis de la Banque Canadienne Nationale et en devient le président en 1928; il siège au conseil d'administration du Canadien Pacifique à compter de 1917 et entre au comité exécutif de cette puissante société en 1929. Son gendre, Beaudry Leman, gérant général de la Banque Canadienne Nationale, est également administrateur de la Shawinigan Water & Power et d'autres sociétés.

Mais ce sont là des exceptions. La presque totalité des bourgeois canadiens-français oeuvrent à un autre niveau, celui de la moyenne bourgeoisie. À ce titre, ils subissent eux aussi les effets de la marginalisation de cette couche sociale. Les grandes concentrations se faisant à l'échelle canadienne et parfois nord-américaine, il n'y a pas de monopoles canadiens-français. Plusieurs entreprises à propriété francophone sont intégrées à des ensembles plus vastes. Des entrepreneurs canadiens-français disparaissent de la scène. Mais cette éviction ne doit pas être examinée seulement en termes ethniques, puisque de nombreux autres bourgeois, de diverses origines, sont ainsi relégués au second plan dans le cadre du passage au capitalisme de monopole.

Il reste d'ailleurs des champs d'action ouverts à la moyenne bourgeoisie et on assiste à la montée de nouveaux entrepreneurs canadiens-français. J.-E.-A. Dubuc représente l'un de ces cas d'ascension. D'abord gérant d'une succursale bancaire, Dubuc prend la direction de la Compagnie de pulpe de Chicoutimi, bâtit des usines, construit un port (Port-Alfred) et exporte de la pâte en Angleterre. La guerre du papier provoque la chute de l'entreprise, au milieu des années 1920, mais la famille Dubuc continue à jouer un rôle important dans l'économie et la politique au Saguenay. À Montréal, le courtier en valeurs Joseph Versailles fonde la municipalité de Montréal-Est et lance une cimenterie qui veut faire concurrence au trust du ciment. À Sorel, Joseph Simard, d'abord simple commis, commence à acheter les entreprises qui seront la base de son empire industriel. Pour plusieurs entrepreneurs canadiens-français, comme les frères Oscar et Marius Dufresne à Maisonneuve, la promotion foncière et le développement urbain représentent un secteur important d'intervention et d'enrichissement à côté de leurs autres activités.

À l'échelle canadienne, les entreprises francophones restent modestes. Les banques canadiennes-françaises ne représentent que 6% à 7% des actifs bancaires. En 1936, Victor Barbeau publie un ouvrage intitulé *Mesure de notre taille*, où il tente d'évaluer la place de l'entreprise canadienne-française dans l'économie. Dans la plupart des secteurs, il constate qu'elle est « nulle », « microscopique » ou « modeste »; sur la soixantaine de secteurs qu'il relève dans un tableau, une dizaine méritent la mention « bonne » ou « satisfaisante » et seulement trois la mention « excellente »: il s'agit des produits agricoles, du cuir et du beurre. L'étude est faite quelques années après la période que nous examinons ici, mais elle reflète quand même une tendance évidente. Il ne faut certes pas exclure l'hypothèse d'une participation canadienne-française minoritaire au capital de certaines sociétés, mais il est difficile de la mesurer.

Frédéric L. Béïque, 1845-1933. (Archives Notman, Musée McCord)

J.-E.-A. Dubuc

Comme pour l'ensemble de la moyenne bourgeoisie, marginalisation ne signifie toutefois pas disparition. Les bourgeois canadiens-français conservent de bonnes bases économiques au niveau local ou régional. Ils utilisent à leur profit le patronage du gouvernement québécois et des municipalités. Leurs assises économiques sont la source d'un pouvoir aux dimensions locales ou régionales, un pouvoir qui s'exerce dans les domaines économique, politique et social.

DES INSTITUTIONS SUR MESURE

La bourgeoisie québécoise, grande ou moyenne, s'appuie sur des institutions qui représentent son point de vue et fournissent des occasions de rencontres et de concertation. Certaines sont des groupes d'intérêts économiques, comme les chambres de commerce. L'organisation la plus importante et la plus influente est certainement le Montreal Board of Trade. C'est la voix de la grande et de la moyenne bourgeoisie de Montréal. Cet organisme est massivement anglophone, bien que les hommes d'affaires canadiens-français les plus importants en soient membres. Il représente d'abord et avant tout les intérêts commerciaux de Montréal et est particulièrement actif dans tous les débats concernant le port. Il intervient également dans la politique municipale pour appuyer des programmes de réforme administrative. Les industriels, bien que présents au Board of Trade, s'estiment mieux représentés par l'Association des manufacturiers canadiens (Canadian Manufacturers Association) dont le siège est à Toronto et qui a des sections locales au Québec.

La bourgeoisie francophone, très minoritaire dans ces deux organisations, se regroupe également au sein des chambres de commerce. Celle de Montréal est particulièrement active. Elle mène souvent des actions conjointes avec le Board of Trade, indication d'une solidarité de classe qui dépasse les ethnies. Elle s'en distingue cependant par des interventions visant à appuyer les intérêts économiques des francophones. La chambre de commerce montréalaise s'intéresse beaucoup au développement du Québec, contrairement au Board of Trade, qui a des visées à l'échelle du Canada. En 1902, la chambre de Montréal lance un mouvement pour organiser des chambres de commerce dans d'autres villes; elle propose également la création d'une fédération de toutes les chambres du Québec; celle-ci est réalisée en 1909. Dans les deux cas, comme le souligne l'historien Ronald Rudin, le Board of Trade refuse ostensiblement de s'associer au mouvement, bien qu'il ait auparavant appuyé des tentatives semblables à l'extérieur du Québec. Il y a d'ailleurs une différence notable entre le Board et les chambres francophones. Ces dernières font une partie de leur recrutement à l'extérieur des rangs de la bourgeoisie, du côté de la petite bourgeoisie. Le poids économique des institutions n'est donc pas le même.

En plus de ces institutions bien organisées, il existe de nombreux autres groupes d'intérêts, créés dans le but de promouvoir ou de défendre une cause. Certains n'ont qu'une existence éphémère et sont dissous, aussitôt l'objectif atteint. En 1918, par exemple, un regroupement de détenteurs d'obligations de la ville de Maisonneuve est formé pour exprimer au premier ministre Lomer Gouin leurs craintes quant à la situation financière de la municipalité et donc quant à la sécurité de leurs investissements. Cette intervention semble être un facteur important dans la décision du gouvernement Gouin d'annexer de force Maisonneuve à Montréal.

La bourgeoisie compte également sur de nombreuses institutions qui fournissent des occasions de rencontres et de consultations: associations secrètes, comme les francs-maçons ou l'Ordre de Jacques-Cartier; clubs privés au recrutement très sélectif, comme le St. James Club, le Mount Royal Club, le club de la Garnison, le club Saint-Denis; enfin, les associations philanthropiques et culturelles, où les représentants de la bourgeoisie monopolisent souvent les postes de direction.

Il faut souligner également l'existence de la presse d'affaires, comme le *Journal of Commerce*, le *Financial Times*, le *Moniteur du commerce* et le *Prix courant*. De nombreuses publications spécialisées s'adressent à des groupes particuliers: banquiers, manufacturiers, commerçants, etc. Plus importante est la possibilité qu'a la bourgeoisie de véhiculer ses idées à travers les media, en particulier la presse quotidienne à grand tirage.

LA PETITE BOURGEOISIE

Les effets de la concentration se font aussi sentir du côté de la petite bourgeoisie. Les petits entrepreneurs et commerçants doivent traiter avec des fournisseurs — grossistes ou manufacturiers — qui sont maintenant de grandes entreprises et qui peuvent fixer les conditions de crédit. Ils doivent donc fonctionner dans des situations précaires et leur marginalisation dans l'ensemble de l'économie est évidente. Ils sont également dans un régime de concurrence très vive où la lutte pour la survie est constante. L'urbanisation, dans un premier temps, favorise la multiplication des petits commerces. Comme l'entreprise indépendante est synonyme de promotion sociale, il y a toujours de nouveaux arrivants prêts à se lancer en affaires. Pour les immigrants, le petit commerce est aussi une voie d'ascension sociale, de sorte que la concurrence a bientôt des incidences culturelles. À côté des petits commerçants canadiens-français ou britanniques apparaissent des petits commerçants d'origine juive, syrienne, etc. Cette diversification ethnique accentue les tensions.

Mais, après un certain temps, l'urbanisation favorise aussi la constitution de chaînes de magasins ou d'entreprises à succursales qui font encore reculer les positions du petit commerçant indépendant. À la fin des années 1920, les assises économiques traditionnelles de ce groupe paraissent précaires. Une partie de la petite bourgeoisie se trouve cependant de nouveaux rôles dans l'expansion du personnel politique, judiciaire et culturel. Pendant la période, la bourgeoisie commence à se retirer de l'exercice direct du pouvoir politique et laisse de plus en plus ce rôle à des politiciens professionnels qui en font en quelque sorte une carrière.

On voit surtout se développer les couches intermédiaires salariées qui composent ce qu'on appelle la nouvelle petite bourgeoisie: gestionnaires, intellectuels, journalistes, professeurs, etc. C'est ainsi, par exemple, que les professeurs d'université commencent à prendre, dans les années 1920, une stature qu'ils n'avaient jamais eue. Des hommes comme l'abbé Lionel Groulx ou Édouard Montpetit interviennent dans les débats publics. Dans le domaine de la santé, les médecins et les hygiénistes jouent un rôle grandissant. Ce rôle d'intermédiaire entre le pouvoir et la population ouvre des avenues nouvelles à la petite bourgeoisie.

Orientations bibliographiques

Barbeau, Victor. *Mesure de notre taille.* Montréal, *Le Devoir*, 1936. 243p.

Bédard, Roger-J., dir. *L'essor économique du Québec.* Montréal, Beauchemin, 1969. 524p.

Clement, Wallace. *The Canadian Corporate Elite. An Analysis of Economic Power.* Toronto, McClelland and Stewart, 1975. 479p.

Linteau, Paul-André. « Quelques réflexions autour de la bourgeoisie québécoise, 1850-1914 », *Revue d'histoire de l'Amérique française*, 30, 1 (juin 1976): 55-66.

Piedalue, Gilles. *La bourgeoisie canadienne et la réalisation du profit au Canada, 1900-1930.* Thèse de Ph.D. (histoire), Université de Montréal, 1976. 401p.

Piedalue, Gilles. « Les groupes financiers au Canada, 1900-1930. Étude préliminaire », *Revue d'histoire de l'Amérique française*, 30, 1 (juin 1976): 3-34.

Rudin, Ronald. *The Development of Four Quebec Towns, 1840-1914: A Study of Urban and Economic Growth in Quebec.* Thèse de Ph.D. (histoire), Université York, 1977.

Saint-Germain, Yves. *The Genesis of the French Language Business Press and Journalists in Quebec, 1871-1914.* Thèse de Ph.D. (histoire), University of Delaware, 1974.

CHAPITRE 26

LES TRAVAILLEURS ET LE MOUVEMENT OUVRIER

L'industrialisation avait entraîné, nous l'avons vu, le développement d'une classe ouvrière aux effectifs croissants et la naissance d'un mouvement de défense qui lui est propre, le syndicalisme. Après 1896, cette évolution se poursuit et même s'amplifie. Pendant cette période, il faut distinguer deux étapes, séparées par la guerre.

Le mouvement ouvrier connaît d'abord un essor important au tournant du siècle. La période s'ouvre avec la victoire définitive des syndicats de la Fédération américaine du travail sur les Chevaliers du travail et les syndicats nationaux. Dès lors, et pendant deux décennies, les grandes unions internationales dominent la vie syndicale québécoise. C'est une période d'expansion et de militantisme qui débouche même sur l'action politique, avec le parti ouvrier. En 1921, 14% de la population active non agricole est syndiquée.

Le clergé catholique avait tenté de s'opposer à cette force nouvelle à l'époque des Chevaliers du travail, mais il avait dû se résigner à l'accepter. Cependant, la croissance du syndicalisme international d'origine américaine lui apparaît de plus en plus comme une menace sur le plan religieux et national. La résistance croissante du clergé, ajoutée aux tensions ethniques qui se font jour pendant la guerre et aux craintes soulevées par la grève de Winnipeg amènent l'émergence d'une nouvelle force: le syndicalisme catholique. La décennie des années 1920 est marquée par l'existence concurrente des deux types d'organisation syndicale. Elle est aussi témoin d'un arrêt de l'expansion du mouvement ouvrier et d'un affaiblissement du militantisme.

MILITANTISME ET EXPANSION, 1896-1914

Le Congrès des métiers et du travail du Canada (CMTC) regroupe en 1896 les syndicats affiliés aux unions internationales et membres de la FAT ainsi que des syndicats nationaux canadiens, lesquels sont en majorité des Chevaliers du travail ayant rompu avec leur pendant américain. Les tensions sont fortes entre ces deux groupes. Mais, dans les années suivantes, les unions internationales entrent dans une phase d'expansion et accroissent de façon significative le nombre de leurs syndicats locaux. Les Chevaliers du travail qui jouent un rôle très actif à la haute direction du CMTC y deviennent néanmoins minoritaires. Le congrès du CMTC qui se déroule à Berlin (aujourd'hui Kitchener) en Ontario, en 1902, décide de régler le problème en décrétant l'expulsion des Chevaliers du travail et de tous les syndicats nationaux qui oeuvrent dans le même domaine que des syndicats internationaux existants. Le CMTC devient dès lors étroitement inféodé à la FAT et au président de celle-ci, Samuel Gompers.

Les syndicats expulsés, qui se trouvent principalement au Québec, se regroupent au sein d'un nouvel organisme, le Congrès national des métiers et du travail du Canada (CNMTC). Surtout présents dans les secteurs de la chaussure, de la construction et du textile, ces syndicats nationaux ont leur château fort dans la ville de Québec, où ils dominent la vie syndicale. Dans le but d'étendre ses effectifs au Canada anglais, le CNMTC se transforme, en 1908, en Fédération canadienne du travail (FCT). La nouvelle organisation ne représente cependant pas une force importante à côté du CMTC. Au Québec, après une période initiale de croissance, ses effectifs fondent à vue d'oeil dans les années qui précèdent la guerre. Dans la métropole, l'expansionnisme des syndicats internationaux entraîne l'élimination de plusieurs syndicats nationaux. À Québec, ce sont plutôt les dissensions internes qui expliquent cette désaffection à l'endroit de la FCT; plusieurs unités syndicales de cette ville se retirent de la fédération, sans toutefois disparaître. Certains de ces syndicats nationaux devenus indépendants se transformeront plus tard en syndicats catholiques.

Ainsi, l'appartenance à une union internationale américaine devient la règle dans le syndicalisme canadien. En 1914, on estime à environ 166 000 le nombre des syndiqués au Canada; 134 348 d'entre eux sont membres d'unions internationales américaines. Ils ne sont pas obligatoirement membres du CMTC qui, en 1914, ne représente que 80 000 syndiqués. Il est difficile d'obtenir des statistiques précises quant au Québec. On y compte 136 syndicats locaux en 1901 et 329 en 1916, mais on ne connaît pas le total de leurs effectifs. Les statistiques établies par l'historien Jacques Rouillard permettent de constater que ce sont les internationaux qui profitent surtout de cette période d'expansion. En 1901, avec 74 unités syndicales, ils sont presque nez à nez avec les nationaux (62 unités). Mais, en 1916, on compte

Travailleurs construisant un pont ferroviaire en 1898. (Archives du Canadien National)

236 unités internationales pour 70 nationales et 23 catholiques. Le nombre des syndicats n'est cependant pas suffisant pour mesurer le poids relatif des organisations, puisque le nombre de leurs membres est très variable.

Beaucoup de syndicats ont d'ailleurs une existence éphémère. Les patrons réussissent à briser un certain nombre d'entre eux en utilisant des tactiques variées: refus assez généralisé de reconnaître le syndicat comme agent négociateur; renvoi de dirigeants syndicaux et de travailleurs ayant adhéré à une organisation; appui à la création de syndicats de boutique pour contrer une organisation trop militante. Les travailleurs eux-mêmes ne se montrent pas constants et leur appui est inégal: une négociation réussie, une grève victorieuse peut faire grimper en flèche les effectifs, mais une erreur de stratégie, une défaite dans un conflit peut entraîner une démobilisation telle qu'elle provoque la mort du syndicat. Les rivalités intersyndicales, en particulier entre syndicats nationaux et internationaux, ont également des effets négatifs.

Si les syndicats passent, le syndicalisme demeure. Malgré les difficultés et les échecs, le mouvement ouvrier élargit ses bases et connaît une progression appréciable en ce début du siècle. Il vit alors une période militante dont on voit les manifestations dans les revendications professionnelles et dans l'action politique. L'analyse systématique des revendications ouvrières de la période et des conflits de travail de cette époque reste à faire. Selon Terry Copp, les revendications du mouvement syndical se concentrent alors sur deux objectifs principaux: l'augmentation des salaires — ou leur maintien quand ils sont réduits — et la sécurité d'emploi. La période qui précède la guerre est marquée de nombreuses grèves.

Les usines de coton, qui comptent parmi les plus gros employeurs du Québec, sont frappées par un grand nombre d'arrêts de travail: Jacques Rouillard en a relevé 36 entre 1900 et 1915. Pour l'année 1908, les grèves du textile comptent pour 90% des jours ouvrables perdus dans tout le secteur manufacturier. Mais, parce qu'ils sont peu qualifiés et donc facilement remplaçables, les ouvriers du textile n'ont qu'une force de pression limitée et n'obtiennent gain de cause que dans 22% des cas. Les conflits touchent les principales filatures, celles de Montréal, de Valleyfield, de Magog et de Montmorency.

La concentration ouvrière à Montréal fait de cette ville le point chaud des luttes. En plus de ceux des filatures, les travailleurs du tabac et ceux du vêtement y déclenchent de fréquents arrêts de travail. Il en est de même dans le secteur de la construction. Des conflits importants ont lieu aux grandes entreprises ferroviaires et à la compagnie de tramways ainsi que chez les débardeurs. À Québec, la grève de la chaussure, en 1901, a des répercussions à long terme à cause de l'intervention du clergé dans le conflit. Le militantisme syndical se manifeste aussi dans l'action politique avec la création du parti ouvrier et l'élection d'Alphonse Verville comme député fédéral de Maisonneuve en 1906. Nous reviendrons sur cette dimension de l'action ouvrière.

Plusieurs facteurs peuvent expliquer cette effervescence. À la tradition de militantisme des Chevaliers du travail, qui survit à la disparition de l'organisation, s'ajoutent les conditions même dans lesquelles se trouvent les travailleurs — en particulier l'insuffisance de leurs salaires —, qui expliquent les poussées d'exaspération manifestées dans les nombreuses grèves. De plus, les travailleurs immigrants qui arrivent en grand nombre au début du siècle ont souvent acquis une expérience de militantisme syndical dans leurs pays d'origine; ainsi, des Anglais et des Juifs d'Europe de l'Est joueront un rôle important dans le développement du mouvement syndical québécois. Il faut souligner aussi le poids des syndicats internationaux. Les mieux organisés et les plus importants sont en mesure d'encadrer l'action syndicale et de payer des organisateurs chargés de mettre sur pied de nouveaux syndicats locaux. Comme ils ne s'intéressent qu'aux syndicats de métiers, ils rassemblent les travailleurs les plus qualifiés, c'est-à-dire ceux qui peuvent le plus efficacement obtenir des concessions des patrons.

Parallèlement à l'essor des organisations internationales américaines, on assiste aux débuts, encore très modestes, du syndicalisme catholique. À l'opposition ouverte de l'évêque de Québec, dans les années 1880, succède au début du 20e siècle une volonté d'établir un contrôle clérical sur les syndiqués et leurs organisations. La première manifestation de cet esprit nouveau apparaît à Québec en 1901. Une grève y oppose les travailleurs de la chaussure à leurs patrons. Pour régler le conflit, les deux parties acceptent de recourir à l'arbitrage de l'évêque de Québec, Mgr Bégin. Celui-ci reconnaît aux travailleurs le droit de s'organiser, mais il leur demande de modifier la constitution de leur syndicat, pour la rendre plus conforme aux vues de l'Église, et d'accepter la nomination d'un aumônier.

Un autre pas est franchi en 1907, quand l'abbé Eugène Lapointe, futur évêque de Chicoutimi, met sur pied la Fédération ouvrière de Chicoutimi, pour regrouper les travailleurs des usines de pâte du groupe Dubuc. S'apparentant au syndicalisme de boutique, cette organisation est très bien vue des patrons. Elle se proclame catholique et n'admet dans ses rangs que des travailleurs de cette religion. Ses débuts sont assez lents, mais elle se réorganise en 1912 et devient la Fédération ouvrière mutuelle du Nord, avec des implantations dans les principales villes du Saguenay. Des syndicats catholiques sont également créés à Montréal et à Trois-Rivières, mais tout cela reste bien modeste avant 1914.

CONCURRENCE ET ESSOUFFLEMENT, 1914-1929

L'essor du syndicalisme catholique se fait après la guerre et les événements de la période 1914-1919, en particulier la crise de la conscription et la grève de Winnipeg, y contribueront.

Le déclenchement de la première guerre mondiale provoque des tensions au sein du mouvement ouvrier canadien. D'un côté, il y a la tradition antimilitariste du syndicalisme et la conviction de certains dirigeants qu'il s'agit d'une guerre impérialiste, menée sur le dos des travailleurs. De l'autre, on trouve la tendance à appuyer l'effort de guerre, surtout par patriotisme. L'opposition entre ces deux tendances se manifeste tout au long du conflit. Au Québec s'ajoute la tiédeur des francophones face à l'effort de guerre et leur rejet assez massif de l'enrôlement obligatoire. Lors de la crise de la conscription, en 1917, une minorité de délégués au CMTC voudrait s'opposer à la mesure gouvernementale en déclenchant une grève générale, mais la majorité décide ne pas la contester ouvertement. Cet appui tacite à la

Travailleurs dans une fonderie, pendant la guerre. (Archives publiques Canada, PA24447)

conscription est d'ailleurs influencé par la politique de la FAT et de son président Samuel Gompers qui, aux États-Unis, soutient à fond l'effort de guerre. Cette orientation de la direction syndicale américaine contribue à isoler les syndicalistes canadiens et québécois qui veulent s'opposer à la conscription. Aux yeux d'un grand nombre de syndiqués canadiens-français, la centrale canadienne prend ainsi une position qui va à l'encontre de leurs intérêts.

Ils ne sont pas les seuls à être déçus. Les dirigeants syndicaux de l'Ouest canadien, beaucoup plus radicaux, se sentent à l'étroit dans les limites que leur impose la FAT et sa succursale canadienne. Un certain nombre d'entre eux sont amenés à jeter les bases d'une nouvelle organisation syndicale. Mais, pour le Québec, le syndicalisme de l'Ouest est surtout important à cause d'un autre événement, la grève générale de Winnipeg. Déclenchée en mai 1919 par le Conseil des métiers de cette ville pour appuyer les revendications d'un syndicat, la grève générale se poursuivra pendant un peu plus d'un mois. Maître de la ville, le comité de grève mène une action pacifique. Des manifestations d'appui ont lieu dans les principales villes du Canada.

La grève suscite de très vives réactions au sein de la bourgeoisie de Winnipeg et de tout le Canada. Les dirigeants politiques affirment qu'il s'agit d'une situation révolutionnaire d'inspiration bolchévique. Voyant les succès que remportent les grévistes, ils décident de casser le mouvement par la force et font intervenir la police fédérale. Celle-ci passe à l'offensive et tire sur la foule des grévistes. Elle atteint ainsi son objectif et assure le triomphe de l'ordre établi. Au Québec, la grève de Winnipeg suscite les craintes des intellectuels nationalistes et des membres du clergé qui y voient un indice des progrès du socialisme et des dangers du syndicalisme international. S'y ajoute l'impact considérable produit par la révolution bolchévique d'octobre 1917 en Russie. La solution leur paraît de plus en plus se trouver dans la création de syndicats catholiques.

Clercs et intellectuels nationalistes s'opposent aux « unions internationales » pour deux raisons principales. Il s'agit de syndicats neutres au plan religieux et ouverts à diverses tendances qui peuvent aller à l'encontre de la doctrine sociale prêchée par l'Église. Cela représente pour eux la porte ouverte au socialisme. Il s'agit en deuxième lieu de syndicats qui, à cause de leur caractère international, reçoivent des directives de l'étranger. Cela représente pour eux une menace pour la culture canadienne-française. L'exemple récent de la guerre et de la conscription est là pour rappeler que les mots d'ordre de Washington peuvent aller à l'encontre des intérêts nationaux des Canadiens français.

Un groupe de prêtres et de laïcs prépare donc une réponse. Il s'agit de créer des syndicats, formés uniquement de catholiques et solidement encadrés par un aumônier, qui seront nationaux, c'est-à-dire dont les centres de décision resteront au Canada. Ils attirent dans leurs rangs un certain nombre de syndicalistes canadiens-français que l'expérience récente a éloignés des syndicats internationaux. Le plus célèbre est Alfred Charpentier, ancien membre de l'Union internationale des briquetiers, maçons et plâtriers d'Amérique, qui se « convertit » au syndicalisme catholique vers 1917 et devient bientôt l'un des leaders du mouvement.

À compter de 1918, le mouvement prend une nouvelle ampleur et le rythme des fondations s'accélère. Appuyé par un ensemble d'institutions catholiques, propagé par ses aumôniers, le message du syndicalisme catholique est véhiculé dans tous les centres industriels du Québec. Il devient bientôt nécessaire de regrouper ces nouveaux syndicats au sein d'une structure fédérative. Lors d'un congrès tenu à Hull en 1921, les délégués créent la Confédération des travailleurs catholiques du Canada (CTCC).

Malgré son nom, la nouvelle centrale recrute surtout ses adhérents au Québec, parmi les Canadiens français. Au moment de sa fondation, elle prétend compter 45 000 membres, mais ce nombre est nettement exagéré; selon les estimés de Jacques Rouillard, ses effectifs sont en 1922 de 17 600 syndiqués, regroupés en 120 unités syndicales. Ainsi, la CTCC représente environ le quart de tous les effectifs syndicaux du Québec. C'est d'ailleurs sa meilleure performance de la période, puisqu'après 1921 elle entre dans une phase de stagnation et même de déclin relatif. Les syndicats catholiques sont surtout implantés à Québec et dans les centres industriels autres que Montréal; ils sont nettement minoritaires dans la métropole où les syndicats internationaux dominent.

Quant aux syndicats nationaux qui ne se définissent pas comme catholiques et qui continuent à être rejetés par le CMTC, ils se regroupent en 1927 dans une nouvelle centrale, le Congrès pan-canadien du travail. Sa composante principale est la Fraternité canadienne des cheminots. Le congrès reste cependant une organisation assez faible. Au cours des années 1920, le nombre des syndicats nationaux au Québec varie entre 30 et 40, mais ils ne sont pas tous affiliés au CPT. Pendant cette décennie, syndicats catholiques et syndicats nationaux rassemblent environ le tiers des effectifs québécois.

La scène syndicale est toujours dominée par le CMTC, qui se définit comme le regroupement des filiales canadiennes des syndicats internationaux. Le CMTC est d'ailleurs dans une phase de stagnation au cours des années 1920, le nombre de ses unités au Québec tombant même de 334 en 1921 à 314 en 1926. La forte inflation pendant la guerre avait stimulé les revendications ouvrières en 1918 et 1919; le ralentissement économique et le chômage du début des années 1920 entraîne une nette démobilisation et une baisse des effectifs; le mouvement syndical ne se remet que lentement de cette baisse. Les syndicats internationaux réduisent leurs efforts de recrutement, à l'exception peut-être de celui de l'industrie du vêtement.

L'option des syndicats internationaux pour le syndicalisme de métiers les empêche de répondre adéquatement aux besoins de groupes importants de travailleurs: les ouvriers sans qualifications et les employés des très grandes entreprises où oeuvrent des représentants de plusieurs métiers. Pour s'adapter à cette situation, il faudrait créer des syndicats industriels, regroupant tous les travailleurs d'une industrie indépendamment de leurs métiers ou de leurs qualifications; mais les syndicats internationaux refusent cette solution. Pendant cette période, on voit apparaître des organisateurs communistes au sein de certains syndicats. Ils ont cependant un rôle limité avant 1930.

Les années 1920 sont donc marquées par la division du mouvement ouvrier et par un net ralentissement des efforts d'organisation. Le militantisme est en déclin et l'action politique ouvrière est presque réduite à néant. Ces années sombres contrastent avec le dynamisme du mouvement syndical du début du siècle.

LA LÉGISLATION OUVRIÈRE

Avec plusieurs années de retard et de façon très lente, le gouvernement québécois commence à donner suite à certaines recommandations formulées en 1889 par la Commission royale d'enquête sur les relations entre le capital et le travail et maintes fois reprises par les syndicats. Dans les trois premières décennies du siècle, les principales lois du gouvernement québécois en matière de travail portent sur les accidents, les bureaux de placement, le travail des femmes, celui des enfants, la conciliation et l'arbitrage et la reconnaissance juridique des syndicats. En trente ans, c'est peu.

L'industrialisation accélérée pose avec acuité le problème des accidents du travail et de la déchéance de ceux qui en sont victimes. De 1890 à 1907, les inspecteurs des établissements industriels rapportent qu'ils ont recensé 4 608 cas d'accidents, dont 263 ont été mortels. Comme les patrons ne rapportent pas tous les cas d'accidents, il est certain que le nombre de victimes est plus élevé.

L'ouvrier victime d'un accident ou sa famille, en cas de décès, doit recourir aux tribunaux pour être indemnisé. Or, il est pratiquement impossible à un ouvrier d'engager des procédures judiciaires coûteuses, car il doit faire la preuve que le patron est responsable de l'accident. Les syndicats demandent depuis longtemps à l'État de corriger cette situation qui jette dans la misère des centaines de familles ouvrières.

Après une enquête, le gouvernement, à l'instar d'autres gouvernements provinciaux, propose une loi pour remédier à la situation. La loi des accidents du travail de 1909 entérine le principe du « risque professionnel », c'est-à-dire qu'indépendamment de la faute du patron ou de l'ouvrier, celui-ci sera indemnisé en cas d'accident. À noter cependant que l'indemnité à laquelle a droit l'ouvrier n'est que de 50% de son salaire.

En 1926, le gouvernement apporte quelques amendements à la loi, en réponse aux pressions des syndicats. Désormais, le patron doit s'assurer auprès d'une compagnie d'assurances reconnue, afin que les travailleurs soient protégés même si l'entreprise vient à disparaître. L'indemnité est augmentée et couvre maintenant les deux tiers du salaire régulier. Après deux ans de tergiversations, la nouvelle loi entre en vigueur. Le gouvernement finit par se résoudre à instituer, comme en Ontario, une Commission des accidents du travail (CAT) qui sert de tribunal en matière d'accident et qui détermine le montant de l'indemnité dans chaque cas. Les travailleurs ne peuvent en appeler d'une décision de la CAT devant les tribunaux ordinaires. S'il est vrai que cette nouvelle loi améliore le sort des accidentés, elle comporte aussi de graves lacunes, car elle reste muette sur la question des maladies industrielles. Chose certaine, elle répond à un problème aigu

SEPT HOMMES SONT BROYES A MORT, HIER, A KENOGAMI

Un terrible accident est arrivé à la nouvelle pulperie que construit la Canadian Stewart Co., pour la compagnie Price.--Les victimes sont presque toutes des Canadiens-Français.

(Du correspondant de la PRESSE)

Jonquière, 2. — Un terribe accident, qui a causé la mort de 7 personnes, est arrivé, hier après-midi, vers quatre heures, à Kenogami. Les victimes, qui étaient à l'emploi de la Canadian Stewart Company, qui construit une pulperie pour la compagnie Price ,travaillaient sous un concasseur, lorsqu'une poutre surchargée céda. Les hommes furent broyés à mort. Six d'entre eux sont canadiens-français et le septième est anglais. Quelques-uns sont mariés et père de famille. Parmi les victimes on compte un de nos concitoyens, M. Girard. Ce dernier est marié mais n'a pas d'enfants.Les autres sont tous des étrangers et ne sont pas connus ici. Le coroner doit tenir une enquête.

LES VICTIMES

Québec, 2 — Une dépêche de Jonquières nous apprend que les victimes de l'accident de Kenogami sont les suivantes: Frank Aubut, Joseph et Edmond Plourde, de Saint-Godfroi de Bonaventure; Jean Huard, de Paspébiac, comté Bonaventure; Daniel Durcel, Baie Saint-Paul; David Girard, Jonquières, et J. Chardoux, Suisse.

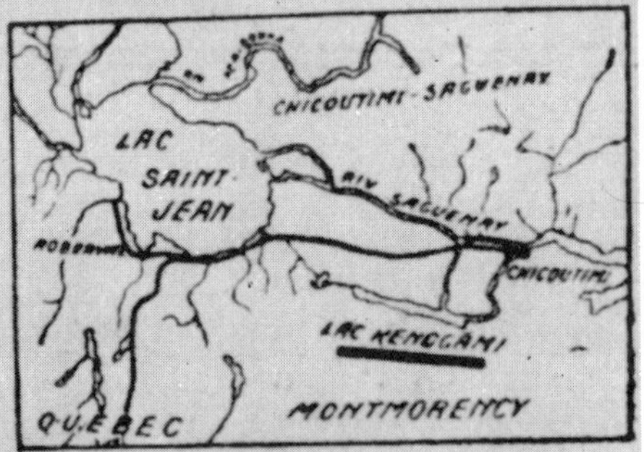

CARTE INDIQUANT où se trouve Kenogami, le théâtre d'un terrible accident qui a coûté la vie à sept ouvriers, dont six Canadiens-français.

Le problème des accidents de travail est l'un des plus importants qui se pose sur la scène ouvrière au début du siècle. (*La Presse*, 2 juillet 1912)

puisqu'on recense, dans la seule année 1929, 21 377 cas d'accidents, dont 152 entraînent le décès de la victime et 2 497 produisent une incapacité permanente.

Outre les accidents, le chômage demeure un des problèmes majeurs pour les ouvriers. Il n'existe aucun système de protection contre ce fléau et plusieurs témoignages disent la misère dont souffrent les familles dans ce cas. Faute de statistiques, nous ne pouvons en mesurer l'ampleur, mais nous

Un bureau de placement privé en 1924. (Archives publiques Canada, PA86586)

savons que c'est un phénomène important. Il prend d'ailleurs deux formes: une première, liée aux fluctuations économiques, et une seconde, liée au ralentissement saisonnier de certaines activités. Ainsi, les travailleurs des ports du Saint-Laurent et ceux de la construction sont, chaque année, soumis au chômage durant la saison froide, quelle que soit la conjoncture. La seule mesure législative pour réduire le chômage pendant la période a trait à la création de bureaux de placement publics qui fonctionnent parallèlement aux bureaux privés. Les bureaux publics offrent leurs services gratuitement. Quant aux bureaux privés, le gouvernement leur interdit en 1914 d'exiger plus de $3 d'honoraires. En 1918, le gouvernement fédéral offre de payer une partie des coûts encourus par les provinces pour ce service à condition qu'elles acceptent de coordonner leurs efforts. Ces bureaux qui ne s'attaquent que très partiellement au problème du chômage ont pour but de favoriser un meilleur ajustement entre l'offre et la demande sur le marché du travail et, à ce titre, ils sont bien vus, tant des patrons que des ouvriers. De 1911 à 1929, plus de 240 000 ouvriers obtiennent un emploi grâce aux cinq bureaux publics. Dans la seule année 1929, sur 52 000 demandes d'emplois, les bureaux réussissent à placer 27 330 personnes. Mais ils ne peuvent rien pour les quelque 25 000 travailleurs excédentaires qui doivent tenter de survivre grâce à la charité publique ou privée et ceci indique bien le caractère limité de la législation.

Si les gouvernements ne font à peu près rien pour les chômeurs, ils sont obligés de poser quelques gestes pour les travailleurs les plus vulnérables, c'est-à-dire les enfants et les femmes. En effet, depuis longtemps, plusieurs groupes dénoncent les abus auxquels sont soumis ces travailleurs, en particulier en ce qui a trait à l'âge d'entrée sur le marché du travail, au nombre d'heures de travail et aux salaires.

Le meilleur moyen, sinon le seul, pour éviter l'exploitation des enfants sur le marché du travail, c'est encore de rendre l'école obligatoire, comme le demandent certains syndicats et certains libéraux qualifiés de « radicaux ». Le clergé en particulier est hostile à cette solution. Le gouvernement, qui ne veut pas affronter l'Église catholique et qui veut enlever des armes aux partisans de l'école obligatoire, essaie par diverses contorsions législatives de corriger la situation. En 1907, il fait adopter une loi qui stipule que les enfants au travail, âgés de 12 à 16 ans et qui ne savent pas lire ou écrire couramment, doivent suivre des cours du soir. C'est évidemment une mesure cruelle, comme le font remarquer les inspecteurs des établissements industriels. En effet, comment exiger d'un enfant qui travaille dix heures par jour, six jours par semaine, de suivre en plus des cours du soir? C'est pourquoi, en 1910, le gouvernement interdit tout simplement d'embaucher des enfants analphabètes de moins de 16 ans. Quant à ceux qui savent lire, la loi permet, depuis 1885, de les embaucher à compter de 12 ans, s'il s'agit d'un garçon, et de 14 ans, s'il s'agit d'une fille. En 1910, la loi porte à 14 ans l'âge minimum pour pouvoir travailler dans un établissement industriel. Malheureusement, une telle loi ne règle pas le problème des milliers d'enfants qui travaillent ailleurs que dans les établissements industriels, qu'ils soient livreurs d'épicerie, commis de magasin, manutentionnaires ou domestiques. Elle néglige également ceux qui ne sont pas directement sur le marché du travail, comme ces petites filles qui doivent rester à la maison pour élever leurs frères et soeurs.

Le gouvernement est aussi amené à limiter les heures de travail pour les enfants et les femmes. Progressivement, dans certains secteurs, la semaine de travail sera portée de 60 à 55 heures et, en 1919, on institue la Commission du salaire minimum pour les femmes. Comme nous le verrons, cette commission n'est organisée, en fait, qu'en 1925. Ces lois « protectrices » sont, dans l'ensemble, difficiles à appliquer et elles sont relativement inoffensives pour les patrons.

Un autre secteur qui attire l'attention des gouvernants est celui des relations de travail. Dès le début du siècle, on s'efforce de réduire le nombre de conflits. En 1900, le gouvernement fédéral, imité par celui du Québec en 1901, propose aux parties syndicales et patronales des services de conciliation et d'arbitrage. Elles sont libres d'y recourir et les décisions n'ont pas de caractère contraignant. L'intervention de l'État dans ce secteur amène la création de services spécialisés qui se transforment graduellement en ministères du travail, tant à Ottawa qu'à Québec.

Dès 1907, le fédéral veut rendre la conciliation obligatoire dans plusieurs secteurs. Mais, en 1925, le Conseil privé estime qu'il outrepasse ses pouvoirs en intervenant aussi largement dans un domaine qui touche la propriété et les droits civils et qui relève donc principalement des provinces. Le tribunal reconnaît cependant qu'Ottawa peut intervenir dans certains secteurs qui relèvent directement de sa compétence, comme par exemple les chemins de fer. Cette tentative pour encadrer et possiblement freiner les mouvements de grèves est aussi partagée par les gouvernements provinciaux. Ainsi en 1921, à la suite de grèves chez les pompiers et les policiers de Montréal puis dans d'autres services municipaux de la métropole et de Québec, le gouvernement décide de rendre obligatoire le recours à la conciliation et à l'arbitrage pour les travailleurs et les autorités de ces secteurs, avant le déclenchement d'une grève où d'un lock-out.

Le gouvernement essaie aussi de mieux encadrer le syndicalisme en faisant voter en 1924 la loi des syndicats professionnels, qui permet aux syndicats d'obtenir une pleine reconnaissance juridique. En principe, une telle loi protège les syndiqués, mais elle contient aussi des clauses restrictives comme, par exemple, l'obligation pour les dirigeants d'un syndicat reconnu d'être sujets britanniques. (Les deux tiers des membres doivent être aussi sujets britanniques). La loi québécoise, comme la loi fédérale analogue, est facultative. Les syndicats catholiques voient d'un oeil favorable la loi québécoise qu'ils avaient réclamée depuis quelques années, tandis que les syndicats internationaux préfèrent la loi d'Ottawa.

Au Québec, dans toute la mesure du possible, on considère les relations de travail comme des relations individuelles, donc relevant du code civil. Cette vision individualiste a pour effet certain de favoriser les patrons. Peu à peu, sous la pression des travailleurs, le gouvernement est obligé d'intervenir pour au moins limiter les pires abus et il finit par admettre que les problèmes de travail ont un caractère collectif. Les milieux patronaux exercent des pressions en sens inverse pour obtenir un meilleur contrat des syndicats et une limite aux mouvements de grèves. Mais, somme toute, le gouvernement ne prend guère d'initiative et se contente d'une législation minimale pendant cette période d'intense industrialisation.

Orientations bibliographiques

Copp, Terry. *Classe ouvrière et pauvreté. Les conditions de vie des travailleurs montréalais 1897-1929*. Montréal, Boréal Express, 1978. 213p.

Gagné, Jean H. et Gérard Trudel. *La législation du travail dans la province de Québec, 1900-1953*. Québec, Commission royale d'enquête sur les problèmes constitutionnels, 1955. Annexe 6, 81p.

Harvey, Fernand, dir. *Aspects historiques du mouvement ouvrier au Québec*. Montréal, Boréal Express, 1973. 226p.

Histoire du mouvement ouvrier au Québec (1825-1976). s.l., CSN-CEQ, 1979. 235p.

Minville, Esdras. *La législation ouvrière et le régime social dans la province de Québec*. Étude préparée pour la Commission royale des relations entre le Dominion et les provinces. Ottawa, Imprimeur du roi, 1939. Appendice 5, 98p.

Pelletier, Michel et Yves Vaillancourt. *Les politiques sociales et les travailleurs*. Cahier I: *Les années 1900 à 1929*. Montréal, s.e., 1974. 132p.

Rouillard, Jacques. *Les travailleurs du coton au Québec, 1900-1915*. Montréal, PUQ, 1974. 152p.

Rouillard, Jacques. « L'action politique ouvrière, 1899-1915 », Fernand Dumont et al., dir., *Idéologies au Canada français 1900-1929*, (Québec, PUL, 1974): 267-312.

Rouillard, Jacques. *Les syndicats nationaux au Québec de 1900 à 1930*. Québec, PUL, 1979. 342p.

Saint-Pierre, Arthur. *L'organisation ouvrière dans la province de Québec*. Montréal, École sociale populaire, 1911.

CHAPITRE 27
LES RURAUX

En parlant du monde rural, il nous faut faire ici les mêmes distinctions qu'à la période précédente: tous ceux que l'on considère comme ruraux ne vivent pas sur une ferme et la campagne connaît aussi ses clivages sociaux. En 1931, la population rurale s'élève à 1 060 649 personnes, dont seulement 73% vivent sur des fermes. C'est donc dire que plus du quart de la population rurale demeure dans les villages et est composée de journaliers, d'artisans, de commerçants, de rentiers, et de membres des professions libérales. Quant aux 135 957 fermes recensées en 1931, elles comptent une moyenne de 5,7 personnes et emploient une main-d'oeuvre importante composée surtout de membres non salariés de la famille. Socialement, les agriculteurs ne forment pas un groupe homogène: il n'y a pas de commune mesure entre une ferme de 100 acres dans une nouvelle région de colonisation et une exploitation de la même taille sur l'île Jésus. On retrouve toutes les variantes entre une agriculture de subsistance fonctionnant en vase clos et une agriculture de caractère commercial, liée aux marchés urbains ou à une spécialisation. Encore une fois, il faut nuancer le portrait d'un monde rural homogène.

Toutefois, au début des années 1920, l'agriculture est touchée durement par la récession; non seulement, comme nous l'avons vu, les prix s'effondrent, mais la surproduction de guerre avait entraîné un endettement important chez les cultivateurs, pour s'acheter qui de la terre, qui de la machinerie. Dans ces circonstances — et cette conjoncture dépasse la frontière du Québec —, les agriculteurs cherchent vers cette époque à

Une fête rurale typiquement québécoise: l'épluchette de blé-d'Inde. (Gravure d'Edmond-Joseph Massicotte)

renforcer leurs organisations coopératives et à se doter d'une association professionnelle. Certes, déjà au 19e siècle, on avait connu des associations agricoles, mais elles étaient soit organisées, soit contrôlées par le gouvernement ou le clergé. L'exemple le plus connu est celui des cercles agricoles, qui se multipliaient après 1876. Très rapidement, par le jeu des subventions, le gouvernement s'en était emparé et avait réduit leur activité à l'organisation de conférences et de concours. En définitive, les agriculteurs n'avaient pas d'organisations qui leur étaient propres. Mais voici qu'au tournant du siècle apparaissent des organisations d'un type nouveau.

LES COOPÉRATIVES

Aux États-Unis, c'est le mouvement des *Grangers* , fondé en 1867, qui joue le rôle de pionnier dans la coopération agricole. Très rapidement, il s'étend au Canada, particulièrement en Ontario, où les Grangers obtiennent du gouvernement provincial la tenue d'une enquête sur l'état de l'agriculture en 1879. Cependant, le mouvement coopératif canadien ne s'est pas limité à cette seule influence. Les premières coopératives de consommation sont implantées par des ouvriers d'origine britannique et s'inspirent largement de l'exemple anglais. Le Québec, quant à lui, ajoute à ces influences celles de la France et surtout de la Belgique, où une coopérative d'agriculteurs catholiques sert de modèle à l'abbé Allaire, animateur du mouvement coopératif durant les deux premières décennies du siècle.

Un premier type d'institutions de coopération a vu le jour vers le milieu du 19e siècle dans le monde agricole: les mutuelles-incendie et les sociétés de fabrication de beurre et de fromage. Avant 1900, on retrouve une trentaine de sociétés mutuelles-incendie, la première remontant à 1852. Les deux premières sociétés de fabrication de beurre et de fromage sont celles de la baie du Febvre et de Rivière-Ouelle; dès 1883, il en existe un certain nombre, toutes organisées en fonction de la production. À partir de 1891, la Société d'industrie laitière de la province de Québec, fondée en 1882, organise un nouveau type d'association: des syndicats de beurrerie et de fromagerie surtout préoccupés d'améliorer la qualité de la production. Dans ce but, elle met sur pied un service d'inspection et un service de professeurs-visiteurs assurant la diffusion des nouvelles techniques.

Le mouvement de coopération agricole prend vraiment son essor durant les premières décennies du 20e siècle. C'est en 1903 qu'est fondée, dans le comté de Shefford, la première coopérative agricole locale. Le mouvement prend rapidement de l'ampleur et se trouve facilité par la loi régissant les syndicats coopératifs en 1906. À l'époque de la Première Guerre mondiale, une confédération de coopératives agricoles regroupe une centaine d'organismes membres. Mais cette confédération disparaît en 1920.

Parallèlement à la création de coopératives locales, on assiste à la fondation, à quelques années d'intervalle, de coopératives centrales, regroupant les cultivateurs non plus sur une base locale, mais autour d'une production ou d'un service. En 1911, à l'instigation de la Société d'industrie laitière, naît à Montréal la Coopérative des fromagers du Québec, dont les activités s'étendent très rapidement aux produits avicoles, au miel et même aux produits de l'élevage, notamment le bacon. L'année suivante, on met sur pied une centrale d'achats, le Comptoir coopératif de Montréal, qui regroupe des cercles agricoles, des coopératives ou des individus. Enfin, en 1914, on fonde la Société coopérative des producteurs de grains de semence de Québec, dans le but d'assurer aux cultivateurs des semences de meilleure qualité.

Au début des années 1920, l'idée d'une fusion de ces trois coopératives est dans l'air. Cependant, la conjoncture de crise agricole que nous avons évoquée plus haut donne à ce mouvement, ainsi qu'à celui qui aboutit à la formation de l'Union catholique des cultivateurs, une coloration et une importance inattendues. À partir de la fin de la guerre, les milieux agricoles canadiens sont en pleine effervescence et on assiste à une montée en flèche d'un militantisme qui n'est pas sans inquiéter les gouvernements. Une association originaire de l'Ouest canadien, les Fermiers unis, s'implante lentement dans l'ouest du Québec et, en 1920, elle s'entend avec l'Union des cultivateurs, dont nous parlerons plus bas, pour se partager les comtés et pour se donner l'objectif commun de former un parti agraire. De fait, aux élections fédérales de 1921, les Fermiers unis, forts d'environ 5 000 membres, forment avec l'Union des cultivateurs le Parti fermier-progressiste du Québec. Le nouveau parti présente des candidats dans 21 circonscriptions et, s'il ne réussit pas à entamer le bloc libéral, il ne recueille pas moins de 11% des voix. Le gouvernement Taschereau est d'autant plus inquiet que des membres influents des organismes agricoles prennent ouvertement fait et cause pour le nouveau parti. Rappelons simplement qu'à cette époque les Fermiers unis sont au pouvoir dans trois provinces et jouent un rôle important à Ottawa.

D'après Firmin Létourneau, c'est devant la montée des Fermiers unis en 1921 que le ministre de l'Agriculture décide de gagner de vitesse celui qui avait été l'un des plus ardents propagandistes du mouvement, J.-N. Ponton, et de fusionner d'office les trois coopératives. En 1922 en effet, Ponton, se remettant de la défaite électorale des Fermiers unis, relance le débat autour de la coopération dans le *Bulletin des agriculteurs* et le ministre J.-E. Caron peut craindre que cette fusion ne se fasse au bénéfice des Fermiers unis.

Le personnage de J.-Noé Ponton mérite qu'on s'y arrête quelque peu. Né en 1886, il étudie au séminaire de Sherbrooke avant de se spécialiser au collège d'agriculture de Guelph, en Ontario. Il est, dit-on, le premier Canadien français à compléter des études supérieures en agronomie. Nommé en 1916 à la chaire de génie rural de l'école d'agriculture d'Oka, il démissionne après quelques années pour s'occuper de la gestion d'une ferme. Après un bref passage au ministère fédéral de l'Agriculture en 1919, on le retrouve l'année suivante rédacteur du journal de la Société coopérative agricole des fromagers de Québec, le *Bulletin des agriculteurs*. Dans les colonnes du *Bulletin*, il s'attaque au ministre québécois de l'Agriculture et, au moment de se lancer en politique active, il achète le journal, dont il fait une arme efficace de combat et de propagande. Malgré l'hostilité ouverte du ministre Caron, il fait passer son tirage de 5 000 en 1922 à 12 000 deux ans plus tard. À sa mort, en 1929, il n'aura été actif qu'une quinzaine d'années, mais son dynamisme a contribué à changer le monde rural.

Après la création de la Fédérée en 1922, la lutte se fait à l'intérieur des structures et, nous rapporte Firmin Létourneau, « les assemblées annuelles de la coopérative fédérée dégénèrent en assemblées contradictoires: M. Caron et ses amis d'un bord, Ponton et les siens de l'autre ». Ce n'est qu'en

1929 que cette petite guerre cesse, alors qu'un nouveau titulaire à l'Agriculture forme un comité d'enquête sur la coopérative. Celui-ci proposera la remise de l'institution aux mains de ses membres, ce qui sera chose faite en 1930. Ainsi, à la toute fin de notre période, le mouvement coopératif pourra être relancé; il sera puissamment stimulé d'ailleurs par les efforts de l'Union catholique des cultivateurs, qui s'impose de plus en plus comme l'organisme représentant les agriculteurs.

LES ASSOCIATIONS PROFESSIONNELLES

C'est vers la fin de la Première Guerre mondiale que les agriculteurs québécois prennent conscience de leurs problèmes et de leurs intérêts communs. Jusque-là, ils avaient sagement suivi les conseils des dirigeants politiques et religieux; la campagne de production intensive n'avait rencontré aucune opposition et les prix payés pour les produits agricoles agissaient comme stimulants. La conscription des jeunes cultivateurs et garçons de ferme de la tranche d'âge 20-22 ans forme la base d'une première prise de conscience. Au mois de mai 1918, le Comptoir coopératif de Montréal décide de se joindre aux Fermiers unis de l'Ontario pour aller manifester à Ottawa contre la décision gouvernementale. Près de 2 000 cultivateurs répondent à l'appel.

Par la suite, encouragés par le succès de cette manifestation, des cultivateurs veulent se doter d'une association. Le congrès de fondation a lieu en août 1918, à Saint-Hyacinthe, et le maire de cette ville, T.-D. Bouchard, également député libéral et qui passe pourtant pour un radical, réussit à s'immiscer dans les débats et à influencer l'orientation de l'association. D'après l'historien Robert Migner, il agit sans doute de concert avec le ministre de l'Agriculture, qui se méfie beaucoup d'un mouvement autonome. À une assemblée ultérieure, la proposition de Bouchard de désigner l'association sous le nom d'Union des agriculteurs de la province de Québec est adoptée et il est lui-même choisi comme organisateur du mouvement après avoir fait élire six de ses collaborateurs comme directeurs. Mais, en décembre de la même année, des militants déçus de la tournure des événements fondent à Saint-Jérôme une organisation rivale, l'Union des cultivateurs de la province de Québec. Très rapidement, les contacts se multiplient entre les deux associations et, malgré l'hostilité du ministre Caron, la fusion se fait en juillet 1919. En janvier 1920, la nouvelle Union des cultivateurs ne compte que 500 membres et le ministre Caron, qui ne semble pas avoir renoncé à tout espoir de contrôle, déclare: « Je ne crains pas de voir nos agriculteurs former des associations, pourvu que ces associations ne mènent pas à la lutte des classes. »

Après l'épisode du Parti Fermier-progressiste, l'idée d'une association professionnelle fait de plus en plus son chemin. En octobre 1924, le groupe animé par Ponton organise un congrès à Québec dans le but de former une nouvelle association professionnelle. On n'attend que 600 cultivateurs, il en vient 2 400. C'est au cours de ce congrès qu'est fondée l'Union catholique des cultivateurs de la province de Québec; à la direction de l'UCC, on retrouve deux des instigateurs du mouvement, le cultivateur Laurent Barré et l'agronome Firmin Létourneau.

Laurent Barré, 1886-1964, premier président de l'Union catholique des cultivateurs. (Archives nationales du Québec)

Le principal problème de la nouvelle association est sa crédibilité. Pour tenter de neutraliser l'influence du ministre de l'Agriculture, qui voit dans toute association professionnelle se profiler un parti politique, les dirigeants de l'UCC se tournent vers l'Église catholique. Or cette dernière demande des gages; elle ne veut pas d'une association trop politisée, ni trop radicale. En particulier, la tension entre J.-N. Ponton, propriétaire du *Bulletin des agriculteurs*, organe officieux de l'UCC, et le ministre de l'Agriculture, comme d'ailleurs l'attitude militante du président Laurent Barré, lui apparaissent comme autant d'obstacles. Au congrès de 1926, alors que l'association connaît un essor indiscutable — 13 000 membres — en échange d'un appui de l'épiscopat, Barré et Ponton décident de s'effacer et démissionnent. L'association y perd un président dynamique et un journal de combat. Enfin, en 1928, l'épiscopat approuve l'Union catholique des cultivateurs, tout en insistant sur la neutralité politique de l'association.

L'UCC repose sur une structure à deux niveaux. Localement, on trouve les cercles paroissiaux et, à l'échelle provinciale, le bureau central. Il y aura éventuellement un niveau intermédiaire, la fédération diocésaine. En 1929, l'UCC a définitivement écarté les autres associations — les Fermiers unis ont vu le nombre de leurs membres décroître sans cesse — et, par ailleurs, le changement de titulaire au ministère de l'Agriculture, cette même année, lui vaut la reconnaissance juridique officielle en vertu de la loi des compagnies. Toutefois, il faut préciser que, vers la même époque, l'importance de la représentation de la région de Montréal a beaucoup diminué, alors qu'au début des mouvements de renvendication agricole les cultivateurs de cette région sont très actifs. Les premières années de l'UCC sont marquées surtout par des problèmes d'organisation interne; cependant, l'examen des résolutions de ses congrès annuels montre que l'union tente de prendre en charge les grands problèmes des agriculteurs, en particulier celui du crédit agricole à long terme, celui de la colonisation et celui du financement des écoles.

Au cours des trente premières années du siècle, le monde rural ne reste pas inerte et passif devant les transformations qu'il subit. Au sortir de la Première Guerre mondiale, la montée du militantisme rural témoigne d'une volonté réelle de changement et même si l'aventure politique du parti agraire reste sans lendemain, il en va tout autrement du mouvement coopératif et de l'Union catholique des cultivateurs, tous deux promis à un très riche avenir.

Orientations bibliographiques

Faucher, Albert. *Histoire économique et unité canadienne*. Montréal, Fides, 1970. 296p. Première partie, chapitres 5 et 6; deuxième partie, chapitre 5.

Hamelin, Jean et Yves Roby. « Québec 1896-1929: une deuxième phase d'industrialisation ». Fernand Dumont et al., dir., *Idéologies au Canada français 1900-1929*, (Québec, PUL, 1974): 15-28.

Haythorne, G.V. et L.C. Marsh. *Land and Labour*. Toronto, Oxford University Press, 1941. 568p.

Létourneau, Firmin. *Histoire de l'agriculture*. s.l., s.e., 1968. 398p.

Migner, Robert-Maurice. *Le monde agricole québécois et les premières années de l'Union catholique des cultivateurs (1918-1930)*. Thèse de Ph.D. (histoire), Université de Montréal, 1975. 424p.

CHAPITRE 28

LES CONDITIONS DE VIE

LE MONDE RURAL

D'une manière générale, les conditions de vie en milieu rural ne changent pas radicalement par rapport à la période antérieure. Graduellement cependant, on note l'implantation de certains éléments nouveaux qui seront vertement dénoncés par les tenants d'une société rurale plus traditionnelle. Le passage suivant, tiré de l'introduction du roman *La campagne canadienne* du jésuite Adélard Dugré, est révélateur de la perception qu'on a des changements en 1925: « Les campagnes elles-mêmes ne sont plus un refuge assuré pour nos vieilles coutumes. Depuis longtemps déjà, mais surtout depuis l'invasion de nos paisibles paroisses par la grosse presse, l'automobile et les catalogues des grosses maisons d'affaires, nos bonnes gens s'enorgueillissent d'adopter le langage, des modes et des moeurs américaines. » Pourtant les facteurs de changement plus profonds sont encore à venir: l'électricité et la radio ne se répandront qu'au cours des décennies suivantes. Mais il est vrai que l'automobile commence à faire sentir son impact. Si le chemin de fer avait été l'instrument de pénétration de l'influence des grands centres urbains dans les campagnes, l'automobile amène un essor des centres régionaux qui bénéficient de tout le poids de leur proximité. En effet, le mauvais état des routes et la lenteur du transport par chevaux rendaient les communications ferroviaires plus faciles avec les

Le travail aux champs mobilise adultes et enfants. (Archives nationales du Québec, GH1072-33)

grands centres. Avec l'automobile, le réseau de villes et de villages redevient la base de la structuration des échanges dans le monde rural. Cette modification ne devient toutefois perceptible qu'en fin de période.

La vie rurale reste marquée par sa dépendance des cycles de végétation et de reproduction animale. Toutefois l'expansion de l'élevage laitier signifie un travail plus soutenu: le soin quotidien du troupeau laisse moins de répit que les grandes cultures, qui sont de nature saisonnière. Enfin, les distinctions qui existent entre les différentes agricultures au Québec conservent toute leur force: les conditions d'existence ne sont pas les mêmes dans les vieilles paroisses que dans les nouvelles zones de colonisation.

Il est difficile de distinguer les conditions de travail des conditions de vie à la campagne. Par ailleurs, il faut rappeler que les cultivateurs ont des revenus provenant de plusieurs sources. Les cas de ceux qui sont en même temps bûcherons ou encore pêcheurs sont bien connus. En outre, tous les cultivateurs exercent à des degrés divers d'autres activités, comme par exemple la vente de bois de chauffage, la production du sucre d'érable, ou encore la fourniture de pierre à concasser aux entrepreneurs de voirie. La participation aux travaux de voirie en particulier s'avère une source de revenus non négligeable; un certain nombre de cultivateurs y trouvent aussi de l'emploi, soit directement soit pour le transport des matériaux.

Les conditions de santé ne s'améliorent que lentement à la campagne. Outre les problèmes de qualité d'eau, il faut souligner l'inégalité et l'inaccessibilité relative aux soins médicaux. A partir de 1915, on centralise la responsabilité de l'inspection sanitaire des 1 158 municipalités québécoises réparties en 10 districts. Il semble que cette mesure ait contribué à améliorer la qualité des eaux et à faire reculer la mortalité infantile et tuberculeuse. Mais ce n'est qu'en 1925 que le gouvernement, appuyé par la fondation Rockefeller, organise un système d'unités sanitaires de comtés qui auront une activité de prévention plus efficace.

Enfin, rappelons qu'au titre des conditions de vie, nos connaissances ne nous permettent guère d'aller plus loin. Est-il besoin de rappeler que l'abondante littérature glorifiant la vie des agriculteurs a empêché longtemps qu'on arrive à une prise de conscience de la réalité de la vie rurale?

UNE CULTURE DE PAUVRETÉ

Avec la croissance urbaine rapide du début du siècle, les équipements physiques et sociaux se révèlent bientôt inadéquats, tant en quantité qu'en qualité. Cette inadaptation, qui s'accentue en fonction des différences sociales, hypothèque sérieusement la qualité de la vie, en particulier dans les quartiers ouvriers. Trois aspects de l'infrastructure urbaine sont importants à cet égard: le logement et l'aménagement de l'espace; la santé et l'hygiène; le bien-être et la sécurité du revenu. Les études historiques sur les conditions de vie dans les villes sont encore peu nombreuses et se concentrent toutes sur le cas montréalais. Il est vrai que les problèmes urbains se posent avec plus d'ampleur dans la métropole, mais peut-on appliquer aux autres villes du Québec les constatations faites à partir de l'expérience montréalaise? L'absence d'études ne permet pas de le dire avec certitude.

A la fin du 19e siècle, Montréal ne connaissait pas encore les problèmes de surpeuplement qu'on pouvait éprouver à New York ou à Chicago, mais avec l'arrivée massive de nouveaux citadins, les logements disponibles ne permettent plus de répondre entièrement à la demande : plusieurs familles doivent parfois s'entasser dans un même logement. La migration des bourgeois vers la banlieue laisse disponibles leurs anciennes résidences qui

Le tissage artisanal à Saint-Bruno. (Archives du Canadien National)

sont alors subdivisées pour former plusieurs appartements, souvent mal conçus. Ainsi, le stock de logements se détériore et les taudis se multiplient.

Pour répondre aux besoins, on construit rapidement et presque en série de nouvelles résidences. La maison montréalaise type, construite à cette époque, a deux étages avec trois logements ou trois étages avec cinq logements. Parée des célèbres escaliers extérieurs, elle s'étend en longueur avec dans chaque logis un corridor intérieur reliant les pièces. Plusieurs observateurs de l'époque soulignent les déficiences de ces logements mal éclairés et mal aérés, mais les propriétaires ont d'autant plus de latitude que la ville n'a pas de code de construction; on se contente de quelques règlements d'hygiène qui sont d'ailleurs très difficiles à faire respecter.

Les dirigeants politiques sont en fait beaucoup plus préoccupés du respect des droits des propriétaires et de l'entreprise privée que de la défense des locataires, bien que ceux-ci représentent au delà de 80% des ménages. Montréal est donc une ville de locataires et la faiblesse des revenus ne permet qu'à très peu d'entre eux d'espérer devenir propriétaires un jour.

Au delà du logement, c'est, dans la plupart des quartiers, tout l'environnement urbain qui s'avère déficient : pollution des usines, absence d'arbres ou d'espaces verts, équipements collectifs insuffisants. Des réformistes proposent l'ouverture de terrains de jeux ou la création de cités-jardins mais, en matière d'aménagement, les dirigeants sont surtout attirés par les projets grandioses: de grands boulevards bordés d'arbres et d'édifices majestueux et reliant entre eux quelques grands parcs. On se préoccupe assez peu de ce qu'il y a à l'extérieur de ces boulevards, sur les rues secondaires où vivent la majorité des Montréalais.

L'insalubrité des logements et de l'environnement est une cause majeure du mauvais état de santé de la population. Montréal se distingue en effet par un niveau extrêmement élevé de mortalité, supérieur à celui de toutes les grandes villes occidentales. Cette situation existait déjà pendant la période précédente et elle persiste tout au cours des premières décennies du siècle. Il faut attendre l'après-guerre pour voir le taux de mortalité baisser de façon significative, mais il reste toujours plus élevé que celui de Toronto, par exemple (graphique 1).

La composante principale de la mortalité montréalaise est certainement la mortalité infantile (graphique 2). Avant la guerre, près d'un enfant sur trois meurt avant d'avoir atteint l'âge d'un an. Ce taux baisse rapidement par la suite, grâce aux mesures sanitaires adoptées par l'administration mais, là encore, il reste plus élevé qu'à Toronto. Cette baisse générale n'est d'ailleurs pas répartie également dans toutes les parties de la ville et il existe des différences notables d'un quartier à l'autre (carte 1). En 1922, les quartiers ouvriers de l'est et du sud-ouest de la ville affichent des taux de mortalité infantile encore très élevés, alors que ceux des secteurs de l'ouest sont très bas ; le taux dans Sainte-Marie ou dans Saint-Henri est quatre fois plus haut que celui de Westmount.

La mauvaise qualité de l'eau et du lait distribués à Montréal est ici en cause. L'adoption de mesures pour filtrer l'eau et pasteuriser le lait permet d'ailleurs d'améliorer la situation mais sans faire disparaître les écarts considérables. Ceux-ci résultent aussi des inégalités sociales. Le système de pauvreté dans lequel vit une bonne partie de la classe ouvrière montréalaise explique la piètre qualité de l'alimentation et du logement, lesquels ont des effets négatifs évidents sur la santé.

La mortalité infantile n'est d'ailleurs pas le seul problème. Diverses maladies affectent les Montréalais et, encore plus durement, la classe ouvrière. La tuberculose, par exemple, fauche un grand nombre de vies humaines au début du siècle : de 1900 à 1908, le taux de mortalité par tuberculose dépasse les 200 décès par 100 000 habitants. D'après l'historien Terry Copp, ce chiffre est le plus élevé de toutes les grandes villes d'Amérique du Nord et, même s'il diminue après la guerre, il demeure trois fois plus élevé qu'à Toronto pendant les années 1920.

Graphique 1
Taux général de mortalité (décès par 1000 habitants) à Montréal et à Toronto, 1897-1931

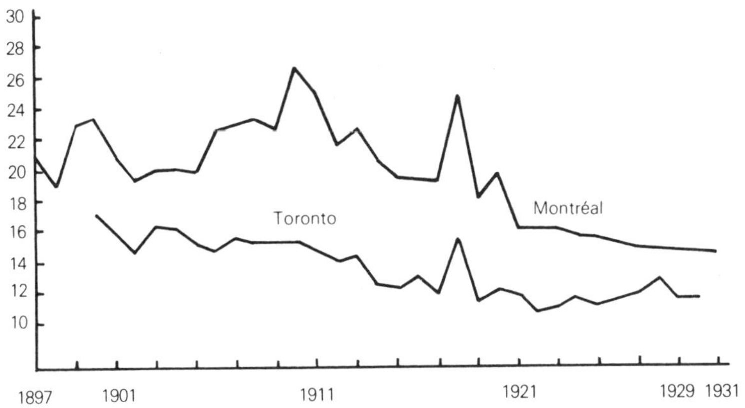

Graphique 2
Taux de mortalité infantile (décès entre 0 et 1 an par 1000 naissances vivantes) à Montréal et à Toronto, 1897-1931

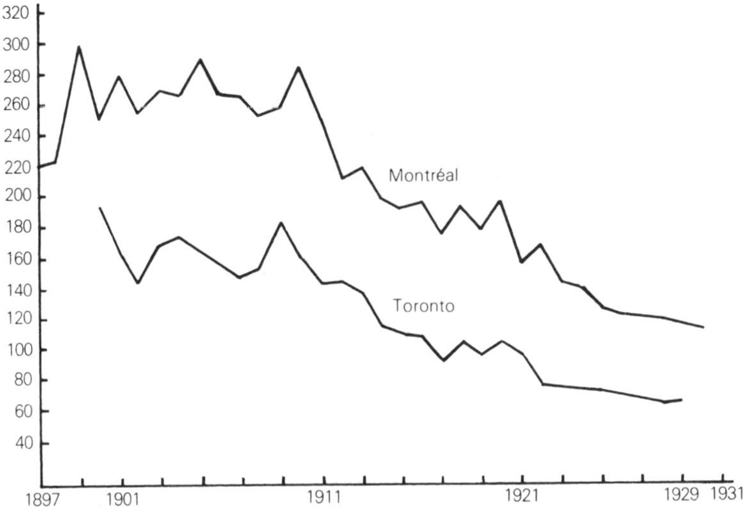

Source: T. Copp, *Classe ouvrière et pauvreté*, 182.

Taux de mortalité infantile
(décès entre 0 et 1 an par 1000 naissances vivantes)
dans les divers quartiers de Montréal, 1922

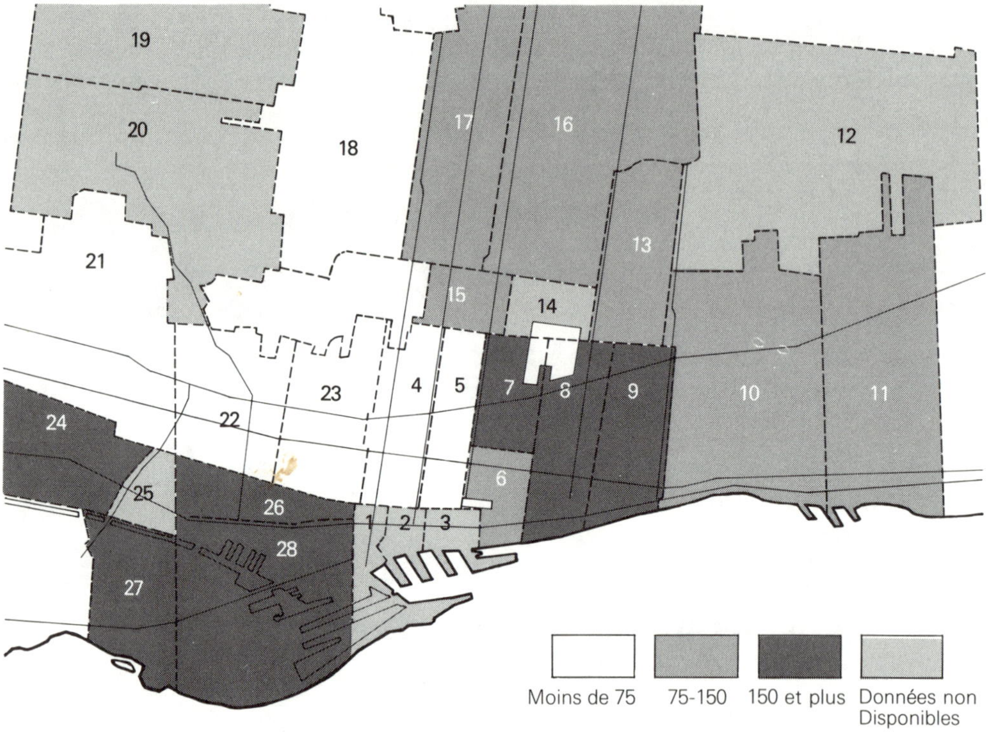

1	Ouest	–	15	Saint-Jean-B.	78,5
2	Centre	–	16	Saint-Denis	111,0
3	Est	–	17	Laurier	98,4
4	Saint-Laurent	49,1	18	Outremont	57,0
5	Saint-Louis	68,9	19	Côte-des-Neiges	–
5	Saint-Jacques	140,7	20	Mont-Royal	–
7	Lafontaine	155,5	21	Westmount	55,1
8	Papineau	195,7	22	Saint-André	48,6
9	Sainte-Marie	213,8	23	Saint-Georges	43,9
10	Hochelaga	114,8	24	Saint-Henri	212,9
11	Maisonneuve	123,1	25	Sainte-Cunégonde	–
12	Rosemont	–	26	Saint-Joseph	180,5
13	Delorimier	102,4	27	Saint-Gabriel	175,6
14	Duvernay	–	28	Sainte-Anne	182,4

Adapté de: *Atlas du Canada 1915*; données du R.A.S.S.M., 1922.

Source: T. Copp, *Classe ouvrière et pauvreté*, 103.

On relève malgré tout une importante évolution dans le domaine de la santé publique. Dans les années 1880, le Bureau de santé de la ville se limitait à un rôle d'inspection sanitaire: élimination des déchets, condamnation des logis insalubres, collection de statistiques sur les maladies, etc. Mais, au tournant du siècle, son action prend une nouvelle ampleur. C'est l'époque où les médecins, en particulier les hygiénistes, prennent ouvertement la parole pour réclamer un train de mesures touchant la vaccination, l'alimentation et la modernisation du réseau institutionnel. Mais l'administration tant municipale que gouvernementale hésite à imposer des mesures coercitives et elle n'est pas prête à consacrer des fonds importants pour la santé publique. L'amélioration de l'état sanitaire de la population ne semble pas être une priorité pour les gouvernants. Malgré ces résistances, on obtient des réformes qui font lentement reculer la mortalité. Les médecins hygiénistes peuvent également compter sur l'appui d'associations privées, comme la Ligue de Montréal contre la tuberculose et pour la santé publique. Regroupant surtout des hommes d'affaires, de telles associations s'inspirent à la fois de la tradition philanthropique et de l'intérêt bien compris d'avoir des travailleurs en meilleure santé.

Les réformes les plus importantes concernent l'approvisionnement en eau et en lait qui touche l'ensemble de la population. Il faut attendre 1914 pour que les Montréalais soient alimentés avec de l'eau filtrée, ce qui réduit les risques d'épidémie de typhoïde, surtout en été. Dans la banlieue, la société privée Montreal Water & Power s'est d'abord opposée à filtrer son eau mais elle y consent finalement sous la pression de Westmount; cette municipalité bourgeoise réussit là où les villes à population ouvrière de Saint-Henri, Saint-Louis et Maisonneuve avaient échoué.

Le lait distribué à Montréal au début du siècle est de très mauvaise qualité et en partie impropre à la consommation. La lutte pour obtenir la pasteurisation prendra plusieurs années. En 1914, seulement le quart du lait consommé à Montréal est pasteurisé et les grandes laiteries en limitent la distribution aux secteurs cossus de l'ouest de la ville. Au cours de la décennie suivante, la pasteurisation du lait se généralise mais il faut attendre 1926 avant qu'une loi la rende obligatoire. Pour contourner la difficulté, la ville subventionne, durant les années qui précèdent la guerre, les institutions appelées *Goutte de lait*. Celles-ci sont des dépôts, installés dans divers quartiers, où on distribue gratuitement aux enfants du lait de bonne qualité.

L'action sanitaire auprès des enfants prend plus d'ampleur au cours des années 1920 alors que se multiplient dans les quartiers les dispensaires administrés par la municipalité. Par ailleurs, un groupe de femmes bourgeoises, dirigé par Justine Lacoste-de-Gaspé-Beaubien, crée en 1907 l'hôpital Sainte-Justine pour les enfants. Le Royal Edward Institute et l'Institut Bruchési sont créés pour le traitement de la tuberculose et l'hôpital du Sacré-Coeur, construit dans les années 1920, est destiné principalement

La goutte de lait, Ste-Justine, 1912.

aux tuberculeux. Malgré cela, le réseau d'institutions de santé reste insuffisant pour répondre aux besoins de la population, sans compter qu'une partie de celle-ci n'est pas en mesure de payer le coût des traitements.

L'insuffisance des revenus est d'ailleurs au coeur de la difficulté des conditions de vie à Montréal. Terry Copp estime qu'entre 1897 et 1929 la majorité de la classe ouvrière montréalaise vit sous le seuil de la pauvreté. Pour joindre les deux bouts, une famille doit compter sur deux salaires et du travail assez régulier. Dans plusieurs secteurs — dans les activités liées au port, dans la construction, par exemple — il existe un important chômage saisonnier qui prive les travailleurs de revenus.

Les familles frappées par le chômage ou la maladie doivent s'en remettre aux institutions d'assistance qui restent des organisations privées. L'État intervient en participant plus substantiellement au financement de ces organismes mais sans agir sur leur orientation. Terry Copp résume dans quel esprit se fait alors la charité privée. « Les pauvres posaient alors un problème délicat. Une société vouée aux principes du laisser-faire ne pouvait supporter l'idée du paupérisme; l'obligation pour chacun de se tirer seul d'affaire dans la vie constituait le fondement même de l'ordre social. Pourtant, les pauvres étaient toujours là. La crainte de désordres sociaux, si l'on ne satisfaisait pas

La charité en milieu anglophone: la Ladies Benevolent Institution. (Archives Notman, Musée McCord)

à leurs besoins essentiels, et une conscience écorchée à vif poussaient les classes favorisées à faire la charité. Mais, dans ce contexte, c'était forcément une charité austère, une charité qui devait être la moins accueillante, la plus avilissante possible. La charité chrétienne commandait de secourir son prochain dans le besoin, mais non d'encourager les gens dépravés à se complaire dans la misère. »

On assiste à des tentatives, surtout chez les anglophones, pour professionaliser les organisations de charité. La création de la Charities Organization Society en 1900, puis du Montreal Council of Social Agencies en 1919, vise à mieux coordonner l'action des sociétés de bienfaisance. Mais cette modernisation n'est qu'apparente. Les nouvelles organisations ne s'attaquent pas aux racines de la pauvreté, qu'elles continuent à considérer comme un problème individuel guérissable, plutôt que comme un phénomène social, résultant du chômage, des bas salaires ou de la maladie. Elles mettent donc l'accent sur l'action auprès des individus susceptibles de réussir à se libérer de l'état de pauvreté. Même si les institutions catholiques francophones, comme la société Saint-Vincent-de-Paul, cherchent à mieux s'adapter aux besoins de chacun plutôt que d'adopter des normes rigides, elles n'en ont pas moins une approche individuelle qui ne peut que soulager la misère sans contribuer à réduire la pauvreté.

DES INTERVENTIONS TIMORÉES

Jusque dans les années 1920, le gouvernement québécois n'intervient que très timidement dans les secteurs du bien-être et de la santé publique: il y consacre moins de 10% de ses dépenses et il s'occupe surtout des asiles d'aliénés. Pour le reste, on s'en remet aux institutions de charité et secondairement aux municipalités. Celles-ci ne sont d'ailleurs qu'autorisées par le code municipal de 1871 à s'occuper de leurs indigents, elles n'y sont pas obligées. Ainsi, en 1920, la contribution du gouvernement et des municipalités pour les hôpitaux, hospices, orphelinats, crèches et autres institutions ne s'élève qu'à $372 677, soit moins de 6% des dépenses totales de ces institutions. La même année, le gouvernement verse par ailleurs $974 483 pour l'hospitalisation de 5 491 aliénés.

Mais les institutions privées sont débordées: en 1900, on ne dénombre que 24 hôpitaux et environ 70 hospices et autres institutions d'assistance; de 1901 à 1929 s'ajoutent 42 autres hôpitaux qui tentent de répondre tant bien que mal aux besoins énormes de la population. En 1920, les 183 institutions, qui abritent 20 915 personnes, sont aux prises avec de très sérieuses difficultés financières. L'année précédente, le gouvernement s'était vu obligé d'intervenir pour combler un déficit d'un quart de million de dollars, sans vraiment régler le problème. Esquivant ses responsabilités, il se contente de faire voter une loi qui permet aux institutions de refuser d'hospitaliser un indigent si la municipalité où il réside ne s'engage pas à payer les coûts encourus.

Ce n'est qu'en 1921 que le gouvernement Taschereau fait adopter une première grande loi dans le domaine du bien-être. La loi de l'assistance publique stipule que les coûts d'hospitalisation des indigents seront partagés, à parts égales, entre les institutions, les municipalités et le gouvernement. À noter que ces subventions ne s'appliquent qu'aux indigents, c'est-à-dire à ceux qui peuvent faire la preuve qu'ils n'ont aucun moyen de payer pour les soins qu'ils reçoivent et qu'ils n'ont pas de parents qui peuvent prendre cette responsabilité. Dans l'esprit du législateur, chaque individu, ou sa famille, est responsable des frais occasionnés par la maladie ou par tout autre problème social.

Les religieuses occupent une place importante dans les institutions de bienfaisance. (Archives des soeurs de la Provindence)

Même si la loi répond à un besoin pressant, elle suscite dans les milieux cléricaux et conservateurs une vive résistance. Henri Bourassa la dénonce dans une série d'éditoriaux, publiés par la suite en brochure. L'influent directeur du *Devoir* y voit un début d'étatisme et de laïcisme qui constitue une « formidable menace à la charité libre ». Cette loi, selon lui, porte atteinte aux droits et aux responsabilités des individus, des familles, des communautés religieuses et des institutions privées. Le premier ministre Taschereau, étonné de cette attaque, réplique: « Il n'est nullement question d'une main-mise de l'État sur nos institutions d'assistance-publique. La charité fait des merveilles qu'aucun gouvernement ne pourrait accomplir et il convient de lui laisser toute son initiative. Nous voulons simplement aider le plus possible nos hôpitaux et toutes nos oeuvres d'assistance. »

Cette déclaration ne suffit pas à convaincre les opposants. En 1922, dans une lettre confidentielle au premier ministre, les évêques catholiques demandent au gouvernement d'amender sa loi afin que celui-ci n'exerce aucun contrôle sur les sommes versées aux institutions. Taschereau réplique, fort à propos, qu'il est impossible pour un gouvernement responsable de verser un million de dollars à des institutions sans s'assurer qu'il pourra rendre compte de l'utilisation des fonds publics ainsi alloués. Peu à peu, les institutions se résignent et s'inscrivent au nouveau régime, mais certains évêques résistent; des négociations discrètes s'engagent entre l'épiscopat et le gouvernement, qui aboutissent en 1925. Le gouvernement apporte alors à la loi de l'assistance publique un amendement qui déclare que rien dans la loi ou les règlements ne portera atteinte aux droits des évêques sur les communautés religieuses ni aux intérêts moraux, religieux ou disciplinaires des communautés.

Ce genre de querelle de principe entre l'Église et l'État donne l'impression que les protagonistes cherchent davantage à protéger leurs pouvoirs qu'à solutionner les véritables problèmes. Malgré tout, grâce à la taxe d'amusement, à une taxe sur les repas et à une partie des revenus provenant de la vente des alcools, le gouvernement et les municipalités pourront verser des millions de dollars aux institutions. Mais cela ne concerne que les plus démunis et à condition qu'ils soient hospitalisés.

Dans le domaine plus spécifique de la santé, le gouvernement doit aussi intervenir plus activement. Jusque dans les années 1920, il essaie de se décharger de ses responsabilités en les confiant aux municipalités et aux institutions privées. Certes, depuis 1886, il existe un organisme provincial, le Conseil provincial d'hygiène, qui joue un rôle d'information et qui essaie d'inciter les municipalités ou la population à mettre en oeuvre des réformes. Mais le Conseil manque de moyens car le gouvernement ne veut pas s'impliquer financièrement de même qu'il craint d'exercer son autorité auprès des municipalités. En 1922 cependant, le gouvernement accepte de consacrer $500 000 pour établir des dispensaires anti-tuberculeux et des centres de puériculture (Gouttes de lait). Rappelons également la mise sur pied en 1925 des unités sanitaires, composées de médecins et d'infirmières, qui jouent un rôle d'éducation et de prévention en milieu rural. En 1929, quatre unités sanitaires desservent quelque 151 300 personnes. Bien acceptée par la population, la formule s'avère adaptée aux besoins et, dès 1931, on compte 23 unités qui desservent plus de 800 000 personnes.

Le gouvernement fédéral, qui avait créé un ministère de la Santé au lendemain de la guerre, commence lui aussi à s'intéresser à la législation sociale. C'est d'Ottawa que vient une des mesures sociales les plus importantes de l'époque, la loi des pensions de vieillesse, votée en 1927. Depuis longtemps réclamée par les syndicats, cette mesure ne s'adresse qu'aux personnes âgées de 70 ans et plus ne disposant pas d'un revenu dépassant $365 par année. À ces vieillards démunis, le gouvernement versera un montant maximum de $20 par mois.

La loi prévoit que les coûts seront partagés également entre les provinces et le gouvernement central; la mise en oeuvre du programme exige donc la collaboration du gouvernement québécois. Mais le premier ministre Taschereau refuse son assentiment, et ce jusqu'en 1936, à la veille de sa démission; il fonde son refus sur trois arguments. Il soutient d'abord que les pensions de vieillesse sont de compétence provinciale et que le fédéral ne devrait pas légiférer en ce domaine. Il ajoute qu'une telle mesure obligera le

Le refuge Meurling pour les sans-abri de Montréal. (Archives de la ville de Montréal)

gouvernement à augmenter ses impôts pour acquitter sa part. Finalement, il estime, à la manière des esprits les plus conservateurs, qu'une telle loi mine la charité privée et risque d'encourager l'irresponsabilité des individus face à leur avenir et face à l'obligation des enfants d'aider leurs parents. C'est ainsi que les Québécois qui, pendant des années, versent des impôts au fédéral, contribuent au paiement des pensions de vieillesse distribuées dans les autres provinces. La crise des années 1930 rendra le problème plus aigu et, à la toute fin de son règne, Taschereau devra céder à la pression de l'opinion publique.

Dans le domaine de l'habitation cependant, les deux niveaux de gouvernement collaborent sans heurt. C'est sans doute que dans ce domaine l'urbanisation rapide a créé des problèmes trop criants pour être esquivés. Rappelons que si en milieu rural environ 80% des familles sont propriétaires, en milieu urbain c'est moins du tiers qui l'est et, dans une ville comme Montréal, ce n'est qu'environ 20%.

À la veille de la Première Guerre mondiale, le gouvernement québécois adopte une loi pour favoriser la construction d'habitations dans les villes qui autorise les municipalités à garantir les emprunts de certaines sociétés d'habitation. Bien que fort modeste et peu engageante, à cause de la guerre, cette loi ne sera pas appliquée et c'est le gouvernement fédéral qui prendra la relève en 1919 en mettant à la disposition des provinces un prêt de $25 millions pour la construction de logements. La part du Québec s'élève à environ $8,6 millions, mais soulignons que cette somme n'est que prêtée aux municipalités, qui devront rembourser capital et intérêt. De 1919 à 1924, vingt-huit municipalités empruntent plus de $7 millions pour construire quelque 2 100 habitations, ce qui reste encore bien en-deçà des besoins.

L'attention du gouvernement est également sollicitée par d'autres problèmes tels l'adoption des enfants, l'observance du dimanche, la présence des enfants au cinéma et la prohibition. Dans ces domaines, le gouvernement doit tenir compte des vues de l'Église catholique et de ses porte-parole qui le prennent à partie fréquemment. Ainsi, on lui reproche sa loi d'adoption de 1924 parce qu'elle ne spécifie pas que les parents adoptifs doivent être mariés et de même religion que l'enfant. Le gouvernement modifiera sa loi en conséquence. De même, on l'accuse de ne pas appliquer avec sévérité la loi qui oblige, sauf exception, les industries et les commerces à fermer le dimanche. Le gouvernement tergiverse car il y a derrière cette question des intérêts économiques importants, notamment dans le cas des usines de pâtes et papiers. On lui reproche aussi ce qu'on appelle le « privilège juif », c'est-à-dire l'autorisation spéciale pour ce groupe de travailler le dimanche. Cette demande, à saveur antisémite, se fera insistante pendant la crise. Le gouvernement sera obligé sous la pression des milieux cléricaux d'interdire le cinéma aux enfants de moins de 16 ans. Sur la question de la prohibition, cependant, le gouvernement québécois adopte une politique audacieuse en créant la Commission des liqueurs et en lui confiant le monopole de la vente des vins et de l'alcool. Ainsi, dans une Amérique prohibitionniste, le Québec refuse de suivre le courant. La Commission réalise des profits intéressants et constitue une source d'enrichissement pour l'État. Certes le patronage y fleurit mais les Québécois échappent à l'alcool frelaté et aux Al Capone, fruits de la croisade prohibitionniste.

La Commission des assurances sociales, créée en 1930, et surtout la crise économique montreront que les modestes progrès des années 1920 sont terriblement insuffisants pour faire face aux problèmes d'un pays industrialisé.

Orientations bibliographiques

Abbott, Maude E. « Medicine and Surgery in the Province of Quebec », W. Wood, éd., *The Storied Province of Quebec. Past and Present*, vol. II (Toronto, The Dominion Publishing Co., 1931): 1066-1150.

Copp, Terry. *Classe ouvrière et pauvreté.* Montréal, Boréal Express, 1978. 213p.

Dugré, Adélard. *La campagne canadienne. Croquis et leçons.* Montréal, Imprimerie du Messager, 1925. 235p.

Dupont, Antonin. « Louis-Alexandre Taschereau et la législation sociale au Québec, 1920-1936 », *Revue d'histoire de l'Amérique française*, 26, 3 (déc. 1972): 397-426.

Haythorne, G.V. et L.C. Marsh. *Land and Labour.* Toronto, Oxford University Press, 1941. 568p.

Minville, Esdras. *La législation ouvrière et le régime social dans la province de Québec.* Étude préparée pour la Commission royale des relations entre le Dominion et les provinces. Ottawa, Imprimeur du roi, 1939. Appendice 5, 98p.

Pelletier, Michel et Yves Vaillancourt. *Les politiques sociales et les travailleurs.* Cahier I: *Les années 1900 à 1929.* Montréal, s.e., 1974. 132p.

Poulin, Gonzalve. *L'assistance sociale dans la province de Québec, 1608-1951.* Québec, Commission royale d'enquête sur les problèmes constitutionnels, 1955. Annexe 2. 201p.

CHAPITRE 29

LES FEMMES ET LE MOUVEMENT FÉMINISTE

En gestation depuis la fin du 19e siècle, le mouvement féministe prend son essor au cours des décennies 1900-1930. Les progrès de l'industrialisation et de l'urbanisation provoquent en effet chez certaines Québécoises une prise de conscience de la situation injuste qui leur est faite dans la société. La Première Guerre mondiale accélère ce mouvement et, en 1929, Idola Saint-Jean peut écrire: « Le dernier conflit, conflit dans lequel la femme n'a, Dieu merci, aucune espèce de responsabilité, en entraînant les hommes à la tuerie, a forcé la femme à donner son rendement à la société. Elle a rempli toutes les charges, accompli toutes les besognes. Elle est par conséquent devenue consciente de ses capacités, et les ayant une fois mises au service de l'humanité, elle ne veut plus retourner à sa vie incomplète d'avant-guerre. » En fait, les progrès accomplis depuis la guerre sont bien minces, car les efforts des féministes se heurtent au conservatisme des élites en place. Les féministes n'ont pourtant pas travaillé en vain: elles ont appris à s'organiser et leur rôle dans la vie économique et sociale grandit sans cesse.

En 1901, les 84 612 femmes qui ont un emploi rémunéré représentent 15,6% de la population active totale du Québec, tandis qu'en 1931 elles sont 202 000 et comptent pour 19,7%. Ce pourcentage est légèrement supérieur à celui de l'Ontario. À noter cependant que, proportionnellement, les femmes du Québec sont plus nombreuses que celles de l'Ontario dans les manufactures et les services, tandis qu'elles le sont moins dans les secteurs du commerce, de la finance et du travail de bureau. Cependant, la proportion de

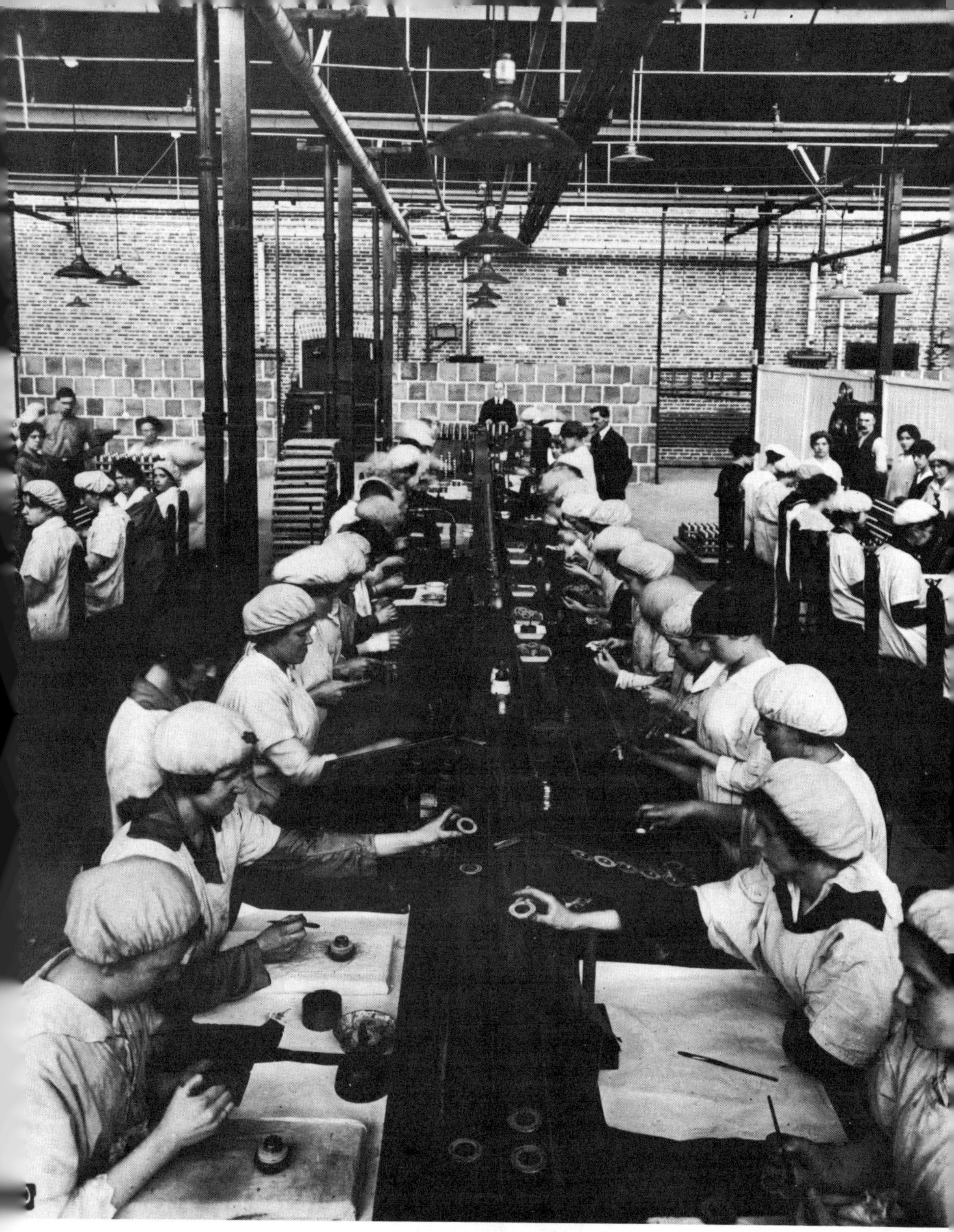

La guerre augmente considérablement le nombre de femmes travaillant en usine. (Archives publiques Canada, PA24436)

femmes mariées dans la main-d'oeuvre féminine est sensiblement moindre au Québec que dans l'ensemble du Canada. En 1931, les femmes mariées ne comptent que pour 6,9% des effectifs, les veuves et divorcées pour 7,4% et les célibataires pour 85,7%. La présence des femmes sur le marché du travail est particulièrement significative à Montréal. En 1931, elles représentent 25,4% de la main-d'oeuvre active dans la métropole. À cette époque, la très grande majorité oeuvrent dans les manufactures (23,4%), les services personnels (29,3%), les bureaux (18,9%) et les services professionnels (11,6%).

Ce qui caractérise le travail féminin c'est sa concentration dans les emplois les moins rémunérés. C'est ainsi que le salaire moyen des femmes représente environ 56% de celui des hommes en 1931. Cette discrimination salariale fait de la femme une candidate toute désignée pour les industries qui requièrent une main-d'oeuvre à bon marché, comme la confection, les textiles, le tabac et la chaussure. Les services personnels (domestiques, femmes de peine, coiffeuses, serveuses, etc.) occupent une grande partie des effectifs féminins. Cette main-d'oeuvre fluctue selon la conjoncture économique: en temps de prospérité, le nombre de domestiques diminue, tandis qu'en temps de crise, il augmente. Ces travailleuses ne bénéficient par ailleurs d'aucune protection juridique. En fait, comme le soulignent les historiennes Marie Lavigne et Jennifer Stoddart, ce secteur « semble jouer le rôle de réserve de main-d'oeuvre pour le secteur manufacturier. » La main-d'oeuvre y est très mobile, car les domestiques doivent assurer de très longues heures de travail et une disponibilité constante auprès de leurs patrons. On ne se surprend guère de constater qu'elles préfèrent, lorsqu'elles le peuvent, s'astreindre au dur travail en manufacture qui leur laisse tout de même une certaine liberté après les heures de travail.

Au début du 20e siècle, les femmes commencent à entrer dans les bureaux qui étaient jusqu'alors une chasse-gardée des hommes. Plusieurs femmes trouvent un emploi comme vendeuses à temps complet ou à temps partiel dans les magasins où la journée de travail est très longue. À la suite de pressions, le gouvernement adopte ce qu'on a appelé « la loi des sièges », qui permet aux vendeuses de s'asseoir en l'absence de clients, mais cette loi demeure très souvent lettre morte.

Les femmes ont peu accès aux professions libérales. Ce n'est qu'en 1930 qu'elles sont admises à la pratique de la médecine et de la comptabilité. Le droit et le notariat leur restent interdits. Les seules carrières vraiment accessibles sont celles d'enseignantes et d'infirmières. Dans les deux cas cependant, les francophones doivent subir la dure concurrence des religieuses, qui contrôlent ces deux secteurs et qui exercent une pression à la baisse sur les salaires. Dans les hôpitaux du Québec toutefois, les communautés religieuses peuvent de moins en moins suffire à la tâche. Alors qu'en 1923 les garde-malades religieuses représentent près de 57% des effectifs totaux, en 1928 cette proportion tombe à près de 40%. Dans

Le travail de bureau en 1924: les femmes occupent de plus en plus des emplois de secrétaire et de dactylo. (Archives Notman, Musée McCord)

l'enseignement, les institutrices catholiques sont particulièrement défavorisées. En effet, leur salaire moyen s'élève à un maigre $387 par année, tandis que chez les institutrices protestantes il s'établit à $1 068. De part et d'autre cependant, il y a une discrimination flagrante entre les hommes et les femmes exerçant le même travail, puisque les instituteurs catholiques ont un revenu annuel moyen de $1 552 et les protestants de $2 351.

Dans l'ensemble, les femmes subissent avec une particulière dureté une exploitation éhontée sur le marché du travail. Pour les gouvernements, le clergé et même les syndicats, la place de la femme est au foyer. Lorsqu'elle se trouve sur le marché du travail, c'est un état provisoire avant le mariage. Pour des raisons humanitaires, les gouvernements interviennent par quelques timides mesures protectrices, qui, en plus de placer les femmes dans la catégorie des mineures au même titre que les enfants, n'ont à peu près aucune efficacité.

Ainsi, une loi interdit d'exiger des femmes plus de 60 heures de travail par semaine et progressivement la norme sera abaissée à 55 heures. Cette loi ne s'applique toutefois qu'aux établissements industriels et les patrons peuvent obtenir des autorisations spéciales pour y déroger. En 1919, le gouvernement fait voter la loi du salaire minimum des femmes, qui prévoit la création d'une commission de trois personnes dont une pourrait être une femme; mais, formée seulement en 1925, elle ne comprendra aucun commissaire féminin. En fait, la loi a une portée extrêmement limitée. Les commissaires partent du principe que les femmes au travail n'ont pas de dépendants, ce qui les amène à déterminer un salaire minimum très bas, d'autant qu'ils ne veulent pas perturber le marché. Les ordonnances de la commission ne s'appliquent qu'à certains secteurs et non à l'ensemble du marché du travail. Non seulement les salaires fixés à partir de 1927 sont nettement insuffisants, mais les employeurs trouvent le moyen d'échapper, du moins en partie, à la loi. En effet, ils peuvent donner un salaire moindre que le salaire minimum aux « apprenties » et l'apprentissage peut durer quelques années.

À part ces législations sur la durée du travail et le salaire minimum, il y avait interdiction d'employer des femmes pour certains travaux dangereux et une mesure qui prévoyait l'engagement d'inspectrices pour les établissements industriels. Mais celles-ci, comme les inspecteurs d'ailleurs, n'ont guère de pouvoir et elles sont en nombre insuffisant pour exercer une surveillance efficace. Quoi qu'il en soit, chaque année elles formulent des recommandations pour améliorer les conditions de travail. Elles insistent sur la nécessité de réduire la promiscuité dans les usines en assurant aux femmes des cafétérias et des cabinets d'aisance distincts et elles demandent qu'on améliore l'hygiène dans les établissements.

Si les femmes peuvent peu compter sur les gouvernements, elles ne profitent guère plus de l'aide des syndicats. En général, eux aussi participent à l'idéologie de la femme au foyer et ils ne font pas de l'égalité des sexes une priorité, même si certains d'entre eux prônent l'égalité de salaire entre hommes et femmes pour un même travail ou revendiquent des mesures de protection spéciale pour les femmes comme pour les enfants.

À côté des syndicats, une organisation féministe dont nous parlerons plus bas, la Fédération nationale Saint-Jean-Baptiste, met sur pied des associations professionnelles pour les employées de magasins, les travailleuses en manufacture, les institutrices catholiques de Montréal, les aides ménagères. Ce ne sont pas des syndicats mais de simples organisations d'entraide et d'éducation à caractère confessionnel, la plupart du temps influencées par des femmes de la bourgeoisie. La FNSJB fait campagne pour la « lois des sièges » et tente de convaincre les marchands de réduire volontairement les heures d'ouverture de leurs établissements. C'est grâce à son intervention qu'on retire le projet visant à exclure les femmes des postes de sténographes à la Cour supérieure. Mais, dans l'ensemble, ces associations ne sont guère revendicatrices et cela se comprend quand la section des employées de manufactures est présidée par l'épouse de l'industriel J.-B.

Une religieuse gérant la pharmacie d'un hôpital. (Archives des soeurs de la Providence)

Rolland ou celle des magasins par la femme du propriétaire de Dupuis et Frères. Leur succès est très mitigé et on n'est guère surpris de constater que les aides domestiques, en particulier, ne soient pas enthousiastes à l'idée — toute bourgeoise — de leur faire suivre des cours d'arts ménagers pendant leur rare temps de loisir!

UN FÉMINISME TRANQUILLE

Dans ce contexte de discrimination et d'inégalité, les femmes songent à s'organiser pour revendiquer leurs droits. La section montréalaise du Conseil national des femmes du Canada, fondée en 1893, réussit à recruter certaines bourgeoises canadiennes-françaises comme Marie Gérin-Lajoie, Joséphine Dandurand, Caroline Béique et quelques autres qui feront leurs premières armes au sein de ce mouvement majoritairement formé d'anglophones protestantes.

Ce sont ces femmes qui fondent la première organisation féministe francophone, après avoir oeuvré quelque temps au sein de la Société Saint-Jean-Baptiste. Celle-ci, se trouvant en difficulté financière à la suite de la construction du Monument national, avait créé en 1902 une section de Dames patronesses afin de l'aider à recueillir des fonds. Habituées à travailler ensemble, ces femmes organisent en 1907 la Fédération nationale Saint-Jean-Baptiste (FNSJB) qui entend regrouper tous les organismes concernant les femmes canadiennes-françaises et catholiques. Mme Béique, la première présidente du mouvement, prend bien soin de préciser que le féminisme qu'elle prône s'inscrit dans une vue chrétienne du rôle de la femme. Le clergé très réticent ne peut récuser ce mouvement et Mgr Bruchési, archevêque de Montréal, fixe lui-même les balises à l'action de ce féminisme: « Puisque le mot de féminisme a été introduit dans notre langue, je l'accepte, mais je réclame pour lui un sens chrétien, et je demande la permission de le définir ainsi: le zèle de la femme pour toutes les nobles causes dans la sphère que la Providence lui a assignée ». Il poursuit en précisant ce qu'il faut exclure du « bon féminisme »: « Ce n'est pas dans vos assemblées que l'on entendra parler de l'émancipation de la femme, de ses droits méconnus, de la part trop obscure qui lui est faite dans la vie, des charges, des fonctions publiques et des professions auxquelles elle devrait être admise aussi bien que l'homme. » De toute évidence, le clergé doit céder devant le mouvement, mais il ne renonce pas à l'encadrer sinon à le récupérer tout à fait.

Dès les débuts, la FNSJB regroupe 22 associations totalisant quelques milliers de membres et qui se répartissent en trois grandes catégories: oeuvres de charité et de bienfaisance, oeuvres d'éducation et oeuvres professionnelles. La Fédération tient des congrès annuels, organise des semaines d'études et, à compter de 1913, publie un journal mensuel, *La Bonne Parole*, qui tire à 2000 exemplaires. Luttant sur plusieurs fronts, elle déploie une intense activité. C'est grâce aux efforts de ces femmes qu'est fondé l'hôpital Sainte-Justine pour les enfants, lequel sera d'ailleurs présidé par une femme. Elles travaillent avec zèle en faveur de l'oeuvre de la « Goutte de lait », si nécessaire pour combattre le fléau de la mortalité infantile. Elles mettent sur pied des conférences sur l'hygiène, créent un service d'assistance maternelle et demandent des tribunaux spéciaux pour les enfants. Elles luttent contre l'alcoolisme, contre la « traite des blanches » et elles demandent la présence de femmes policiers dans les postes de police. Enfin, elles se dévouent pour des oeuvres comme la Croix-Rouge et le Fonds patriotique.

Tout en étant réformistes, leurs luttes sont centrées sur la famille et le foyer, qui est présenté comme la place naturelle de la femme; bref, leur action n'est pas incompatible avec l'idéologie clérico-nationaliste. Même Henri Bourassa, dont on a souvent dénoncé la misogynie, est bien obligé de leur ouvrir les pages du *Devoir*. Cependant lorsque les féministes chrétiennes s'aventurent du côté des questions comme le droit de vote ou l'éducation, elles doivent prendre d'infinies précautions, car elles risquent de déborder ce que Mgr Bruchési appelait la sphère que leur a assignée la Providence. Les féministes anglophones n'ont pas cette timidité et souvent ce sont elles qui prennent l'initiative dans les combats qui touchent à l'ordre juridique et politique.

Marie Gérin-Lajoie, 1867-1945. (Archives des soeurs de Notre-Dame du Bon Conseil)

DROIT DE VOTE ET ÉGALITÉ

Au tournant du siècle, les femmes jouissent de droits politiques extrêmement limités. Au niveau municipal, seules les femmes veuves ou célibataires ont le droit de vote. Sur le plan scolaire, les femmes propriétaires ont le droit de vote et d'éligibilité. Mais en 1902, les échevins montréalais songent à retirer le droit de vote aux femmes locataires; Marie Gérin-Lajoie, au nom de la section montréalaise du Conseil national des femmes, proteste avec succès contre cette tentative. Cependant, les femmes subissent un échec lorsqu'en 1926 elles demandent le droit de suffrage municipal pour les femmes mariées.

Tant au palier provincial que fédéral, les femmes n'ont pas le droit de voter. Avec la montée du féminisme et les manifestations des « suffragettes », notamment en Grande-Bretagne et aux États-Unis, les féministes canadiennes s'organisent. En 1913, elles fondent la Montreal Suffrage Association, mais les Canadiennes françaises participent peu à ce mouvement. Lorsqu'en 1917 le gouvernement fédéral accorde le droit de vote aux femmes qui ont des proches parents dans l'armée ou qui travaillent pour celle-ci, le débat sur le droit de vote est relancé avec vigueur. Ce qui était d'abord une manoeuvre politique pour augmenter les votes en faveur de la conscription débouche l'année suivante sur une loi qui étend le suffrage, aux élections fédérales, à toutes les femmes majeures. Plusieurs députés, sénateurs, journalistes et clercs canadiens-français, s'opposent en vain à cette mesure qui, à leurs yeux, menace l'ordre social. Pour Henri Bourassa, par exemple, « la différence des sexes entraîne la différence des fonctions sexuelles, et la différence des fonctions sexuelles crée la différence des fonctions sociales. Le prétendu « droit » de suffrage n'est qu'une forme des *fonctions*, des *charges* sociales, qui incombent à l'homme soit à cause de sa conformation physique ou mentale, soit, surtout à cause de sa situation et de ses devoirs de chef de famille. » Pour ces gens, la fonction de la femme est la maternité, sa place est au foyer et l'inégalité politique est fondée sur la biologie. À cet argument s'en ajoutent plusieurs autres: la femme sera inévitablement souillée si elle descend dans l'arène politique, les familles seront divisées, les femmes n'ont pas les aptitudes requises pour participer à la vie politique, etc.

Un an après les élections fédérales de 1921, alors que toutes les Canadiennes ont pu exercer leur droit de vote, le suffrage féminin est étendu au niveau provincial partout au Canada, sauf au Québec, qui refuse de céder. Marie Gérin-Lajoie entreprend alors des démarches auprès de certains évêques pour essayer de les convaincre que rien dans la doctrine catholique ne s'y oppose. Elle participe aussi très activement avec une collègue anglophone à la fondation du Comité provincial pour le suffrage féminin, qui essaiera de mobiliser les femmes et de faire pression sur les législateurs. Pendant ce temps, un groupe de femmes, encouragées par l'épiscopat et en particulier par Mgr Eugène Roy de Québec, organise une pétition qui recueille plusieurs dizaines de milliers de signatures contre le suffrage féminin. Marie Gérin-Lajoie tente de contourner cette opposition en faisant appel au Vatican. Elle se rend même à Rome au Congrès de l'union internationale des ligues catholiques féminines afin d'obtenir l'appui de cet important mouvement. Le Congrès se prononce en faveur du suffrage féminin, mais, à la dernière minute, à la demande expresse du cardinal Merry del Val qui représente le pape, on ajoute que c'est à l'épiscopat de chaque pays de décider de l'opportunité d'appuyer ou non cette demande. Comme le souligne Luigi Trifiro, ce n'est peut-être pas sans conséquence de noter qu'au moment du congrès, Henri Bourassa, influent dans certains milieux ecclésiastiques et féroce adversaire du suffrage féminin, se trouve à Rome.

Marie Gérin-Lajoie voit aussi ses efforts échouer au plan politique. En effet, avant de se rendre à Rome, elle avait rencontré, avec une délégation féministe, le premier ministre Tachereau, qui avait déclaré sans ambages que non seulement il était opposé à leur revendication mais que jamais elles n'obtiendraient gain de cause tant qu'il serait au pouvoir. À la suite de ces échecs et à cause de la pression cléricale, Marie Gérin-Lajoie démissionne du Comité provincial en 1922. Ce n'est qu'en 1927 qu'une autre féministe francophone, Idola Saint-Jean, reprend le flambeau en fondant l'Alliance canadienne pour le vote des femmes au Québec. Elle veut obtenir que la question soit débattue à l'Assemblée législative; un projet de loi proposant d'accorder le suffrage féminin est présenté par un député favorable à la cause, mais il est défait, comme ce sera le cas, chaque année, jusqu'en 1940. En 1928, Thérèse Casgrain devient présidente de la Ligue pour les droits de la femme et participe au « pèlerinage » annuel à Québec. Encore une fois, d'autres femmes encadrées par l'épiscopat réagissent contre les initiatives féministes en organisant la Ligue catholique féminine. En l'espace de quelques mois, cette ligue réussit à embrigader 10 000 femmes.

La seule consolation des féministes, sur le plan politique, sera d'apprendre qu'elles peuvent être nommées sénateurs, au même titre que les hommes. Pour arriver à cela, il a fallu de longues luttes judiciaires. En 1928, la Cour suprême du Canada rend à ce sujet un jugement négatif que le Comité judiciaire du Conseil privé renverse l'année suivante. Les savants juges de Londres estiment, contrairement à leurs collègues canadiens, que le mot personne utilisé dans la constitution canadienne s'applique aussi bien aux femmes qu'aux hommes.

Les féministes doivent aussi lutter pour l'accession aux études supérieures. En 1908, après de longues démarches, l'épiscopat accepte la fondation d'un premier collège classique pour jeunes filles. Le collège prend le nom d'École d'enseignement supérieur pour jeunes filles et est dirigé par les soeurs de la Congrégation Notre-Dame, qui le rebaptiseront plus tard du nom de Collège Marguerite-Bourgeoys. Il faut attendre jusqu'en 1925 pour que s'ouvre un deuxième établissement du genre, le collège Sillery à Québec. L'épiscopat n'accède à cette demande que sous la menace de voir s'ouvrir un collège laïque. Ces établissements s'adressent d'abord à une clientèle de religieuses et de jeunes filles de bonne famille. Pour les autres, on prône notamment les écoles d'arts ménagers qui sont subventionnées par le gouvernement. En 1929, les 119 écoles ménagères comptent 21 219 étudiantes.

Les féministes entreprennent des luttes relatives à leurs droits juridiques. La Ligue pour les droits de la femme obtient, en 1929, la création d'une Commission des droits civils de la femme, présidée par le juge Dorion. Cette commission, qui a pour tâche d'étudier le Code civil en rapport avec les régimes matrimoniaux, rejette la demande des femmes d'avoir une représentante en son sein. L'année suivante, elle remet son rapport et propose certains amendements dont le plus important a trait au salaire de la femme mariée. La commission recommande que la femme puisse disposer, sans l'autorisation de son mari, du produit de son travail! Cependant, elle refuse la modification des articles du Code relatifs à l'adultère qui stipulent que: « Le mari peut demander la séparation de corps pour cause d'adultère de la femme. La femme peut demander la séparation de corps pour cause d'adultère du mari lorsqu'il tient sa concubine dans la maison commune ». Les commissaires allèguent, pour justifier cette loi foncièrement injuste, que: « quoi qu'on en dise, on sait bien qu'en fait la blessure faite au coeur de l'épouse n'est pas généralement aussi vive que celle dont souffre le mari trompé par sa femme ».

Comme on le voit, si les femmes ont pu accomplir quelques modestes progrès pendant ces trois décennies, le chemin à parcourir pour atteindre à une véritable égalité des sexes est long et ardu.

Orientations bibliographiques

Cleverdon, Catherine L. *The Woman Suffrage Movement in Canada.* 2e éd., Toronto, University of Toronto Press, 1974. 324p.

Dumont-Johnson, Micheline. « Histoire de la condition de la femme dans la province de Québec », *Tradition culturelle et histoire politique de la femme au Canada.* (Étude no 8 préparée pour la Commission royale d'enquête sur la situation de la femme au Canada, Ottawa, Information Canada, 1971). 57p.

Jean, Michèle. *Québécoises du 20e siècle.* Montréal, Éditions du Jour, 1974. 303p.

Lavigne, Marie et Yolande Pinard, dir. *Les femmes dans la société québécoise.* Montréal, Boréal Express, 1977. 214p.

Lavigne, Marie et Jennifer Stoddart. *Analyse du travail féminin à Montréal entre les deux guerres.* Thèse de M.A. (histoire), Université du Québec à Montréal, 1974. 268p.

Pinard, Yolande. *Le féminisme à Montréal au commencement du XXe siècle (1893-1920).* Thèse de M.A. (histoire), Université du Québec à Montréal, 1976. 246p.

Stoddart, Jennifer. « The Woman Suffrage Bill in Quebec », Marylee Stephenson, dir., *Women in Canada* (Toronto, New Press, 1973): 90-106.

Trifiro, Luigi. « Une intervention à Rome dans la lutte pour le suffrage féminin au Québec », *Revue d'histoire de l'Amérique française,* 32, 2 (juin 1978): 3-18.

CHAPITRE 30
L'ÉGLISE ET L'ÉCOLE

LES INSTITUTIONS RELIGIEUSES

L'équilibre des diverses confessions religieuses demeure sensiblement le même qu'auparavant: en 1901 comme en 1931, les catholiques forment plus de 85% de la population et les diverses confessions réformées constituent une minorité importante de 12% à 13% de la population. Trois mouvements à signaler toutefois: une baisse de 1% du pourcentage des catholiques, une baisse du même ordre chez les protestants et une hausse corrélative des juifs et des Grecs orthodoxes. Les premiers ne représentent en 1901 que 0,4% alors qu'en 1931 leur pourcentage se situe à 2,1%, tandis que les seconds, absents en 1901, représentent 0,3% de la population en 1931.

Ces variations correspondent évidemment aux mouvements de population qui, dans le premier tiers du 20e siècle, amènent au Canada et au Québec une nouvelle immigration qui ne vient plus uniquement des Iles britanniques mais d'Europe centrale et orientale. En outre, il faut considérer que l'impact de cette immigration est plus grand que les variations de pourcentage ne le laissent entrevoir puisqu'elle est massivement concentrée à Montréal.

Les religions minoritaires

Nous traiterons essentiellement ici des religions réformées et ensuite de la religion juive, les autres religions n'ayant pas des effectifs considérables.

Avec la croissance du Canada et en particulier avec le développement de l'Ouest, le centre de gravité du protestantisme canadien s'est déplacé lui aussi dans la même direction. Donc, plus encore qu'au lendemain de la Confédération, le protestantisme québécois est lié à l'ensemble du protestantisme canadien et ne semble pas former un tout autonome. Au Québec, trois confessions regroupent une majorité des fidèles des églises réformées. En 1901, les anglicans, les méthodistes et les presbytériens représentent 86% du groupe réformé tandis qu'en 1931, les anglicans, les fidèles de l'Église unie du Canada et les presbytériens en représentent encore 87,4%. Voilà donc un trait de persistance qui s'observe depuis la Confédération, si l'on considère que l'Église unie a absorbé les méthodistes en 1925; les autres confessions réformées se partagent le reste. Les anglicans sont toujours les plus nombreux, en 1901 comme en 1931, représentant autour de 40% de la population protestante. La création de l'Église unie, que nous verrons plus bas, bouleverse le second rang, tenu en 1901 par les presbytériens. En 1931, avec près de 26%, l'Église unie se classe devant les presbytériens qui ne représentent plus que 17,5% de la population protestante.

Le mouvement le plus fondamental de la période, au Canada, est la constitution de l'Église unie du Canada. Au début du siècle, après une progression de l'idée oecuménique d'abord à l'intérieur de chacune des églises, les presbytériens, lors de leur assemblée générale de Winnipeg en 1902, lancent aux autres églises un appel à l'unité. Bientôt, presbytériens, méthodistes et congrégationnalistes établissent entre eux des contacts au plan doctrinal et ecclésial. Il s'agit en effet non seulement de prévoir un credo commun mais aussi d'intégrer les différents clergés et de rendre compatibles les structures administratives. Si les méthodistes et les congrégationnalistes se montrent prêts à la fusion avant la Première Guerre mondiale, les presbytériens n'arrivent pas à faire l'unanimité et c'est dans une atmosphère tendue que se forme finalement l'Église unie en 1925. Elle regroupe les méthodistes, les congrégationnalistes et une partie des presbytériens, une large fraction de ces derniers ayant choisi de demeurer fidèles à l'ancienne confession.

Le protestantisme québécois est lui aussi secoué par les contrecoups de cette fondation. Les 59 000 presbytériens qui restent en 1931 témoignent du refus d'un fort groupe de s'assimiler à la nouvelle confession. Nous ne pouvons dire dans quelle mesure ces difficultés expliquent la hausse de 5% de l'importance des anglicans ou s'il s'agit de phénomènes tout à fait distincts. Toutefois, les religions réformées au Québec ont sûrement suivi la même évolution qu'ailleurs au Canada et la fin de la décennie des années vingt a sans doute été marquée par un recul du mouvement vers l'unité avec la sécession d'une fraction importante des presbytériens qui feront du prosélytisme dirigé contre la nouvelle Église unie.

Vers la fin du 19e siècle, on note l'apparition d'un certain nombre de sectes protestantes qui se développent, et ceci est nouveau, dans un contexte urbain. La plus connue est l'Armée du salut, fondée en 1883, qui se voue à l'encadrement des masses urbaines plus ou moins délaissées par les églises officielles. Peu nombreux au Québec — quelques centaines en 1901 et un millier en 1931 — les membres de l'Armée du salut ont cependant inquiété à leurs débuts les églises établies, avec leurs réunions en plein air. L'historien H.R. Walsh nous dit qu'à Montréal et à Québec, les premières réactions sont plutôt dures, ponctuées par des arrestations massives, mais, graduellement, et surtout après la Première Guerre mondiale, les salutistes sont mieux acceptés. L'effet de leur action a contribué à faire prendre conscience aux églises plus établies de leur tendance à se replier sur leur propre communauté dominée par des représentants de la bourgeoisie et à évacuer ainsi certaines préoccupations et certains groupes sociaux. Le tournant du siècle voit l'apparition au Québec d'une autre secte, celle des Témoins de Jéhovah.

Comme à l'autre période, le protestantisme est marqué par le respect des grandes traditions réformées. Le premier tiers du 20e siècle voit d'ailleurs des controverses importantes sur les écritures où s'opposent tenants de la tradition et nouveaux exégètes s'appuyant sur de nouvelles analyses. Du côté des relations avec les autres églises, on note au Québec une continuité dans ce partage des zones d'influence; le prosélytisme se fait discret surtout entre religions réformées et religion catholique.

À partir des dernières décennies du 19e siècle, il se développe, à l'intérieur de la religion réformée, un mouvement appelé le Social Gospel. Il s'agit en fait de la prise de conscience, dans les milieux religieux, des inégalités flagrantes causées par l'expansion du capitalisme industriel. C'est un mouvement parallèle à celui observé chez les catholiques avec l'encyclique *Rerum Novarum*. Au Canada, le mouvement du Social Gospel jouera un certain rôle jusqu'à la grève de Winnipeg, qui marque un point de rupture dans les préoccupations ouvrières des pasteurs.

L'arrivée d'un nombre important de Juifs, au tournant du siècle, modifie la composition religieuse du Québec. Notons immédiatement qu'il y avait depuis très longtemps des Juifs à Montréal, où l'ouverture de la première synagogue remonte à 1777, mais que leurs effectifs étaient restreints. De 1901 à 1931, l'importance relative de la religion juive passe de moins de 1% à 2,1%; les Juifs sont alors aussi nombreux que les presbytériens par exemple, ce qui représente une communauté d'environ 60 000 personnes, fortement regroupées à Montréal.

Très rapidement, la question de l'intégration du nouveau groupe religieux se pose, en particulier au plan scolaire, car l'enseignement public au Québec repose sur des bases confessionnelles. Y aura-t-il des écoles publiques juives ou devra-t-on intégrer les élèves de religion juive dans le système catholique ou protestant? Nous n'insisterons pas davantage ici sur cette question, elle sera traitée plus loin. Par ailleurs, du côté des institutions de bienfaisance, les Juifs organisent assez rapidement leur propre réseau.

Alors que les relations entre les religions protestantes et le catholicisme ne sont plus marquées par des manifestations d'hostilité ouverte, les relations entre Juifs et catholiques sont difficiles. L'intégration d'un groupe important de Juifs donne lieu à des manifestations d'antisémitisme qui vont s'accroissant vers les années 1930, attisées par le climat d'antisémitisme plutôt répandu à l'échelle du monde occidental. Cette attitude caractérise aussi les relations avec les protestants, même si les manifestations en sont plus discrètes.

Une Église omniprésente

L'Église catholique est encore en position de force entre 1896 et 1929. Religion majoritaire avec toujours plus de 85% de la population, elle voit ses effectifs cléricaux croître régulièrement. Le géographe Louis-Edmond Hamelin a calculé l'évolution du clergé québécois et surtout le rapport prêtres/fidèles, qui est plus significatif. De 1901 à 1931, l'évolution de ce rapport montre un encadrement de plus en plus étroit.

Si au clergé séculier on ajoute les membres des communautés religieuses, on arrive à des données plus élevées. Le nombre total de religieux des deux sexes vivant au Québec passe de 8 612 en 1901 à 25 332 en 1931, ce qui donne, d'après le sociologue Bernard Denault, un religieux pour 166 catholiques en 1901 et 1 pour 97 en 1931. Voilà un rapport qui en dit long sur le caractère serré de l'encadrement des catholiques québécois. Le personnel religieux ne se confine pas au ministère paroissial, car ce dernier n'occupe au maximum que la moitié des effectifs, l'autre moitié se répartissant entre l'enseignement et les institutions de type hospitalier. La paroisse, l'école et l'assistance sociale, voilà les trois bases de l'action de l'Église catholique. La création d'évêchés se poursuit au fur et à mesure des besoins; c'est ainsi que les diocèses de Joliette et de Gaspé sont créés, le premier en 1904 et le second en 1922, tandis que le vicariat apostolique du golfe Saint-Laurent est organisé en 1905.

La stratégie d'encadrement de l'Église se heurte à l'urbanisation croissante. Alors qu'en milieu rural, les structures religieuses recouvrent parfaitement des unités sociales et économiques, à la ville il n'en va plus de même; aussi, en milieu urbain, l'Église est amenée à utiliser une double tactique: d'abord multiplier les paroisses de manière à quadriller au maximum le territoire; ensuite créer une panoplie d'organisations dont le but est d'assurer un encadrement efficace. Et son personnel nombreux lui permet de déployer une stratégie tous azimuts, menant de concert création de paroisses et mise sur pied d'organismes variés, liés au culte ou non.

Le congrès eucharistique de Montréal en 1910: les représentants de la hiérarchie catholique et le premier ministre du Canada. (Archives de la ville de Montréal)

Distinguons trois niveaux d'encadrement. Le premier, paroissial, est caractérisé par l'influence qu'y exerce le curé et par son caractère local. Le second, institutionnel, regroupe les services dont l'Église a pris charge: l'enseignement et les hôpitaux, qui dépassent habituellement le cercle paroissial. Enfin, le troisième niveau voit apparaître des organismes qui agissent à l'échelle d'un diocèse et qui échappent au contrôle direct des curés pour être liés davantage à la hiérarchie diocésaine ou à une communauté. De plus, à chacun de ces niveaux, le type d'encadrement diffère selon qu'il s'agit du culte proprement dit, de la charité ou des loisirs.

À l'aide d'exemples montréalais, examinons d'un peu plus près l'action de l'Église catholique sur ses fidèles. Nous prenons au hasard une paroisse, celle de Saint-Jean-Baptiste de Montréal. En 1900, sept organisations pieuses ou charitables tentent de regrouper les fidèles selon leurs affinités ou leurs dispositions; les femmes ont le choix entre les Dames de la charité et les Dames de Sainte-Anne, les jeunes filles peuvent adhérer à la Congrégation de la Sainte Vierge, tandis que les hommes se répartissent entre la Ligue du Sacré-Coeur, la Garde d'honneur, la Congrégation des hommes et la Conférence Saint-Vincent-de-Paul. Outre ces associations pieuses et charitables, le curé L.-A. Dubuc dispose d'un ensemble d'institutions qui lui permettent d'accroître son contrôle. Ainsi, dès 1918, les mères qui travaillent envoient leurs enfants dans une école maternelle dirigée par des religieuses;

de plus, le curé suit de près l'oeuvre de l'assistance maternelle et la Goutte de lait. Côté charité, outre la Saint-Vincent-de-Paul, signalons l'action des religieuses de l'hospice Auclair qui visitent également les pauvres et les malades de la paroisse. La présence de l'Église est renforcée par les communautés religieuses qui s'occupent des trois académies que compte Saint-Jean-Baptiste. Le curé ne manque pas non plus d'organiser des tombolas et des pèlerinages pour stimuler la ferveur de ses ouailles. Enfin, un *Bulletin paroissial*, où paraît une chronique rédigée par un vicaire, complète et prolonge cette influence. Toutes les paroisses urbaines se dotent, à des degrés divers et selon leurs revenus, de ce type d'encadrement.

Côté institutions d'enseignement et de santé, la présence des communautés religieuses est écrasante et on peut presque parler de monopole dans ces secteurs. C'est au niveau du diocèse que surviennent les changements les plus neufs de la période.

Dans son encyclique *Rerum Novarum* publiée en 1891, le pape Léon XIII insistait sur la nécessité de « venir en aide, par des mesures promptes et efficaces, aux hommes des classes inférieures, attendu qu'ils sont pour la plupart dans une situation d'infortune et de misère imméritée ». Le pape propose donc à l'Église de s'orienter vers une action sociale catholique, tenant compte des conditions nouvelles de la révolution industrielle. Cependant, il faudra attendre une décennie pour que l'Église québécoise emboîte le pas et développe ce qu'on appelle la doctrine sociale de l'Église qui vise trois objectifs principaux. À la base, on trouve l'acceptation par l'Église du droit d'association des ouvriers, mais en même temps la volonté de les encadrer pour éviter le danger du neutralisme et du socialisme. Rejetant la lutte des classes, l'Église voudrait plus globalement créer une solidarité reposant sur la charité chrétienne et dépassant les intérêts propres à chaque classe. Pour y parvenir, elle mise sur la formation d'une élite de militants catholiques préparés à jouer ce rôle dans le cadre d'un ensemble d'associations qu'elle organise. Car, comme l'écrit un intervenant lors de la première semaine sociale tenue à Montréal en 1920: « Au premier rang l'Église. Toute question sociale est en son fond une question morale, et toute question morale une question religieuse ».

Parmi les organisations nouvelles, une des plus importantes est certainement l'École sociale populaire (ESP), créée à Montréal en 1911 et dirigée par le jésuite Joseph-Papin Archambault. Elle avait été précédée dès 1907, à Québec, par l'Action sociale, dont l'activité avait été vite polarisée par la publication d'un journal quotidien. L'ESP est appelée à jouer un rôle fondamental dans la formation de la doctrine sociale de l'Église et dans son application au milieu québécois. Elle devient en outre le centre principal de formation de ces nouveaux militants catholiques qui sont chargés d'animer leur milieu respectif. L'école publie des brochures mensuelles, lance l'« oeuvre des tracts », organise des retraites fermées. En 1920, elle inaugure les semaines sociales du Canada qui sont un prolongement de son action pédagogique; pendant une semaine, chaque année, quelques centaines de personnes suivent un cycle de conférences sur des sujets liés à la doctrine sociale de l'Église.

Paul Bruchési, 1855-1939, archevêque de Montréal de 1897 à 1939.

Par ailleurs, l'effort d'encadrement s'étend à des groupes sociaux ou professionnels particuliers, pour lesquels on crée des associations spécifiques et qui ne sont plus nécessairement paroissiales. Dans plusieurs cas, elles sont calquées sur des modèles français ou belges. L'exemple le plus connu est celui du syndicalisme catholique, dont nous avons déjà parlé. Après 1925, l'Union catholique des cultivateurs prolonge cette action dans les campagnes. De son côté, l'Association des voyageurs de commerce cherche à encadrer une classe de travailleurs que leur caractère itinérant rend sans doute plus vulnérables aux tentations. Mais surtout, on n'oublie pas la jeunesse. Dès 1903-1904, on crée l'Association catholique de la jeunesse canadienne, encore une fois sur le modèle français, qui regroupe les étudiants des divers collèges. À cette association s'ajoutent plus tard le mouvement des scouts catholiques et, vers la fin des années vingt, les mouvements d'action catholique pour les jeunes. C'est en 1927 que l'abbé Aimé Boileau organise le premier regroupement de jeunes ouvriers dans la paroisse de Saint-Édouard de Montréal; la Jeunesse ouvrière catholique prendra rapidement son essor.

Toutes ces associations, liées à des préoccupations sociales très nettes, s'ajoutent aux associations mutuelles existantes qui jouent encore un rôle important au début du siècle. Pensons ici à l'Alliance nationale, qui regroupe 2 292 membres en 1900, ou encore aux Artisans canadiens-français et à leurs 14 457 membres. Ces mutuelles catholiques, qui disparaîtront devant la montée des compagnies d'assurances, représentent un type d'action qui se poursuivra avec l'essor des caisses populaires. Il ne s'agit pas d'associations à caractère religieux à proprement parler mais d'organismes qui reposent, pour leur diffusion et leur implantation dans le milieu, sur la structure de l'encadrement catholique. Cette influence de l'Église est sensible aussi en milieu rural, avec les coopératives agricoles fondées par l'abbé Allaire sur le modèle belge et catholique du Boerenbond.

Enfin, le journalisme catholique connaît des changements importants qui ne sont pas étrangers à l'essor du militantisme signalé plus haut; de plus en plus, les membres du clergé cherchent à jeter les bases d'une véritable presse catholique en créant ou achetant des journaux un peu partout. Signalons la fondation par les Oblats du *Droit* à Ottawa, celle de l'*Action catholique* à Québec et celle du *Bien Public* à Trois-Rivières; en 1918, le clergé de Joliette achète l'*Action populaire* et en confie la rédaction à un clerc. Alors qu'avant 1896 le journalisme catholique est dominé par des individus, généralement laïcs, qui se font les porte-parole de l'influence religieuse et cléricale en pratiquant un journalisme d'opinion, au siècle suivant domine l'intervention directe du clergé, qui cherche à se doter d'un organe de presse pour mieux diffuser ses consignes et tenter d'imposer une vision catholique de l'actualité. Notons cependant l'exception de Montréal, où seul *Le Devoir* paraît maintenir cette tradition du journalisme catholique indépendant et où jamais le clergé ne tente d'acheter ou de fonder un journal important. L'essor de cette presse est limité par la croissance rapide de la presse populaire à grand tirage, dans les grands centres.

L'Église catholique québécoise continue d'aller chercher son inspiration à Rome. Toutefois, certaines des nouvelles directives romaines mettront plus de temps à faire sentir leur effet au Québec, comme le démontre l'exemple de *Rerum Novarum*, alors qu'il faudra attendre une dizaine d'années après la parution du document pour voir les premières réactions. D'ailleurs, la doctrine sociale de l'Église qui en sortira est fortement influencée par l'idéologie clérico-nationaliste et les problèmes sociaux seront souvent traités dans un esprit nationaliste. En réalité, il n'en résulte pas au Québec une réflexion profonde sur le phénomène de l'industrialisation et particulièrement sur la prolétarisation. Comme le souligne Jean Hamelin, l'encyclique « introduit donc dans l'idéologie une mince dimension sociale, assez large cependant pour que les ouvriers occupent une place dans la cité terrestre projetée ».

Par ailleurs, la séparation de l'Église et de l'État survenue en France en 1905 a une incidence nette et imprévue sur le climat religieux. De nombreux religieux français viennent en effet s'établir au Québec à la suite de cet événement et ne manquent pas d'instiller dans leur action au Québec une profonde méfiance à l'endroit de l'État.

Dans l'ensemble, l'Église cherche à exercer un rôle directeur sur la société. Par sa position et ses institutions, elle est en mesure d'infléchir non seulement l'orientation idéologique de ses ouailles mais d'intervenir à plusieurs niveaux; entre autres, elle joue un rôle fondamental dans l'élaboration et la diffusion de la pensée nationaliste. Sans entrer ici dans le détail de l'historique de la formulation, que nous verrons plus loin, rappelons simplement l'amalgame qui se fait entre les valeurs catholiques et la définition du nationalisme canadien-français. Rappelons à cet égard le rôle de l'Association catholique de la jeunesse canadienne dans les maisons d'enseignement. Car l'Église entend bien définir son nationalisme et imposer ses valeurs propres. Jean Hamelin souligne les problèmes que créeront les pouvoirs de l'Église: « La position centrale qu'elle occupe dans les structures du pouvoir donne des dents à son autorité morale et lui permet de confiner son vieil ennemi, l'État, dans des rôles supplétifs ». L'affaire de la tentative de réforme scolaire du gouvernement Marchand illustre bien cette influence.

L'Église cherche également à faire porter son poids sur l'ensemble de la vie culturelle des catholiques. Tout en appuyant les protestants québécois et canadiens dans la promotion du respect du dimanche ou dans le mouvement antialcoolique, elle s'attaque aussi à la « photographie animée » et aux journaux à grand tirage, lesquels sont par le fait même de leur tirage un peu trop indépendants des foudres cléricales. Pendant de longues années, l'évêque Bruchési s'opposera à la constitution d'une bibliothèque publique à Montréal. Pourtant on a l'assurance d'un don substantiel de la fondation Carnegie pour l'achat de livres, mais l'Église tient à son contrôle et ne veut pas d'une institution laïque, neutre; les Sulpiciens cherchent à combler le vide en créant la bibliothèque Saint-Sulpice, qui deviendra la Bibliothèque nationale, rue Saint-Denis.

Si nous examinons l'action de l'Église catholique du Québec durant ces années, nous sommes amenés à une double constatation. C'est une Église puissante, triomphante et qui n'hésite pas à intervenir dans tous les domaines où elle croit la foi menacée. Rome reconnaît son statut d'Église nationale et la tenue d'un congrès eucharistique à Montréal en 1910 confirme de manière éclatante cette nouvelle maturité et cette notoriété. Cependant, c'est une Église qui a peur, qui craint toutes les inventions du siècle et qui regarde constamment vers le passé pour trouver l'idéal de la société qu'elle cherche.

Le pouvoir de cette Église omniprésente n'est cependant pas sans limites. Il y a d'abord son incapacité à investir le monde économique urbain comme elle avait su le faire à la campagne. Or, dans son projet social, il lui importe de faire collaborer dans l'esprit de la charité chrétienne prolétariat et patronat catholiques; ce qui s'avère impossible dans le contexte québécois. En outre, l'Église se trouve à jouer un rôle très important au niveau culturel, tant par sa raison d'être que par les projets et attitudes qu'elle véhicule. C'est un domaine où elle n'a cependant pas le monopole et elle devra compter avec les inventions nouvelles, comme le cinéma et la radio qui feront vite sentir leur influence et, par là, borneront sa puissance.

Ces limites apparaissent clairement dans deux cas importants. D'abord le succès très mitigé du syndicalisme catholique montre bien que dans le monde industriel existent d'autres forces que la sienne; ensuite, dans sa lutte contre le cinéma, elle devra rajuster son tir et se contenter d'une réglementation en-deçà de ses désirs.

Toutefois, malgré ses limites, l'Église catholique demeure au Québec une force importante qui prend sa source non seulement dans la croyance religieuse mais aussi pour une bonne part dans le quasi-monopole qu'elle exerce sur certains services indispensables à la collectivité, comme la santé, la charité publique et l'éducation. Si l'on ajoute à cela le rôle administratif qu'elle joue auprès de la population, on a les bases de son pouvoir.

L'ÉDUCATION

À feuilleter les statistiques publiées annuellement par le surintendant de l'instruction publique, à lire la plupart des écrits de l'époque sur l'éducation, on pourrait croire que non seulement le système d'enseignement se porte bien, mais qu'il progresse à un rythme accéléré. Le nombre d'étudiants, d'enseignants et d'établissements augmente de même que s'accroissent les sommes consacrées à l'éducation.

Pourtant le système québécois est fragmenté, il manque de coordination entre ses parties et il entretient de flagrantes inégalités. À part la brèche que réussit à percer l'État en créant un système public d'enseignement professionnel et technique, l'évolution est plutôt lente et les défenseurs du statu quo l'emportent généralement sur les réformistes, comme nous le verrons en analysant les grands débats de la période. La même conclusion se dégage lorsqu'on examine le fouillis des structures et des programmes et lorsqu'on prend la mesure des effectifs et des ressources dont dispose le système d'enseignement.

Les grands débats

La période est marquée par trois grands débats: la tentative de créer un ministère de l'instruction publique, la question de l'école obligatoire et le

Une école de rang en 1915. (Archives nationales du Québec, N77-5-11-10)

problème des écoles juives. Dans ces trois cas, les défenseurs du statu quo triomphent.

Lors de la campagne électorale de 1897, les libéraux promettent d'apporter des changements en éducation. Peu après son accession au pouvoir, le gouvernement Marchand agit promptement et présente un projet de loi qui entend modifier substantiellement les bases sur lesquelles repose le système d'éducation. Ce projet déclenche un conflit majeur entre l'épiscopat et le gouvernement: celui-ci veut instituer un ministère de l'instruction publique et il entend remettre aux tribunaux les pouvoirs quasi judiciaires dont dispose le surintendant de l'instruction publique. Le gouvernement pourra de sa seule autorité nommer deux inspecteurs généraux et il sera loisible aux comités d'exiger un « brevet de capacité » de tous les enseignants, clercs et laïcs. Finalement, le ministre pourra choisir le matériel didactique et les livres qui seront en usage dans les écoles, une fois que les comités les auront approuvés.

Ce projet est froidement reçu par le Comité catholique qui voit ses pouvoirs et son influence sérieusement entamés. Comme l'écrit le surintendant de l'instruction publique de l'époque, « c'était bien de toute évidence l'ingérence de la politique avec toutes ses conséquences dans le domaine de l'éducation et la destruction dans ses parties vives, de l'économie de la loi de 1875 ».

Peu après la présentation du projet, l'archevêque de Montréal se rend à Rome. Le premier ministre Marchand redoutant, avec raison, les pressions qu'exercera le prélat auprès du Vatican, s'empresse d'écrire à Rome pour exposer son point de vue. Quelques jours plus tard, il reçoit un télégramme de Mgr Bruchési: « Pape vous demande de surseoir pour bill de l'instruction publique ».

Le premier ministre, avec l'appui du lieutenant-gouverneur Chapleau, écrit à Rome pour expliquer le sens de la réforme proposée, qui veut essentiellement redonner à l'État les pouvoirs dont il a besoin pour remplir sa mission en matière d'éducation. Mgr Bruchési écrit à nouveau à Québec disant que le pape lui-même demande au gouvernement de ne pas présenter cette mesure. Marchand écrit au lieutenant-gouverneur qu'il ne peut renier son engagement de réformer le système d'éducation et que s'il doit retirer ce projet de loi plusieurs ministres et lui-même démissionneront et que cela provoquera une grande agitation au sein de la population. Chapleau écrit alors au secrétaire d'État du Vatican pour avertir Rome de la décision de Marchand. Le cardinal Rampolla répond par télégramme que le pape « n'a pas eu l'intention d'exercer de telles pressions qui puissent amener le ministre à donner démission ». Par la suite, Mgr Merry Del Val, influent au Vatican et très au fait de la situation au Québec, écrit au lieutenant-gouverneur que la manière de Mgr Bruchési « d'interpréter la pensée du Saint-Père m'a paru bien étrange ».

Disposant de ce double désaveu de Mgr Bruchési par Rome, le gouvernement n'a pas raison de craindre exagérément l'opposition du clergé. Le projet est présenté à l'Assemblée et défendu avec brio par le secrétaire provincial Joseph-Émery Robidoux, qui, après avoir dit « nous garderons les crucifix aux murs de nos écoles », explique que la création d'un ministère signifie que le surintendant qui a les pouvoirs d'un ministre mais sans responsabilité devant les chambres sera remplacé par un ministre véritablement responsable en accord avec l'esprit des institutions parlementaires. Il ajoute: « c'est au gouvernement qu'il appartient de créer l'avenir d'une nation (...) Si le gouvernement est chargé de la fin, il doit pouvoir disposer des moyens ».

De retour au pays, Mgr Bruchési, soutenu par d'autres évêques, continue à combattre le projet. Celui-ci est quand même adopté par une forte majorité à l'Assemblée. Reste toutefois le Conseil législatif, majoritairement conservateur, et où l'épiscopat trouve des alliés. Le Conseil rejette le projet par 13 voix contre 9. Mgr Bruchési s'empresse d'écrire à son ami Thomas Chapais qui a mené la bataille au conseil: « Vous avez tué le BILL. Ces ministres devront comprendre maintenant quelle faute ils ont commise en ne suivant pas mes conseils et en ne se rendant pas à ma demande ».

En janvier 1899, Marchand présente un nouveau projet de loi, qui est un aveu de capitulation: il n'y aura pas de ministère de l'instruction publique et les structures fondamentales du systèmes resteront intactes. Cependant, le

La visite de l'inspecteur et du curé à l'école du village de Saint-Euphémie, dans le comté de Montmagny. (Hormisdas Magnan, *Monographies paroissiales*, 1913)

gouvernement pourra nommer ou destituer des inspecteurs et les commissaires devront imposer des livres uniformes dans chaque municipalité. On prévoit aussi que le gouvernement pourra acheter les droits d'un auteur et distribuer gratuitement des livres de classe aux enfants. Même si Thomas Chapais voit dans cette modeste réforme « du communisme officiel et du socialisme d'État », la mesure est acceptée. Mais il faudra attendre en 1964 pour que le Québec se dote d'un ministère de l'Éducation.

Le Conseil législatif est l'instrument de forces conservatrices puissantes en opposant son veto à la réforme du système. Cette opposition aurait pu être surmontée par la nomination de quelques conseillers en temps opportun, mais surtout par une vigoureuse campagne auprès de l'opinion publique qui aurait pu faire pression sur les conservateurs. Le gouvernement aurait même pu neutraliser l'opposition de l'épiscopat en utilisant les documents qui lui étaient parvenus du Vatican. Comment expliquer alors son attitude? Si le gouvernement capitule devant l'opposition du clergé, c'est à cause des pressions exercées par Laurier. Celui-ci tient à éviter les conflits avec l'Église catholique et à neutraliser l'opposition du clergé à son parti. Il a aussi besoin de faire accepter par l'épiscopat le règlement qu'il négocie avec le gouvernement Greenway du Manitoba au sujet des écoles catholiques. Mgr Langevin de Saint-Boniface ayant dénoncé le compromis négocié par les libéraux, ceux-ci comptent en particulier sur Mgr Bruchési pour le calmer et surtout pour influencer favorablement le Vatican, qui doit se prononcer sur la question. En contrepartie, le premier ministre fédéral intervient auprès de Marchand pour qu'il laisse le champ libre à l'Église catholique au Québec.

Les relations entre l'archevêque et le premier ministre sont très étroites, comme en témoignent les tractations entre les deux hommes. Ainsi, lors d'une rencontre avec Laurier, Mgr Bruchési lui communique ses inquiétudes à propos de la situation financière de son diocèse, en particulier au sujet de la dette de la cathédrale qui s'élève à $200 000. Le 13 janvier 1898, peu après la défaite du projet Marchand, Laurier écrit à l'archevêque de Montréal qu'il pourra l'aider lorsque les négociations avec Mgr Langevin seront terminées au Manitoba. En effet, de dire Laurier, Donald Smith (Lord Strathcona, du Canadien Pacifique et de la Banque de Montréal) s'intéresse beaucoup à cette question et « quand je pourrai lui dire que Mgr Langevin est satisfait et que toutes les écoles sont sous l'autorité de la loi et que Votre Grandeur m'a puissamment aidé à obtenir ce résultat, je serai bien surpris s'il ne vous témoigne pas sa reconnaissance d'une manière tangible ». Pour sa part, Mgr Bruchési écrit à un de ses correspondants qu'il est très heureux que le gouvernement du Québec ait renoncé à son projet et il ajoute: « vous devinez quelle influence a été exercée ». Nous le devinons sans peine, d'autant plus que dans cette lettre il vient juste de mentionner qu'il avait rencontré Laurier et discuté avec lui des écoles du Manitoba.

On n'est pas étonné qu'à la mort de Marchand, le secrétaire provincial, Joseph-Émery Robidoux, qui avait défendu vigoureusement le projet de ministère et qui avait récidivé par la suite en proposant la gratuité des livres scolaires, soit écarté de la succession au poste de premier ministre. De même, en 1905, lorsque Lomer Gouin accède au pouvoir, il doit, selon Rumilly, promettre à Mgr Bruchési et à Laurier qu'il ne touchera pas aux bases du système d'éducation. C'est ainsi que malgré ses convictions personnelles il devra, par exemple, s'opposer aux « radicaux » de son parti qui demandent l'école obligatoire.

La question de l'école obligatoire est un autre thème au coeur des débats pendant cette période. C'est en 1899 que pour la première fois on pose à l'Assemblée législative la question de l'instruction obligatoire, qui avait été évoquée ici et là depuis 1875. Le député Boucher de Grosbois présente un projet de loi qui, sous peine d'amende, obligerait les parents à envoyer leurs enfants, âgés de 8 à 13 ans, à l'école pendant au moins 16 semaines chaque année. Le projet est rejeté et le sera à nouveau deux ans plus tard. En 1902, un groupe de citoyens comprenant des hommes politiques, des journalistes et des enseignants se réunissent à Montréal pour y fonder la Ligue de l'enseignement. Après avoir déclaré que « l'instruction publique est une charge d'État » et que l'avenir du peuple en dépend, la ligue demande l'instruction obligatoire. Elle est vigoureusement dénoncée comme une organisation maçonnique qui veut promouvoir « l'école laïque, obligatoire et gratuite ». Mgr Bruchési, comme l'explique Robert Rumilly, réussira à désagréger cette ligue qui évoque le spectre des radicaux français de l'école des Ferry et des Gambetta.

Le problème refait surface une dizaine d'années plus tard lorsque le Comité protestant lui-même demande qu'on instaure une loi d'obligation scolaire pour les protestants. Le projet est discuté à l'Assemblée, mais il est rejeté par 62 voix contre 6.

Le député libéral T.-D. Bouchard, qui s'était prononcé en faveur de l'école obligatoire en 1912, prononce un vibrant plaidoyer en faveur de cette idée en 1916. Pendant ce temps, certains anglophones sont revenus à la charge, mais sans succès. Le débat est relancé en 1918, lorsque les commissions scolaires de Drummondville et de Saint-Jérôme demandent au gouvernement d'autoriser les commissions scolaires, dans les villes de plus de 1 000 habitants, à imposer l'école obligatoire aux enfants de 7 à 14 ans. T.-D. Bouchard se prononce à nouveau en faveur de cette idée. Il fait campagne dans son journal, *Le Clairon* de Saint-Hyacinthe. La controverse prend de l'ampleur et donne lieu à des articles, discours, brochures et livres sur le sujet. Le sénateur Raoul Dandurand fait signer une pétition qu'il présente à Mgr Bruchési et lui demande de la transmettre au Conseil de l'instruction publique. Mais, malgré une vigoureuse campagne, ni le CIP ni le gouvernement ne bougent et la polémique prend fin jusque dans les années 1930. Lorsque le Vatican lui-même adopte le principe de l'instruction obligatoire, en 1931, on peut penser que cela suffira à convaincre l'épiscopat québécois que l'instruction obligatoire ne signifie pas nécessairement l'étatisation de l'enseignement. Mais non, il faudra attendre en 1943 pour que le gouvernement légifère en faveur de l'instruction obligatoire jusqu'à 14 ans.

Le troisième grand débat a trait à la minorité juive dont la population s'accroît à un rythme très rapide dans les premières décennies du siècle. Alors qu'au 19e siècle il n'y avait que quelques centaines d'enfants juifs dans les écoles, en 1924, sur les 30 000 élèves des écoles protestantes de Montréal, 12 000 sont d'origine juive. Ni les Juifs ni les protestants ne sont satisfaits de leur coexistence obligée et le gouvernement, en voulant régler le problème d'une manière équitable, soulève une tempête chez tous les groupes, y compris les catholiques.

Depuis 1894, la communauté juive fréquentait les écoles protestantes et y payait ses taxes. Renouvelée en 1903, cette entente est contestée dans les années 1920. Les protestants menacent de ne pas renouveler l'entente, car ils estiment que la minorité juive occupe trop de place et que le règlement financier prévu en 1903 ne lui rapporte pas suffisamment pour couvrir les coûts encourus pour l'instruction des Juifs. Les Juifs, de leur côté, se considèrent injustement traités, puisqu'ils n'ont pas de représentants à la commission scolaire et encore moins au CIP.

Comme la constitution de 1867 ne prévoit que des écoles catholiques et protestantes, que faire des Juifs si les deux groupes reconnus refusent de les accueillir? Un Juif peut-il être commissaire d'école? Le gouvernement peut-il accorder aux Juifs des écoles publiques séparées? Telles sont les questions que soulève la menace de fermer les écoles protestantes aux Juifs. Ces questions aboutissent devant les tribunaux et l'imbroglio juridique n'est dénoué qu'en 1928, lorsque le Conseil privé de Londres affirme que le gouvernement provincial peut créer des écoles séparées pour les Juifs.

Le gouvernement convoque alors les représentants des autorités scolaires juives et protestantes pour leur soumettre un projet de solution. Le secrétaire provincial propose la création d'un Comité juif de l'instruction publique qui veillerait aux intérêt des enfants juifs qui fréquenteront les écoles protestantes; le coût de l'éducation serait payé par les taxes des Juifs et une partie de la taxe des neutres. En revanche, les Juifs n'auront pas accès au Comité protestant du CIP. Mais, à ce même moment, deux députés juifs à l'Assemblée législative se font les promoteurs d'un système d'écoles séparées sous la juridiction administrative et financière de leur communauté.

L'épiscopat catholique, qui n'a pas été consulté, manifeste son inquiétude et le cardinal Rouleau de Québec écrit, en 1930, au premier ministre Taschereau pour lui exprimer son opposition au projet. Il demande s'il ne s'agit pas d'un attentat contre la constitution du pays qui ne prévoit que des écoles chrétiennes. Il indique qu'il y a un danger que le Comité juif échappe à l'autorité du CIP. Finalement, il souligne que la création d'un comité juif n'est assortie d'aucune garantie « contre les entreprises de la propagande bolchéviste, alors même qu'avec les droits de surveillance actuelle, on affirme qu'il existe des écoles juives, ou russo-juives, à caractère bolchévisant, même dans la Province ».

À part l'antisémitisme larvé ou explicite qui affleure dans ce débat, ce qui préoccupe les protestants autant que les catholiques c'est la perte de leur monopole sur l'enseignement. Ils craignent par dessus tout que les Juifs n'obtiennent une place au CIP ou même quelques sièges au Comité protestant ou dans les commissions scolaires. On redoute aussi qu'en accordant des écoles séparées aux Juifs, on ne soit obligé par la suite d'en accorder à d'autres groupes. Dès 1930, on rapporte que 22 groupes demandent à leur tour des classes spéciales. Pour les évêques catholiques en particulier, cette situation présente le risque d'une intervention de l'État et de la déconfessionnalisation des écoles.

Le gouvernement fait quand même voter la loi créant une commission scolaire juive en 1930, en espérant que les Juifs et les protestants en viendront à un accord entre eux. Effectivement, peu après, les deux communautés signent une entente d'une durée de 15 ans qui pratiquement ramène les choses au point où elles en étaient, sauf qu'il y aura une commission scolaire juive pour surveiller l'application de la convention. Les deux députés juifs s'opposent au projet et cela donne lieu à un débat animé. Mais la communauté juive étant elle-même très divisée sur la voie à suivre, les membres de la Commission scolaire juive démissionnent et on revient à toutes fins utiles à la situation antérieure.

Ces trois débats majeurs — ministère, obligation scolaire et écoles juives — illustrent bien la hantise des autorités catholiques et protestantes de voir leur monopole sur l'enseignement public entamé par l'État ou par un autre groupe. Ils défendent vigoureusement le statu quo confessionnel qui consacre leur pouvoir. Si les protestants ne s'énervent pas indûment à propos de la gratuité de l'école ou simplement des livres ou même à propos de l'instruction obligatoire, l'épiscopat catholique, lui, voit derrière ces projets une menace qui entraînera nécessairement l'intervention de l'État et la neutralité scolaire.

Le fouillis des structures et des programmes

Le système d'enseignement est formé de deux sous-systèmes: protestant et catholique, autonomes et étanches l'un par rapport à l'autre. De chaque côté, il existe un secteur privé et un secteur public comprenant chacun divers niveaux d'enseignement mal définis et mal raccordés les uns aux autres. Les écoles et les programmes relèvent de diverses autorités et il est très difficile d'apporter des réformes dans cette structure confuse et fragmentée.

Depuis longtemps se faisait sentir le besoin d'apporter des changements dans le système primaire public. Jusqu'en 1923, le cours primaire se limite, du moins sur papier, à quatre années. Il a fallu près de vingt ans pour convenir que c'est irréaliste et décider, en 1923, d'étendre cet enseignement sur six ans et de mettre un peu d'ordre dans les programmes. Cette réforme a l'heureux effet d'inciter plusieurs élèves à fréquenter l'école deux années de plus. De plus, on accepte de couronner le cours primaire proprement dit par deux années supplémentaires appelées primaire-complémentaire. En 7e et 8e années, l'élève peut choisir les options industrielle, commerciale, agricole ou ménagère. Ici encore, cet ajout de deux ans permet à certains étudiants de prolonger leur scolarité. Mais il ne s'agit que d'une petite minorité, car à Montréal, en 1926, selon une commission d'enquête présidée par Lomer Gouin, 94% des enfants catholiques quittent l'école après la 6e année. Graduellement, à Montréal en particulier, on ajoute une 9e puis une 10e année au cours primaire, même s'il n'existe pas de programme officiel pour ces deux années. Ce n'est qu'en 1929 que sera acceptée officiellement la création d'un cours primaire-supérieur de 3 ans. Ce cours primaire-supérieur qui ne fait que débuter ne débouche même pas sur l'ensemble des études supérieures et c'est là une grave lacune du système public catholique.

Par contre, les protestants ont depuis longtemps un système bien rodé qui permet de passer sans rupture du primaire au *high school* et à l'université. Le système protestant est aussi plus unifié et plus cohérent au niveau des structures. Dès 1925, les protestants regroupent toutes leurs écoles de l'île de Montréal au sein d'une seule commission scolaire, ce qui est fort avantageux sur le plan financier, administratif et pédagogique. Les catholiques de Montréal les imiteront imparfaitement, et seulement après que deux commissions d'enquête aient mis en relief toutes les lacunes de la situation de la métropole, fragmentée en une quarantaine de commissions scolaires.

Au niveau secondaire, la place centrale est occupée par le *high school* chez les protestants et le collège classique chez les catholiques. Le collège offre un cours de 8 ans après le primaire. Il existe, vers 1930, quelque 36 collèges classiques dont deux seulement pour jeunes filles. Ces collèges, qui sont pour la plupart des séminaires, accueillent des pensionnaires et sont dirigés par des membres du clergé. Il s'agit bien entendu d'institutions privées qui préparent les jeunes surtout à la prêtrise et aux professions libérales traditionnelles: droit et médecine. Les carrières scientifiques sont terriblement négligées. L'enseignement secondaire est monopolisé par le collège classique, et ce système, de toute évidence, ne peut répondre adéquatement aux besoins d'un pays industrialisé qui a besoin d'une main-d'oeuvre qualifiée et de spécialistes en sciences et en administration. C'est ce besoin de plus en plus manifeste qui amène l'État à intervenir directement en éducation.

En 1907, le gouvernement Gouin annonce la création de deux écoles techniques, l'une à Montréal, l'autre à Québec, afin de « procurer à nos manufacturiers des producteurs instruits, des chefs d'ateliers émérites, des contremaîtres expérimentés et des ouvriers d'élite ». Dans les années vingt, on ouvre une école technique à Trois-Rivières et une autre à Hull. Il faut y ajouter des écoles techniques privées mais subventionnées à Shawinigan, Sherbrooke et Lachine. En 1926, le gouvernement crée la Corporation des écoles techniques, sous la direction d'Augustin Frigon, afin de mieux coordonner le développement du réseau. On y accueille des enfants après la 6e année, pour y faire un cours de métier, et après la 9e année, pour un cours

L'école technique de Québec. (Archives nationales du Québec, N78-4-40-11)

technique. Mais étant données les carences de l'enseignement public, on n'y recrute pas autant d'élèves qu'on le souhaiterait.

Le gouvernement qui, au 19e siècle, avait fait des efforts pour développer l'enseignement professionnel supérieur, poursuit son oeuvre en créant une école d'arpentage (1907) et une école forestière (1910), toutes deux rattachées à l'Université Laval. De même qu'il avait été à l'origine de l'École Polytechnique en 1873 à Montréal, il suscite la création de l'École des hautes études commerciales. Dans certains milieux on accuse le gouvernement de vouloir s'ingérer dans le domaine de l'éducation, car tout le secteur technique et les HEC relèvent du gouvernement et échappent à l'autorité du CIP. On reproche au gouvernement de gaspiller les fonds publics à propos des HEC qui ont de la difficulté à recruter des étudiants et à qui il faut même donner des bourses! De plus, ces écoles sont neutres, mais, comme l'explique astucieusement Gouin, cela est inévitable car autrement il faudrait dédoubler ces établissements et ce serait trop coûteux.

Dans les années 1920, on ajoutera à ce réseau de grandes institutions deux écoles de Beaux-Arts, une à Québec, l'autre à Montréal. Le gouvernement porte une attention spéciale à ces écoles qu'il a lui-même fondées et il les subventionne généreusement. Il favorise également l'expansion du réseau des écoles normales, mais celles-ci relèvent du Comité catholique.

Le réseau universitaire est composé de quatre institutions: deux francophones (Laval et sa succursale montréalaise) et deux anglophones

L'école ménagère de Roberval en 1905. (Archives Notman, Musée McCord)

(McGill et Bishop). L'Université de Montréal obtient son indépendance de Laval en 1919-1920. L'université lance une souscription publique et recueille $4 millions, dont deux viennent du public, un des prêtres de Saint-Sulpice et un du gouvernement. La nouvelle université qui, en plus des facultés traditionnelles, compte parmi ses écoles affiliées Polytechnique, les HEC depuis 1914, l'école d'agriculture d'Oka, l'école de médecine vétérinaire, ajoute dès 1920 une faculté de sciences et une école de sciences sociales. Pleine d'optimisme, elle décide de construire un vaste immeuble sur le Mont-Royal en 1929. La crise rendra la réalisation de ce rêve bien difficile et l'ouvrage ne sera complété qu'en 1942. L'Université Laval, stimulée par Montréal, crée aussi en 1920 une école de chimie qui sera l'embryon d'une faculté de sciences.

Du côté anglophone, la petite université Bishop à Lennoxville abandonne la faculté de médecine et axe son enseignement sur les arts, la théologie et la formation de maîtres. L'Université McGill continue son ascension. En 1907, un don de plusieurs millions de dollars de l'industriel Sir William MacDonald lui permet d'installer à Sainte-Anne de Bellevue une grande école d'agriculture et l'école normale de McGill. Le philanthrope subventionne également trois autres pavillons: physique, chimie, génie. McGill a même un collège affilié en Colombie britannique qui deviendra l'université de cette province.

Les inégalités entre les universités francophones et anglophones apparaissent nettement quand on compare leurs fonds de dotation, alimentés par des dons que font de riches particuliers ou des entreprises. Alors que l'Université Laval et l'Université de Montréal ont ensemble, en 1915, un fonds de dotation total de $15 000, McGill en a un de $6 720 896! Cette situation n'empêche pas le gouvernement de donner proportionnellement autant à McGill qu'aux autres. Ainsi, en 1920, ayant fait un don de $1 million à Laval et à Montréal, il s'empresse d'en donner autant à McGill.

Les effectifs

Après avoir décrit le système d'éducation, nous allons essayer d'en mesurer les effectifs en termes d'élèves et d'enseignants afin de voir dans quelle mesure il répond aux besoins de la population. À première vue, les trois premières décennies du siècle semblent marquées par une croissance assez importante (tableau 1). Il se dégage de ce tableau quelques aspects positifs: le nombre d'enseignants augmente plus rapidement que celui des élèves et des étudiants; le pourcentage d'élèves et d'étudiants par rapport à la population totale des groupes 5-19 ans ou 5-24 ans s'accroît sensiblement. Il est difficile de pousser plus loin l'analyse de ces données, car le tableau est trop général. Il est certain cependant que si on pouvait comparer protestants et catholiques l'avantage irait aux premiers. De plus, il est pratiquement impossible d'évaluer réellement la fréquentation scolaire, car on sait qu'à l'époque il y a une différence sensible entre élève inscrit et élève présent. Il y a lieu de croire que non seulement les statistiques relatives à cette question n'étaient pas toujours recueillies convenablement mais qu'on avait, dans certains cas, avantage à les gonfler pour des raisons financières ou idéologiques. En examinant de plus près les données qualitatives ou quantitatives dont nous disposons, il est quand même possible de dégager certaines constatations qui montrent que les progrès accomplis sont très relatifs.

Tableau 1
Les effectifs scolaires au Québec, 1901 et 1931

Écoles, enseignants ou élèves	1901	1931
Écoles	6 098	8 448
Enseignants	11 511	25 793
Élèves inscrits	330 173	653 351
% des 5-19 ans inscrits	57,8%	67,2%
% des 5-24 ans inscrits	45,7%	53,4%

Source: Louis-Philippe Audet, *Histoire de l'enseignement au Québec*, tome II, 279.

Au niveau primaire, plusieurs se plaignent que les écoles sont d'une qualité insuffisante, que les enfants ne les fréquentent pas assidûment et que la qualité de l'enseignement est inadéquate. Une école de rang, bâtie au coût de $1 200, où enseigne une jeune fille de 17 ans pour moins de $200 par année, à des élèves de 6 à 14 ans regroupés dans un même local, a son charme mais aussi ses limites! C'est pourtant ce genre d'école qui domine dans les 11 825 municipalités recensées en 1931. Même sur l'île de Montréal, avant la guerre, on dénombre quelque 40 commissions scolaires. Quant à l'assiduité des enfants à l'école, il est impossible, dans l'état actuel de nos connaissances, de la mesurer, mais ce n'est pas sans raison qu'on demande une loi de fréquentation scolaire obligatoire. Les enfants quittent l'école après leur première communion vers 10-11 ans et peu poursuivent au delà de la 6e année. Depuis 1923, avec le nouveau programme, on note cependant une amélioration importante puisqu'on recense quelque 175 000 élèves catholiques en 7e et 8e années.

Pour ceux qui veulent poursuivre leurs études, il y a l'enseignement technique et professionnel, l'école normale, les écoles ménagères, le collège classique chez les catholiques et le *high school* chez les protestants.

Dans les 7 écoles techniques existant en 1929, on compte quelque 4 000 étudiants, mais incluant ceux qui suivent les cours du soir, ce qui doit représenter une proportion assez élevée puisqu'il n'y a cette année-là que 76 diplômés. Les 20 écoles normales et les 119 écoles ménagères sont les débouchés réservés aux jeunes filles. Pour 1 744 jeunes filles qui se préparent à l'enseignement (contre 177 garçons), 21 219 autres se préparent à la « vie domestique ». Les religieuses et les jeunes filles de bonne famille peuvent avoir accès à deux collèges classiques. Les garçons peuvent s'inscrire en classe préparatoire dans des écoles professionnelles comme les HEC, Polytechnique, les écoles des Beaux-Arts, les écoles d'agriculture qui font partie de l'enseignement supérieur mais qui, à défaut de pouvoir recruter des bacheliers, doivent se contenter d'une clientèle moins bien préparée. Au total, il peut y avoir entre 1 000 et 2 000 étudiants réguliers dans ces établissements. La majorité des élèves du secondaire se retrouvent dans les 34 collèges classiques qui disposent d'un personnel de 1 072 professeurs, dont moins de 100 sont des laïcs, et qui comptent 11 200 étudiants.

De tous ces chiffres, il ressort nettement que la réforme de 1923 a été très importante pour les catholiques. Mais au delà de la 8e année, il y a un goulot d'étranglement qui se répercute sur les autres niveaux et qui peut être très néfaste pour les francophones. Les jeunes filles n'ont guère de débouchés, à part l'école normale et cette voie d'évitement que constituent les écoles ménagères. Quant aux garçons, les écoles techniques et professionnelles ne touchent qu'une infime minorité d'entre eux. Le secondaire, c'est d'abord le collège classique qui ouvre toutes les portes de l'université et des grandes écoles; mais peu y ont accès et il reste entièrement dans le secteur privé.

Les protestants, eux, ont le grand avantage d'avoir le *high school* (9e à 11e année) qui est public, laïc et qui permet aux jeunes de parfaire leur culture et de se préparer à l'université. En 1929, plus de 18 000 élèves fréquentent ces écoles. Du côté catholique, ce n'est qu'en cette année 1929 qu'on acceptera de prolonger l'enseignement public jusqu'à la 11e année (école primaire-supérieure) mais, même quand ces écoles se seront développées, les étudiants n'auront pas pleinement accès à l'université comme chez les protestants.

L'enseignement universitaire qui se trouve au bout de la chaîne est profondément marqué par le reste du système. Les universités francophones sont toutes deux sous la tutelle de l'Église catholique, tandis que McGill est plutôt sous la gouverne d'hommes d'affaires.

En 1901, la situation des universités francophones (Laval et sa succursale montréalaise) est assez désastreuse: elles n'ont que 153 professeurs et 1 175 étudiants contre 254 professeurs et 1 208 étudiants du côté protestant. Il est vrai que les deux systèmes ne sont pas tout à fait comparables à cause du *high school* et du collège classique mais, même en s'en tenant aux facultés qui le sont — théologie, droit, sciences médicales et sciences appliquées —, la supériorité des protestants est évidente. En 1929, on constate une nette amélioration du côté catholique, mais il reste des progrès à accomplir (tableau 2).

Tableau 2
Étudiants catholiques et protestants dans diverses facultés des universités du Québec, 1901 et 1929

	Théologie		Droit		Sc. médicales		Sc. appliquées	
Année	C	P	C	P	C	P	C	P
1901	406	7	198	47	344	493	39	340
1929	647	28	268	82	920	563	2 022	1 078

Source: Annuaire du Québec, 1930.

Il faudrait faire une critique serrée de ces données, car on peut soupçonner que le chiffre de 2 022 étudiants en sciences est trompeur. Les facultés de sciences francophones n'ont pas 10 ans d'existence, elles sont mal équipées et les quelques scientifiques qui enseignent à Laval et à Montréal ne cessent de déplorer le peu de moyens dont ils disposent et l'absence de préparation scientifique dans les collèges. Les 2 000 étudiants ne sont certainement pas tous à plein temps et le nombre de diplômés est restreint.

Par exemple, selon Raymond Duchesne, l'École Polytechnique ne produit en moyenne que 6 ou 7 nouveaux ingénieurs par an, entre 1877 et 1920. Même en 1929, il n'y a qu'une vingtaine d'étudiants en 5e année. Il en va de même pour les HEC, qui n'ont que 17 étudiants réguliers terminant leurs cours.

Un des grands problèmes de l'enseignement au début du siècle demeure la formation des maîtres. La majorité des enseignants apprennent leur métier sur le tas et se contentent d'un brevet de capacité décerné par le Bureau central des examinateurs. L'élite des enseignants reçoit dans les écoles normales une formation d'une année qui sera portée à deux ans dans les années vingt. Quant aux religieux et religieuses, ils n'ont pas à subir d'examen ni à détenir un diplôme, leur habit en tient lieu.

La création d'un bureau central d'examinateurs en 1898, pour remplacer les bureaux locaux, constitue une tentative pour améliorer la situation en élevant les standards des examens. Mais ce n'est qu'en 1939 que tous les enseignants seront tenus de détenir un diplôme d'école normale. Ces écoles voient leur nombre augmenter sensiblement au cours du 20e siècle. Depuis leur fondation en 1857, il n'y en avait que trois. Progressivement, le nombre en sera porté à 20 en 1929. En 1931, une dizaine de scolasticats religieux seront autorisés à délivrer des diplômes d'enseignement. Malgré les progès accomplis, la majorité des enseignants catholiques, en 1929, n'ont qu'un brevet de capacité. Chez les protestants, la situation est meilleure, puisque la majorité est diplômée. Qui plus est, pendant que la formation des maîtres protestants est rattachée à l'Université McGill, qui exige pour l'admission des étudiants une 11e année, chez les catholiques, on peut être admis après une 6e année dans une des nombreuses écoles normales dispersées sur le territoire.

L'enseignement reste une profession largement féminine. Dans les écoles primaires et les *high schools* du Québec, en 1928, les femmes représentent plus de 80% des effectifs. C'est aussi une profession où les religieux et les religieuses catholiques sont nombreux. Dans l'ensemble du système d'éducation, en 1929, l'Église catholique dispose d'effectifs importants: 1 272 prêtres, 2 577 frères et 6 630 soeurs, ce qui représente quelque 43% du nombre total d'enseignants de tous les niveaux. C'est dire que si on ne prenait que les enseignants catholiques, le pourcentage relatif de religieux serait plus élevé, car très peu de clercs protestants enseignent. Une troisième caractéristique de cette profession c'est le bas niveau des salaires et l'inégalité entre les sexes et les groupes ethniques pour un même travail. Ainsi, en 1929, dans les écoles catholiques, un instituteur gagne $1 553 et une institutrice $387; chez les protestants, un homme gagne $2 351, une femme $1 068.

Les enseignants catholiques relèvent, sur le plan pédagogique, de l'Église, qui, en plus de disposer d'un personnel nombreux dans les écoles, contrôle tout l'enseignement public primaire et les écoles normales grâce à sa prédominance au Comité catholique. De plus, elle domine entièrement les collèges classiques et les deux universités francophones. Le seul secteur où son influence ne soit pas prépondérante est celui de l'enseignement technique et professionnel, qui relève de l'État et de corporations publiques. D'aucuns auraient voulu que même ce secteur soit placé sous la gouverne du Comité catholique, mais l'État résiste à cette demande.

Marie-Victorin, frère des Écoles chrétiennes et botaniste, 1885-1944.

Au niveau universitaire, l'Église catholique, tout en conservant son monopole, doit faire place aux laïcs, car elle n'a pas la compétence requise pour jouer un rôle dans toutes les facultés. Ainsi à Polytechnique, aux HEC, en médecine, en droit et en sciences — sauf exceptions, comme l'abbé Alexandre Vachon, diplômé en sciences du Massachusetts Institute of Technology, ou le frère Marie-Victorin, botaniste autodidacte remarquable —, les professeurs sont des spécialistes et généralement des laïcs. De plus, l'Église doit compter, du moins dans une certaine mesure, sur les subventions de l'État, qui fait un effort particulier pour les grandes écoles nées à son initiative et pour les facultés de sciences. La vie des professeurs d'université n'a rien de reluisant à l'époque, car on leur offre des salaires misérables qui les obligent à exercer leur activité professionnelle en dehors de l'université pour joindre les deux bouts.

Un des développements les plus remarquables de la période est certainement l'expansion des écoles techniques et professionnelles et des facultés de sciences. Le Québec français compte peu de spécialistes dans ces domaines. Le gouvernement recrute quelques spécialistes en Europe, notamment en France, en Suisse et en Belgique. De même, il crée un modeste système de bourses pour permettre à des Québécois, comme par exemple Édouard Montpetit, d'aller étudier en Europe pour quelques années. En 1922, le gouvernement fait voter une loi l'autorisant à distribuer 15 bourses au lieu de 5, pour envoyer des professeurs étudier en Europe. Parallèlement, on fait appel aux quelques scientifiques du milieu qui souvent sont des médecins ou des autodidactes.

En 1923, sous l'impulsion du frère Marie-Victorin, on crée l'Association canadienne-française pour l'avancement des sciences (ACFAS), dont le but est de regrouper les diverses sociétés scientifiques qui ont surgi depuis quelques années. En 1924, le gouvernement et l'Université de Montréal mettent sur pied l'Institut scientifique franco-canadien dans le but de favoriser les échanges entre la France et le Québec. En 1927, le gouvernement accorde une subvention de $100 000 au docteur Gendreau pour la fondation de l'Institut de radium. Marie-Victorin, puis le mathématicien de Laval, Adrien Pouliot, soulèvent une polémique lorsqu'ils demandent publiquement que l'enseignement secondaire fasse une plus large place à l'étude des sciences. Ces quelques scientifiques déclenchent réellement le processus, mais les résultats sont modestes au début.

Dans ces trois décennies, il y a certes des progrès, mais ils sont modestes. Le quasi-monopole de l'Église catholique et de la minorité protestante sur le système d'éducation et le rôle marginal de l'État constituent une des grandes faiblesses du système. Après l'échec de Marchand en 1897, il faut attendre une dizaine d'années pour que le gouvernement prenne quelque initiative dans le domaine de l'éducation. Les gouvernements Gouin et Taschereau accomplissent de louables efforts pour développer l'enseignement technique et professionnel tant au niveau secondaire qu'universitaire. Pour le reste, cependant, l'État provincial doit se contenter d'un rôle supplétif. L'Église catholique et la minorité protestante veillent à ce que le gouvernement s'en tienne à ce rôle modeste, afin de préserver leur plus entière autonomie. À la différence des catholiques, les protestants, grâce à leurs ressources, ont les moyens de leur volonté autonomiste. L'absence de l'État ne les gêne pas dans leur développement. À tous points de vue, ils sont en avance sur les catholiques et le statu quo politique leur convient parfaitement.

Dans un tel contexte, il n'est pas étonnant que, sur des dépenses évaluées en 1929 à un peu plus de $32 millions pour l'éducation, le gouvernement ne paie qu'environ $4 millions; le reste provient des impôts scolaires locaux ($17,6 millions), des frais de scolarité ($600 000) et d'une somme estimée à près de $10 millions, qui représente la part des institutions indépendantes.

Le système public catholique est inadéquat, la formation des maîtres est insuffisante et trop de commissions scolaires refusent de payer des salaires convenables aux enseignants et de se doter d'équipements adéquats. Et la crise qui éclate en 1929 risque de compromettre les modestes acquis des décennies précédentes.

Orientations bibliographiques

Audet, Louis-Philippe. *Histoire de l'enseignement au Québec.* Montréal, Holt, Rinehart & Winston, 1971. Tome II, 496p.

Audet, Louis-Philippe. *Histoire du Conseil de l'instruction publique de la province de Québec, 1856-1964.* Montréal, Leméac, 1964. 346p.

Audet, Louis-Philippe. « La querelle de l'instruction obligatoire », *Cahiers des dix,* 24 (1959): 132-150.

Beaulieu, André et Jean Hamelin. « Une Église triomphaliste (1896-1940) », Nive Voisine, dir., *Histoire de l'église catholique au Québec 1608-1970.* (Montréal, Fides, 1971): 55-72.

Denault, Bernard et Benoît Lévesque. *Éléments pour une sociologie des communautés religieuses au Québec.* Montréal et Sherbrooke, PUM/Université de Sherbrooke, 1975. 220p.

Duchesne, Raymond. *La science et le pouvoir au Québec, 1920-1965.* Québec, Éditeur officiel du Québec, 1978. 126p.

Galarneau, Claude. *Les collèges classiques au Canada français, 1620-1970.* Montréal, Fides, 1978. 287p.

Grant, John Webster. *The Church in the Canadian Era. The First Century of Confederation.* Toronto, McGraw-Hill Ryerson, 1972.

Hamelin, Louis-Edmond. « Évolution numérique séculaire du clergé catholique dans le Québec », *Recherches sociographiques,* 2, 2 (avril-juin 1961): 189-242.

Lajeunesse, Marcel, dir. *L'éducation au Québec, 19e et 20e siècles.* Montréal, Boréal Express, 1971. 145p.

Percival, Walter P. *Across the Years. A Century of Education in the Province of Quebec.* Montréal, Gazette Printing Company, 1946. 195p.

Royal Commission on Industrial Training and Technical Education, Report of the Commissioners. Ottawa, King's Printer, 1913. Part. IV.p. 1838-1893.

Rumilly, Robert. *Histoire de l'École des Hautes Études Commerciales de Montréal.* Montréal, Beauchemin, 1966. 214p.

Vigod, Bernard V. « Qu'on ne craigne pas l'encombrement des compétences: le gouvernement Taschereau et l'éducation, 1920-1929 », *Revue d'histoire de l'Amérique française,* 28, 2 (sept. 1974): 209-244.

Walsh, H.H. *The Christian Church in Canada.* Toronto, The Ryerson Press, 1968.

C. LE POLITIQUE

Durant le premier tiers du siècle, l'État québécois prend certains traits de sa physionomie actuelle. De plusieurs côtés surgissent des évolutions qui infléchissent les composantes du rôle de l'État et des partis. L'État devient un peu plus interventionniste et il est amené à réglementer davantage la vie économique et sociale. De la même façon, l'appareil administratif prend forme peu à peu et tend à se spécialiser, à devenir plus complexe; dans le cas de l'administration des grandes villes, par exemple, on cherche à éliminer l'amateurisme, l'improvisation et la corruption.

Les partis se structurent davantage autour de leurs chefs, par contre la période témoigne d'un net recul de la vie démocratique, avec les problèmes créés par la carte électorale et la corruption; des tiers partis surgissent, mais demeurent marginaux, à l'exception peut-être du mouvement nationaliste. Le phénomène le plus voyant de ces trente années est sans contredit la domination du parti libéral: élus en 1897, les libéraux président toujours aux destinées du gouvernement en 1929 et nous donnent les premiers grands « règnes » politiques qui marquent le 20e siècle québécois. Enfin, nous assistons à une remontée de l'autonomie des provinces, qui se voit tant dans les secteurs fiscaux et économiques que dans l'indépendance accrue des chefs politiques des partis provinciaux par rapport aux chefs fédéraux.

Nous analyserons l'évolution politique de ces décennies en quatre temps: après avoir examiné le nouveau rôle de l'État dans la société, nous nous pencherons successivement sur les partis politiques, les gouvernements et les relations fédérales-provinciales.

CHAPITRE 31

DE NOUVEAUX RÔLES POUR L'ÉTAT

Au début du 20e siècle, le Québec vit encore dans un certain âge d'or du libéralisme. Les dirigeants politiques valorisent le développement économique et l'entreprise privée, ne concevant le rôle de l'État qu'en termes supplétifs. Cette vision des choses sera brutalement remise en cause par la crise des années 1930. Mais déjà, entre 1896 et 1929, on perçoit une transformation de la nature des interventions étatiques.

LES NOUVELLES ORIENTATIONS DE L'ÉTAT

Comme nous l'avons vu, le principal facteur qui oriente dans de nouvelles voies l'action gouvernementale est l'ampleur des problèmes sociaux liés à l'industrialisation et à l'urbanisation. L'importance du chômage saisonnier milite en faveur de la création de bureaux de placement et le nombre élevé d'accidents du travail rend nécessaire la mise en place d'un mécanisme de compensation; l'évolution des relations de travail vers la négociation collective et les conflits patronaux-ouvriers qui en résultent appellent la création de moyens de conciliation; le relâchement des structures familiales à la suite de l'exode rural rend essentiel l'établissement des pensions pour les vieillards. Le coût croissant de l'aide aux indigents oblige l'État à contribuer à son financement; enfin, la mortalité élevée et les conditions sanitaires des grandes villes accentuent le degré de l'intervention étatique dans le domaine de la santé.

Sur un autre plan, la création des monopoles, en particulier dans les services publics, suscite l'opposition de groupes de citoyens qui se plaignent de leurs tarifs trop élevés, de leurs profits exorbitants et de la mauvaise qualité de leurs services. Le gouvernement est amené à jouer un peu plus, encore que bien timidement avant 1930, le rôle de protecteur de l'ensemble des citoyens face aux pouvoirs considérables des trusts. Mais ses interventions plus fréquentes ne remettent pas en cause l'initiative privée car, sauf dans quelques cas d'exception comme pour la vente des alcools, l'État ne se transforme pas en entrepreneur. Son action prend plutôt la forme d'un appui à l'initiative privée, tout en la réglementant jusqu'à un certain point.

Le pouvoir de réglementation s'exerce principalement par l'intermédiaire de nouvelles institutions: les commissions ou régies d'État. Celles-ci ont parfois également un rôle de coordination, en particulier dans le cas des services publics où l'État réalise des investissements d'infrastructure au service de l'ensemble des entreprises. On finance les nouvelles activités de l'État d'une manière analogue aux assurances, ce qui implique le paiement de primes ou de taxes ayant des objets spécifiques.

La loi de l'assistance publique de 1921, dont nous avons déjà parlé, prévoit que le coût de l'entretien des indigents dans les institutions privées d'assistance sera partagé à parts égales entre le gouvernement, la municipalité et l'institution. L'État et les municipalités financeront leur participation au régime grâce à une taxe spéciale sur les spectacles, dont les revenus iront pour moitié à la municipalité qui les perçoit et pour moitié au gouvernement. Le fonds de l'Assistance publique est administré par des fonctionnaires qui ont un droit de regard sur son utilisation par les institutions. Cette mesure de contrôle, qui paraît aujourd'hui tout à fait normale, suscite la résistance de ceux qui y voient une ingérence de l'État dans les affaires internes des communautés religieuses. Et, comme nous l'avons vu, le gouvernement Taschereau finira par amender la loi de manière à donner satisfaction aux évêques.

Certains groupes voudraient même faire de l'État le garant des bonnes moeurs. On rêve de faire disparaître l'alcool ou à tout le moins d'en contrôler sévèrement la fabrication et la vente. Quant au problème du respect du dimanche, il fait l'objet de controverses: les grandes usines de papier ont généralisé le travail le dimanche et les évêques demandent au gouvernement d'interdire cette pratique. Des groupes puritains, surtout chez les protestants, vont même plus loin, voulant faire interdire diverses formes de loisirs cette journée-là. Le cinéma en particulier représente pour le clergé une menace, car il ne peut en contrôler le contenu; d'où les demandes d'intervention pour interdire le cinéma aux enfants et pour l'interdire plus généralement le dimanche, seule journée de loisirs dont disposent les travailleurs.

LES FINANCES PUBLIQUES

Le gouvernement du Québec avait connu une certaine indigence financière pendant les trente premières années du régime fédéral, mais la situation change radicalement après 1897. D'une part, les revenus de l'État connaissent une hausse importante grâce à l'exploitation des richesses naturelles et au produit des nouvelles taxes. D'autre part, les gouvernements libéraux qui se succèdent au pouvoir adoptent une politique de prudence, très conservatrice, dans la gestion des dépenses publiques.

En fait, les recettes de l'État se multiplent par 10 au cours des trois premières décennies du siècle, passant de $4 millions à $40 millions (tableau 1). Les dépenses augmentent sensiblement au même rythme, mais les gouvernements prennent bien soin de les maintenir au-dessous du niveau des recettes; afficher un surplus est pour eux un gage de saine administration.

Tableau 1
Recettes et dépenses courantes (en milliers de $) du gouvernement québécois, 1897-1929

Année financière	Recettes	Dépenses	Surplus
1897-98	4 178	4 365	- 187
1902-03	4 700	4 596	104
1907-08	6 017	4 981	1 036
1912-13	8 383	7 954	429
1917-18	13 806	11 672	2 135
1922-23	21 635	20 190	1 444
1927-28	34 808	32 821	1 987
1928-29	39 976	35 964	4 012

Source: Annuaire du Québec.

La composition des revenus évolue sensiblement au cours de la période en se diversifiant: les sources traditionnelles sont maintenues, mais leur importance relative décroît (tableau 2). Le subside fédéral, rajusté en 1907, représente encore le quart du revenu de la province à la veille de la guerre; mais, comme il varie peu, son poids dans l'ensemble diminue rapidement par la suite; il est de moins de 6% à la fin de la période. Les droits, permis et revenus de type judiciaire ne représentent plus que 8% du total en 1929. Les revenus dérivés de l'exploitation des richesses naturelles (terres et forêts) forment toujours un élément important des finances publiques même si leur part tend à sc réduire. Il y a aussi de nouvelles sources de revenu dont le produit grimpe en flèche: les taxes dérivées de la loi des automobiles et les revenus de la Commission des liqueurs qui, à partir de 1922, alimentent le poste « divers » et gonflent substantiellement les recettes.

Tableau 2
Principales sources de revenu du gouvernement québécois, 1912 et 1929 (en pourcentage de l'ensemble des revenus)

Source	1912	1929
Subsides du gouvernement fédéral	25,4	5,8
Terres et forêts	20,6	16,3
Droits sur les successions	15,2	10,5
Licences, droits, etc.	17,6	8,0
Loi des automobiles	0,6	12,2
Taxes sur les corp. commerciales	9,6	7,7
Divers	11,0	39,5

Source: Annuaire du Québec, 1929.

Du côté des dépenses (tableau 3), le changement le plus spectaculaire survient dans le domaine de la voirie. Ce poste ne comprend pas les dépenses de construction, financées par des emprunts; il s'agit ici du coût d'entretien des grandes routes que le gouvernement Taschereau fait payer par l'État, soulageant d'autant les municipalités.

En plus de ce budget courant, le gouvernement administre un « budget extraordinaire constitué par l'emprunt et par certains fonds en fidéicommis ou dépôts ». Ce budget sert à financer les dépenses de construction d'édifices publics, de routes, de ponts, de barrages, les prêts aux municipalités pour fins de construction routière, la participation gouvernementale à l'Assistance publique, le remboursement d'emprunts, etc. Le montant de ce budget varie considérablement d'une année à l'autre, au gré des travaux de construction et des échéances des emprunts.

En 1897, la dette du Québec, encourue surtout pour financer la construction ferroviaire, est de $24 millions. En prenant le pouvoir, les libéraux évitent systématiquement d'emprunter; jusqu'à la guerre, le niveau de la dette oscille entre $24 et $25 millions. Mais la politique de voirie adoptée à compter de 1912 nécessite de nouveaux emprunts et, à la fin de la période, la dette consolidée atteint près de $57 millions. Malgré cet accroissement, le Québec a alors un des plus bas niveaux d'endettement per capita parmi les provinces canadiennes.

Tableau 3
Répartition des dépenses courantes du gouvernement québécois, 1912 et 1929 (en pourcentage des dépenses totales)

Dépenses	1912	1929
Service de la dette	15,3	12,1
Instruction publique	15,9	10,0
Administration de la justice	12,1	6,6
Travaux publics et travail	8,0	6,1
Agriculture	12,0	5,8
Voirie	—	21,0
Terres et forêts	4,3	6,0
Colonisation, mines et pêcheries	4,3	6,2
Divers	28,1	26,2

Source: Annuaire du Québec, 1929.

Une partie substantielle des dépenses publiques est effectuée par les municipalités. Les revenus courants de l'ensemble des municipalités québécoises dépassent encore nettement ceux du gouvernement; ils passent de $26 millions en 1917 à $54 millions en 1927. De même, leurs recettes extraordinaires sont beaucoup plus élevées que celles du gouvernement. En effet, les municipalités recourent massivement aux emprunts pour financer les travaux de construction d'égouts, de rues, etc. Ce qui explique que la dette totale des municipalités atteigne $182 millions en 1915 et $301 millions en 1927; la ville de Montréal à elle seule doit un peu plus de la moitié de ce montant, soit $164 millions. Les commissions scolaires dont les revenus courants passent de $11 millions en 1918-1919 à $21 millions en 1927-1928 sont également emprunteurs: leur passif passe de $35 millions en 1918-1919 à $67 millions en 1927-1928.

L'APPAREIL ADMINISTRATIF

L'évolution du rôle de l'État se manifeste également dans les transformations que subit l'appareil administratif par la création ou la réorganisation de ministères et de régies. Trois nouveaux ministères sont créés. L'intervention plus fréquente de l'État explique la mise sur pied en 1905 d'un « département » du travail rattaché aux travaux publics et qui ne deviendra un ministère distinct qu'en 1931. Les nouvelles politiques en matière de construction routière amènent l'organisation d'un ministère de la Voirie en 1914. Enfin, en 1918, on crée le ministère des Affaires municipales, instrument qui permet à l'État de mieux contrôler les municipalités et d'en coordonner l'action. En outre, plusieurs ministères existants sont réorganisés, en particulier dans le secteur des terres et forêts, des pêcheries, des mines et de la colonisation. Dans certains cas, des organismes existants acquièrent une dimension nouvelle: par exemple, sous l'impulsion d'Athanase David, qui en est titulaire sous le gouvernement Taschereau, le bureau du secrétaire et registraire joue un rôle accru dans la promotion des arts et de l'éducation. À la fin de la période, le Québec compte 9 ministères en plus du poste de premier ministre. Au sein de ces ministères, des bureaux et services spécialisés sont créés et l'administration provinciale devient plus complexe.

L'une des nouveautés est la création d'organismes para-gouvernementaux, les régies ou commissions. La Commission des eaux courantes (1914) est chargée de surveiller l'utilisation des rivières et d'en régulariser le débit au moyen de barrages, afin d'accroître la capacité des usines électriques (les coûts des travaux sont remboursés par les entreprises qui en profitent). La Commission des liqueurs (1921) a le monopole de la vente de l'alcool et régit l'émission et le contrôle des permis des établissements hôteliers et autres. La Commission du salaire minimum pour les femmes est créée théoriquement en 1919 mais n'est organisée qu'en 1925. À partir de 1928, la Commission des accidents du travail a pour tâche de fixer les indemnités à payer aux accidentés.

Par ailleurs, la réorganisation administrative des grandes villes, et singulièrement de Montréal, occupe une place importante dans l'évolution de l'exercice du pouvoir étatique. La ville de Montréal est administrée par un maire et surtout par des conseillers élus pour représenter des quartiers. Les membres du conseil se répartissent au sein de comités mal coordonnés et qui ont chacun la main haute sur un secteur de l'administration municipale. Les hommes d'affaires se plaignent de l'inefficacité de ce système et de la corruption qu'il engendre. Ils voudraient que la ville soit administrée comme une entreprise et qu'elle fournisse des services efficaces et à bas prix. Des groupes s'organisent pour proposer des réformes. D'une part, on exige une fonction publique recrutée selon la compétence plutôt que par patronage; on

Caricature sur la gestion par l'État de la vente des alcools. (Archives nationales du Québec, GH871-6)

veut que les services soient administrés par des « experts ». D'autre part, on pense limiter la corruption et le patronage en réduisant le pouvoir des élus et en les faisant élire non plus par quartier mais par l'ensemble de la ville, pour les soustraire aux pressions des électeurs.

Un « comité de citoyens » formé par le Board of Trade et la Chambre de commerce obtient du gouvernement la création d'une commission d'enquête en 1909. Celle-ci met à jour un régime généralisé de corruption et de patronage à l'hôtel de ville. Le comité de citoyens réussit alors à faire adopter une réforme administrative qui est mise en vigueur en 1910, après avoir été acceptée par référendum. Les pouvoirs du conseil municipal sont réduits et on lui superpose un bureau de contrôle de 4 membres, élus par l'ensemble de la population et qui dirige véritablement l'administration. Cette nouvelle structure n'ayant pas donné les résultats escomptés, le gouvernement, sous la pression des hommes d'affaires, la remplace en 1918 par une autre encore moins démocratique. Le conseil municipal voit ses effectifs réduits et ses pouvoirs encore plus restreints; la ville est dirigée par une commission administrative de 5 membres (3 directeurs de services municipaux et 2 membres nommés par Québec). Mais dès 1921 on doit revenir à un régime plus démocratique avec un conseil municipal dont les élus représentent des quartiers; le conseil choisit en son propre sein les membres du comité exécutif chargé de diriger l'administration. Dans ce cas, la résistance autonomiste de la population a raison de la tentative de tutelle élaborée par la bourgeoisie montréalaise et le gouvernement québécois.

Brochure de combat Rodrigue Langlois

Scandale

du parc de

MAISONNEUVE

Ils ont fait Maisonneuve,.............

Contribuables, faites Maison — nette

La corruption qui caractérise les moeurs politiques provoque parfois des scandales. Celui du parc de Maisonneuve fait suite à une expropriation de terrains où des intermédiaires ont réalisé des profits substantiels en pratiquant la technique des reventes successives.

LE PERSONNEL POLITIQUE

Tous ces changements se reflètent également dans la composition du personnel politique. Même si les sessions de la législature ne durent pas plus de deux ou trois mois par année, le poste de député exige de plus en plus de temps. Avec le renforcement du système de partis, le député devient plus nettement l'homme de l'organisation, celui qui fait le lien avec les électeurs et qui sait prendre les moyens de conserver sa circonscription dans le giron du parti. On fait donc appel à un personnel politique professionnel qui se recrute au sein de la petite bourgeoisie plutôt que de la bourgeoisie. Les grands hommes d'affaires se font maintenant rares parmi la députation, où ils sont remplacés par des petits commerçants et des avocats. Les anglophones deviennent aussi moins nombreux.

Le conseil des ministres continue cependant à se recruter dans une élite, liée à la bourgeoisie. Les origines sociales et les liens familiaux sont importants à ce niveau. C'est d'ailleurs le cabinet qui exerce la réalité du pouvoir politique, assuré qu'il est de la fidélité de ses troupes. Sous les gouvernements libéraux qui se succèdent de 1897 à 1929, les ministres les plus influents sont très près de la bourgeoisie. Ils siègent aux conseils d'administration de nombreuses sociétés et prêtent une oreille attentive aux demandes des hommes d'affaires. Ces derniers peuvent donc se retirer en toute quiétude de l'action politique directe. Le changement dans les caractéristiques du personnel politique n'affecte pas leur pouvoir réel.

Orientation bibliographique

Desrosiers, Richard, dir. *Le personnel politique québécois*. Montréal, Boréal Express, 1972. 142p.

CHAPITRE 32

PARTIS ET MOUVEMENTS POLITIQUES

La scène politique québécoise, entre 1897 et 1929, est marquée par la domination incontestée du parti libéral. Son principal adversaire, le parti conservateur, a peine à se tailler un place et n'offre pas de véritable solution de rechange. Un certain consensus idéologique fait que ces deux formations n'offrent pas des pensées très éloignées l'une de l'autre. Les solutions de rechange sont plutôt présentées par des groupes prenant l'allure de tiers parti.

LA STRUCTURE DES PARTIS

Au sein des deux grands partis ainsi que dans le mouvement nationaliste, on note l'élitisme de la direction. Le chef du parti a la main haute sur son groupe, assisté d'une poignée d'organisateurs et de députés plus influents. Les organisations ne prennent pas la forme d'une association; elles n'ont pas de membres, mais des partisans.

La fidélité au parti, surtout quand il est au pouvoir, comme c'est le cas pour les libéraux, est assurée par le système de patronage. L'expansion des ressources financières de l'État et de ses champs d'intervention permet de réaliser un patronage plus généreux et touchant plus de personnes. Prenons le cas de la voirie qui devient un important secteur d'interventions gouvernementales. L'amélioration des communications qui en résulte est profitable à la population et les choix des régions à aider peut favoriser les électeurs fidèles au parti au pouvoir. D'autres retombées peuvent privilégier les électeurs appuyant le gouvernement: les contrats de construction et d'entretien, la possibilité pour les cultivateurs de trouver un emploi à temps partiel ou de fournir des matériaux. Les conservateurs accusent d'ailleurs les libéraux d'utiliser les dépenses de voirie à des fins de patronage. L'existence du patronage est un phénomène de notoriété publique, mais les études systématiques manquent pour en vérifier l'ampleur ou en décrire toutes les caractéristiques.

Un autre phénomène important est l'existence d'une presse très partisane qui est d'ailleurs en évolution avec l'essor de la presse à grand tirage. Le parti libéral a deux quotidiens principaux: *Le Soleil* à Québec et *Le Canada* à Montréal. Le parti conservateur peut compter à Québec sur l'*Événement* et le *Quebec Chronicle* et à Montréal sur le *Star* et *La Patrie*, qui, d'abord libérale, passe aux conservateurs vers 1905. Il existe aussi des journaux régionaux qui sont alignés politiquement; d'autres qui, tout en appuyant un parti, ne sont pas des journaux partisans, en ce sens qu'ils n'ont pas à suivre les directives des chefs politiques. C'est le cas de *La Presse* de Montréal qui, à compter de 1904, appuie le parti libéral, mais garde une politique rédactionnelle indépendante.

La plupart du temps, le soutien accordé à un parti se manifeste aux deux paliers de gouvernement. La grande presse anglophone fait toutefois exception; rangée sous la bannière conservatrice au fédéral, elle se détache d'un parti conservateur provincial trop près des nationalistes et appuie plutôt le parti libéral dont les politiques plaisent aux hommes d'affaires.

La distinction entre les niveaux fédéral et provincial n'est cependant pas très nette dans l'organisation des partis. Les deux structures ne sont pas séparées et on retrouve les mêmes équipes d'organisateurs aux élections fédérales et provinciales. La répartition des tâches se fait plus sur une base régionale que sur la distinction de niveaux. C'est ainsi que le sénateur Raoul Dandurand, organisateur du parti libéral dans la région de Montréal, tient un rôle clé dans les élections fédérales et provinciales. Dans le cas du parti libéral tout au moins, il faut souligner le poids du chef fédéral qui intervient très directement dans le choix du chef provincial.

LE PARTI LIBÉRAL: STABILITÉ ET CONTINUITÉ

Le parti libéral jouit, pendant la période qui nous intéresse, d'une stabilité peu commune. Il reste au pouvoir pendant près de 40 ans, de 1897 à 1936; quatre chefs se succèdent à sa tête et deux s'y maintiennent une quinzaine d'années. Félix-Gabriel Marchand en prend la direction après la défaite de Mercier en 1892; leader de l'opposition, il devient premier ministre à la suite de sa victoire électorale en 1897. À sa mort, en 1900, Simon-Napoléon Parent lui succède. Celui-ci, trop autocrate, doit démissionner, face à une révolte de ses troupes en 1905. Lomer Gouin le remplace et conserve bien en main la direction jusqu'à sa démission en 1920. Il s'est d'ailleurs préparé un successeur en la personne de Louis-Alexandre Taschereau, qui prend la relève sans heurts et demeure à la tête des libéraux jusqu'en 1936. Ainsi, après 1897, le chef du parti, choisi par les députés et les organisateurs, devient automatiquement premier ministre, sans éprouver la nécessité de faire ratifier sa nomination par les électeurs. D'ailleurs, Parent, Gouin et Taschereau, avant de devenir premiers ministres, ont siégé aux cabinets de leurs prédécesseurs, ce qui accentue l'effet de continuité.

Car il existe une grande continuité d'une chef à l'autre. Le parti libéral reste, pendant ces quatre décennies, fidèle aux mêmes grandes valeurs politiques: développement économique par la mise en valeur des richesses naturelles et l'appui au capital étranger; politiques sociales timides; réformes scolaires partielles visant à mieux ajuster le système d'éducation aux besoins de l'économie. Il n'y a pas, au cours de la période, de remise en cause fondamentale de ces orientations même si chaque chef de parti imprime sa marque en accentuant l'un ou l'autre aspect.

Derrière cette stabilité, le parti libéral subit des tensions internes. La vieille tradition radicale, héritée des rouges, est toujours représentée en son sein par quelques députés et organisateurs et elle s'exprime dans certains journaux. Mais le groupe radical n'a pas de prise véritable sur la direction et celle-ci tend à l'étouffer ou à le mettre en veilleuse. Les radicaux les plus bruyants sont même éliminés: on expédie Godfroy Langlois à Bruxelles, comme délégué du Québec; on provoque la défaite électorale de T.-D. Bouchard aux mains d'un libéral indépendant pour lui apprendre la modération.

Mais les rivalités au sein du parti ne sont pas seulement de nature idéologique, elles tiennent aussi aux personnalités, au style d'action. S.-N. Parent s'aliène peu à peu l'appui de ses députés par sa façon de gouverner. Lomer Gouin prend la tête des mécontents et force la démission du premier ministre. Cette rivalité Parent-Gouin a aussi des bases régionales et symbolise la vieille opposition entre Québec, fief de Parent, et Montréal, que représente Gouin.

Il y a également des tensions entre députés fédéraux et provinciaux. La véritable tutelle qu'exerce sur le parti le chef fédéral Wilfrid Laurier suscite les réactions d'un Lomer Gouin qui, en prenant la direction à Québec, marque ses distances à l'égard d'Ottawa. Les frictions au niveau des comtés sont avivées par la faiblesse électorale de l'opposition. Les candidats libéraux étant à peu près certains d'être élus, nombreux sont les partisans qui aspirent à devenir députés. Ceux qui ne sont pas choisis par la direction du parti sont tentés de se présenter comme libéraux indépendants.

Toutes ces tensions ne sont pas suffisantes pour provoquer un éclatement du parti. La menace la plus grave à l'unité a lieu lors de la révolte des députés contre leur chef en 1905, mais comme le mécontentement est alors généralisé, Parent n'a d'autre choix que de démissionner. L'éclatement ne se produira que pendant la période suivante, au cours des années 1930.

LES DIFFICULTÉS DU PARTI CONSERVATEUR

Le parti conservateur avait dominé la scène politique québécoise pendant toute la deuxième moitié du 19e siècle. L'élection de 1897 marque pour lui le début d'un séjour prolongé dans l'opposition. Le parti éprouve alors trois types de difficultés. La première tient au régime électoral en vigueur. Comme nous le verrons plus loin, les conservateurs obtiennent, tout au cours de la période, un nombre de sièges nettement inférieur à leur force réelle auprès de l'électorat; le scrutin uninominal à un tour et les distorsions de la carte électorale sont ici en cause. Une seconde difficulté vient de l'orientation vers la droite du parti libéral et de son identification au milieu des grandes affaires; il devient alors difficile pour les conservateurs de se définir un programme nettement distinct et ils sont en ce domaine à la remorque des libéraux. S'ils trouvent parfois une solution dans le rapprochement avec les nationalistes, ils s'aliènent alors les appuis importants qu'ils ont au sein de la bourgeoisie anglophone. En troisième lieu, les conservateurs subissent négativement les effets de la politique fédérale. Le parti conservateur fédéral ne réussit pas à présenter des leaders canadiens-français aussi prestigieux que Wilfrid Laurier ou Ernest Lapointe. L'orientation pro-impérialiste du parti fédéral et sa politique de conscription pendant la guerre ont des effets négatifs sur sa clientèle québécoise.

On peut distinguer cinq grandes étapes dans l'évolution du parti conservateur québécois entre 1897 et 1929. La première correspond à une phase de désagrégation (1897-1908). Le double échec électoral de 1896 au niveau fédéral et de 1897 au provincial lui porte un dur coup. L'ex-premier ministre Edmund-James Flynn dirige tant bien que mal des troupes décimées. La déroute est accentuée par les méthodes brutales du premier ministre S.-N. Parent qui, en 1900 et en 1904, provoque des élections rapides sans laisser aux conservateurs le temps de s'organiser. Défait en 1904, Flynn doit céder sa place à Évariste Leblanc. Le parti reprend du poil de la bête à compter de 1908 grâce à une alliance électorale et parlementaire avec les nationalistes d'Henri Bourassa. Leblanc ayant été défait à l'élection de 1908, c'est Mathias Tellier qui devient chef de l'opposition. Avec l'appui très actif de Bourassa, élu député à Québec, il peut talonner le gouvernement en chambre.

Arthur Sauvé, 1874-1944, chef de l'opposition conservatrice à Québec, 1916-1929. (Archives nationales du Québec, GH571-9)

Toutefois, après 1912, le parti entre dans une nouvelle période de déclin qui durera jusqu'en 1920. La retraite de Bourassa de la vie politique active affaiblit l'opposition. La prise de pouvoir à Ottawa par le parti conservateur en 1911, avec l'appui des nationalistes, avait suscité des espoirs vite déçus. La politique impérialiste du gouvernement Borden jette le discrédit sur le parti au Québec. La crise de la conscription de 1917 a des effets plus nets: le parti conservateur fédéral devient le parti des Canadiens anglais et les Canadiens français se rangent massivement du côté libéral. Par ailleurs, en Ontario, le règlement 17, restreint sévèrement l'utilisation du français comme langue d'enseignement et comme objet d'étude dans les écoles bilingues, heurtant ainsi de front les Franco-Ontariens. Le parti conservateur du Québec, dirigé par Philémon Cousineau de 1915 à 1916, subit les contrecoups de ces événements extérieurs.

Pour Arthur Sauvé, le nouveau chef de l'opposition après l'élection de 1916, la seule solution est de démarquer très nettement l'aile provinciale et l'aile fédérale du parti. Son attitude plus nationaliste déplaît aux membres anglophones du parti, mais la crise économique qui frappe le Québec au début des années 1920 donne plus de poids à ses critiques contre le gouvernement libéral. Le parti réussit à obtenir un appui très important dans les grands centres urbains; il se retrouve pourtant avec un nombre restreint de sièges à cause des distorsions de la carte électorale. La tentative de reconstruction du parti par Arthur Sauvé (1916-1929) échoue donc au plan électoral. En 1929, s'amorce une nouvelle phase, d'orientation populiste, avec l'élection, à la direction du parti, de Camilien Houde, maire de Montréal.

LE MOUVEMENT NATIONALISTE

Ce qu'on appelle le mouvement nationaliste naît, au tournant du siècle, en réaction contre la résurgence de l'impérialisme anglais. Ce mouvement s'identifie d'abord étroitement à un homme, Henri Bourassa, qui le marque de son empreinte au point de vue idéologique et qui, jusqu'à un certain point, l'empêche de se transformer en véritable parti politique. La question impérialiste se pose avec force au Canada en 1899, lorsque la Grande-Bretagne, attirée par l'or du Transvaal, s'engage dans une guerre en Afrique du Sud contre les Boers. Le ministre des colonies en Angleterre, Joseph Chamberlain, et certains Anglo-canadiens demandent que le Canada intervienne au côté de la métropole. Bien que très réticent, le premier ministre Laurier doit céder aux pressions des anglophones.

Henri Bourassa, petit-fils de Louis-Joseph Papineau et jeune député libéral, démissionne de son siège à la Chambre des communes pour protester contre le gouvernement qui n'a pas consulté le parlement avant d'engager le Canada d'une manière aussi cruciale. Bourassa se fait réélire sans opposition dans sa circonscription de Labelle. De retour à la Chambre des communes, il combat sans répit l'impérialisme au nom d'un nationalisme pan-canadien. Au cours de ses nombreuses interventions, Bourassa est amené à préciser davantage le sens de son nationalisme. Selon lui, s'il ne veut pas sombrer dans l'insignifiance coloniale, le Canada doit absolument affirmer et maintenir son autonomie face à la métropole. La résistance à l'impérialisme est nécessaire mais non suffisante pour assurer le développement harmonieux du pays. Celui-ci étant fondé sur la coexistence et la coopération des Canadiens français et des Canadiens anglais, le respect de la dualité culturelle s'impose, notamment en ce qui concerne les droits linguistiques et religieux. De plus, les Canadiens doivent s'assurer la plus grande maîtrise possible de l'exploitation de leur patrimoine économique et même intellectuel. La lutte vigoureuse que mène Bourassa, quelquefois contre son propre parti, lui vaut l'admiration de la jeunesse canadienne-française. Un groupe de disciples décide, en 1903, de créer un mouvement ayant pour objectif de propager les idées mises de l'avant par le député libéral. Animé par de jeunes journalistes — Olivar Asselin, Armand Lavergne, Omer Héroux et Jules Fournier —, il choisit le nom de Ligue nationaliste canadienne. Il publie, avec l'approbation de Bourassa, un manifeste qui s'inspire de ses écrits et de ses discours. Le manifeste de 1903 devient le programme politique de la ligue et son contenu se précise et se développe par la suite à travers les interventions publiques de Bourassa.

La Ligue nationaliste canadienne propose un programme à trois volets. Le premier concerne les relations entre le Canada et l'Angleterre. La ligue réclame « la plus large mesure d'autonomie politique, commerciale et militaire compatible avec le maintien du lien colonial ». Cela implique le rejet de la participation à un parlement impérial, le droit pour le Canada d'avoir une représentation internationale directe et de négocier des accords commerciaux et finalement, la non-participation du Canada aux guerres de l'empire britannique accompagnée d'une canadianisation du commandement de la milice.

Sur le plan des relations fédérales-provinciales, le programme de la ligue est beaucoup moins novateur. Réclamant « la plus large mesure d'autonomie compatible avec le maintien du lien fédéral », elle réaffirme la nécessité de conserver les droits garantis aux provinces en 1867 et d'assurer le respect du droit des minorités à des écoles séparées. Elle souhaite un accroissement des subventions fédérales aux provinces et la prise en charge de l'administration de la justice criminelle par le gouvernement central. Elle réclame aussi la nomination des juges des tribunaux civils par les provinces.

Finalement, la ligue souhaite pour l'ensemble du Canada « une politique de développement économique et intellectuel exclusivement canadienne ». Cet objectif se concrétise dans quelques propositions. Certaines s'adressent principalement au gouvernement fédéral. On veut qu'il oriente davantage sa politique douanière en fonction des intérêts canadiens, qu'il cesse de subventionner les entreprises privées et qu'il contrôle plus étroitement les tarifs de transport et le tracé des lignes de chemins de fer. Les propositions adressées au gouvernement provincial concernent principalement la gestion des ressources: appui plus actif à la colonisation, attribution des chutes d'eau par location plutôt que par vente et réforme du mode d'exploitation des forêts en vue d'en assurer la conservation. On a là en germe l'essentiel du programme économique du mouvement nationaliste. Celui-ci réclame par ailleurs le développement d'un enseignement patriotique et l'appui à la production littéraire et artistique. Il voudrait enfin l'adoption de lois garantissant la sécurité du travail et la liberté d'association.

Pour diffuser son programme, la ligue organise des assemblées publiques et invite Henri Bourassa à y prendre la parole. Dès 1904, elle se dote d'un organe de diffusion plus systématique, un journal hebdomadaire, *Le Nationaliste.* Fondé avec l'appui financier et rédactionnel de Bourassa, le journal permet aux jeunes journalistes de la ligue d'exercer leur métier. Il assure surtout au mouvement un précieux instrument pour préciser ses idées et les faire connaître. *Le Nationaliste* devient rapidement un journal de combat. La mise en valeur de ses idées passe par une critique des politiques des partis en place, à Ottawa comme à Québec, ce qui vaut à ses rédacteurs l'opposition des hommes politiques. C'est ainsi que la ligue, qui se définit au point de départ comme un mouvement d'éducation distinct des partis, est peu à peu amenée à intervenir dans le combat politique et inexorablement sur la scène électorale.

Après la guerre des Boers, Laurier adoptant une politique plutôt favorable à l'autonomie du Canada dans l'empire, Bourassa insiste davantage sur les autres aspects de son programme: les droits scolaires des minorités et le développement de l'économie canadienne par et pour les autochtones. Comme l'agriculture, la colonisation et l'exploitation des richesses naturelles relèvent des provinces, Bourassa et les jeunes nationalistes critiquent de plus en plus âprement les politiques du gouvernement québécois. Ainsi, même s'il est toujours député libéral à Ottawa, Bourassa devient un redoutable adversaire des libéraux québécois.

En 1907, cette opposition se transforme en hostilité ouverte, en particulier au sujet de la politique de colonisation, de l'exploitation des richesses naturelles et de la corruption politique. Le ministre Adélard Turgeon met Bourassa au défi de démissionner de son siège aux Communes et de se présenter contre lui dans sa circonscription de Bellechasse. Bourassa, quelque peu téméraire, accepte et subit la défaite. En 1908 cependant, à l'élection générale, le mouvement nationaliste plonge dans la mêlée. Bourassa se présente contre Lomer Gouin dans Saint-Jacques et son ami Armand Lavergne abandonne son poste de député à Ottawa et devient candidat au provincial. Bourassa reçoit l'appui des conservateurs provinciaux et il contribue puissamment à la remontée de ce parti. Il réussit même à infliger une défaite au premier ministre Gouin dans la circonscription de Saint-Jacques. Au point de vue strictement électoral, les nationalistes ne constituent pas une grande menace pour les libéraux puisqu'ils ne présentent que deux candidats. Mais l'enthousiasme déclenché par Bourassa et Lavergne et leur alliance tacite avec les conservateurs, qui prétendent accepter les idées des nationalistes, ne sont pas sans inquiéter les libéraux. L'élection de 1908 permet aux conservateurs de passer de 5 à 13 députés, outre les deux candidats nationalistes élus. De 1908 à 1912, le gouvernement Gouin doit faire face à une opposition beaucoup plus vigoureuse. Et ce d'autant plus qu'à compter de 1910, le mouvement nationaliste dispose d'un quotidien, *Le Devoir*, fondé et dirigé par Henri Bourassa. C'est un peu à regret que ce dernier a participé à l'élection de 1908, car il est depuis longtemps convaincu que les efforts du mouvement qu'il dirige doivent être orientés, d'abord et avant tout, vers l'éducation des électeurs, prisonniers d'une presse partisane. Pour assurer l'indépendance du journal à l'égard des vieux partis, Bourassa réussit à convaincre les bailleurs de fonds de l'entreprise de lui accorder pleine et entière autorité sur le journal tant qu'il en assumera la direction.

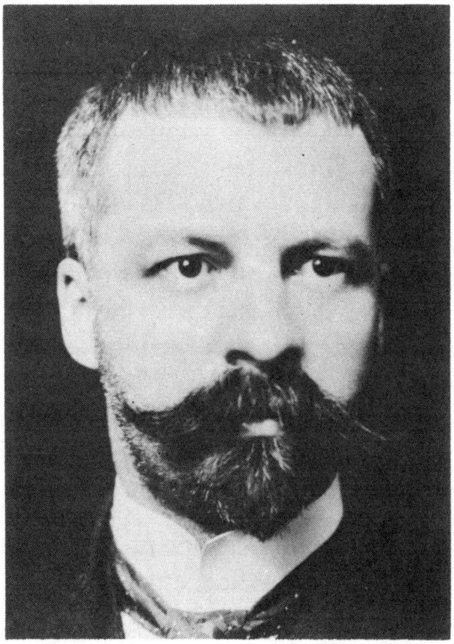

Henri Bourassa, 1868-1952, leader nationaliste et fondateur du journal *Le Devoir*. (Archives publiques Canada, C4956)

En 1911, Bourassa et *Le Devoir* sont surtout préoccupés par la question impérialiste qui se discute surtout au parlement d'Ottawa et ils se désintéressent quelque peu de la scène provinciale. Les nationalistes sont de plus en plus déçus des positions adoptées par le gouvernement Laurier qui, suite aux pressions de la Grande-Bretagne, entend créer une marine canadienne promise au service de la métropole en temps de guerre. Les nationalistes indignés par l'impérialisme de Laurier participent activement à l'élection fédérale de 1911 et appuient les conservateurs qui n'osent guère préciser leur position au sujet de la marine. Quoi qu'il en soit, les conservateurs appuyés par les nationalistes font élire 28 députés au Québec alors que précédemment ils n'en avaient que 11: plusieurs des conservateurs élus au Québec sont en réalité des disciples de Bourassa et celui-ci aurait pu jouer un rôle important dans l'orientation des conservateurs fédéraux s'il avait accepté de s'engager directement dans la politique fédérale. Faute de leadership, les conservateurs indépendants ou nationalistes, sont absorbés par le parti conservateur ou marginalisés. La politique conservatrice à Ottawa s'avère encore plus impérialiste que celle de Laurier et peu favorable à la défense des droits des minorités. A l'élection provinciale de 1912, déçu de la politique, Bourassa ne se représente pas et ne participe pas à la campagne électorale. Cependant, les nationalistes continuent à appuyer les conservateurs et ceux-ci réussissent à faire élire 15 députés et à obtenir 45% des suffrages. Armand Lavergne, le seul nationaliste élu, appuie l'opposition. Cette campagne met fin à l'action proprement électorale du mouvement nationaliste. L'intervention directe dans le combat politique aura donc duré 6 ans. Deux aspects de cette action doivent être soulignés: le type d'organisation et les appuis du mouvement.

Une difficulté importante du mouvement nationaliste tient à la faiblesse de son organisation. Celle-ci résulte du refus d'Henri Bourassa de créer un véritable parti politique. Tout au cours de sa carrière, Bourassa s'est opposé à « l'esprit de parti », à cette solidarité à laquelle doivent s'astreindre les députés membres d'un parti. Il vante les mérites du député indépendant qui, au parlement, vote selon sa conscience plutôt que selon les directives partisanes. Une telle conception va à l'encontre de la réalité du fonctionnement des institutions parlementaires de type britannique. Refusant de transformer son mouvement en parti, Bourassa lui assigne plutôt la tâche de favoriser l'élection soit de députés indépendants, soit de membres de l'un ou l'autre des partis en place qui sont prêts à appuyer son programme.

Le mouvement nationaliste n'a donc pas une organisation bien définie. Tout est centré sur Bourassa lui-même, qui se perçoit un peu comme le guide de la nation. La direction du mouvement est très élitiste et pousse plus loin que les autres partis le culte de la vedette et de la personnalité. Il s'appuie par ailleurs sur l'enthousiasme de la jeunesse dont Bourassa est le nouveau héros.

L'assemblée publique et le journal sont les deux moyens d'action du mouvement nationaliste. On organise régulièrement de grandes assemblées où le principal orateur est Bourassa qui prononce de longs discours abondamment documentés et bien articulés. En période électorale, ces assemblées prennent un autre relief puisqu'elles attirent un grand nombre de partisans et aussi de badauds pour qui, avant l'ère de la radio et de la télévision, elles sont un spectacle. La fougue de Bourassa et des jeunes orateurs qui l'accompagnent contribue au succès de ce type de rencontres. Les journaux du mouvement, *Le Nationaliste*, puis *Le Devoir*, permettent de pousser plus loin les critiques contre le gouvernement et de préciser les divers aspects du programme. Ils créent un lien entre les partisans du mouvement et les informent rapidement des activités du chef. Ce ne sont toutefois pas des journaux populaires. Leur tirage est peu élevé et ils atteignent d'abord un public d'étudiants, d'intellectuels, de membres du clergé et d'hommes politiques.

Malgré les déficiences de son organisation, le mouvement nationaliste réussit à obtenir des appuis réels mais dont il est difficile de mesurer le poids. L'appui le plus visible lui vient des étudiants qui peuplent les collèges classiques. Bourassa semble exercer une véritable fascination sur ce groupe au début du siècle et certains collégiens acquièrent alors des convictions nationalistes qu'ils conserveront tout au cours de leur carrière et que l'on verra s'exprimer dans les années 1930 avec l'Action libérale nationale. Un groupe de prêtres enseignant dans les collèges mettent sur pied, en 1903, l'Association catholique de la jeunesse canadienne-française (ACJC). Cette organisation d'encadrement met à la fois l'accent sur le catholicisme et sur le nationalisme canadien-français. Elle constitue un terrain propice où se répandent facilement les idées du mouvement nationaliste; elles reçoivent aussi un accueil chaleureux au sein du clergé, des intellectuels et chez plusieurs représentants des professions libérales, qui forment une partie importante de la clientèle du *Devoir*.

Le mouvement nationaliste obtient en outre l'appui tactique du parti conservateur qui profite du mécontentement suscité contre le gouvernement libéral par les critiques de Bourassa. Comme les nationalistes eux-mêmes présentent très peu de candidats, les retombées électorales vont principalement aux conservateurs. Ceci explique que les hommes d'affaires qui acceptent de financer *Le Devoir* soient pour la plupart des conservateurs reconnus.

Il est incontestable que Bourassa et ses disciples contribuent à animer le débat politique au Québec au début du siècle. Ils revigorent la chétive opposition conservatrice et obligent le gouvernement Gouin à gérer l'exploitation des richesses naturelles d'une manière plus cohérente et plus profitable pour la collectivité. Au niveau purement électoral, les nationalistes exercent une influence surtout indirecte, étant donné le refus de Bourassa de transformer le mouvement en véritable parti. Le mouvement nationaliste réussit tout de même à influencer le parti libéral, tant au niveau fédéral que provincial. Pour maintenir son emprise sur le Québec, ce parti doit se montrer autonomiste face à la Grande-Bretagne et dans le domaine des relations fédérales-provinciales. Dans les années 1920, les conservateurs du Québec tentent de se rapprocher des nationalistes et de profiter de leur influence en se dissociant des conservateurs fédéraux, beaucoup plus réfractaires à leurs idées.

Les nationalistes s'avèrent toutefois incapables de réaliser leur projet politique visant à l'indépendance du Canada et à l'égalité des deux groupes linguistiques. S'ils ont raison de se méfier de l'impérialisme anglais, ils sont incapables de comprendre que l'impérialisme des Canadiens anglais est l'expression politique de leur nationalisme. Ces derniers sont prêts ou du moins se résignent à reconnaître certains droits linguistiques et religieux aux Canadiens français à l'intérieur du Québec, mais non dans les autres provinces. Somme toute, tant sur la question impérialiste que sur la nécessité de respecter la dualité culturelle du Canada, le mouvement nationaliste n'a guère de succès auprès des anglophones.

L'échec des nationalistes comme mouvement politique amène leur départ de la scène électorale à la veille de la guerre. Il ne provoque pas pour autant la disparition des nationalistes mais les réoriente vers un autre type d'action. Le règlement 17 en Ontario, les tensions ethniques pendant la guerre et la crise de la conscription de 1917 amènent les disciples de Bourassa à douter de la possibilité d'un nationalisme pan-canadien dans un pays bilingue et bi-culturel. Ils se tournent de plus en plus vers un nationalisme canadien-français centré sur le Québec et n'hésitent pas à flirter, même temporairement, avec l'idée de l'indépendance.

Au cours des années 1920, ils abandonnent complètement l'action politique de type électoral et choisissent plutôt l'action intellectuelle à travers leurs publications, la formation des étudiants et l'encadrement dans des organisations comme l'ACJC et l'Action française. La montée d'un nouveau leader nationaliste, prêtre et professeur, Lionel Groulx, représente bien cette orientation nouvelle. Quant à Bourassa, il s'isole de plus en plus de ses anciens disciples en condamnant leur nationalisme plus canadien-français que canadien. Il revient sur la scène politique fédérale en se faisant élire à l'élection de 1925, mais il pratique une politique individuelle et ne cherche pas à faire renaître le mouvement d'avant-guerre.

LE PARTI OUVRIER

Au début du siècle, pendant une dizaine d'années, le parti ouvrier joue un rôle très actif sur la scène politique montréalaise et présente à la population une alternative de type travailliste. Il enregistre des succès électoraux et témoigne du dynamisme et du militantisme qui animent alors le mouvement ouvrier montréalais.

Au cours des années 1880, nous l'avons vu, le mouvement ouvrier s'était lancé dans l'action politique, sous l'impulsion des Chevaliers du travail. Ces interventions étaient cependant sporadiques et limitées aux périodes électorales. Au début du 20e siècle, le mouvement ouvrier franchit un pas de plus en mettant sur pied une organisation permanente vouée à l'action politique. Une première tentative de créer un parti ouvrier a lieu en 1899, à Montréal. Le principal responsable est J.-A. Rodier, chroniqueur syndical à *La Presse*; ce journal, qui vise une clientèle principalement ouvrière, appuie d'ailleurs le mouvement. Mais un cuisant échec aux élections de 1900 aboutit à la disparition du parti. Il renaît de ses cendres en 1904, à la suite des élections provinciales. Sans remporter de sièges, quelques candidats ouvriers font belle figure lors de ces élections et cela suffit à ranimer l'ardeur des partisans d'une structure permanente. Le Conseil des métiers de Montréal se fait alors l'artisan de la création du parti ouvrier qui voit le jour en décembre 1904.

Voulant défendre les intérêts des travailleurs, le parti présente un programme qui réclame, entre autres, la nationalisation des banques et des services publics, l'institution d'une assurance d'État gratuite contre le chômage, la maladie et la vieillesse et l'instruction gratuite et obligatoire. On y retrouve des revendications inspirées du populisme nord-américain, comme l'élection des juges par le peuple, le référendum et l'abolition du Sénat. Plusieurs articles concernent les conditions de travail: établissement de la responsabilité des patrons dans les accidents du travail, adoption de la journée de travail de huit heures, interdiction du travail des prisonniers ainsi que des enfants de moins de 14 ans, etc. D'autres demandes, enfin, visent à démocratiser le processus électoral: « un homme, un vote », suffrage universel, abolition de la qualification foncière, etc.

Le parti comprend trois types d'organisations membres ayant chacune des délégués: le Conseil des métiers et du travail de Montréal, les syndicats et surtout les clubs ouvriers. Ces clubs, organisés sur une base régionale correspondant aux circonscriptions électorales, rassemblent des travailleurs de divers métiers, qu'ils soient syndiqués ou non.

Le parti ouvrier est essentiellement une institution montréalaise, bien que des candidatures ouvrières soient présentées aussi à Québec et dans quelques autres villes. Le premier succès électoral survient en 1906, lors d'une élection fédérale partielle dans le comté ouvrier de Maisonneuve. Le parti y présente la candidature d'Alphonse Verville, président du Congrès des métiers et du travail du Canada. Il fait face au candidat libéral J.-O. Grothé, un industriel détesté des ouvriers. L'élection de Verville marque la victoire du mouvement syndical, mais elle reste un phénomène isolé. Même si Verville sera réélu par la suite, les deux grands partis réussissent à bloquer toute nouvelle candidature ouvrière en choisissant des candidats ayant des allures populistes. D'ailleurs Verville lui-même adoptera une politique très modérée à la Chambre des communes, appuyant la plupart du temps le parti libéral. Il réclame des réformes en faveur des ouvriers, dans l'esprit du programme de son parti, mais, isolé, il ne peut réussir à infléchir l'action gouvernementale. À l'échelle provinciale, aucun candidat du parti ne réussit à se faire élire.

Devant la difficulté d'effectuer une véritable percée au niveau fédéral ou provincial, le parti ouvrier se tourne de plus en plus vers la scène politique municipale, où il croit être en mesure d'agir plus concrètement sur les conditions de vie de la classe ouvrière. Il remporte sa plus grande victoire en 1910, alors qu'il fait élire son candidat, Joseph Ainey, à l'un des quatre postes du bureau de contrôle ainsi que plusieurs conseillers municipaux.

À compter de 1912, le parti entre dans une phase de déclin rapide. Une scission entraîne la formation d'une organisation rivale, la Fédération des clubs municipaux. La plupart des syndicats membres du parti s'en retirent et le nombre de clubs ouvriers diminue. Au début de la guerre, le parti n'est plus que l'ombre de lui-même. Les difficultés que connaissent les syndicats, avec la montée du chômage à la veille de la guerre, ne sont sans doute pas étrangères à l'affaiblissement que connaît alors le parti.

LES ASSOCIATIONS RÉFORMISTES

Du côté de la bourgeoisie, on voit aussi apparaître des organisations politiques nouvelles oeuvrant sur la scène municipale et qui s'inscrivent dans le courant du réformisme urbain. Elles naissent à la fin du 19e siècle dans le but d'assainir la politique municipale et d'y éliminer la corruption. Elles recrutent leurs membres au sein de la bourgeoisie montréalaise et principalement du groupe anglophone, éprouvant plus de difficultés à attirer dans leurs rangs les bourgeois francophones. De caractère élitiste et anti-démocratique, ce sont des regroupements d'hommes d'affaires qui veulent que la ville soit administrée comme une entreprise et qui souhaitent réduire l'emprise des élus locaux trop soumis aux pressions de l'électorat. Pour cela, ils réclament un mode d'administration plus technocratique.

Les réformistes, groupés autour de H.B. Ames et de Hormisdas Laporte, s'organisent d'abord, à la fin du 19e siècle, pour lutter contre la machine politique que Raymond Préfontaine a mise en place à l'hôtel de ville. Ils fondent des associations aux noms variés qui obtiennent l'élection de quelques candidats. En 1900, le parti de la réforme réussit à abattre les têtes dirigeantes de la machine de Préfontaine. Les réformistes sont alors en mesure d'assainir les finances municipales et d'améliorer les conditions sanitaires de la ville. Leur action est cependant ralentie par les divisions ethniques et les oppositions entre les quartiers qui caractérisent le conseil municipal. Après 1902, la corruption et le patronage reprennent de plus belle.

En 1908, le Board of Trade et la Chambre de commerce unissent leurs efforts pour mettre sur pied le Comité des citoyens, qui devient plus tard l'Association des citoyens. Cet organisme obtient une enquête et l'adoption d'une nouvelle structure administrative. De 1910 à 1914, les réformistes dominent le nouveau bureau de contrôle, mais sans véritablement éliminer la corruption. La prise du pouvoir en 1914 par un groupe dominé par Médéric Martin met fin à l'expérience réformiste.

Malgré les limites de leur action, les réformistes réussissent à insuffler un peu plus d'efficacité dans l'administration municipale. Mais leur caractère élitiste et bourgeois les empêche d'obtenir un appui populaire massif, sauf en 1910, lorsque les révélations de scandales favorisent l'adoption de leur projet de réorganisation administrative. Un homme comme Médéric Martin, maire à compter de 1914, n'aura aucune difficulté à stigmatiser auprès de la population francophone et ouvrière ces anglophones bien nantis défendant les intérêts de l'ouest de la ville; cette recette lui permettra de se faire réélire à plusieurs reprises.

LE PHÉNOMÈNE ÉLECTORAL

Si la période 1867-1897 est caractérisée par de substantielles réformes de la loi électorale, il n'en est pas de même pour la période suivante. Les réformes de 1875 et de 1895 avaient en effet apporté plusieurs améliorations: scrutin secret, réduction de la franchise électorale, contrôle des dépenses électorales, etc. D'une manière générale, la législation cherchait à mieux définir les règles du jeu, à élargir le droit de suffrage, à réduire les fraudes, à diminuer la violence physique et morale qui compromettait la liberté de l'électeur. Après 1897, les libéraux remportent constamment des victoires et ils sont peu empressés de modifier le système qui sert si bien leurs intérêts. Leur seule réforme est l'élargissement du droit de suffrage. Malgré cela, il y a régression dans la qualité démocratique du système électoral, à cause de la perte du contrôle des dépenses et des distorsions croissantes que crée la carte électorale.

Cette régression est particulièrement évidente à propos du contrôle des dépenses électorales. Dès 1903, le gouvernement Parent abolit le plafonnement de ces dépenses stipulé par la loi de 1895. Il réduit aussi les peines prévues contre les personnes coupables d'entorse à la loi électorale. En 1926, les libéraux abolissent l'obligation pour les candidats de rendre publics leurs bilans. Il ne reste plus que la nécessité pour les candidats d'avoir un agent spécial pour effectuer leurs dépenses et cette limitation disparaîtra en 1932. Comme Israël Tarte, organisateur libéral lors des élections de 1896 et de 1897, les libéraux sont convaincus que les élections ne se font pas avec des prières!

La seule mesure progressiste importante en matière électorale est présentée en 1912. Cette législation du gouvernement Gouin contribuera sensiblement à démocratiser le droit de suffrage. Les libéraux se vanteront d'avoir mis en pratique le principe « un homme, un vote » par l'abolition du vote plural qui permettait à un citoyen ayant des biens dans plusieurs circonscriptions de voter dans chacune d'elles. En 1912, la loi stipule qu'un électeur ne peut voter que dans la circonscription où il a son domicile. Même si cette réforme ne suscite pas de grands débats, elle n'est pas sans importance. Dans plusieurs circonscriptions commerciales, notamment à Montréal, on note une diminution sensible des inscriptions sur les listes électorales, ce qui donne plus de poids aux véritables résidents. Selon Jean Hamelin, le vote plural pouvait représenter jusqu'à 10% des inscriptions sur les listes.

La législation de 1912 élargit aussi l'accès au suffrage en abaissant notamment le cens électoral à $10 de revenu par mois en moyenne. À toutes fins utiles, nous pouvons dire que le Québec dispose du suffrage universel masculin. En 1915, on prend soin cependant d'exclure spécifiquement les Indiens en stipulant que « les Sauvages et individus de sang sauvage qui sont domiciliés dans une réserve » n'ont pas le droit de voter. Bien entendu, le suffrage dit universel ne l'est qu'à demi puisque les femmes sont privées de ce droit. Comme nous l'avons vu, ce n'est qu'en 1918 qu'elles pourront l'exercer au fédéral et en 1940 seulement à Québec, après bien des luttes.

Ces importantes réserves faites, il reste que le droit de suffrage a été sensiblement élargi. En effet, en 1871, l'électorat représentait 14,8% de la population totale, tandis qu'en 1912, après avoir enlevé les inscriptions multiples dues au vote plural, l'électorat représente 23,9% de la population totale.

Le principe « un homme, un vote » corrige une inégalité qui repose sur la richesse, mais il ne signifie pas nécessairement que chaque électeur dispose d'un droit de vote ayant un poids équivalent; cela pose le problème de la carte électorale ou plus précisément des écarts considérables de population qui existent entre les circonscriptions électorales. En 1927 par exemple, les 15 circonscriptions de la région de Montréal ont une population moyenne de 58 607, tandis que, dans les 4 circonscriptions de la ville de Québec, la moyenne s'élève à 28 225 et que, dans le reste de la province, elle n'est que de 23 420. Cette même année, on note que la seule circonscription de Montréal-Mercier a une population égale à celle des huit plus petites circonscriptions du Québec! C'est ainsi, fait remarquer le politicologue Harold Angell, que les 21 plus petites circonscriptions ne rassemblent que 12,5% de la population totale, tandis que les 21 plus grandes en représentent 43%. Comme généralement les petites circonscriptions sont rurales et que les grandes sont urbaines, les premières sont sur-représentées et les secondes sous-représentées. Globalement, en 1926, comme le note Angell, les circonscriptions urbaines ne contrôlent que 29 sièges à l'Assemblée législative contre 56 pour les circonscriptions rurales.

La distorsion de la carte électorale donne une très grande importance aux électeurs ruraux et oriente la stratégie des partis. Les conservateurs, pour s'attirer la sympathie des ruraux, attaquent constamment le gouvernement en soutenant qu'il ne fait pas suffisamment pour les agriculteurs et les colons. Les libéraux continuent à prôner l'industrialisation mais soutiennent que les ruraux bénéficient des retombées de cette politique. Surtout, ils s'efforcent d'étouffer toute velléité d'organisation politique du monde rural et ils pratiquent, sur une haute échelle, diverses formes de patronage, pour maintenir leur emprise sur ce monde qui est l'assise de leur pouvoir. La dépendance du monde rural le rend particulièrement vulnérable au patronage et celui-ci est très profitable pour le parti au pouvoir, étant donné sa sur-représentation électorale. Comme le fait remarquer l'historien Richard Hofstadter, qui a observé le phénomène aux États-Unis, la situation s'aggrave avec l'urbanisation croissante; les ruraux sont moins nombreux, donc plus faciles à contrôler et à « acheter », tandis que les gouvernements disposent de plus en plus de ressources financières provenant largement des contribuables urbains, de plus en plus nombreux.

Les hommes politiques soutiennent qu'en établissant les frontières d'une circonscription électorale, il faut tenir compte non seulement du nombre d'électeurs mais aussi des caractéristiques géographiques et historiques du milieu, des moyens de communication, etc. Il n'en reste pas moins que le système politique, pour conserver sa crédibilité démocratique, doit maintenir un certain équilibre entre les circonscriptions, ce qui est de moins en moins le cas au cours de la période étudiée.

D'une manière générale, les retouches à la carte électorale, qui s'effectuent à l'initiative du parti ministériel et non pas d'une commission indépendante, servent toujours, à quelques exceptions près, les intérêts du parti au pouvoir. Le *gerrymandering*, c'est-à-dire la manipulation de la carte électorale à des fins partisanes, a pour effet la création de nouvelles circonscriptions dont la composition favorise les libéraux ou permet de neutraliser un adversaire. Très secondairement, les modifications à la carte peuvent servir à atténuer la sous-représentation de certains électeurs. De 1897 à 1930, le nombre de sièges à l'Assemblée législative passe de 74 à 90. Seulement 7 des 16 nouveaux sièges sont urbains et cela est bien insuffisant pour atténuer la disproportion excessive entre les circonscriptions rurales et urbaines.

La carte électorale jointe au mode de scrutin uninominal à un tour a pour effet d'aggraver la disproportion entre le nombre de sièges et le nombre de votes obtenus par un parti lors d'une élection. Ainsi, les libéraux sont systématiquement sur-représentés et les conservateurs sous-représentés. En 1923, par exemple, avec 44% des suffrages exprimés, les conservateurs ne réussissent à obtenir que 24,5% des sièges à l'Assemblée; en 1927, avec 37% des suffrages exprimés, ils n'ont que 10 sièges sur 95, soit 11,7%. Cette distorsion excessive des résultats électoraux n'a sans doute pas pour effet d'encourager la participation des électeurs et la croyance dans le système démocratique. Les déficiences du système contribuent à démobiliser l'opposition comme on peut le constater par la fréquence des élections sans opposition. Il arrive même, en 1904 et en 1919, que le nombre d'élus libéraux sans opposition soit tel que ceux-ci sont assurés de la majorité absolue des sièges à l'Assemblée avant même le jour du scrutin!

Le dossier des libéraux en matière de législation électorale n'est guère reluisant dans la période étudiée. Il est vrai que le système les sert bien et qu'ils n'ont guère de raisons de le modifier. Quant à l'opposition, elle dénonce la corruption du gouvernement, mais elle est incapable de le renverser, et elle ne s'attaque pas au problème crucial de la carte électorale. Les nationalistes sont dégoûtés de la politique partisane et espèrent que la population des campagnes, « plus saine » que celle des villes, votera correctement, un jour ou l'autre, ce qui les empêche, eux aussi, de dénoncer l'excessive disproportion entre les comtés urbains et ruraux. Il faudra les excès des élections de 1931 et de 1935 pour susciter une brève indignation.

Orientations bibliographiques

Durocher, René. « Un journaliste catholique au XXe siècle: Henri Bourassa », Pierre Hurtubise, dir., *Le laïc dans l'église canadienne-française de 1830 à nos jours* (Montréal, Fides, 1972): 185-213.

Gauvin, Michael. *The Municipal Reform Movement in Montreal 1896-1914*. Thèse de M.A. (histoire), Université d'Ottawa, 1972.

Hamelin, Marcel, dir. *Les mémoires du sénateur Raoul Dandurand (1861-1942)*. Québec, PUL, 1967. 372p.

L'action politique des ouvriers québécois (fin du XIXe siècle à 1919). Recueil de documents. Montréal, PUQ, 1976. 176p.

Laforte, Denis et André Bernard. *La législation électorale au Québec, 1790-1967.* Montréal, Éditions Sainte-Marie, 1969. 197p.

Rouillard, Jacques. « L'action politique ouvrière, 1899-1915 », Fernand Dumont et al., dir., *Idéologies au Canada français 1900-1929,* (Québec, PUL, 1974): 267-312.

Rumilly, Robert. *Henri Bourassa. La vie politique d'un grand canadien.* Montréal, Chantecler, 1953. 791p.

Russell, Daniel. *H.B. Ames and Municipal Reform.* Thèse de M.A. (histoire), Université McGill, 1971.

Wade, Mason. *Les Canadiens français de 1760 à nos jours.* Montréal, Cercle du Livre de France, 1963. 2 vol.

CHAPITRE 33
LE RÈGNE DES LIBÉRAUX

DANS LE SILLAGE DE LAURIER: MARCHAND ET PARENT

Les années 1896-1897 constituent, comme nous l'avons vu, un tournant au point de vue économique. Elles marquent aussi le début d'une nouvelle période au point du vue politique avec l'accession de Wilfrid Laurier au poste de premier ministre du Canada. C'est la première fois, depuis la Confédération, qu'un Canadien français accède à la tête du gouvernement fédéral et cela suscite de grands espoirs chez les Québécois.

Le triomphe de Laurier aux élections fédérales de 1896 est arraché de haute lutte, car presque tous les évêques appuient les conservateurs qui ont promis de rétablir par une législation spéciale les droits scolaires de la minorité franco-manitobaine. Laurier s'est opposé à cette mesure en alléguant qu'elle serait inapplicable et que la seule solution au problème consistait à négocier un compromis avec le gouvernement manitobain. Il s'engage, s'il est élu, à négocier une entente satisfaisante et demande qu'on lui fasse confiance.

L'épiscopat n'est pas prêt à lui donner ce blanc-seing. Malgré tout, le parti libéral obtient une éclatante victoire au Québec en faisant élire 49 députés contre seulement 16 pour les conservateurs. Cette majorité de 33

Tableau 1
Élections générales de l'Assemblée législative du Québec, 1897-1931

Année	Électeurs inscrits	Votes valides	Sièges	Lib. élus	Cons. élus	Autres élus	% des votes	
							Lib.	Cons.
1897	338 800	225 179	74	51	23	—	54,3	45,7
1900	350 517	103 422	74	67	7	—	56,3	43,8
1904	381 933	113 453	74	68	6	—	67,7	25,4
1908	415 801	243 869	74	58	13	3	55,3	39,9
1912	479 521	291 148	81	64	15	2	54,3	45,1
1916	486 136	208 462	81	75	6	—	64,6	35,1
1919	480 120	129 636	81	74	5	2	70,0	23,7
1923	513 224	290 649	85	64	19	2	55,3	44,4
1927	567 907	318 012	85	75	9	1	62,7	36,6
1931	639 005	489 695	90	79	11	—	55,6	44,2

Source: Annuaire du Québec, 1967-1968.

sièges au Québec est, à peu de choses près, la majorité dont Laurier dispose à la Chambre des communes; c'est dire le rôle décisif joué par le Québec lors de cette élection.

Laurier a gagné une bataille contre les évêques, mais il ne veut pas s'engager dans une guerre politico-religieuse, contrairement à certains de ses partisans. Pour ramener les évêques au calme, il envoie des émissaires à Rome, à la suite de quoi le pape délègue Mgr Merry Del Val pour enquêter sur la situation. Les tractations entre Laurier et le Vatican ne seront pas sans conséquences pour l'avenir du Québec.

Après la victoire de Laurier, les conservateurs, qui sont toujours au pouvoir à Québec, se sentent fort menacés. Élus en 1892, ils attendent jusqu'en 1897 pour faire face à l'électorat. Les libéraux provinciaux dirigés par F.-G. Marchand reçoivent un appui si massif de leurs collègues fédéraux qu'on a l'impression que les Québécois votent plus pour Laurier que pour Marchand! Celui-ci ne jouit pas d'une très grande autorité auprès de Laurier. On avait même songé dans certains cercles libéraux à se débarrasser de lui à la veille de l'élection, mais il a su manoeuvrer au milieu des écueils et sa victoire électorale, lui accordant 51 des 74 sièges, a renforcé sa position.

À vrai dire, Marchand est un homme politique très expérimenté. Député depuis 1867, il avait été ministre dans le gouvernement Joly et président de l'Assemblée législative sous Mercier. Marchand est notaire de profession, mais écrivain et journaliste d'inclination. Grâce à son journal, *Le Canada français*, il est solidement implanté dans son milieu de Saint-Jean, où il a été aussi commissaire d'école. Mais la formation de son cabinet s'avère difficile, car il doit tenir compte des désirs tacites ou explicites des libéraux fédéraux, qui ont joué un rôle décisif dans cette élection. Laurier, semble-t-il, souhaite que Marchand forme un cabinet de modérés qui ne soulèverait pas l'hostilité du clergé.

Wilfrid Laurier, 1841-1919, premier ministre du Canada, 1896-1911. (Archives publiques Canada, C16748)

Les libéraux avaient promis d'assainir la situation financière du Québec, de stimuler le développement des ressources naturelles et d'apporter des réformes dans le système d'éducation. Grâce aux compressions budgétaires et à l'amélioration de la conjoncture économique, le gouvernement Marchand réussit, à sa deuxième et à sa troisième année de gouvernement, à déclarer de modestes surplus budgétaires. Ce geste est hautement apprécié et est considéré comme le signe certain d'un gouvernement efficace. Le secteur des ressources naturelles est confié au ministre des Terres, S.-N. Parent, qui réussit à améliorer très sensiblement les revenus tirés de l'exploitation de la forêt et des chutes d'eau. Il contribue non seulement à accroître l'activité économique au Québec mais aussi à remplir les coffres de l'État.

Dès son arrivée au pouvoir, le premier ministre Marchand prépare un projet de loi important en vue d'apporter de substantielles réformes au système d'éducation. Mais, comme nous l'avons vu, son intention de remplacer le surintendant de l'Instruction publique par un ministre soulève une opposition acharnée de l'épiscopat et déclenche une querelle politico-religieuse de grande envergure. Le conflit amène même l'ingérence du Vatican et du gouvernement d'Ottawa dans les affaires québécoises (voir le chapitre sur l'éducation). Cette ultime bataille entre les libéraux et l'épiscopat met un terme aux querelles politico-religieuses qui ont caractérisé les relations entre ce parti et l'Église catholique depuis l'époque de Papineau. Certes, il y aura d'autres accrochages, et le clergé se montrera vigilant sur ses privilèges, mais les conflits n'auront pas la même ampleur.

Après trois années de gouvernement, Marchand meurt sans avoir complété son oeuvre. Il laisse cependant un bilan satisfaisant, du moins au point de vue financier. Le secrétaire provincial, Joseph-Émery Robidoux, qui s'était fait le défenseur éloquent du ministère de l'instruction publique et de la gratuité des livres scolaires, est écarté de la succession à laquelle il aspirait car il est perçu comme trop radical. On lui préfère Simon-Napoléon Parent, avocat, maire de Québec, président de la Compagnie du Pont de Québec, administrateur du *Soleil*, de la Quebec Light Heat and Power et, depuis 1897, ministre des Terres et forêts. Il est considéré comme un administrateur et un homme d'affaires important. Mais ses meilleurs titres à la succession de Marchand sont sans doute ceux d'homme lige de Laurier et de grand dispensateur de patronage (municipal, provincial et fédéral) dans la région de Québec.

A peine assermenté à son nouveau poste de premier ministre, Parent s'engage dans la campagne électorale fédérale. Laurier, très admiré des Canadiens français, remporte une victoire facile, malgré la crise déclenchée par la participation canadienne à la guerre des Boers. Aussitôt après le triomphe de Laurier, le premier ministre Parent déclenche, avec une précipitation assez peu démocratique, des élections provinciales. Il veut profiter de la vague libérale qui déferle sur le Québec en 1900.

Le parti conservateur, passablement démoralisé, accuse Parent d'être à la solde du premier ministre fédéral et de mettre en danger l'autonomie de la province. Il l'accuse aussi de dilapider le patrimoine national au profit des étrangers. Ces accusations n'impressionnent guère l'électorat, semble-t-il, puisque 35 libéraux sont élus sans opposition et 32 autres le jour du scrutin; les conservateurs ne peuvent compter que sur 7 représentants à l'Assemblée. Dans les circonscriptions où il y a élection, les libéraux remportent 56,3% des suffrages contre 43,8% pour les conservateurs.

S.-N. Parent est très conscient que le Québec entre dans une ère économique nouvelle grâce à l'hydro-électricité et à l'importance croissante de la forêt québécoise dans l'économie nord-américaine. Même premier ministre, il conserve son portefeuille des Terres, mines et pêcheries et, en 1904, il est très heureux d'annoncer que son ministère a rapporté aux finances gouvernementales la somme record de $1 360 000. La vente des chutes d'eau et les concessions forestières qui se multiplient permettent à son gouvernement de présenter à l'Assemblée, chaque année, des surplus budgétaires.

À court terme, la politique économique du gouvernement paraît rentable; mais ses adversaires ne manquent pas de lui reprocher de céder le patrimoine québécois aux étrangers. Ce qui importe à Parent, ce n'est pas que le capital soit étranger ou autochtone, mais qu'il y ait mise en valeur des ressources naturelles, développement économique et création d'emplois.

Félix-Gabriel Marchand, 1832-1900, premier ministre du Québec, 1897-1900. (Éditeur officiel du Québec, 6941196)

Simon-Napoléon Parent, 1855-1920, premier ministre du Québec, 1900-1905. (Archives nationales du Québec, N974-39)

Aussi sa politique est-elle favorable aux capitalistes: il n'hésite pas, par exemple, à baisser de $1,50 à $0,65 le droit d'exportation sur chaque corde de bois à pâte. Sa crainte, c'est de se montrer trop exigeant à l'égard des capitalistes qui « donnent du travail à la population ». Les « chantiers » sont, dans certaines régions, la principale source de revenus des colons et un revenu d'appoint important pour les agriculteurs. Le premier ministre est tellement convaincu de la nécessité de favoriser les exploitants forestiers, qu'il abolit purement et simplement le ministère de la Colonisation. Cette mesure lui vaut l'hostilité des milieux conservateurs et nationalistes qui attachent une importance considérable à la colonisation. D'ailleurs, les accusations de maladministration des terres publiques et de corruption pleuvent contre Parent qui avait été responsable de ce domaine comme ministre des Terres.

Bref, au temps de Parent, le Québec a un « gouvernement d'affaires », pour reprendre l'expression de *La Presse*, qui écrit au lendemain de la session de 1901: « La session qui vient de se terminer à Québec porte le cachet d'un grand esprit pratique. Le rêve de ceux qui veulent introduire dans nos institutions provinciales le principe pur et simple des affaires est réalisé. » Et cela vaut pour tout ce régime de 1900 à 1905. Car, en 1904, Parent remporte une autre victoire électorale facile en utilisant la même tactique qu'en 1900, c'est-à-dire en se faufilant dans le sillage de Laurier qui vient d'être réélu au fédéral. Le 4 novembre, soit le lendemain du triomphe de Laurier, il fait dissoudre l'Assemblée et fixe les élections au 25 novembre avec mise en candidature le 18! Démoralisés par la défaite de leur parti au fédéral, les conservateurs doivent procéder au choix de leurs candidats dans 64 comtés en 13 jours. Flynn, le chef conservateur, songe à proposer à ses partisans de boycotter le scrutin en ne présentant aucun candidat, pour protester contre l'attitude antidémocratique du gouvernement. Sa suggestion n'a pas de suite et les libéraux font élire 68 députés, dont 38 sans opposition, contre 6 pour les conservateurs, dont le pourcentage du vote tombe à 25,4%.

Mais il s'agit d'une victoire douteuse pour Parent. En effet, en l'absence d'une forte opposition conservatrice sur la scène électorale, il voit naître au sein de son propre parti une réaction contre ses méthodes affairistes et autocratiques. Des libéraux fédéraux, tels Henri Bourassa et surtout les sénateurs Legris et Choquette, lancent publiquement des accusations de corruption contre lui. Dans plusieurs circonscriptions, la lutte se fait entre libéraux « parentistes » et « antiparentistes ». Après les élections, le parti est divisé et la situation de Parent est si compromise que Laurier lui-même est incapable d'empêcher sa chute. Démissionnant du cabinet, des ministres obtiennent l'appui de la majorité des députés libéraux et obligent le premier ministre à se retirer.

LOMER GOUIN

Lomer Gouin passe alors pour un radical parce que partisan de réformes en éducation. Avocat, il a épousé la fille de l'ex-premier ministre Honoré Mercier. D'abord défait comme candidat au fédéral, il réussit à se faire élire comme échevin à Montréal et député à Québec en 1897; il devient ministre de la Colonisation et des Travaux publics en 1900. Trois ans plus tard, il n'hésite pas à se heurter à Laurier lui-même, en prononçant un vigoureux plaidoyer en faveur d'une révision constitutionnelle qui hausserait le subside fédéral aux provinces. Gouin se veut en effet le continuateur de Mercier et, contrairement à Parent, il se sent plutôt libre à l'égard du chef fédéral.

Son leadership à l'intérieur du parti est tel qu'en 1905 il peut prendre la tête du mouvement qui renverse Parent. Une fois au pouvoir, il s'y installe pour 15 ans. Ce long règne contraste avec les gouvernements précédents, puisque de 1867 à 1905 aucun premier ministre n'avait occupé ce poste plus de six ans. Hésitant, mais sachant consulter et pratiquer le compromis, Lomer Gouin affirme son autorité à l'intérieur du parti et il réussit à assurer une grande stabilité à son régime. Sous sa direction, l'État élargit ses champs d'activité et se modernise. Malgré des moyens financiers encore modestes et les professions de foi en faveur du libéralisme le plus pur, le gouvernement réglemente de plus en plus la vie économique, en particulier dans le secteur des ressources naturelles, et s'implique davantage dans le développement de l'infrastructure, la formation de la main-d'oeuvre et la modernisation de l'appareil étatique.

Lomer Gouin, 1861-1929, premier ministre du Québec, 1905-1920. (Archives nationales du Québec, GH370-99)

Gouin est pourtant un gestionnaire prudent. Chaque année, il est fier d'annoncer un surplus budgétaire et, en dépit d'un ambitieux programme de voirie, il s'efforce de réduire la dette publique. Sa gestion conservatrice lui vaut d'ailleurs une approbation à peu près unanime. En plus d'obtenir une augmentation du subside fédéral, son gouvernement tire des revenus très importants du domaine public et surtout il utilise de plus en plus son pouvoir fiscal en imposant diverses taxes: aux compagnies, sur les transactions boursières, sur l'alcool, sur les automobiles, etc. Mais au total, c'est une administration financière sinon timide, du moins très prudente et il n'est pas certain que le gouvernement sache tirer pleinement profit entre autre de l'exploitation des ressources naturelles.

À défaut de nationaliser la production et la distribution de l'électricité, comme on l'avait fait en Ontario dès 1906, Gouin, sous la pression des nationalistes, passe une série de mesures pour corriger les pires abus. Ainsi, au lieu de vendre les ressources hydrauliques, il les louera par bail emphytéotique et, dans certains cas, il obligera les locataires à utiliser dans des délais assez brefs les sources louées afin de combattre la spéculation et de favoriser l'industrialisation. Dans la même ligne de pensée, il crée en 1914 la Commission des eaux courantes.

En 1910, le gouvernement place un embargo sur l'exportation du bois à pâte coupé sur les terres publiques: le bois doit être transformé en pâte ou en papier avant d'être exporté. Il ne fait aucun doute que cette mesure stimule l'industrie des pâtes et papiers, dont la production passe de $7,4 millions en 1905 à $64,5 millions en 1919.

Le gouvernement fait des efforts également pour développer le réseau routier, car la voirie est perçue comme un des facteurs-clés du développement économique. Dans les régions de colonisation, cela s'impose pour la commercialisation de l'agriculture et l'exploitation forestière; et dans les villes, pour l'industrie et le commerce bien entendu, mais aussi pour le tourisme automobile, qui se développe dans les années 1910 et 1920. Certes, le gouvernement s'efforce de passer une partie du fardeau financier aux municipalités. Mais de plus en plus il est obligé d'assumer une plus grande partie des dépenses et d'intervenir pour planifier et organiser le développement du réseau routier, ce qui s'avère par ailleurs très rentable sur le plan électoral.

Le gouvernement Gouin donne enfin une nouvelle impulsion à la cause de l'éducation. Pour Lomer Gouin en particulier, l'éducation constitue le moyen par excellence de promotion individuelle et collective. Dès 1898, il est membre du Comité catholique, et pendant toute sa carrière publique il s'occupera activement de cette cause. En 1920, après sa démission comme premier ministre, il devient président de l'Université de Montréal et il présidera deux commissions d'enquête sur la Commission des écoles catholiques de Montréal. Il ne fait aucun doute qu'il est en faveur de réformes profondes dans le système d'éducation, mais il doit composer avec le clergé et il doit renier, au moins officiellement, ses amis « radicaux » qui prônaient l'école obligatoire. De même, il doit composer avec les municipalités, plus soucieuses de faire payer le moins d'impôt possible que d'assurer le progrès de l'instruction publique. Les réformes du gouvernement Gouin sont donc partielles: les salaires des enseignants restent pitoyables, l'éducation n'est ni gratuite ni obligatoire et le système public d'enseignement souffre de carences nombreuses. Néanmoins, comme nous l'avons vu dans un autre chapitre, Lomer Gouin réussit à créer, sous l'autorité de l'État, un système d'enseignement professionnel et technique qui se développe en marge du système général d'enseignement: HEC, écoles techniques, etc.

Si Lomer Gouin s'est rapidement imposé comme chef de parti et de gouvernement, il est vivement contesté par les nationalistes. Ceux-ci lui reprochent de tolérer la corruption, de céder les richesses naturelles aux étrangers, de négliger l'agriculture et la colonisation. La chétive opposition conservatrice ne peut que se réjouir des attaques virulentes menées par Bourassa, Lavergne et le journal *Le Nationaliste*. Comme nous l'avons déjà vu, les conservateurs et les nationalistes unissent leurs efforts en 1908 pour tenter de vaincre les libéraux: à la suite d'une campagne particulièrement animée, ils remportent une victoire morale, mais seulement 13 sièges, avec près de 45% des suffrages exprimés. Les libéraux restent solidement majoritaires, mais ils ont tout de même perdu 10 sièges et quelque 12% du vote. De plus, le premier ministre a subi une humiliante défaite dans le comté de Saint-Jacques contre le chef nationaliste. Il est vrai qu'il avait pris la précaution de se présenter, en même temps, dans un autre comté (Portneuf), comme le permettait la loi. Henri Bourassa, élu dans Saint-Jacques et dans Saint-Hyacinthe, sort grandi de l'élection. De 1908 à 1912, le gouvernement Gouin, talonné par l'opposition, devra fournir une meilleure performance législative; ce sont certainement les années les plus productives de ce régime.

Malgré la retraite de Bourassa de la scène politique, les nationalistes continuent à appuyer les conservateurs, mais l'impérialisme des conservateurs fédéraux, au pouvoir à Ottawa depuis 1911, la question des écoles franco-ontariennes et la politique de guerre favorisent encore une fois le parti libéral, qui sait exploiter pleinement la situation. À l'élection de 1916, Henri Bourassa, malgré quelques réserves à l'endroit du gouvernement Gouin, commet un éditorial vitriolique contre le chef conservateur provincial, tandis qu'Armand Lavergne ne se représente pas dans sa circonscription. De plus, les conservateurs n'ont pas de programme politique, ils sont à la remorque des libéraux et ceux-ci triomphent facilement en remportant 75 sièges, dont 23 sans opposition, contre 6 seulement aux conservateurs qui ont tout de même réussi à conserver 35% des suffrages. La crise de la conscription en 1917 ne fait qu'aggraver la situation des conservateurs. À l'élection québécoise de 1919, ils n'ont que 5 sièges et 23,7% des suffrages exprimés: c'est le plus faible pourcentage jamais obtenu par ce parti depuis 1867. Les libéraux triomphent avec 70% des suffrages et 74 sièges dont 43 sans opposition.

Non seulement la guerre permet à Gouin de triompher facilement de ses adversaires, mais elle est aussi l'occasion pour lui de s'attirer le respect des nationalistes. Gouin devient, d'une certaine façon, le porte-parole politique le plus éminent des Canadiens français. Certes, il participe activement à l'effort de guerre du Canada. Le gouvernement québécois fait des dons à l'Angleterre, il encourage les campagnes de charité, la vente d'obligations de guerre et l'enrôlement volontaire. Toutefois, il s'oppose vigoureusement à la conscription et il avertit Laurier que, quoi qu'il advienne, il doit lui aussi s'y opposer sous peine de voir le Québec passer aux nationalistes. À la suite de la conscription, Gouin permet à l'un de ses députés, J.-N. Francoeur, de présenter une motion qui fait sensation: « Cette chambre est d'avis que la province de Québec serait disposée à accepter la rupture du pacte confédératif de 1867 si, dans les autres provinces, on croit qu'elle est un obstacle au progrès et au développement du Canada ». Devant de nombreux journalistes francophones et anglophones, plusieurs députés prennent la parole pour dénoncer les calomnies proférées contre le Québec et les Canadiens français et pour dénoncer le sort injuste réservé aux minorités françaises, particulièrement en Ontario. Mais tous, comme Lomer Gouin d'ailleurs, qui prononce un grand discours très attendu, se déclarent fédéralistes et attachés au Canada. Les Canadiens français sont reconnaissants à Gouin d'avoir exprimé leurs griefs et les Canadiens anglais sont satisfaits parce que le Québec respecte la loi et ne remet pas en cause le fédéralisme. Quant aux nationalistes, étant eux aussi fédéralistes, ils ne peuvent que se rallier à Gouin et attendre l'heure de la revanche contre les conservateurs. La motion Francoeur, qui de toute façon n'a qu'une valeur symbolique, est retirée avant même qu'on prenne le vote à son sujet.

La conscription divise profondément le Canada: en mars-avril 1918, la tension atteint son paroxysme. Une émeute éclate à Québec et le gouvernement fédéral fait intervenir l'armée: quatre civils sont tués et plusieurs autres sont blessés. Encore une fois, l'image des conservateurs est ternie comme ce sera le cas à propos du règlement 17 qui restreint l'enseignement en français dans les écoles d'Ontario. Le gouvernement Gouin autorise les commissions scolaires catholiques du Québec à aider financièrement les écoles franco-ontariennes qui résistent au règlement 17. Le chef conservateur du Québec, Philémon Cousineau, commet la bourde de s'opposer à cette mesure, s'attirant ainsi l'hostilité des nationalistes.

D'une manière plus générale, Lomer Gouin, comme son beau-père Honoré Mercier, se fait le défenseur de l'autonomie provinciale et tout en étant un libéral orthodoxe il sait garder ses distances vis-à-vis Laurier. En 1920, au sommet de son prestige, Gouin se retire et laisse la succession à un de ses ministres, Louis-Alexandre Taschereau. Il fera plus tard un retour en politique active sur la scène fédérale et deviendra ministre de la justice.

LOUIS-ALEXANDRE TASCHEREAU

Le nouveau régime restera au pouvoir jusqu'en 1936. L.-A. Taschereau, député depuis 1900 et ministre depuis 1907, vient d'une grande famille où l'on retrouve des lieutenants-gouverneurs, un ministre fédéral, un juge à la Cour suprême et un cardinal. Taschereau lui-même est un avocat et un homme d'affaires parfaitement rompu à la vie politique et à l'administration. Disposant d'une forte majorité à l'Assemblée, il présente deux grandes mesures qui font couler beaucoup d'encre: la loi de l'Assistance publique et la création de la Commission des liqueurs. Dans les autres secteurs, il continue sur la lancée de Lomer Gouin, notamment en matière d'éducation et de voirie. La récession économique des années 1921-1922 vient cependant ralentir les efforts du gouvernement, qui entend rester fidèle au principe sacré de l'équilibre budgétaire.

Les réajustements d'après-guerre et la récession qui suit causent, comme nous l'avons vu, de profonds malaises chez les agriculteurs: on assiste non seulement à un accroissement de l'émigration vers les villes et vers les États-Unis, mais aussi à une poussée de militantisme et à des tentatives d'action politique. Le gouvernement et en particulier le ministre de l'Agriculture, J.-E. Caron, font de grands efforts pour contrer ce début de protestation agraire qui menace la base électorale des libéraux. La situation n'est guère plus reluisante dans les villes. À Montréal, en particulier, on se plaint de la hausse du coût de la vie et du contrôle qu'exercent les milieux d'affaires et le gouvernement sur la métropole. Pour arrêter l'émigration, le clergé, les nationalistes et les conservateurs prônent à nouveau le retour à la terre. Le gouvernement Taschereau pense au contraire que la solution se trouve dans l'industrialisation, mais devant les pressions, il augmente modestement les crédits à l'agriculture et à la colonisation.

L'élection de 1923 s'annonce difficile pour le gouvernement. Les libéraux fédéraux viennent prêter main-forte à leurs collègues provinciaux, tandis que les conservateurs mènent leur lutte de manière autonome de peur d'aviver le souvenir de la conscription. Les conservateurs blâment le gouvernement pour sa politique d'industrialisation à outrance au profit des étrangers et l'accusent de négliger l'agriculture et la colonisation, qui leur apparaissent prioritaires. Ils attaquent l'étatisme du gouvernement qui se manifeste dans la loi de l'Assistance publique et la Commission des liqueurs, « qui empoisonne notre race ». L'opposition promet de respecter davantage l'autonomie des municipalités, en particulier celle de la métropole, et dénonce la tyrannie et la corruption du gouvernement libéral depuis trop longtemps au pouvoir.

Les attaques conservatrices rejoignent très souvent les critiques formulées par les milieux nationalistes et cléricaux. Le *Devoir* et l'*Action catholique* appuient Sauvé; dans une série d'éditoriaux, Henri Bourassa dénonce vigoureusement le régime libéral, tandis qu'Armand Lavergne fait la lutte à Taschereau dans Montmorency. On se croirait revenu en 1908, alors que Bourassa, allié tacitement aux conservateurs, affrontait Lomer Gouin dans Saint-Jacques. L'appui des nationalistes rend Sauvé suspect aux yeux des journaux anglophones et des bailleurs de fonds conservateurs, tandis que les libéraux s'empressent de rappeler la « trahison » des nationalistes qui a abouti à la défaite de Laurier en 1911 et à son remplacement par les conservateurs conscriptionnistes.

Louis-Alexandre Taschereau, 1867-1952, premier ministre du Québec, 1920-1936. (Éditeur officiel du Québec, 283-61H)

Mais la guerre est bien terminée, Sauvé s'est dissocié des conservateurs fédéraux et ses critiques trouvent écho auprès de la population. Les conservateurs obtiennent 44,4% des suffrages exprimés, soit près du double des suffrages reçus en 1919. Ils remportent une éclatante victoire sur l'île de Montréal, enlevant 13 sièges sur 15. Ils prennent 2 sièges sur 4 à Québec et les circonscriptions urbaines de Sherbrooke et Beauharnois. Ils n'ont pas réussi cependant à effectuer une percée dans le monde rural, qui fait la force des libéraux, aussi paradoxal que cela puisse paraître pour un parti dont la politique est axée sur l'industrialisation. Quoi qu'il en soit, les conservateurs auront à l'Assemblée 19 députés au lieu de 5, mais les libéraux, avec 64 députés, restent solidement majoritaires.

Les thèmes et les enjeux de l'élection de 1927 rappellent ceux de 1923, mais les conditions ne sont plus les mêmes. La conjoncture économique est bien meilleure; la politique d'industrialisation axée sur l'exploitation des ressources naturelles semble porter fruit et la production augmente dans à peu près tous les secteurs.

Le régime Taschereau n'hésite pas à revendiquer le mérite de cette prospérité. À vrai dire, les libéraux n'ont pas cessé de faire des efforts pour attirer les capitaux étrangers au Québec en vantant, en toutes occasions, l'abondance des ressources naturelles, le potentiel hydro-électrique, la main-d'oeuvre docile et laborieuse et un gouvernement favorable à l'entreprise privée. En s'opposant à la canalisation du Saint-Laurent et à l'exportation d'électricité aux États-Unis, le gouvernement entend attirer encore plus d'entreprises et créer plus d'emplois, ce qui freinera l'exode vers le sud. Taschereau répète inlassablement qu'il vaut mieux importer des capitaux étrangers que d'exporter des Québécois aux États-Unis. Le gouvernement défend avec conviction ses réalisations comme la Commission des liqueurs, la loi des accidents du travail, qu'il a entrepris d'améliorer, la commission métropolitaine, qui cherche à mieux répartir le fardeau fiscal des municipalités.

Les conservateurs, toujours dirigés par Sauvé, sont divisés, à court d'idées, et disposent de moyens limités. Les journaux anglophones conservateurs ne les appuient pas, la rue Saint-Jacques leur est hostile. Les seuls alliés sont encore les nationalistes et la presse cléricale. L'opposition dénonce la mainmise des étrangers sur l'économie québécoise et l'industrialisation intense qui se fait au détriment des agriculteurs et des colons. On cherche par exemple à créer un scandale de ce que les conservateurs appellent « la tragédie du Lac Saint-Jean »; en réalité, il s'agit d'une opération par laquelle la compagnie Duke-Price avait inondé, après les avoir achetées, des terres arables, dans le but d'accroître son potentiel de production électrique.

Découragé par trois échecs successifs, Sauvé remet sa démission. La succession reviendra à Camilien Houde, maire de Montréal et député. La crise économique qui débute en 1929 et le retour au pouvoir en 1930 des conservateurs fédéraux, qui ont même réussi une percée au Québec, augurent bien pour le nouveau chef. Mais Houde se heurtera aux mêmes difficultés que son prédécesseur et le long règne des libéraux se poursuivra encore quelques années.

Ainsi, pendant les trois premières décennies, les libéraux ont dominé la scène politique, obtenant entre 54% et 70% des suffrages exprimés au cours des neuf élections tenues de 1897 à 1927. Il est même arrivé à deux reprises, en 1904 et en 1919, que les libéraux obtiennent une majorité de sièges à l'Assemblée avant même la tenue du scrutin grâce à un nombre massif de candidats élus sans opposition. Comme nous l'avons vu, la force des libéraux est singulièrement amplifiée par le mode de scrutin et la carte électorale: à 4 reprises, ils obtiennent plus de 90% des sièges et jamais moins de 69%. Cette situation favorise le parti au pouvoir quant à son organisation, à son financement et à la manne que constitue le patronage.

Il faut dire que la pensée et l'action politiques des libéraux sont plus cohérentes et plus dynamiques que celles des conservateurs, qui paraissent à la remorque de leurs adversaires sur le plan idéologique. On peut même soupçonner que la politique d'industrialisation des libéraux convient non seulement à la population urbaine, mais aussi à la population rurale qui profite de ses retombées.

Finalement, les libéraux québécois profitent de l'appui de leurs confrères fédéraux qui maintiennent leur image de défenseurs des Canadiens français, tandis que les conservateurs doivent constamment se dissocier du parti fédéral et de son image francophobe. Ces facteurs donnent l'impression que les libéraux sont invincibles et aident à comprendre le découragement des nationalistes qui désespèrent des partis politiques et des possibilités démocratiques du système politique.

Orientations bibliographiques

Angell, Harold M. *Quebec Provincial Politics in the 1920's*. Thèse de M.A. (science politique), Université McGill, 1960.

Beck, J. Murray. *Pendulum of Power. Canada's Federal Elections*. Scarborough, Prentice-Hall, 1968. 442p.

Bonenfant, Jean-Charles. « La vie politique du Québec de 1910 à 1935 », Léon Lortie et Adrien Plouffe, dir., *Aux sources du présent*, (Toronto, University of Toronto Press, 1960): 25-33.

Dupont, Antonin. *Les relations entre l'Église et l'État sous Louis-Alexandre Taschereau 1920-1936*. Montréal, Guérin, 1972. 366p.

Hamelin, Jean et al. « Les élections provinciales dans le Québec », no spécial, *Cahiers de Géographie de Québec*, 4, 7 (oct. 1959 - mars 1960): 5-207.

Lovink, J. Anton. *The Politics of Quebec: Provincial Political Parties, 1897-1936*. Thèse de Ph.D., Duke University, 1967. 397p.

Neatby, H. Blair. *Laurier and a Liberal Quebec*. Toronto, McClelland and Stewart, 1973. 244p.

Orban, Edmond. *Le Conseil législatif du Québec, 1867-1967*. Montréal, Bellarmin, 1967. 355p.

Roby, Yves. *Les Québécois et les investissements américains (1918-1929)*. Québec, PUL, 1976. 247p.

Weilbrenner, Bernard, « Les idées politiques de Lomer Gouin », *Rapport de la Société historique du Canada* (1965): 46-57.

CHAPITRE 34

LES RELATIONS FÉDÉRALES-PROVINCIALES

De 1867 à 1896, l'équilibre entre le fédéral et les provinces s'est modifié sensiblement. Celui qui prévaut pendant les trois premières décennies du siècle met l'accent sur la souveraineté des provinces dans les domaines de leur juridiction et, en pratique, limite le gouvernement fédéral aux pouvoirs énumérés dans l'article 91 de l'AANB. Il crée un fédéralisme où, théoriquement, les deux niveaux de gouvernement jouissent d'un statut d'égalité plutôt que de subordination l'un par rapport à l'autre, à l'exception de la période de la guerre, alors que le gouvernement fédéral domine entièrement, grâce aux pouvoirs d'urgence que lui reconnaît la constitution.

UN NOUVEL ÉQUILIBRE

En 1896, de nouvelles circonstances favorisent l'autonomie provinciale. Il y a d'abord l'arrivée au pouvoir à Ottawa des libéraux qui, alors qu'ils étaient dans l'opposition, se sont souvent prononcés en faveur d'un plus grand respect des droits des provinces. D'ailleurs, le premier gouvernement Laurier ne compte pas moins de quatre anciens premiers ministres provinciaux: Joly, du Québec; Blair, du Nouveau-Brunswick; Fielding, de la Nouvelle-Écosse, et Mowat de l'Ontario. Les deux derniers ont été d'ardents autonomistes. En même temps, le Canada entre dans une ère de prospérité économique, en grande partie liée à l'exploitation des richesses naturelles, qui sont de juridiction provinciale. Le Québec, l'Ontario et la Colombie britannique s'engagent, au tournant du siècle, dans une nouvelle phase d'industrialisation, dans laquelle les forêts, les forces hydrauliques et les mines ont une importance croissante. Il est significatif qu'au cours de cette période les gouvernements préfèrent régler les problèmes constitutionnels dans le cadre de conférences fédérales-provinciales ou interprovinciales plutôt que de recourir au droit de désaveu ou aux jugements du Conseil privé. Alors que de 1867 à 1896 on n'avait tenu qu'une seule conférence interprovinciale, à laquelle Ottawa avait d'ailleurs refusé de participer, de 1896 à 1930, il n'y aura pas moins de sept rencontres formelles entre les deux niveaux de gouvernement.

En fait, on peut distinguer trois phases dans l'évolution des relations fédérales-provinciales: 1896 à 1914, la période de la guerre et les années 1920. La première est caractérisée par les revendications financières des provinces. Les subventions fédérales étant fixes, elles représentent une part toujours décroissante des revenus des provinces, dont les besoins grandissent avec l'urbanisation accélérée et l'accroissement rapide de la population. En 1902, les premiers ministres provinciaux se réunissent pour réclamer des augmentations. À cette occasion, ils se heurtent à un refus, mais, quatre ans plus tard, le premier ministre Laurier convoque une conférence fédérale-provinciale, au terme de laquelle il accepte d'augmenter les subventions d'environ un tiers et de les réajuster en fonction de la population à chaque recensement. La conférence de 1910 n'a pas pour objet les subventions fédérales, mais traite uniquement de la représentation des Maritimes à la Chambre des communes. En 1913, cependant, les provinces reviennent à la charge et demandent qu'en plus des subventions statutaires, le gouvernement fédéral leur verse chaque année 10% des sommes qu'il retire des taxes d'accise et des douanes.

Malgré les augmentations prévues en 1907, les subventions fédérales ne représentent plus que 28,6% des revenus des provinces en 1913, alors que les sommes tirées du domaine public et de la vente des permis et licences en fournissent 50%. Pour compléter leurs revenus, les provinces doivent compter de plus en plus sur les impôts directs (20,7%). À la veille de la guerre, le niveau de leurs dépenses atteint la moitié de celui du gouvernement central, ce qui témoigne du rôle grandissant qu'elles jouent dans le développement du territoire et dans l'organisation de la société.

La guerre qui éclate en 1914 vient freiner ce mouvement et relancer la centralisation fédérale. Invoquant la situation d'urgence, le gouvernement fédéral fait voter la loi des mesures de guerre, qui lui donne d'amples pouvoirs pour mobiliser la population et l'économie. L'effort de guerre exige le recours aux emprunts et à l'utilisation maximale des pouvoirs fiscaux. En 1916, pour la première fois, le gouvernement lève un impôt sur les profits des compagnies et en 1917 sur le revenu des particuliers, avec l'intention de se retirer après la guerre de ces champs de taxation considérés jusque-là comme exclusifs aux provinces. Le gouvernement songe aussi à contrôler les emprunts des provinces mais, devant les protestations du Québec et de l'Ontario, il n'applique pas cette mesure.

L'effort spectaculaire fourni pendant la guerre a accru considérablement la capacité productive de l'économie et le Canada s'est affirmé sur la scène internationale. Mais, au passif, le pays est profondément divisé tant sur le plan ethnique que sur le plan social et régional. Les provinces sont d'autant plus critiques à l'égard du gouvernement conservateur qu'elles ont d'énormes besoins à combler. Or, le gouvernement central refuse d'abandonner les deux grands impôts directs: il propose plutôt de venir en aide par des prêts aux provinces les plus en difficulté. C'est ainsi qu'il recourt aux subventions conditionnelles pour des programmes en matière de santé (maladies vénériennes) et d'éducation (enseignement technique). Cette technique de financement, qui jouera un rôle si important par la suite, avait été utilisée pour la première fois en 1912 en matière d'agriculture et cela n'avait pas suscité d'opposition.

Mais cette attitude centralisatrice ne va pas très loin: la décennie des années 1920 est en effet marquée par l'essoufflement du gouvernement fédéral. À cause de l'effort de guerre et de la faillite des chemins de fer, la dette publique s'est multipliée par sept de 1913 à 1920. Le gouvernement désire revenir à une politique financière orthodoxe: réduction de la dette, baisse des impôts, équilibre du budget. La seule grande mesure sociale de la période sera l'instauration des pensions de vieillesse en 1927. Le gouvernement s'engage à payer 50% du coût de la pension versée aux vieillards dans les provinces qui accepteront de participer à l'entente. Les provinces qui rejettent une telle intrusion dans un domaine de leur juridiction subissent une injustice évidente, puisqu'elles paient des impôts pour un service que leurs citoyens ne reçoivent pas. Mais c'est une technique singulièrement efficace pour forcer les provinces à se plier aux orientations décidées par Ottawa. Le Québec sera le dernier à céder en 1936. Ce genre d'arrangement reste toutefois un cas d'exception avant 1930.

Par ailleurs, le développement des industries axées sur les ressources naturelles et l'importance croissante de l'automobile permettent aux provinces de jouer un rôle économique majeur. Elles doivent non seulement investir davantage dans l'infrastructure, mais aussi assumer des responsabilités, dans le domaine de la santé ou de l'éducation, qui dépassent désormais les possibilités des municipalités. Les provinces doivent donc trouver de nouvelles sources de revenus. Les grands impôts directs rapportent davantage avec la prospérité, d'autant plus que le fédéral se montre fort modéré dans ces secteurs. La vente de l'alcool et les permis d'automobile notamment rapportent des sommes intéressantes. Mais les provinces ajoutent à leur panoplie fiscale les taxes sur la consommation: taxe d'amusement, taxe sur l'essence, taxe sur le tabac et taxe de vente.

Tout compte fait, on peut dire que les années vingt sont l'âge d'or de l'autonomie provinciale. Le gouvernement central, qui effectuait 64% de toutes les dépenses publiques en 1874, n'en assume plus que 46% en 1930. Les revenus des provinces augmentent de plus de 800% de 1896 à 1921, passant de $11 à $90 millions et ils doublent encore de 1921 à 1930 pour atteindre $183,4 millions. Ajoutons que leur dépendance financière face au gouvernement central décroît puisque ce dernier finançait 57,7% des dépenses des provinces au moyen de subventions statutaires en 1874 et que cette part tombe à 10,3% en 1930. Enfin, les provinces ont déplacé les municipalités dans le secteur de la politique sociale.

Cependant, ce type de développement crée des problèmes d'inégalités entre les régions. Les Maritimes et les Prairies ne sont pas en mesure de bénéficier de l'industrialisation au même titre que le Québec, l'Ontario et la Colombie britannique, comme on peut le constater lors des conférences fédérales-provinciales de 1918, 1926 et 1927. Le gouvernement fédéral doit venir en aide aux régions défavorisées. À la suite du rapport de la Commission Duncan, il augmente ses subventions aux Maritimes et il donne des octrois aux chemins de fer pour abaisser les coûts du transport. En 1930, il cède enfin aux Prairies l'administration de leurs ressources naturelles et leur donne une compensation financière. Mais si l'Ontario et le Québec ne s'opposent pas à de tels arrangements et ne demandent pas de subventions, la Colombie britannique se considère lésée d'avoir été classée parmi les régions favorisées.

Dans l'ensemble, le système fédéral fonctionne avec une certaine harmonie au cours de ces années de prospérité. C'est la crise économique des années 1930 qui fera éclater au grand jour le problème des inégalités régionales et sociales du fédéralisme canadien et qui suscitera une remise en question fondamentale du type de fédéralisme qui s'est développé depuis 1896.

UN QUÉBEC AUTONOMISTE

Pour évaluer la position du Québec dans le processus général que nous venons de décrire, il nous faut examiner deux autres questions: l'influence des dirigeants québécois sur la politique fédérale et l'impact des conflits ethniques. Dans les trois premières décennies du 20e siècle, le Québec joue un rôle beaucoup plus actif qu'auparavant dans la défense de l'autonomie provinciale. Au début de la période, il s'en était tenu à une position traditionnelle qui consistait essentiellement à demander plus d'argent à Ottawa sous forme de subventions statutaires. C'est ainsi que, dès 1899, le premier ministre Marchand avait consulté ses collègues provinciaux à ce sujet. Le premier ministre de l'Ontario s'était montré peu enthousiaste, préférant que les provinces tirent leurs revenus des impôts directs; c'était une attitude très logique de la part de la province la plus riche. Le décès de Marchand en 1900 arrête le projet de conférence, mais son successeur, S.-N. Parent, relance l'idée et le nouveau gouvernement ontarien se montre favorable au point de vue québécois, qui est partagé aussi par les autres provinces. Mais, comme nous l'avons vu, ce n'est qu'en 1907 que le fédéral accepte de nouveaux arrangements financiers; le subside du Québec passe alors de $1 086 000 à $1 686 000 annuellement.

La guerre amène un changement dans la stratégie. Au lieu de demander des augmentations du subside fédéral, le Québec, tout comme l'Ontario d'ailleurs, mène la lutte pour protéger sa part des impôts directs et son autonomie financière. La menace de Gouin de ne pas respecter le règlement fédéral qui empêcherait le Québec d'emprunter à l'étranger est fort significative à cet égard.

Si, pendant la guerre, le Québec doit subir la centralisation fédérale, le premier ministre Taschereau en dénonce vigoureusement les séquelles, la paix revenue. Il rappelle qu'en 1867 les subventions fédérales aux provinces représentaient 20% du revenu du gouvernement central, alors qu'en 1920 ce n'est plus que 2%. Au lieu de donner aux provinces, dit Taschereau, Ottawa s'ingère dans les affaires de juridiction provinciale: voirie, éducation, agriculture, etc. Et il ajoute: « Voici qu'Ottawa taxe nos revenus, taxe les profits, taxe les corporations commerciales, taxe les ventes, taxe tout. Il ne nous reste plus, si nos revenus sont insuffisants, qu'à augmenter pour notre propre compte tous ces impôts qui sont déjà assez élevés. Ottawa s'est attribué, sans plus de cérémonie, nos propres sources de revenus. »

Mais la situation se régularise dans les années vingt. Le Québec défend plus vigoureusement son autonomie et, d'accord avec l'Ontario, il veille à utiliser ses propres impôts plutôt qu'à demander des subventions. Taschereau dénonce les tentatives d'ingérence du fédéral dans le secteur des richesses naturelles, comme il conteste sa compétence dans le nouveau domaine de la radio. Et c'est au nom de l'autonomie provinciale qu'il s'oppose à tout projet de canalisation du Saint-Laurent et qu'il rejette le plan fédéral sur les pensions de vieillesse. Il réussit par ailleurs à obtenir pleine juridiction dans le domaine des pêcheries et il n'hésite pas à recourir à la taxe de vente, malgré les prétentions de l'opposition voulant qu'il s'agisse d'un impôt indirect, donc réservé au fédéral. Bref, dans les années vingt, le premier ministre Taschereau est un défenseur vigilant de l'autonomie provinciale.

Les allégeances partisanes des dirigeants politiques et les liens qui les unissent peuvent affecter l'évolution des relations fédérales-provinciales. Ainsi, au début de la période étudiée, le prestige de Laurier est tel que cela a tendance à brouiller les lignes de démarcation entre les deux niveaux de gouvernement et à placer les dirigeants québécois dans un état de dépendance vis-à-vis Ottawa. Ainsi F.-G. Marchand, qui a pris le pouvoir dans le sillage de Laurier, doit consulter celui-ci avant de former son cabinet. Une des conséquences fâcheuses de cette dépendance sera notamment de forcer le gouvernement Marchand à retirer son projet de création d'un ministère de l'instruction publique. S.-N. Parent, qui devient premier ministre en 1900, est l'homme lige de Laurier et les relations entre les ailes fédérale et provinciale du parti libéral sont étroites. Avec Lomer Gouin, la situation se modifie quelque peu, car celui-ci a accédé au pouvoir par ses propres moyens.

Lorsque les conservateurs sont au pouvoir, Gouin apparaît de plus en plus comme le porte-parole du Québec. Il en va de même pour Taschereau qui, tout en maintenant des liens étroits entre les deux ailes du parti, n'hésite pas à prôner la cause de l'autonomie provinciale. Cette médiation des relations fédérales-provinciales à travers le parti libéral est sans doute une des raisons qui expliquent la relative harmonie dans ce domaine au cours des années étudiées.

Mais le fédéralisme canadien repose aussi sur la coexistence des Canadiens français et des Canadiens anglais à l'intérieur d'une même structure politique. La période est marquée par les conflits ethniques à propos des écoles des minorités et par la crise de la conscription. Ces conflits, malgré leur gravité, ne remettent pas tant en cause le fédéralisme que le parti conservateur, car les libéraux fédéraux savent tirer pleinement parti de la situation.

Quant aux nationalistes québécois, sous l'influence de Bourassa, ils sont davantage tournés vers Ottawa que vers Québec. Certes ils sont en faveur de l'autonomie provinciale, mais leur intérêt se porte surtout du côté fédéral, car ils espèrent toujours réussir, en affirmant leur présence à Ottawa, à corriger les injustices faites aux minorités françaises hors Québec et à convaincre la majorité des Canadiens de ne pas se laisser entraîner dans les guerres impériales.

Dans les années 1920, sous l'inspiration du groupe de l'Action française et de l'abbé Groulx, après les déceptions aiguës du règlement 17 et de la conscription, on se tourne davantage vers Québec. Les nationalistes de l'Action française jonglent pour un temps avec l'idée d'indépendance, mais

FETE DU JOUR: Saint Thomas

BEAU ET FROID

LA PRESSE

Le plus fort tirage des journaux du Canada tout entier, plus de 140,000 copies par jour

34me ANNEE—No 42 EDITION QUOTIDIENNE—MONTREAL VENDREDI 21 DECEMBRE 1917

POUR FAIRE SORTIR QUEBEC DE LA CONFEDERATION CANADIENNE

(Spécial à la "Presse")

Québec, 21.—A la séance d'aujourd'hui, à l'Assemblée Législative, M. J.-N. Francoeur, député libéral de Lotbinière, a donné avis qu'à la prochaine séance de l'assemblée législative, il proposera la motion suivante :

"Que cette Chambre est d'avis que la province de Québec serait disposée à accepter la rupture du pacte fédéral de 1867, si, dans l'opinion des autres provinces, la dite province est un obstacle à l'union, au progrès et au développement du Canada." M. Francoeur est le président du comité des bills privés.

LE REFERENDUM EN AUSTRALIE

LES ANTICONSCRIPTIONNISTES AUSTRALIENS ONT DEJA OBTENU UNE MAJORITE DE 150,000 VOIX

Jusqu'ici les dépêches indiquent que les citoyens du Commonwealth vont se prononcer contre la conscription, mais par une majorité beaucoup plus forte que l'an dernier.

REVIREMENT D'OPINION A VICTORIA

LES PREMIERS RAPPORTS

LA RUSSIE ET LE JAPON UNIS CONTRE LA GRANDE-BRETAGNE

LE RAPPORT DE LA COMMISSION DES TRAMWAYS

NOS DEPUTES EN VACANCES

LE DUC DE CONNAUGHT MALADE EN ANGLETERRE

UNE JOLIE FORTUNE

LA CRISE DU CHARBON

ARRESTATION DE 150 AGITATEURS

MESSAGE FRATERNEL

MOT D'ENCOURAGEMENT ET DE SYMPATHIE D'UN JOURNALISTE ONTARIEN

La province de Québec n'est pas isolée, ayant avec elle la grande majorité des provinces maritimes. —"Parler de châtier Québec est absurde".

"LA GUERRE METTRA FIN A LA GUERRE"

HERTLING A L'AUTORISATION DE CONCLURE LA PAIX

Le Kaiser donne à son chancelier le pouvoir de mettre fin à la guerre.—Qu'adviendra-t-il ? —Voyage significatif du secrétaire des affaires étrangères.

DES SCENES D'ENTHOUSIASME

VON HERTLING, chancelier impérial allemand

AIDE DE L'ARGENTINE

UNE GRANDE FOULE AU MARCHE DE NOEL

UN PAYS LOYAL

LA MAISON SWIFT GARDE SES SECRETS

PRECIEUSE CARGAISON

DE RUDES COMBATS AU FRONT FRANÇAIS

UNE PERTE SENSIBLE

UNE CATASTROPHE

La motion Francoeur fait la manchette des journaux.

ils finissent par se rabattre sur le respect du « pacte » de 1867 en reprenant les griefs traditionnels: justice pour les minorités, respect du bilinguisme à Ottawa et au Québec, plus grand nombre de Canadiens français dans la fonction publique fédérale, contrôle relatif du Québec sur la politique d'immigration. Ils appuient en somme la politique autonomiste de Taschereau vis-à-vis Ottawa, bien qu'ils dénoncent sa politique économique qui cède les richesses du Québec aux étrangers.

LES CANADIENS FRANÇAIS ET LE GOUVERNEMENT FÉDÉRAL

Le Québec dispose de 65 députés à Ottawa, mais son poids relatif tend à diminuer au fur et à mesure que la population canadienne s'accroît. Les députés québécois occupent 30% des sièges en 1896 et 26,4% en 1926. Pendant toute la période étudiée, la grande majorité des députés sont membres du parti libéral, ce qui ne manque pas d'influer sur leur poids au sein du cabinet. À ce niveau, le Québec peut compter sur quelques ministères, entre quatre et six, sur une vingtaine, dont un ou deux pour les Anglo-Québécois. En général, les postes confiés à des Québécois sont des ministères secondaires caractérisés très souvent par leur potentiel de patronage, comme par exemple les Postes et les Travaux publics. Ce modèle général varie évidemment selon les circonstances ou le parti au pouvoir.

De 1896 à 1911, avec cinq ministres, dont deux anglophones, les Québécois sont surtout satisfaits d'avoir un des leurs à la tête au pays. Les bonnes relations entre libéraux provinciaux et fédéraux et la prospérité aidant, le Québec reçoit sa part de patronage et des investissements publics. Mais il ne faut pas perdre de vue que le centre du pouvoir est l'Ontario; Laurier est entouré de ministres ontariens influents. D'ailleurs, il doit accepter des compromis tant sur les droits des minorités que sur les relations entre l'Angleterre et le Canada, qui suscitent au Québec la réaction des nationalistes. Ceux-ci finissent par se dresser contre le leader canadien-français et par se ranger avec les conservateurs en 1911. À cette occasion, les Québécois élisent assez de conservateurs et de nationalistes pour participer activement au ministère conservateur de Robert Laird Borden. Mais celui-ci dispose d'appuis suffisants dans les autres provinces pour gouverner sans le Québec, dont les représentants sont divisés entre eux et qui ne comptent guère d'hommes d'envergure en leur sein. Il est vrai que le Québec obtient environ cinq postes, dont deux vont à des anglophones; mais, de 1911 à 1917, les ministres québécois jouissent de peu de prestige dans leur province et de peu d'influence à Ottawa.

En 1917, dans le but de faire accepter leur projet de conscription, les conservateurs proposent aux libéraux de former une coalition et d'établir un cabinet d'union. Les députés francophones et quelques anglophones, regroupés derrière Laurier, refusent, alors qu'une majorité de libéraux anglophones acceptent de se joindre aux conservateurs. De 1917 à 1921, sous le gouvernement d'union, l'influence du Québec est à peu près nulle. Le gouvernement ayant imposé la conscription, les rares Canadiens français qui collaborent avec lui sont dénoncés comme des traîtres. Dans le cabinet d'union, il y a deux Anglo-Québécois et un seul francophone, P.-E. Blondin, qui n'a pas été élu et qu'il a fallu nommer sénateur. Lorsqu'Arthur Meighen

Pendant la guerre, on utilise diverses formes de propagande pour inciter les Canadiens français à s'enrôler.

succède à Borden en 1920, il nomme quelques Canadiens français au cabinet. En 1921, le Québec réplique en élisant 65 libéraux et aucun conservateur.

De 1921 à 1930, sauf pour une courte interruption de quelques mois, en 1926, les libéraux sont au pouvoir sous la direction de William Lyon Mackenzie King. Celui-ci a été choisi comme successeur à Laurier en 1917. L'opposition de King à la conscription lui a valu la défaite en 1917, mais la fidélité des Québécois. King ne parle pas français et n'a pas la prétention de connaître le Québec; c'est pourquoi il s'en remet à l'organisation libérale et il cherche à se doter d'un lieutenant canadien-français qui est, à compter de 1924, Ernest Lapointe. Le Québec a toujours de quatre à six ministres dans les postes traditionnels. Les libéraux provinciaux et fédéraux maintiennent de bonnes relations et le tandem King-Lapointe essaie de ne pas trop heurter Taschereau. Ce qui n'empêche pas que le fédéral défende très mollement les intérêts du Québec dans l'affaire du Labrador et qu'il vote, malgré l'opposition de Taschereau, la loi des pensions de vieillesse pour s'attirer l'appui des progressistes de l'Ouest. Autant les Québécois s'étaient sentis isolés dans les années 1910, autant ils ont l'impression de jouir d'une honnête influence dans les années 1920 avec, en plus, la satisfaction répétée à chaque élection de se venger de la conscription en écrasant les conservateurs. Les nationalistes se plaignent cependant que les Canadiens français ne sont pas équitablement représentés dans la fonction publique et que le français ne jouit pas d'une véritable reconnaissance à Ottawa. Les libéraux, avec des mesures anodines comme les timbres-poste bilingues, essaient de les calmer sans indisposer le reste du Canada

La formule des libéraux semble bien fonctionner au Québec, qui pendant ces trente années, sauf en 1911, les appuie massivement. Le vote en bloc des Québécois en faveur des libéraux est quelquefois décisif. Ainsi, en 1896, Laurier dispose d'une majorité de 30 sièges, grâce surtout aux 49 députés québécois. En 1921, Mackenzie King, avec 116 sièges dans l'ensemble du Canada, en a 65 qui lui viennent du Québec. En 1925, malgré les 116 sièges obtenus par les conservateurs, les libéraux s'accrochent au pouvoir avec 99 sièges, dont 59 du Québec.

Tableau 1
Répartition des sièges québécois entre les deux grands partis à la Chambre des communes, 1896-1926

	Libéraux		Conservateurs	
Élections	Sièges	% des votes	Sièges	% des votes
1896	49	53,5	16	45,8
1900	57	55,9	8	43,5
1904	53	56,4	11	41,7
1908	54	56,7	11	40,8
1911	38	50,2	27*	48,1
1917	62	72,7	3	24,7
1921	65	70,2	0	18,4
1925	59	59,3	4	33,7
1926	60	62,3	4	34,1

* Ce chiffre comprend 10 conservateurs et 17 conservateurs-nationalistes.
Source: J.M. Beck, *Pendulum of Power*.

En revanche, lorsque les conservateurs accèdent au pouvoir, les Québécois sont peu représentés et peu influents. En 1911, l'alliance conservateurs-nationalistes bâtie sur un malentendu tourne court. En effet, les nationalistes s'opposent à l'impérialisme de Laurier en votant pour un parti encore plus impérialiste. Le refus de Bourassa d'encadrer les nationalistes fait qu'en moins d'un an, ceux-ci deviennent pour la plupart des conservateurs orthodoxes, sans pour autant changer l'équilibre des forces dans le cabinet. En 1917, avec la conscription et la formation du gouvernement d'union, il n'y a plus d'équivoque possible, les Québécois sont

Une manifestation contre la conscription à Montréal, en 1917. (Archives publiques Canada, C6859)

massivement opposés à tout ce qui est « bleu ». Non seulement ils ne se préoccupent pas d'être isolés mais ils en sont fiers et tout politicien francophone qui accepte de collaborer avec le gouvernement Borden ou Meighen est assuré d'une retentissante défaite, si jamais il ose se présenter devant l'électorat canadien-français du Québec, qui n'a jamais été aussi unanime qu'au moment de cette crise.

LA CRISE DE LA CONSCRIPTION

Depuis la guerre des Boers en 1899, le mouvement nationaliste dénonce l'impérialisme anglais et prédit que tôt ou tard le Canada sera entraîné dans d'autres guerres impériales encore plus meurtrières. Les nationalistes, tout

MONTREAL, MARDI 2 AVRIL 1918

DERNIÈRE HEURE

LE DEVOIR

Toutes les nouvelles par nos rédacteurs, nos correspondants et les services de dépêches du monde entier

CALENDRIER

DEMAIN

LE SANG COULE A QUEBEC--5 CITOYENS PAISIBLES TUES

PLUS FORT QU'EN 1916

LES SALAIRES INSUFFISANTS

LE JUGE MARÉCHAL, STATUANT DANS UNE CAUSE D'EXEMPTION, FUSTIGE LES PATRONS QUI NE DONNENT PAS LES EMOLUMENTS VOULUS A DES EMPLOYÉS EXPERTS.

LES SOLDATS DE TORONTO FONT FEU SUR LA FOULE

Les émeutiers ayant les premiers tiré sur les troupes, au dire des autorités militaires, les mitrailleuses sont mises en jeu au parc Langelier hier soir, et des innocents, y compris un ouvrier revenant de son travail, tombent sous les balles — Le domicile d'un médecin qui secourt les blessés est bombardé

SOIXANTE-DEUX ARRESTATIONS SONT OPEREES

LES MORTS (tous des civils)

LES BLESSES

UNE AVANCE DES ALLIÉS

Au cours de la nuit, les troupes françaises et anglaises ont progressé entre la Somme et Demuin — Les Tommies capturent une cinquantaine de prisonniers et s'emparent de 13 mitrailleuses.

L'émeute de la conscription à Québec, en avril 1918.

en prêchant la loyauté au Canada et tout en se disant toujours prêts à combattre pour la défense du territoire canadien, s'opposent avec véhémence à toute tentative pour les obliger à défendre la Grande-Bretagne ou tout autre pays, y compris la France. Lorsqu'éclate la guerre de 1914 ils ne s'opposent pas à la participation du Canada, mais ils réclament que cette participation *volontaire* soit modérée et que s'il convient de défendre la civilisation et la justice sur le sol européen, peut-être convient-il de rétablir les droits du français au Canada, notamment en Ontario, où la bataille fait rage à propos du règlement 17. De plus, ils réclament que l'armée fasse une juste place aux francophones et qu'on y respecte leur culture et leur langue.

Tout en appuyant l'effort de guerre, les Canadiens français ne sont guère empressés de s'enrôler. D'ailleurs les anglophones d'origine canadienne ne font pas de zèle intempestif non plus. Les premières recrues sont surtout des Britanniques résidant au Canada. Quoi qu'il en soit, il est certains que les Canadiens français ne sont guère intéressés à combattre en Europe. Mais à mesure que la guerre se prolonge, l'effort du Canada s'intensifie. Le Canada, qui compte une population de 8 millions d'habitants, s'est fixé une participation de 500 000 hommes. L'enrôlement volontaire, malgré la propagande intense qui déferle, ne permet pas d'atteindre le chiffre fixé, surtout que les combats meurtriers qui se déroulent en Europe déciment les troupes.

Au Canada anglais on accuse ouvertement le Québec de ne pas faire sa part et le premier ministre Borden, répondant aux voeux de la majorité anglophone, présente un projet de loi rendant le service militaire obligatoire. La réaction au Québec est véhémente: les journaux francophones, sauf *La Patrie* et *L'Événement*, d'allégeance conservatrice, dénoncent le projet de loi. On organise des ligues anticonscriptionnistes, on tient de nombreuses assemblées de protestation, la maison d'été du propriétaire du *Star* est dynamitée. Lorsque la loi est sanctionnée par le gouverneur général à la fin du mois d'août, de véritables émeutes éclatent à Montréal: vitrines en éclats, bagarres dans les rues, coups de feu. Mgr Bruchési, qui a fait preuve d'une indéfectible loyauté à propos de la participation, écrit à Borden le 31 août: « Le peuple est ameuté. Il peut se porter à tous les excès. Les bagarres se succèdent. Des tueries sont à craindre dans nos villes. Les gens des campagnes ne se rendront pas. Ils semblent décidés à tout. Et il n'y a personne capable de les calmer. La vie de tous ceux qui ont favorisé ou voté cette loi est en danger. »

Aux élections de décembre 1917, les unionistes sont incapables de tenir des assemblées publiques tant la population est en colère. Trois conservateurs anglophones seulement sont élus contre 62 libéraux. Le Canada est divisé en deux blocs et les Canadiens français doivent subir la loi de la majorité. Ils résistent comme ils peuvent, sous l'empire de la loi des mesures de guerre. Plusieurs conscrits fuient dans les bois ou se cachent dans des greniers; d'autres cherchent à obtenir des exemptions. La police pourchasse les jeunes et la colère gronde. Fin mars 1918 une émeute éclate à Québec. L'armée intervient, on proclame la loi martiale. Les soldats tirent sur la foule: 5 civils sont tués et plusieurs dizaines sont blessés.

La conscription est un échec, on ne réussit à conscrire que 19 050 Québécois, tandis que 18 827 autres refusent de se soumettre. Le Canada sort de la guerre profondément divisé et le nationalisme canadien-français des années 1920 sera profondément marqué par cette expérience.

Orientations bibliographiques

Beck, J. Murray. *Pendulum of Power. Canada's Federal Elections.* Scarborough, Prentice-Hall, 1968. 442p.

Brunet, Michel. *Québec/Canada anglais. Deux itinéraires, un affrontement.* Montréal, HMH, 1968. p. 231-286.

Conférences fédérales-provinciales et conférences interprovinciales, 1887 à 1926. Ottawa, Imprimeur du roi, 1951. 112p.

Conférence fédérale provinciale du 3 au 10 novembre 1927. Ottawa, Imprimeur du roi, 1928. 36p.

Cook, Ramsay. *L'autonomie provinciale, les droits des minorités et la théorie du pacte, 1867-1921.* Étude no 4 de la Commission royale d'enquête sur le bilinguisme et le biculturalisme, Ottawa, Imprimeur de la reine, 1969. 82p.

Durocher, René. « Henri Bourassa, les évêques et la guerre de 1914-1918 », Société historique du Canada, *Communications historiques* (1971): 248-275.

Gibson, Frederick W. *La formation du ministère et les relations biculturelles.* Étude no 6 de la Commission royale d'enquête sur le bilinguisme et le biculturalisme, Ottawa, Imprimeur de la reine, 1970. 202p.

Lamontagne, Maurice. *Le fédéralisme canadien.* Québec, PUL, 1954. 298p.

Moore, A. Milton et al. *Le financement de la fédération canadienne.* Toronto, Association canadienne d'études fiscales, 1966. 164p.

Provencher, Jean. *Québec sous la loi des mesures de guerre.* Montréal, Boréal Express, 1971. 148p.

Wade, Mason. *Les Canadiens français de 1760 à nos jours.* Montréal, Cercle du Livre de France, 1963. Tome 2, 576p.

D. CULTURES ET IDÉOLOGIES

CHAPITRE 35
LES IDÉOLOGIES

Au cours des dernières décennies du 19e siècle, de nouveaux thèmes idéologiques se structurent. Le processus semble à peu près complété au début du 20e siècle et les Québécois se voient dès lors offrir deux grands projets de société. L'idéologie libérale, foncièrement optimiste, valorise le développement économique et le progrès individuel qui ensemble assurent l'essor de la collectivité. L'idéologie clérico-nationaliste a une vision pessimiste des transformations économiques auxquelles elle attribue des effets négatifs sur la société; elle propose une stratégie de repli, axée sur la conservation des valeurs et des structures traditionnelles. Les divergences entre ces deux projets provoquent des débats animés sur le devenir de la collectivité. Par ailleurs, d'autres courants idéologiques, qui restent relativement marginaux, tentent d'articuler une pensée ouvrière.

LE LIBÉRALISME TRIOMPHANT

L'idéologie libérale est celle de la bourgeoisie; elle est véhiculée par les hommes d'affaires, les dirigeants politiques et la presse à grand tirage. L'élément moteur de cette idéologie est la croyance au caractère positif du progrès matériel, assuré par le développement économique. Les périodes de forte croissance que connaît le Québec entre 1896 et 1929 fournissent d'ailleurs l'occasion d'entonner de nombreux couplets à la gloire de l'industrialisation et du progrès. Déjà en 1894, l'auteur de *Montreal Illustrated* décrivait sa ville avec une fierté débordante: « Bien que les souvenirs de la découverte de Montréal soient mêlés d'aventures romanesques et de tradition indigène, elle est devenue essentiellement et nettement une ville moderne. Aujourd'hui, quel que soit le côté d'où on l'approche, quel que soit le point de vue d'où l'on se place, elle présente tous les éléments et les aspects de la vie d'une métropole fin-de-siècle. De tous côtés on voit des preuves immanquables de richesse matérielle et de prospérité, des indications irréfutables de confort et de luxe, de bon goût, de culture et de raffinement. Les caractéristiques d'une métropole sont encore plus visibles quand on regarde ses principales artères commerciales, bordées d'établissements gigantesques et magnifiques. » La croissance devient même synonyme de beauté. En 1908, *La Presse* présente sous le titre « Les merveilles d'un grand port », les structures d'acier des nouveaux hangars du port de Montréal.

Les dirigeants politiques ne manquent pas de souligner que la prospérité est due à leur ouverture au progrès. En 1912, le maire de la municipalité industrielle de Maisonneuve proclame: « C'est une prospérité sans pareille dans les annales du pays. Cela est dû à la politique de progrès dont les têtes dirigeantes de la municipalité de Maisonneuve ont toujours fait preuve ». En 1916, le premier ministre Lomer Gouin, justifiant sa politique de construction de barrages, déclare: « Par le barrage du Saint-Maurice, nous allons créer le plus grand réservoir artificiel du monde, réservoir plus que double de celui d'Assouan, sur le Nil, le plus grand qui existe aujourd'hui. Messieurs, je vous donne rendez-vous, ici, dans cinq ans, pour constater la somme d'énergie, de développement, de progrès et de richesse que produira pour notre pays ce travail gigantesque ».

Si au 19e siècle les projets de chemins de fer étaient présentés comme des symboles de croissance, au début du 20e deux thèmes sont utilisés à cette fin: la promotion urbaine et l'industrialisation liée aux richesses naturelles. « Nous voulons multiplier, sur le territoire de notre province, le nombre de ces centres industriels qui répandent le progrès et la richesse », déclare encore Lomer Gouin, en 1919. Dans le programme-souvenir publié à l'occasion du Congrès eucharistique de Montréal, en 1910, on peut lire: « Progrès constants et ininterrompus de Maisonneuve. La ville la plus industrieuse de la Province de Québec et dont le développement considérable vaut à Messieurs les Capitalistes, Industriels, Constructeurs, Ouvriers et aux Jeunes Gens d'initiative qui y placeront leurs capitaux, leurs économies et leur travail une fortune *rapide et solide* ». Dans ce contexte, il est tout à fait normal de vanter les mérites du capital étranger. Cela est particulièrement vrai sous le gouvernement Taschereau, comme le montre Yves Roby. Le

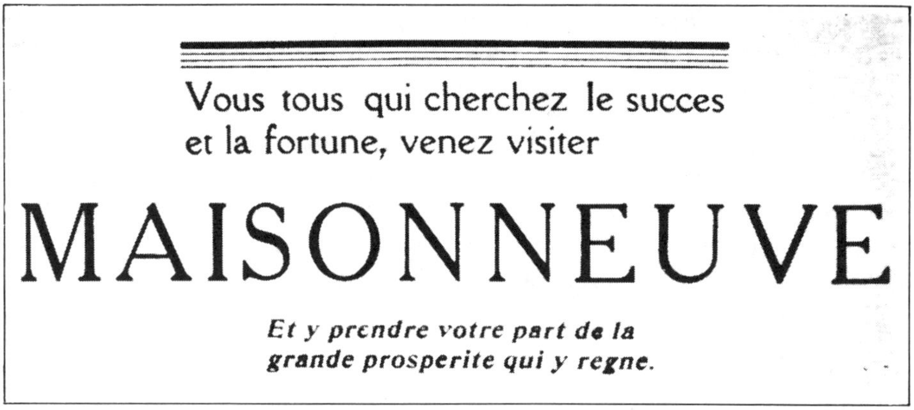

Les grands thèmes de l'idéologie libérale: le progrès, l'enrichissement et l'égalité des chances pour tous.

premier ministre se félicite alors des effets bénéfiques du capital américain et souhaite qu'il en vienne plus encore.

La croyance au progrès s'accompagne d'une valorisation de l'enteprise privée et de l'effort individuel. On propage de plus belle le mythe de la richesse accessible à tous, du succès qui récompense l'effort. Les journaux à grands tirages multiplient les *success stories*. Les répertoires biographiques chantent les louanges de ces hommes d'affaires qui ont réussi à force de travail et d'énergie et qui, en créant des entreprises, sont devenus des bienfaiteurs du peuple et des « grands Canadiens ». L'éducation est présentée encore plus nettement au début du 20e siècle comme la voie du progrès pour les Canadiens français. C'est par une éducation plus poussée et surtout plus adaptée aux conditions économiques que les membres de la collectivité auront la possibilité d'améliorer leur sort et d'accéder aux postes de commande. Ce thème revient fréquemment dans le discours libéral des premières décennies du siècle.

Pour atteindre cet objectif, il faut de toute nécessité moderniser le système scolaire et l'adapter aux besoins nouveaux de l'économie. D'où l'importance de mettre sur pied un réseau d'écoles spécialisées visant à former des techniciens et des administrateurs. La formation professionnelle devient une dimension essentielle des projets de société que formulent les gouvernements de Gouin et de Taschereau. Lomer Gouin déclare en 1919: « Nous voulons ajouter à tout ce que nous avons fait pour la grande cause de l'éducation et spécialement faire en sorte que les parents de chaque enfant puissent le diriger vers l'école professionnelle où l'on pourra mettre en valeur ses qualités et ses aptitudes naturelles ». Trois ans plus tard, le gouvernement Taschereau peut déclarer: « C'est désirable, pour les besoins de l'industrie, du commerce et de l'agriculture, d'encourager la création et le développement de cours professionnels adaptés à la préparation immédiate d'ouvriers techniciens ou d'employés compétents, que réclament de plus en plus les industriels, les commerçants et les agriculteurs de la province ».

Un courant plus radical continue à exister et veut une transformation plus profonde du système scolaire, transformation qui est de nature plus politique et qui remet en cause la domination de l'Église catholique. Ses porte-parole réclament l'instruction obligatoire et la laïcisation de l'enseignement. La nécessité de composer avec le clergé force les dirigeants politiques à mettre en veilleuse les demandes de ce groupe qui reste minoritaire.

Les tenants de l'idéologie libérale, imbus de l'idée de progrès, se font les champions de certaines réformes sociales, en particulier dans le domaine de la santé publique. La valorisation des conquêtes de la science, de la technologie et de la médecine fait intégralement partie de leur discours. La maladie et la mortalité élevée sont en quelque sorte des défis à la raison et au progrès. Une société qui se veut moderne doit être salubre. Comme le soulignent de nombreux réformistes et hygiénistes, la maladie de quelques-uns peut mettre en danger la santé de tous. Aussi voit-on se multiplier, au début du siècle, les déclarations, les conférences, les articles, sur la nécessité d'une intervention étatique pour améliorer les conditions d'hygiène et de santé, la salubrité des logements, etc. Le courant réformiste se présente en fait comme une facette de l'idéologie libérale s'adaptant aux conditions nouvelles créées par l'industrialisation et l'urbanisation.

L'évolution de l'idéologie libérale amène aussi ses représentants, tout en insistant sur la responsabilité individuelle, à proposer l'intervention étatique dans les domaines où les problèmes sociaux ont atteint des proportions nouvelles, comme pour l'aide aux indigents. C'est toutefois une transformation qui se fait à un rythme très lent au Québec, car elle heurte le conservatisme social profond de la bourgeoisie.

Le projet libéral favorise aussi la rationalisation de l'appareil de l'État. On veut que l'administration fonctionne avec des règles de rationalité et d'efficacité. On valorise le rôle de l'expert, du technocrate. Cette rationalisation a aussi pour objectif de contrer les effets imprévus d'une démocratie qui est maintenant plus ouverte, donc plus difficile à contrôler. Ce sont par exemple les hommes d'affaires montréalais qui réclament que leur ville soit administrée par des experts plutôt que par des élus.

Le projet de société de type libéral présenté aux Québécois fait cependant une large place au respect de la tradition. Le discours libéral continue à chanter les louanges de la culture canadienne-française et du mode de vie rural. C'est que le pouvoir politique et économique doit tenir compte du poids du clergé et doit composer avec le pouvoir religieux. Le clergé est d'ailleurs pour la bourgeoisie un allié important, gage de stabilité sociale. Il ne faut pas non plus perdre de vue que la partie francophone de la bourgeoisie a été formée dans les collèges classiques et y a subi l'influence cléricale. En outre, les principaux dirigeants politiques sont des avocats qui, à cause de leur formation , envisagent souvent les rapports sociaux sous l'angle juridique et ont une vision relativement figée des structures sociales. Le fait que la carte électorale donne un poids plus considérable au vote des ruraux qu'à celui des urbains explique aussi, dans le cas des hommes politiques, l'évocation de l'importance de l'agriculture.

Le nationalisme n'est certainement pas le thème principal de l'idéologie libérale, mais il tient une certaine place dans le discours. Les représentants de la bourgeoisie québécoise, tant francophones qu'anglophones, s'entendent assez bien pour mettre en veilleuse la question nationale, pour prêcher la bonne entente entre les « races » (vocable qui est alors employé comme synonyme de nation ou de peuple). Il s'agit d'éviter tout affrontement en usant de tolérance et en permettant à chaque groupe ethnique majeur de contrôler ses institutions d'éducation et de bienfaisance. Les dirigeants francophones manifestent leur attachement aux traditions canadiennes-françaises tout en affirmant les bienfaits des liens unissant le Canada à la Grande-Bretagne. Les porte-parole anglophones du Québec témoignent d'un grand zèle impérialiste tout en respectant les particularités des Canadiens français. On ne peut évidemment pas en dire autant de leurs collègues de l'extérieur du Québec, car dans toutes les autres provinces les Canadiens français sont victimes d'un zèle intempestif et perdent leur droit à l'enseignement dans leur langue.

La guerre vient d'ailleurs ébranler quelque peu cette bonne entente. Les grands hommes d'affaires anglophones de Montréal affichent une ardeur impérialiste peu commune qui leur apporte décorations royales et plantureux contrats de guerre. Les dirigeants canadiens-français ne peuvent pas commettre les mêmes excès de zèle, car ils risquent de perdre tout appui populaire; ils secondent tout de même l'effort de guerre, mais de façon beaucoup plus mesurée et en accompagnant leur démarche d'une défense des Canadiens français.

Pour propager la vision libérale de progrès matériel, on ne s'y prend pas de la même façon avec les francophones qu'avec les anglophones. Pas de difficultés du côté anglophone, puisque le réseau institutionnel est laïcisé et bien contrôlé par la bourgeoisie. Du côté francophone, il est difficile de véhiculer le projet libéral à travers l'appareil scolaire, dominé par le clergé. On utilisera plutôt à cet effet la presse à grand tirage, qui, par ses gros titres, ses reportages à sensation, sa publicité, fera un véritable travail de propagande. Le discours politique sera aussi un bon instrument pour vanter les merveilles du progrès, les bienfaits de l'industrie, de l'entreprise privée et du capital étranger, les possibilités innombrables auxquelles donne accès l'éducation. Les Québécois répondent-ils à cet appel? Les majorités électorales qu'ils accordent au parti libéral, la rapidité avec laquelle ils s'urbanisent, leur intérêt pour la presse à sensation et de nombreux autres indices semblent confirmer qu'ils n'y sont pas sourds et qu'ils acceptent de plus en plus ces valeurs.

LA RÉSISTANCE CLÉRICO-NATIONALISTE

Tout autre est le projet de société que présente l'idéologie clérico-nationaliste. Véhiculée par les membres du clergé et, avec plus de force encore, par les groupements nationalistes, cette idéologie atteint sa formulation la plus achevée dans les éditoriaux du *Devoir* et les articles de l'*Action française*.

Plusieurs historiens et sociologues se sont, au cours des trois dernières décennies, penchés sur l'étude de cette idéologie clérico-nationaliste, ou de conservation, au point de ne plus voir qu'elle dans le paysage idéologique québécois. De là à la qualifier d'« idéologie dominante », il n'y avait qu'un pas qui a été vite franchi. Parce qu'elle était véhiculée par des clercs et des intellectuels, sa formulation écrite — dans les éditoriaux ou les discours publiés — était caractérisée par une cohérence interne qui la rendait plus facile à analyser.

Rappelons les principaux thèmes de ce discours. Le projet clérico-nationaliste est systématiquement tourné vers le passé. Il se caractérise par le rejet des valeurs nouvelles et par le repli constant sur la tradition canadienne-française et catholique. Les porte-parole de cette idéologie sont convaincus que pour survivre comme peuple, les Canadiens français doivent s'accrocher à ces valeurs traditionnelles et les conserver comme un héritage précieux. L'abbé Lionel Groulx écrit en 1921: « Plus nous gardons nos vertus françaises et catholiques, plus nous restons fidèles à notre histoire et à nos traditions, plus aussi nous gardons l'habitude d'aimer ce pays comme notre seule patrie, plus nous restons l'élément irréductible à l'esprit américain, le représentant le plus ferme de l'ordre et de la stabilité. »

La famille est présentée comme l'unité sociale fondamentale dont les membres sont solidaires et ont des responsabilités les uns envers les autres. La valorisation de la famille est d'ailleurs un élément de base de la pensée sociale catholique au Québec comme ailleurs. La famille apprend le respect de la hiérarchie — la femme est soumise à son mari, les enfants doivent obéir à leurs parents — et elle est un gage de stabilité sociale. La famille doit avoir la haute main sur l'éducation de ses membres; elle a la responsabilité de leur venir en aide quand ils sont malades ou dans le besoin. L'Église catholique se perçoit comme le mandataire de la famille dans les domaines de l'éducation, de la santé et du bien-être. Toute tentative d'intervention de l'État dans ces domaines est présentée comme une attaque contre la famille, comme une atteinte à l'ordre social.

La religion constitue le deuxième pôle de l'idéologie de conservation. Il ne s'agit pas seulement d'une religion qui se limite au culte, mais d'un ensemble de valeurs que l'Église transmet depuis des siècles et qui doivent imprégner toute la vie du chrétien. C'est ainsi que l'éducation doit être catholique, que la charité doit être catholique, que les rapports entre patrons et ouvriers doivent s'établir selon des principes chrétiens, etc. D'où cette tentative du clergé de catholiciser les principales activités de la vie et d'encadrer chaque groupe social dans des associations confessionnelles.

Cette primauté de la religion amène à réclamer une place déterminante dans la société pour l'Église catholique et pour ses porte-parole officiels, les prêtres et les évêques. De la conception du clergé comme guide des fidèles, on passe rapidement à celle du clergé comme autorité. Le contrôle des consciences et la censure peuvent dès lors être utilisés en toute quiétude. Jean Hamelin et André Beaulieu résument bien les conséquences pour l'idéologie de l'omniprésence cléricale: « Porteuse d'un message évangélique éternel qu'elle a incarné une fois pour toutes dans une idéologie, l'Église plus soucieuse de la formulation que du contenu de son message tombe dans le travers des idéologues de tous les temps; elle devient dogmatique, intolérante, méfiante à l'égard de la nouveauté et des compromis. Cette attitude l'amène à dénoncer toute innovation qui pourrait compromettre le devenir de la société qu'elle entend réaliser. »

L'agriculture et le mode de vie rural forment, avec la famille et la religion, le troisième élément de base du type de société proposée par l'idéologie clérico-nationaliste. Dans une brochure publiée en 1916 et intitulée *Les avantages de l'agriculture*, le jésuite Alexandre Dugré présente une bonne synthèse de la pensée agrarienne au Québec. Il y énumère les principaux avantages de l'agriculture sur la vie urbaine. Certains sont d'ordre économique: l'agriculteur est beaucoup plus à l'abri des fluctuations économiques que le citadin, car la population a toujours besoin de produits alimentaires. Tout en ayant des dépenses moindres que le citadin, l'agriculteur voit son revenu augmenter grâce au perfectionnement des techniques et de l'outillage. L'auteur s'en prend à certains obstacles au progrès de l'agriculture: l'esprit routinier des agriculteurs, mais aussi l'incurie des hommes politiques et une éducation trop orientée vers les affaires. Il relève en second lieu des avantages physiques: la vie au grand air est fortifiante et les ruraux sont en meilleure santé que les urbains; d'ailleurs ces derniers regrettent la campagne, puisqu'ils ne ratent pas l'occasion de s'évader de la ville pour aller en villégiature. Le père Dugré insiste enfin sur les avantages moraux, qui sont pour lui les plus importants: « noblesse de l'agriculture », seule activité vraiment créatrice; nature chrétienne de la campagne; liberté de l'agriculteur qui n'est pas soumis au sifflet de l'usine; « sauvegarde des traditions » et de la race; stabilité de la famille; force de la vie paroissiale. Tous ces avantages sont préférables, selon lui, à l'instabilité de la vie urbaine et aux difficultés qui y surgissent.

La ville est en effet le repoussoir à l'aide duquel on définit un idéal de société. Comme le rappellent Jean Hamelin et André Beaulieu, « la ville dans l'idéologie clérico-nationaliste, c'est parfois un cadre de vie pollué, souvent un mode de vie dangereux, le plus souvent un système de valeurs et de conduites qui ravale l'homme à la bête. Évoquer la ville, c'est susciter le spectre de la presse qui ruine les fondements des croyances et des moeurs, des dimanches qu'on profane, de la piété qu'on ridiculise, de l'infidélité conjugale et de l'ivrognerie qui détruisent la famille, de l'immoralité des modes, des danses et des spectacles qui corrompent la jeunesse. Foyer pestilentiel, la ville est le tombeau de la catholicité québécoise. Elle n'a pas de place dans la société idéale. »

L'agriculture est donc valorisée à la fois comme activité économique et comme mode de vie. Ce qui amène certains auteurs à discréditer les autres secteurs de l'économie, à les considérer comme étrangers à l'essence de la nationalité canadienne-française. Dans son célèbre discours de 1902, Mgr Paquet, de Québec, déclare: « Notre mission est moins de manier des capitaux que de remuer des idées; elle consiste moins à allumer le feu des usines qu'à entretenir et à faire rayonner au loin le foyer lumineux de la religion et de la pensée. »

Les penseurs nationalistes s'intéressent tout de même au développement économique, mais en l'articulant autour de l'agriculture et de la colonisation. Ils consacrent aux problèmes ruraux une foule d'articles et de publications. La rencontre annuelle des semaines sociales du Canada, en 1928, a même pour thème: « Le problème économique considéré surtout au point de vue agricole ». On ne boude pourtant pas totalement l'industrie: curés et évêques bénissent à qui mieux mieux les nouvelles usines; Mgr Labrecque remercie en 1902 « les bons capitalistes » qui ont fait construire l'usine de Val-Jalbert. Mais ce que l'on souhaite ce sont des entreprises fortement intégrées au milieu rural. L'usine idéale devrait être de petite dimension, s'implanter dans une zone agricole, utiliser comme matière première un ou plusieurs produits de l'agriculteur et ne fonctionner que pendant l'hiver pour employer la main-d'oeuvre agricole disponible en cette saison. On veut donc l'établissement d'une économie où la production industrielle sera subordonnée aux intérêts supérieurs de l'agriculture.

Il va sans dire que la société réelle est organisée bien autrement, au grand regret de plusieurs penseurs qui voudraient freiner les transformations. Car si l'idéologie clérico-nationaliste s'accomode dans une certaine mesure de l'industrie, elle rejette l'industrialisation, ce processus socio-économique qui met en péril la société rurale qu'on idéalise par ailleurs. Cette résistance devient de plus en plus manifeste au cours de la période. L'ampleur des nouveaux investissements industriels provoque une levée de boucliers dans la presse nationaliste. On réclame du gouvernement un coup de barre énergique pour relancer l'agriculture et la colonisation et freiner ainsi l'exode des ruraux vers les villes. La situation paraît d'autant plus grave que l'industrialisation est réalisée par le capital étranger qui amène avec lui ses valeurs, provoquant le déchéance de la civilisation catholique et française.

Cependant, au sein du groupe nationaliste, un courant accepte la nécessité d'une certaine industrialisation et souhaite que les Canadiens français n'y participent pas qu'en subalternes. Dès 1901, Errol Bouchette propose qu'à la devise traditionnelle « emparons-nous du sol » s'en ajoute une autre: « emparons-nous de l'industrie ». Le journaliste Olivar Asselin, l'économiste Edouard Montpetit, le financier Joseph Versailles représentent bien ce courant de pensée qui emprunte beaucoup au libéralisme économique en le teintant de déclarations nationalistes.

Le nationalisme est l'un des traits dominants de l'idéologie de conservation. La nation y est définie tout autant par son catholicisme et ses origines rurales que par ses caractéristiques ethniques et linguistiques. La dimension nationale du projet clérico-nationaliste évolue cependant au cours de la période et deux grands penseurs la marquent tour à tour: Henri Bourassa et Lionel Groulx.

Bourassa entre en scène le premier. Nous avons vu qu'il réagit contre un nationalisme canadien-anglais de type impérialiste qui se manifeste avec force au tournant du siècle. Il croit que l'attachement premier des Canadiens devrait être envers leur pays plutôt qu'envers la Grande-Bretagne. Il prône donc le développement d'un véritable nationalisme canadien qui respecterait les traits spécifiques de deux groupes linguistiques. En 1904, répondant au journaliste Jules-Paul Tardivel qui favorise un nationalisme canadien-français, Bourassa définit ainsi sa pensée: « Notre nationalisme à nous est le nationalisme canadien, fondé sur la dualité des races et sur les traditions particulières que cette dualité comporte. Nous travaillons au développement du patriotisme canadien, qui est à nos yeux la meilleure garantie de l'existence des deux races et du respect mutuel qu'elles se doivent. Les nôtres, pour nous comme pour M. Tardivel, sont les Canadiens français; mais les Anglo-Canadiens ne sont pas des étrangers, et nous regardons comme des alliés tous ceux d'entre eux qui nous respectent et qui veulent comme nous le maintien intégral de l'autonomie canadienne. La patrie, pour nous, c'est le Canada tout entier, c'est-à-dire une fédération de races distinctes et de provinces autonomes. La nation que nous voulons voir se développer, c'est la nation canadienne, composée des Canadiens français et des Canadiens anglais, c'est-à-dire de deux éléments séparés par la langue et la religion, et par les dispositions légales nécessaires à la conservation de leurs traditions respectives, mais unies dans un attachement de confraternité, dans un commun attachement à la patrie commune. »

Il s'agit donc d'un nationalisme canadien mais qui a aussi un caractère bi-ethnique, bilingue et biculturel. Ceci amène Bourassa à exiger le respect du droit des minorités, partout au Canada. Comme la minorité anglophone du Québec n'est nullement menacée, Bourassa devient le défenseur de la cause des minorités francophones hors du Québec. Le type de nationalisme qu'il propose n'a guère de succès au Canada anglais, où l'on souhaite l'assimilation de tous les groupes minoritaires, y compris les francophones. Dans la plupart des provinces ou territoires, les Canadiens français voient en particulier leurs droits scolaires diminuer pendant la période. Bourassa entreprend de véritables croisades pour lutter contre cette situation ainsi que contre la participation aux guerres de la Grande-Bretagne. Il n'a guère de succès ni sur l'un ni sur l'autre front et le principal résultat de ses campagnes est de stimuler le nationalisme canadien-français au Québec.

La guerre de 1914-1918 provoque une véritable cassure entre Canadiens anglais et Canadiens français et confirme l'échec du type de nationalisme proposé par Bourassa. Ses disciples s'orientent de plus en plus vers un nationalisme purement québécois. Quant à Henri Bourassa lui-même, il connaît, au cours des années vingt, une évolution personnelle qui l'amène à mettre en veilleuse son nationalisme et à placer l'accent sur la suprématie de la religion et de l'Église.

Celui qui prend la relève est un prêtre et historien, Lionel Groulx. Il réunit autour d'une revue, l'*Action française*, une équipe de jeunes intellectuels qui relancent l'idéologie nationaliste sur des pistes nouvelles, mettant l'accent sur les questions de langue et de culture et s'intéressant au nationalisme économique. Le groupe connaît même une brève phase indépendantiste en 1922. La reconnaissance du principe des nationalités aux négociations de Versailles et les tensions politiques au Canada même leur font croire à l'éclatement prochain du pays. Dans une grande enquête intitulée *Notre avenir politique*, les collaborateurs examinent la viabilité d'un Canada français séparé. Cette indépendance, ils ne la réclament pas, mais elle leur apparaît inévitable. Leurs appréhensions n'étant pas fondées, ils oublient vite leurs velléités d'indépendance.

Si, par la suite, ils ne remettent pas fondamentalement en cause le lien fédéral, ils développent un nationalisme centré surtout sur le Québec. Lionel Groulx s'applique d'abord à asseoir la conscience historique du nationalisme.

Lionel Groulx, 1878-1967, à son bureau de l'Action française en 1925. (Archives de l'Institut d'histoire de l'Amérique française)

Il s'intéresse beaucoup à la Nouvelle-France qu'il idéalise et qui devient le symbole des vertus ancestrales et des racines catholiques et françaises. Il va même jusqu'à créer un culte du héros en utilisant le personnage de Dollard des Ormeaux. Il s'intéresse tout autant à l'histoire des luttes constitutionnelles qu'ont dû mener les Canadiens français depuis la Conquête.

Groulx est professeur, d'abord au collège classique puis à l'université. Ses préoccupations d'éducation l'amènent à privilégier la formation nationaliste de la jeunesse en vue de préparer ce qu'il estime être l'élite de demain. Avec ses disciples, il défend avec force la langue et la culture françaises. Il faut dire que la langue française est bien mal en point au Québec, où elle est pourtant la langue de la majorité. Dans un grand nombre de services publics, de magasins et d'entreprises, toutes les communications sont en anglais et le citoyen qui veut correspondre avec le ministère du trésorier provincial ne peut le faire que dans la langue de Shakespeare. S'ajoute à cette situation la crainte de l'américanisation. La culture française apparaît donc sérieusement menacée, en particulier dans les villes.

Menacée aussi est la présence francophone dans l'économie. Les progrès des monopoles et l'invasion du capital étranger réduisent à la portion congrue la part de la bourgeoisie canadienne-française. D'où la formulation d'un nationalisme économique qui valorise le repli sur le monde rural et le petit commerce, rejetant l'industrialisation massive amenée par l'étranger. Même si les idées du groupe de l'*Action française* ne sont pas totalement partagées par l'ensemble du clergé et des nationalistes, elles prennent de plus en plus d'importance dans le cadre de l'idéologie clérico-nationaliste et sont véhiculées au sein de la petite bourgeoisie.

Une partie importante de cette petite bourgeoisie et du clergé forme le groupe support de l'idéologie clérico-nationaliste. Son projet de société s'oppose, sur plusieurs plans, au projet libéral. Là encore, il n'est pas facile de mesurer la pénétration de l'idéologie au sein de la population. Par son contrôle de l'éducation et grâce à l'appareil religieux, le clergé est en mesure de diffuser son message. Il met en outre sur pied des organisations catholiques ou prend le contrôle d'associations existantes en les confessionnalisant. Parmi ces organismes, mentionnons l'Association catholique de la jeunesse canadienne-française (ACJC), l'École sociale populaire (ESP) et les syndicats catholiques.

L'idéologie clérico-nationaliste est aussi diffusée à travers un réseau de journaux appelé la « presse catholique » ou la « bonne presse ». Le plus célèbre est sans contredit *Le Devoir*, de Montréal, fondé en 1910 par Henri Bourassa. Il y a aussi l'*Action catholique* à Québec, *Le Droit* à Ottawa, *Le Bien Public* à Trois-Rivières, *Le Progrès du Saguenay* et quelques autres. Ces journaux n'ont pas les moyens et la diffusion de *La Presse*, de *La Patrie*, du *Star* ou du *Soleil*. Leur influence s'exerce plus directement sur les membres du clergé et les intellectuels catholiques.

Il est indéniable que l'idéologie clérico-nationaliste ait exercé une grande influence au Québec. Mais elle ne réussit pas à imposer totalement son modèle de société, se heurtant à la résistance du pouvoir politique et du pouvoir économique.

Il ne faudrait pas en conclure toutefois à une incompatibilité totale, à une division des groupes dirigeants en deux blocs irrémédiablement opposés. Les rapports de force amènent à des compromis entre les hommes d'affaires et les politiciens d'une part, et le clergé d'autre part. Il y a une certaine osmose entre les deux courants. Chez les Canadiens français, les dirigeants laïcs sont formés dans les collèges classiques où ils subissent l'influence cléricale. Le conservatisme de la bourgeoisie lui fait partager certaines positions de l'idéologie clérico-nationaliste, à propos du statut des femmes dans la société, par exemple; la question nationale provoque des divisions au sein de chaque groupe. Il y a aussi les contraintes de la vie publique qui amènent certains dirigeants à dire tout haut le contraire de ce qu'ils pensent tout bas. À ce survol des grands courants, il faut d'ailleurs en ajouter un troisième, plus égalitaire.

L'IDÉOLOGIE OUVRIÈRE

La période que nous étudions est également témoin de la diffusion d'une idéologie ouvrière dont le contenu varie selon les groupes qui la formulent. Le courant le plus important, représenté par le parti ouvrier et par des dirigeants québécois de syndicats internationaux, propose une idéologie de type travailliste. Il ne remet pas en cause fondamentalement le système capitaliste lui-même mais dénonce les abus auxquels il conduit et l'exploitation de l'ouvrier qu'il engendre. Il croit possible de redresser les torts et d'éliminer l'exploitation en établissant des règles du jeu plus égalitaires. Une partie de son programme vise donc l'amélioration du sort de l'ouvrier et une autre la limitation du pouvoir des capitalistes.

Du côté de l'ouvrier, on retrouve la conviction que le progrès passe par l'éducation, d'où les réclamations pour en faciliter l'accès: instruction gratuite et obligatoire, interdiction du travail des enfants, création d'un ministère de l'Éducation et mise en place d'un réseau de bibliothèques publiques. On propose par ailleurs l'adoption de mesures de protection qui mettront les travailleurs à l'abri d'une exploitation trop poussée. Ces mesures touchent aussi bien les heures de travail, la protection du salaire et des biens dont on veut interdire la saisie que l'abolition du prêt usuraire. Le sort des ouvriers serait également amélioré par un accès plus facile au crédit hypothécaire et aux tribunaux. Enfin, une assurance-maladie et des pensions de vieillesse permettraient de corriger la situation que vivent la plupart des travailleurs. En effet, leurs revenus souvent irréguliers ne leur permettent généralement pas d'accumuler des épargnes en vue de la retraite ou en cas de maladie. Quant au pouvoir des capitalistes, les tenants de l'idéologie travailliste s'en prennent surtout aux monopoles, en particulier dans les services publics, et ils en demandent l'étatisation. De même, dans le secteur financier, ils réclament la création d'une banque d'État et la suppression des banques privées. Mais les travaillistes ne vont pas plus loin et ne proposent pas un programme général de nationalisation; c'est là un aspect qui les distingue nettement des socialistes. Par ailleurs, ils exigent la reconnaissance de la responsabilité des patrons en cas d'accident de travail.

La réalisation de ces objectifs ne peut se faire que si les ouvriers ont leur mot à dire dans les décisions politiques. Pour cela, il faut faciliter et étendre l'exercice du droit de vote en adoptant des mesures comme le suffrage universel, le vote obligatoire, la garantie d'un congé les jours d'élections, le principe « un homme, un vote », la représentation proportionnelle. Il faut même aller plus loin en favorisant la présence des ouvriers au sein des instances politiques, d'où les tentatives répétées, depuis les années 1880, du côté de l'action politique ouvrière. Avec l'intérêt nouveau des ouvriers pour la scène municipale au début du siècle, on voit leurs dirigeants réclamer avec vigueur l'abolition de l'exigence de la qualification foncière pour les candidats. Le désir d'assurer un poids politique plus important à la classe ouvrière explique aussi des demandes de type populiste, comme l'élection des juges par le peuple ou l'adoption du principe du référendum.

Au sein de l'idéologie de type travailliste, l'appui à l'action politique directe n'est cependant pas unanime. Les succès électoraux mitigés des candidats ouvriers amènent de nombreux dirigeants de syndicats internationaux, surtout après 1914, à favoriser plutôt une action de type groupe de pression, menée par les organisations syndicales.

À côté de cette idéologie travailliste, la pensée socialiste reste assez marginale au Québec et paraît ne rejoindre que quelques centaines de personnes. Certes, le défilé organisé à Montréal par le parti socialiste en 1906, pour fêter le 1er mai, attire cinq à six cents personnes et suscite tout un émoi chez les membres du clergé, les dirigeants politiques et même au sein du parti ouvrier, mais cette manifestation d'éclat n'a guère de suite. Chez les Canadiens français, le leader socialiste est Albert Saint-Martin, alors que l'avocat anglophone W.U. Cotton exerce une certaine influence en publiant un hebdomadaire socialiste, le *Cotton's Weekly*. L'arrivée de nombreux immigrants européens à Montréal, au début du siècle, crée un milieu favorable à la diffusion du socialisme. Mais, dans l'état actuel des recherches, il est difficile de mesurer avec précision le degré de pénétration des divers groupes socialistes qui se développent au Québec. La fondation à Montréal, en 1925, de l'Université ouvrière marque une étape importante dans la diffusion des idées socialistes. À la toute fin de la période, le parti communiste canadien, créé au début des années vingt, commence un travail d'organisation au Québec où il ne compte en 1928 qu'une soixantaine de militants, dont une dizaine sont canadiens-français. Dans l'ensemble, les groupes socialistes et communistes restent marginaux avant 1930; la crise économique favorisera leur épanouissement.

Par ailleurs, il ne saurait être question d'une idéologie ouvrière dans le cas des syndicats catholiques, du moins à leurs débuts. Ils se contentent de véhiculer l'idéologie clérico-nationaliste en précisant la place des ouvriers. Ils ne présentent pas un projet de société bâti à partir d'un point de vue ouvrier. D'ailleurs, plusieurs des textes importants définissant la pensée officielle des syndicats catholiques sont dus à la plume des membres du clergé.

Ainsi, dès le début du 20e siècle, on assiste à la formation et à la diffusion d'une idéologie ouvrière de type travailliste véhiculée dans le cadre syndical. Elle ne bénéficie pas des moyens de diffusion dont disposent les deux autres grandes idéologies, ce qui limite sérieusement sa pénétration, concentrée surtout à Montréal. Quant aux courants socialistes et communistes, leurs problèmes de diffusion sont encore plus considérables et leur influence paraît limitée à des groupes restreints.

Orientations bibliographiques

Angers, François-Albert, dir. *La pensée de Henri Bourassa*. Montréal, Action nationale, 1954. 244p.

Bourque, Gilles et Nicole Laurin-Frenette. « Classes sociales et idéologies nationalistes au Québec (1760-1970) », *Socialisme québécois*, 20 (avril-mai-juin 1970): 13-55.

Brunet, Michel. « Trois dominantes de la pensée canadienne-française: l'agriculturalisme, l'anti-étatisme et le messianisme », *La présence anglaise et les Canadiens. Études sur l'histoire et la pensée des deux Canadas* (Montréal, Beauchemin, 1964): 113-166.

Fournier, Marcel. « Histoire et idéologie du groupe canadien-français du parti communiste (1925-1945) », *Socialisme 69*, 16 (janv.-mars 1969): 63-78.

Hamelin, Jean et André Beaulieu. « Une église triomphaliste », Nive Voisine, dir., *Histoire de l'église catholique au Québec (1608-1970)*, (Montréal, Fides, 1971): 55-72.

Levitt, Joseph. *Henri Bourassa and the Golden Calf. The Social Program of the Nationalists of Quebec, 1900-1914*. Ottawa, Éditions de l'Université d'Ottawa, 1969. 178p.

Linteau, Paul-André. *Histoire de la ville de Maisonneuve, 1883-1918*. Thèse de Ph.D. (histoire), Université de Montréal, 1975. 427p.

Monière Denis. *Le développement des idéologies au Québec*. Montréal, Éditions Québec-Amérique, 1977. 381p.

Rioux, Marcel. « Sur l'évolution des idéologies au Québec », *Revue de l'Institut de sociologie* (Bruxelles), 1 (1968): 95-124.

Roby, Yves. *Les Québécois et les investissements américains (1918-1929)*. Québec, PUL, 1976. 250p.

Rouillard, Jacques. « L'action politique ouvrière, 1899-1915 », Fernand Dumont et al., dir., *Idéologies au Canada français 1900-1929*, (Québec, PUL, 1974): 267-312.

Roy, Jean-Louis. *Les programmes électoraux du Québec*. Montréal, Leméac, 1970. Tome I, 236p.

Rutherford, Paul. « Tomorrow's Metropolis: The Urban Reform Movement in Canada, 1880-1920 », Société historique du Canada, *Communications historiques* (1971): 203-224.

Ryan, William F. *The Clergy and Econonomic Growth in Quebec (1896-1914)*. Québec, Presses de l'Université Laval, 1966. 348p.

Trofimenkoff, Susan. *Action Française: French-Canadian Nationalism in the Twenties*. Toronto, University of Toronto Press, 1975. 157p.

Wade, Mason. *Les Canadiens français de 1760 à nos jours*. Montréal, Cercle du Livre de France, 1963. Tomes 1 et 2.

CHAPITRE 36

LA PRODUCTION CULTURELLE

Comme à la période antérieure, nous allons analyser la production culturelle surtout à travers la littérature et la peinture. Cette production subit encore des influences extérieures, mais elle demeure étroitement liée aux événements qui forment la trame de la vie économique et idéologique de la société. La littérature ne peut se comprendre sans la relier au mouvement d'urbanisation et d'industrialisation qui transforme profondément le Québec d'alors. De la même façon, la peinture, reposant pour exister sur les commandes des institutions ou des grands bourgeois, fait voir les tensions ou les décalages qui existent entre les commanditaires et les artistes.

LA LITTÉRATURE*

À la fin du 19e siècle, la littérature québécoise accuse un net retard tant formel que thématique sur la réalité de son contexte socio-économique et sur l'évolution esthétique européenne. Sous le mode de l'évasion et de la

* Cette section a été rédigée par Sylvain Simard.

compensation, elle cherche dans le rappel des hauts faits glorieux du passé, dans l'aventure ou l'idéalisation de la vie paysanne, à nier la vie réelle des Québécois. Littérature de vaincus et de dominés, elle passe sous silence, quand elle n'en donne pas un tableau exagérément négatif, l'industrialisation rapide, l'exploitation des ressources naturelles et l'urbanisation. Littérature des élites, elle ne voit le peuple que paysan et soldat. Fidèle courroie de transmission d'une idéologie de repli, elle cherche à ériger en valeurs culturelles absolues les contingences d'une réalité médiocre.

On assiste toutefois, dans les dernières années du siècle, à l'éclosion d'un mouvement poétique dont le désir de changement tranche nettement sur la grisaille de notre histoire littéraire d'avant 1945. L'apparition même de ce mouvement et son existence pendant quelques années posent à elles seules un problème encore non résolu d'interprétation. Groupés dans de minuscules clubs littéraires et autour de revues d'avant-garde confidentielles, de jeunes poètes montréalais forment l'École littéraire de Montréal. Groupe structuré sur le modèle des académies littéraires, l'École vise à une véritable révolution littéraire. Esthétique d'abord, puisque les modèles établis du romantisme et du classicisme font place au symbolisme et à l'écriture parnassienne, c'est aussi une révolution des thèmes. La défense obligée des intérêts supérieurs de la nation et l'expression de l'âme de la race font place à une poésie de l'homme, de la mort et de l'amour. Un grand nom illustre le mouvement, étoile filante qui laissera peu d'héritiers: Émile Nelligan, dont la production poétique, entre 1896 et 1898, éclipse celle de tous ses prédécesseurs. Mais Nelligan échouera vite dans l'« abîme du rêve » et les jeunes bohèmes seront un à un engloutis par les exigences d'une société qui n'a que faire d'une poésie « littéraire » et « gratuite ». De talentueux « retours d'Europe » regroupés à la fin de la guerre autour d'une revue, le *Nigog*, chercheront aussi en France les grands outils de création artistique. Mais il s'agit là d'esthètes distingués dont les oeuvres ont très peu d'influence sur leurs compatriotes.

La littérature, de 1896 à 1930, se fait avant tout dans la continuité du 19e siècle. En poésie et en roman, la création littéraire est placée sous le signe du terroir et du régionalisme. Se coupant du reste du monde et se repliant sur les valeurs traditionnelles, la littérature se présente comme une négation du monde extérieur. L'essai lui-même est le véhicule presqu'exclusif d'un nationalisme conservateur. À part quelques romans balises, la production romanesque et uniformément faible, prisonnière d'une esthétique anachronique, paralysée par de rigides canons moraux et limitée par les nécessités étroites de la thématique historique et paysanne. Exploité à l'excès, ce genre en vient même à produire des oeuvres dont le réalisme annonce la fin de l'imposture mythique. Après le succès remarquable et mérité de *Maria Chapdelaine* de Louis Hémon, *La Scouine* d'Albert Laberge décrit pour la première fois la misère paysanne et annonce les *Trente arpents* de Ringuet et la fin d'une vision mystificatrice du monde. La littérature de cette période apparaît à Pierre de Grandpré comme une véritable course à obstacles pour les créateurs: obstacles historiques, résultant de l'accumulation des défaites et de la démission des élites; obstacles géographiques, d'un milieu peu maîtrisé, d'une nature non intégrée qui impose par sa force d'inertie la conception fataliste d'un destin tragique confirmé par les avatars historiques; obstacles sociologiques, malgré leur apparente unanimité autour d'une idéologie qui est en complet décalage avec les nouvelles réalités sociales et industrielles; déterminismes économiques et montée d'un prolétariat urbain; contraintes liées aussi à la psychologie des créateurs, résultante inévitable des autres contraintes qui empêchent non seulement les auteurs d'atteindre à l'originalité mais, surtout, les rendent incapables d'envisager toute possibilité de changement.

La poésie et l'École de Montréal

La poésie de cette période s'identifie presque complètement, si l'on excepte l'épisode du *Nigog*, aux fortunes et aux orientations diverses de l'École littéraire de Montréal. Née vers 1890 des réunions, au Café Ayotte, rue Sainte-Catherine, du groupe des « six éponges », composé entre autres de Jean Charbonneau et de Louvigny de Montigny, l'École littéraire de Montréal a tenu sa réunion de fondation le 7 novembre 1895. On y avait invité les jeunes poètes les plus révolutionnaires de leur génération et quelques « anciens ». Siégeant d'abord chez le président Germain Beaulieu, puis chez le secrétaire Louvigny de Montigny, cette académie tient, à partir de 1898, des séances publiques au Château de Ramezay. Le groupe survivra à bien des vicissitudes jusqu'au début des années 1930.

Paul Wyczynski a décelé trois grandes étapes dans la vie de l'École. À une première période d'effervescence, de 1895 à 1900, marquée surtout par un désir de renouvellement formel à l'instar des parnassiens et des symbolistes, succède un essoufflement et une accalmie jusqu'en 1907. À partir de 1907 et jusqu'en 1913, on assiste à un regroupement des forces poétiques autour du *Terroir*. Sous le signe du régionalisme, elles partent à la recherche de « l'âme du peuple au sein du paysage canadien ». Après une nouvelle accalmie, l'École reprend une vigueur nouvelle dans les années vingt, alors que l'électisme dominant permet à des poètes de différentes orientations esthétiques et thématiques de cohabiter sans vraiment s'influencer.

C'est à la véritable École littéraire de Montréal, celle de l'effervescence créatrice des premières années, que nous devons les oeuvres les plus intéressantes. Les poèmes d'Émile Nelligan surtout font entrer la poésie québécoise dans l'histoire. Il sait, le premier, non seulement nourrir son art des oeuvres de Baudelaire et de Rimbaud, mais aussi intégrer, vivre profondément au rythme de celles de Rollinat, Verlaine et Rodenbach. Il met ses forces créatrices encore malhabiles et son inspiration authentiquement personnelle au service d'un renouvellement de l'écriture. Mythifié, depuis l'édition de son oeuvre en 1904 par Louis Dantin, dans l'image du poète enfant et du génie au destin tragique, il n'en demeure pas moins, par son sens de l'image et la profondeur vécue de sa thématique, notre premier poète moderne. Délaissant l'éloge de la race, le passé légendaire ou héroïque et l'élégie campagnarde, il se concentre entièrement sur des réalités qui

Émile Nelligan, 1879-1941. (Archives nationales du Québec, N277-77)

l'obsèdent et qui sont liées à la mort, à la mère, à l'amour et à la ville. Face au monde fermé de la bourgeoisie cultivée de Montréal qui, à mille lieues de ses préoccupations, critique sa poésie, Nelligan fuit dans l'écriture:

> Ah comme la neige a neigé!
> Ma vitre est un jardin de givre
> Ah comme la neige a neigé
> Qu'est-ce que le spasme de vivre
> Ah la douleur que j'ai, que j'ai!
> (Soirs d'hiver)

Cette fuite devant l'opacité du monde se fait aussi dans l'émerveillement des yeux du langage:

> Elle a des yeux pareils à d'étranges flambeaux,
> Et ses cheveux d'or faux sur ses maigres épaules,
> Dans des subtiles frissons de feuillages de saules,
> L'habillent comme font les cyprès des tombeaux!
> (La Vierge noire)

Ce refus du réel ne pouvait conduire qu'au refuge dans les eaux troubles de l'inconscient, dans la folie appelée, désirée;

> Ce fut un Vaisseau d'or dont les flancs diaphanes
> Révélaient des trésors que les marins profanes,
> Dégoût, Haine et Névrose, entre eux ont disputé.
>
> Que reste-t-il de lui dans la tempête brève?
> Qu'est devenu mon coeur déserté?
> Hélas, il a sombré dans l'abîme du Rêve!
> (Le Vaisseau d'Or)

L'oeuvre de Nelligan, à peine ébauchée, ne peut se séparer des efforts littéraires de la bohème littéraire montréalaise fin-de-siècle. Fascinés par les voix de Verlaine, de Rimbaud ou de Mallarmé, ces « fils de marchands ou de cultivateurs enrichis », premiers marginaux intellectuels d'une société en voie d'industrialisation rapide, se réunissent autour d'éphémères revues d'avant-garde. Dénoncés par les anciens, dont Adjutor Rivard et Arthur Buies, encouragés par d'autres, dont Louis Fréchette, le vénérable poète national, ils feront de l'École littéraire de Montréal, pendant quelques années, le lieu d'une intense activité créatrice. Les Jean Charbonneau, Louvigny de Montigny, Henry Desjardins, Arthur de Bussières, Paul de Martigny, avec d'autres, secouent pendant cette période la médiocrité conformiste de la vie intellectuelle montréalaise. Les deux séances publiques de 1898 qui voient Nelligan, entouré de ses amis, lire triomphalement au Château de Ramezay quelques-uns de ses poèmes, marquent l'apogée du mouvement. Qu'adviendra-t-il de cette génération? Wyczynski fait l'inventaire de l'état désastreux de ces troupes en 1900: Nelligan a « sombré dans l'abîme du rêve », Hector Demers est menacé du même sort, Alfred Desloges meurt en août 1899, suivi bientôt de Denys Lanctôt, alors qu'Henry Desjardins, souffrant de tuberculose, exerce péniblement à Hull ses fonctions de notaire; désemparés devant la réalité, Antonio Pelletier et Arthur de Bussières vivent au fil des jours; les autres croupissent dans un état voisin de l'inertie.

Sans qu'on puisse accuser quelque rappel à l'ordre de la part des forces conservatrices ou quelque réelle censure, cette génération des années 1890 disparaît aussi soudainement qu'elle est apparue. Avant-garde sans autre public qu'elle-même, son existence relève autant de la fascination d'une fraction cultivée de la bourgeoisie francophone de Montréal pour les nouvelles valeurs artistiques françaises que de l'accès à la vie intellectuelle de nouveaux groupes à qui la société industrielle permet d'occuper des fonctions comme celle de journaliste, fonctionnaire, professeur, artiste ou libraire. L'émergence des poètes de la fin du siècle marque bien aussi la difficulté qu'ont désormais les forces cléricales et conservatrices à contrôler tous les secteurs de la vie intellectuelle. S'il peut encore refuser les dons de la Fondation Carnegie et créer sa bibliothèque « publique », le clergé voit pendant un certain temps quelques brebis poétiques refuser sa houlette; le troupeau ne tardera pas à regagner la bergerie nationale.

Après une éclipse presque totale (1900-1907), l'École littéraire de Montréal reprend vie autour d'une revue dont le titre, *Le Terroir*, constitue déjà tout un programme. Reprenant tous les poncifs régionalistes qui avaient cours à l'École littéraire de Québec cinquante ans plus tôt, Charles Gill, Albert Ferland, Jean Charbonneau, Germain Beaulieu et leurs amis partent à la recherche de « l'âme du peuple ». Archaïques dans leur retour au romantisme, isolés volontairement de tous les mouvements littéraires d'Europe et des États-Unis, confondant souvent bonne volonté et pureté des sentiments nationaux avec l'inspiration poétique, ils n'ont pas laissé d'oeuvres dignes d'intérêt. Le *Cap Éternité* de Charles Gill, le *Canada chanté* d'Albert Ferland ou les *Visions gaspésiennes* de Blanche Lamontagne ne sont pas dénués de toute qualité, mais ne présentent guère plus qu'un intérêt historique. Elles démontrent bien l'isolement dans lequel l'élite dominante a tenté de maintenir les Québécois. Outrés par les « atrocités » de la république laïque, encouragés dans leur parti-pris réactionnaire par l'immigration de cohortes de religieux victimes des lois Combes, les clercs tentent de fermer le Québec aux influences culturelles néfastes venues de France. Pour les Québécois du début du siècle, la poésie française se limite aux chansons du célèbre barde catholique breton, Théodore Botrel.

Plusieurs Québécois échappent cependant à cette vision réductrice. Fils de riches bourgeois, ils n'ont qu'un rêve en tête, visiter Paris et, si possible, y vivre. De la fin du 19e siècle jusqu'à la Grande Guerre, des dizaines de jeunes, fascinés par le bouillonnement artistique et culturel se retrouvent dans la Ville Lumière. Étudiants en médecine, inscrits au Louvre aux cours de certains artistes à la mode, à l'École des Beaux-Arts et même à l'École normale supérieure de la rue d'Ulm ou, plus souvent, se fondant dans la vie quotidienne de la bohème culturelle, ils vivent une expérience qui les marquera profondément. Fréquentant le Gardenia, cercle théâtral et culturel fondé par Paul Fabre, ils sont en contact avec des artistes venus de tous les horizons. Certains, comme Paul Morin et René Chopin, publient à Paris des recueils poétiques. Plusieurs aspirent à y vivre toujours, le taux de change favorisant leurs projets, mais la guerre les force à rentrer au Canada.

Ces jeunes gens cultivés, qui se sont colletés à la richesse culturelle du Paris cosmopolite, n'ont rien en commun avec les chantres du terroir de l'École littéraire, deuxième manière. En 1918, après quelques années de rencontres régulières dans les salons de l'architecte Fernand Préfontaine, ils se donnent un credo commun — « l'art doit innover » — et fondent le *Nigog*, revue littéraire et artistique d'avant-garde. Des écrivains comme Jean-Aubert Loranger, Marcel Dugas et Robert de Roquebrune, le musicien Léo-Pol Morin, le sculpteur Henri Hébert, les peintres Adrien Hébert et Ozias Leduc, l'homme de science Louis Bourgoin, le critique d'art Jean Chauvin, le journaliste Eustache Letellier de Saint-Just et l'architecte Fernand Préfontaine vont fustiger les conceptions esthétiques dépassées de leurs compatriotes et s'attaquer aux tenants du régionalisme. Abolissant les distances entre le Québec et la France, le *Nigog*, durant les derniers mois de la guerre, ouvre certains esprits aux conceptions littéraires et artistiques européennes les plus avancées.

L'oeuvre de Paul Morin, qui, lorsqu'il jouissait d'une importante fortune, avait fréquenté les salons les plus huppés de Paris, offre un bon exemple de cette primauté de l'esthétisme sur la défense et l'illustration des sujets locaux. Maniant un vers précieux avec une remarquable dextérité, il s'est réfugié dans une écriture ultra-parnassienne, qui néanmoins lasse un peu par sa perfection et sa froideur. Plus originale, mais aussi parnassienne et symboliste, la poésie de René Chopin est d'une remarquable beauté. Ces vers du poème « Je contemple mon rêve », extrait du recueil *Le coeur en exil*, en font foi:

Je contemple mon rêve ainsi qu'une ruine
Où pierre à pierre coule un somptueux palais
Chaque jour, sur le mur qui plus vétuste incline
Par touffes rampe et croît le lichen, plus épais.

La porte se lézarde ou de l'ombre est entrée,
Le plâtre s'en effrite et le marbre y noircit;
Une fenêtre à jour et de lierre encadrée
Dans une vieille tour se fronce, haut sourcil

Au château de mon rêve, invasion brutale
À leurs points lourds portent la pique et le flambeau
Ils ont passé le coeur aigri, de salle en salle;
De chaque sanctuaire ils ont fait un tombeau

Ayant séjourné à Paris pour des recherches médicales, le poète Guy Delahaye est à la fine pointe des recherches formelles. André Bourassa retrouve même dans ses poèmes de nettes similitudes avec les tentatives futuristes de Marinetti et des influences dadaïstes, écriture énigmatique, humour féroce, « vers ordonnances ». Delahaye quittera vite les sentiers de la poésie avancée pour la recherche psychiatrique et les certitudes religieuses.

Marcel Dugas, membre avec René Chopin et Guy Delahaye du club littéraire « Le Soc », séjourne lui aussi en France et compose de très beaux poèmes en prose. Membre actif de l'équipe du *Nigog* et parisianiste convaincu, Jean-Aubert Loranger, après avoir été symboliste, suivra Jules Romains dans le sillage de l'unanimisme. Il est d'ailleurs intéressant de voir Loranger, tout comme le jeune Victor Barbeau, rejoindre les régionalistes moins sectaires de l'École littéraire, troisième manière. De cette cohabitation ne devait sortir aucune oeuvre importante et, en 1930, l'École n'est plus qu'un souvenir.

Le roman

Le roman historique, tel qu'il s'est développé dans le dernier tiers du 19e siècle, continue à prospérer, atteignant un sommet avec l'oeuvre de Laure Conan. Elle a mis au service de ses peintures édifiantes d'un passé religieux et national des techniques d'une analyse raffinée qu'elle exploite surtout dans *À l'oeuvre et à l'épreuve* (1891) et *L'Oublié* (1900). Bons romanciers, Robert de Roquebrune et Léo-Paul Desrosiers produisent, en s'inspirant eux aussi de la Nouvelle-France, des ouvrages de bonne qualité, dégagés des exigences simplificatrices de la démonstration partisane. Ce souci de convaincre est par contre au premier plan des deux romans patriotiques de l'historien Lionel Groulx. Ces fictions littéraires que sont *L'Appel de la Race* et *Le Cap Blomidon*, publiés sous le pseudonyme d'Alonié de Lestre, lui permettent d'illustrer par le roman les grandes leçons nationalistes que l'historien a tiré du passé.

Mais, plus que le roman historique, le roman paysan est vraiment caractéristique de cette période. L'idéalisation de la vie campagnarde, posée comme modèle à atteindre, demeure l'objectif premier de la plupart des romanciers. Artisans plus qu'artistes, les auteurs de ces nombreuses scènes typiques de la vie québécoise traditionnelle cisèlent patiemment leurs oeuvres simples et robustes comme les meubles d'ici. À l'écart des grands courants littéraires, comme de tous les mouvements de pensée, ils se font les chantres d'un Québec qui aspire à demeurer rural. Ainsi les romans d'Ernest Choquette, de Damase Potvin, d'Harry Bernard et d'Adélard Dugré, pour ne nommer que ceux-là, ont tous pour but d'édifier le lecteur par la description d'un monde simple et idéal.

La grande réussite littéraire de cette époque, le seul roman qui puisse être lu et relu avec plaisir est dû à la plume du Français Louis Hémon. Pour la première fois, la nature du Québec n'est pas réduite au rôle d'arrière-plan décoratif. Des personnages simples, mais à la vie intérieure intense, vivent en symbiose complète avec les forces premières de la forêt, des lacs, des rivières. Totalement enracinés dans le terroir, même si la tentation de la ville est près de les emporter, les Chapdelaine se situent dans le déterminisme d'une continuité historique: « Nous sommes venus il y a trois cents ans et nous sommes restés. »

Hémon, en observateur attentif et fidèle de la réalité paysanne, reproduit, parce que la vérité l'exige, les grands thèmes qui ont inspiré la tradition romanesque québécoise avant lui. Chez lui aussi, les personnages sont les représentants d'options précises: François Paradis incarne l'homme libre, le coureur des bois, Lorenzo Surprenant exprime les séductions de la ville, alors que la continuité terrienne trouve en Eutrope Gagnon son champion. Tour à tour fascinée par l'évasion que lui proposent ses deux premiers prétendants, Maria, profondément bouleversée par la mort de François Paradis et celle de Laura Chapdelaine, s'élève à la dimension d'une figure épique en s'inscrivant à nouveau dans la dure nécessité de la continuité nationale.

Mais Louis Hémon n'en reste pas là: sa thématique traditionnelle s'intègre parfaitement, contrairement à celle de ses prédécesseurs, dans une esthétique à la fois romanesque et lyrique. Utilisant les procédés classiques du roman balzacien, Hémon a su réaliser ce à quoi n'était parvenu aucun romancier québécois avant lui: faire vivre dans une histoire simple mais juste des personnages vraisemblables. Les intégrant avec tendresse dans leur univers spatio-temporel, respectant le rythme des saisons et la difficulté des travaux paysans, Louis Hémon a, le premier, donné à ses personnages un véritable sens de la nature. Observateur minutieux et sympathique, mais distancié aussi de ses modèles, il a su donner à son livre un ton et une couleur locale qui n'ont rien à voir avec l'exotisme facile. L'immense succès de ce roman, qui reste un classique de la littérature française, ne doit pas être réduit comme l'ont fait les premiers critiques québécois, aux vertus du dépaysement et de la saveur locale. Il faudra attendre *Menaud, maître-draveur* de Félix-Antoine Savard et *Le Survenant* de Germaine Guévremont pour retrouver une qualité similaire.

Entre-temps, quelques romans auront annoncé la fin de l'usurpation du mythe rural. Déjà Rodolphe Girard, dans *Marie Calumet* (1904), et surtout Albert Laberge, avec *La Scouine* (1918), s'étaient écartés des sentiers de l'idyllisation du terroir. Ces oeuvres se démarquent nettement du « chant sentimental de la terre », de « l'ode en prose au paysan heureux et paisible, dispensateur du pain quotidien, conservateur des traditions familiales, promoteur [...] de la survivance de la race ». Alors que Rodolphe Girard nous propose une campagne où la grivoiserie et la volupté occupent une place importante, *La Scouine* nous présente une vision naturaliste de la médiocrité intellectuelle et de la misère physique de la vie rurale québécoise. Paru au moment où le roman du terroir atteint son zénith, le livre de Laberge se détache nettement de la littérature courante. Il faudra attendre vingt ans et la parution de *Trente Arpents* de Ringuet pour voir la fin du mythe rural dans le roman québécois.

L'essai

L'arrivée de centaines de milliers d'immigrants européens dans l'Ouest a mis fin au grand rêve des Canadiens français de devenir un jour majoritaires au Canada et les a minorisés pour toujours. Alors que l'Angleterre cherche à intégrer par divers liens — militaires, économiques et politiques — les colonies de l'Empire, un sentiment nationaliste pro-canadien puis autonomiste se développe au Québec, sentiment exacerbé par les mesures vexatoires dont sont victimes les francophones au Manitoba, au Nouveau-Brunswick et en Ontario. Ce sont surtout ces thèmes que l'on trouve développés chez les essayistes du début du 20e siècle.

L'oeuvre, aujourd'hui presque complètement oubliée, d'Edmond de Nevers est l'une des plus originales de notre littérature. C'est à une vision idéaliste, bien conforme à l'idéologie clérico-nationaliste que nous convie de Nevers dans son premier essai, *L'avenir du peuple canadien-français*. Les Canadiens français doivent apporter un message original à l'Amérique; jouant le rôle de la France en Europe, ils seront les détenteurs d'une culture et d'une civilisation différentes. Axée sur l'art et les valeurs spirituelles, cette société se consacrera aux choses de l'esprit, méprisant la richesse et le développement économique. Retrouvant l'esprit héroïque et désintéressé des colons de la Nouvelle-France, abandonnant les stériles luttes partisanes, les Canadiens français se voueront entièrement à l'éducation, à l'art et à la culture du sol, occupation que l'essayiste assimile à l'un des Beaux-Arts. « J'aime à me figurer qu'un jour, quand la science, fauchant les préjugés et ouvrant les âmes, aura accompli une partie de sa mission, chaque cultivateur fera à l'art une place dans sa vie, chaque champ, chaque prairie, sera comme une toile où l'homme avec la collaboration de la pluie et du soleil, cherchera non seulement à produire les biens de la terre, mais aussi à réaliser la beauté, ce rêve éternel de tout organisme supérieur. Il fera bon alors s'en aller, joyeux pèlerin, par les monts et les vallées, le long des routes ombreuses comme dans un musée où tout sera réuni pour plaire, où tous les gens seront charmés. » Dans la lignée des ouvrages classiques de Tocqueville et James Bryce, de Nevers publie *L'Âme américaine* et tente d'expliquer l'une des combinaisons sociologiques et psychologiques les plus complexes des derniers siècles. Dans une longue étude qu'il lui consacrait dans la *Revue des Deux Mondes*, Ferdinand Brunetière, malgré son désaccord avec l'essentiel de la thèse qui y est soutenue, reconnaissait en cet ouvrage « l'un des plus importants que l'on ait publiés depuis longtemps sur l'Amérique ».

Utilisant des concepts raciaux, abdiquant parfois sa rationalité dans la défense de l'intégrité de la race contre l'influence américaine, de Nevers y fait preuve d'une capacité d'analyse et d'une intelligence critique qui font de cet ouvrage l'un des meilleurs essais littéraires de son époque.

D'essayistes véritables, il y en a d'ailleurs fort peu. C'est du côté de Jules Fournier et d'Olivar Asselin, journalistes et polémistes, de Wilfrid Laurier, Henri Bourassa et Armand Lavergne, orateurs politiques très populaires, de Thomas Chapais et Lionel Groulx, historiens engagés, de Camille Roy et Louis Dantin, critiques littéraires, que l'on peut trouver des textes à la fois préoccupés de questions culturelles fondamentales et soucieux d'une forme littéraire qui se dégage de la médiocrité que presque tous reconnaissent chez leurs contemporains.

C'est d'ailleurs à cette chasse à l'abaissement et à la vulgarité, dans le comportement et dans l'expression, que s'adonnent en priorité Asselin et le jeune Fournier. Nationalistes ardents, ils tentent de soulever la colère de leurs lecteurs contre ces gouvernements qui abandonnent aux étrangers l'exploitation des grandes ressources naturelles du Québec. Opposés à l'impérialisme anglais, ils s'inscrivent, par la défense des minorités hors Québec, à l'intérieur du cadre nationaliste pan-canadien, attachés avant tout à la survivance de la « race » canadienne-française. Leur antiparlementarisme les amène à dénoncer quotidiennement la vénalité et l'impuissance de la députation francophone à Ottawa. Leur nationalisme les amènera dans le sillage étroit des politiques du fondateur du *Devoir*.

Petit-fils de Papineau et ultramontain, ami de Laurier et opposé à l'Empire, nationaliste et catholique, Bourassa représente bien selon Fernand Dumont, par son destin sinueux, les incertitudes idéologiques de la société québécoise. Il sera, pour des générations de Canadiens français, le symbole de la survivance et le prophète admiré de sa résistance à l'Anglais. Ses dons oratoires électrisent les foules et ses articles, tout en manquant souvent de clarté, définissent les paramètres de la pensée politique de l'élite nationaliste. Catholique, Bourassa subordonne toujours des conceptions sociales et politiques à une vision spiritualiste de l'homme. Leader politique, orateur charismatique et éditorialiste écouté, il est pour plusieurs de ses contemporains davantage un symbole de la résistance qu'un guide politique crédible.

En réaction à l'historiographie conciliatrice et anglophile de Thomas Chapais, Lionel Groulx, dans ses écrits historiques autant que dans ses romans et essais, amorce une carrière toute entière engagée dans la définition d'une doctrine nationale qui puisse assurer le salut de ses compatriotes. Largement inspiré des courants politiques nationalistes européens et surtout de la droite française, Groulx tentera par ses écrits d'amener une prise de conscience d'un nationalisme territorial dynamique. Se faisant l'apôtre des doctrines sociales qui allaient connaître en Europe l'application que l'on sait, Groulx sait cependant éviter un certain sectarisme. Éveilleur de conscience sans cesse tourné vers une jeunesse qu'il veut voir réagir à l'indifférence générale, l'historien sème une doctrine nationale dont l'importance ne peut pas encore être appréciée à sa juste valeur.

Ce rapide panorama du développement de la littérature au cours de la première partie du siècle est éminemment partiel. Son étude est d'ailleurs encore embryonnaire; presque rien, par exemple, sur la diffusion de la littérature populaire et son contenu que l'on soupçonne être beaucoup plus près de la réalité idéologique et économique libérale que de la littérature des élites. Presque rien non plus sur les développements d'une intéressante tradition littéraire de langue anglaise à Montréal. À l'exception de l'humoriste Stephen Leacock, peu d'auteurs ont été l'objet d'études originales. Ce rapide survol permet cependant de constater à la fois les grandeurs et les faiblesses de cette littérature, davantage reflet attardé d'une vision traditionnelle du monde que phare avancé d'un monde en transformation.

LA PEINTURE*

L'influence de l'école de La Haye

Avec la toute fin du siècle se développe chez les grands collectionneurs montréalais un engouement nouveau. L'école de Barbizon et ses émules canadiens finissent par les lasser et ce sont les peintres de La Haye qui reçoivent toute leur faveur. Cette école hollandaise s'était développée durant les années 1870 en réaction contre l'académisme régnant. Puisant aux mêmes sources que les impressionnistes, à savoir Corot, Théodore Rousseau et Millet, ils étaient arrivés à une peinture passablement différente de la leur. Au lieu d'analyser la lumière en ses composantes colorées, les peintres de l'école de La Haye se spécialisèrent dans l'expression des atmosphères. Souvent monochromes et assez sombres sinon lugubres, leurs peintures exploraient surtout la richesse des variations tonales et, par ce biais, les divers *moods* que ces atmosphères pouvaient suggérer. On a parlé de peinture « subjective » à leur propos. Ce genre de peinture semble avoir attiré tout spécialement la bourgeoisie anglo-saxonne de Montréal, beaucoup plus en tout cas que le caractère vivement coloré des tableaux issus de l'impressionnisme français. On mesurera l'importance qu'eurent ces peintres hollandais aux yeux des collectionneurs montréalais en apprenant que les premiers livres d'art à être publiés au Canada furent les ouvrages de E.B. Greenshields (1906 et 1914) portant sur cette école et spécialement sur l'un de ses membres, Johannes Weissenbruck, peintre bien oublié maintenant.

On peut voir un autre signe de la vogue de cette peinture dans le fait que, lors de son premier séjour en Europe, le jeune James Wilson Morrice (1865-1924) passera une partie de l'été à Dordrecht, petite ville hollandaise pittoresque, qu'il rêvait de peindre depuis toujours, pour en avoir vu souvent des représentations dans les tableaux collectionnés par son père, David Morrice, et leur voisin de la rue Redpath à Montréal, Sir W. Van Horne.

Les collectionneurs qui achètent les tableaux de Watson et de Walker s'intéressent aux tableaux canadiens dans le style de l'école de La Haye, comme ceux du peintre ontarien Edmund Morris (1871-1913) et, à un degré moindre, ceux de Curtis Williamson (1867-1944), dont le succès est plus exclusivement torontois.

Pourquoi cette nouvelle vogue? Faudrait-il la rapprocher purement et simplement de l'engouement général pour le paysage? Au contraire des paysages de O'Brien et de Fraser, ceux des peintres canadiens influencés par

* Cette section a été rédigée par François-Marc Gagnon.

Edmund M. Morris, 1871-1913: *The St. Lawrence near Quebec*, 1905. (Galerie nationale du Canada, 3656)

l'école de La Haye ne recouraient pas du tout à la notion de pittoresque. Un tableau comme *The Saint Lawrence near Quebec* (c. 1905) d'Edmund M. Morris y est même tout à fait étranger. Rien n'attire le regard sur ces côtes basses et grises, sinon la tour Martello sur la droite mais qui tend à se fondre dans l'arrière-plan. L'élément principal du tableau est le ciel gris visité au centre d'une sorte d'éclaircie. Mieux, l'essentiel ici est le sentiment oppressif dégagé par ce ciel suspendu au-dessus de Québec. Peinture de sentiment, de *mood*, l'oeuvre d'Edmund Morris pouvait bien être qualifiée de « subjective », puisque le sentiment du peintre l'emportait sur le rendu des apparences. C'est cette idée d'une marque subjective imprimée à l'espace qui en définitive rejoint en profondeur le point de vue des entrepreneurs qui achètent cette peinture. Leur entreprise n'est-elle pas du même ordre: transformer la nature brute en fonction d'une vision subjective (sinon collective)?

Quoi qu'il en soit, en s'ouvrant à cette nouvelle tendance, les collectionneurs de Montréal ouvrent la porte à un art qui donne encore plus de place à la subjectivité. James Wilson Morrice va bientôt leur proposer une peinture proche de celle des Fauves et de Matisse en particulier. Enfin, marquons comment cette peinture a été importante dans l'évolution du goût à Montréal, à la fin du 19e et au début du 20e siècle. On sera porté plus tard à la dénoncer — A.Y. Jackson n'y manquera pas dans les années vingt — mais c'est oublier que c'est par cette peinture que le « subjectivisme » participe de plein droit au développement de l'art contemporain au Québec. En s'y opposant au nom d'un certain « objectivisme nationaliste », le Groupe des Sept démontrera son caractère au moins partiellement rétrograde.

Ozias Leduc

Une partie importante de la carrière d'Ozias Leduc (1864-1955) coïncide avec ce développement. Il est à peu près contemporain d'Homer Watson, de neuf ans son aîné et avec lequel on l'a rapproché. Une légende tenace veut en faire une sorte de reclus. On le présente comme « l'ermite de Saint-Hilaire »; parce que canadien-français, Leduc n'aurait pas eu la notoriété qu'il méritait et aurait été « marginalisé » dans son propre milieu. Cette légende est née au début des années trente. Leduc, ayant alors dépassé la soixantaine et subissant les contrecoups de la crise économique, pouvait donner l'image d'une personne peu active. À Arthur Lemay, Jean Chauvin et René Bergeron qui le visiteront alors, il donnera l'impression d'un vieux sage distillant des aphorismes dans le calme de son atelier ou à l'ombre de ses pommiers, alors qu'il était contraint à cette oisiveté par les misères du temps. Mais qu'on étudie quelque peu la carrière de Leduc durant ses années actives, l'impression est toute autre. Cette carrière est en effet dominée par les grands contrats de décoration religieuse. Laurier Lacroix en a dressé une liste plutôt impressionnante: de 1893 à 1927, Leduc a exécuté pas moins de vingt-trois de ces contrats. C'est donc dire qu'il était loin d'être un reclus! En réalité, il était un des plus importants décorateurs d'églises de l'époque, pour ne pas dire un des plus importants entrepreneurs en ce domaine. Son labeur ne se relâche que durant les années trente, car, comme beaucoup d'autres, il subit les contrecoups de la dépression. Encore que, même pendant cette période difficile, il réussit à décrocher des contrats à Lachine et à Rougemont.

Le milieu des commanditaires ecclésiastiques au sein duquel oeuvrait Leduc lui imposait un programme iconographique défini, qui semble à première vue avoir peu de rapport avec la thématique des peintres de la période. Toutefois, outre le fait que Leduc a souvent fait preuve d'une grande faculté d'invention à l'intérieur de la tradition iconographique qu'on lui imposait, il a manifesté, encore plus souvent dans les parties du décor qui dépendaient moins directement de cette iconographie, sa grande maîtrise des principes décoratifs de l'Art nouveau.

La légende veut aussi que Leduc n'exposait jamais et que, par conséquent, ses tableaux ne trouvaient pas preneurs. Encore une fois, la vérité est toute autre. Jean-René Ostiguy le démontre dans son catalogue *Ozias Leduc — Peinture symbolique et religieuse*; dès 1890, Leduc exposait à la

Ozias Leduc, 1864-1955: *Pommes vertes*, 1914-1915. (Galerie nationale du Canada, 1154)

salle Cavallo sur la rue Saint-Dominique à Montréal. L'année suivante commençaient ses participations régulières au Salon du Printemps de l'Art Association of Montreal. Entre 1891 et 1922, Leduc exposera quatorze fois à cet endroit et onze fois à la Royal Canadian Academy. Seuls ses envois à la Canadian National Exhibition sont moins nombreux: trois fois entre 1914 et 1917. Quand, en 1916, la bibliothèque Saint-Sulpice lui donne l'occasion d'exposer une quarantaine de ses oeuvres, on peut dire qu'elle consacre un talent déjà reconnu. Autrement dit, compte tenu du réseau de diffusion de l'époque, Leduc n'expose ni plus ni moins que la plupart de ses confrères. Bien plus, ses participations lui méritent des prix (comme sa *Nature morte*, au Salon de 1895) ou lui attirent des ventes (son tableau *Les Pommes vertes* est acquis par la Galerie nationale à la suite de sa présentation au Salon de 1915). Il faudrait ajouter à cela les nombreuses commissions de portraits qui l'occupent sporadiquement durant la même période. En somme, l'image d'un Leduc n'ayant connu que l'insuccès et ayant été tenu à l'écart de la scène artistique de son temps ne résiste pas aux faits.

Ce n'est pas ici l'endroit de proposer une analyse détaillée de l'oeuvre de Leduc. Comme l'a bien montré Jean-René Ostiguy, elle se situe dans le courant symboliste et témoigne de la grande ouverture de Leduc à la sensibilité fin de siècle. Ses natures mortes véhiculent toujours quelques messages cryptiques, comme cette *Phrénologie* peinte en 1892, qui est en réalité une sorte d'allégorie de la peinture, ou cet *Enfant au pain* (1892-1899)

Ozias Leduc: *L'enfant au pain*, 1892. (Galerie nationale du Canada, 15793)

dont l'esquisse préparatoire porte la devise latine *Multum in parvo*. Les paysages qui l'occupent en 1913 (l'année du *Cumulus bleu*) et 1921 (celle de *L'Heure mauve*) explorent tous diverses illuminations atmosphériques suggérant le passage de la lumière aux ténèbres, de la vie à la mort.

Si l'école de La Haye avait ouvert nos peintres à une forme de subjectivisme en peinture, on peut dire que les sources symbolistes de Leduc en ont fait autant. Une fois de plus, les apparences sont niées au profit de l'interprétation subjective de la réalité. Ce faisant, Leduc rejoint le goût de son entourage immédiat, en particulier du groupe de la revue *Le Nigog*.

Les artistes canadiens-français

Si nous avons insisté quelque peu sur le cas d'Ozias Leduc, c'est que sa carrière nous semble caractéristique de celle de plusieurs artistes canadiens-français de son temps. Non seulement leur origine ethnique n'a pas nui à leur carrière, mais elle leur a souvent ouvert des portes qui étaient interdites à leurs collègues anglophones. La décoration religieuse n'est d'ailleurs pas le seul domaine qui leur soit réservé. Nous avons vu qu'à la période précédente Louis-Philippe Hébert avait initié la vogue des monuments historiques. Ce genre demeure florissant entre 1896 et 1929. Entre-temps les styles ont changé et on voit des sculpteurs adopter la sensibilité fin de siècle où la mode est au symbolisme et à l'Art nouveau. Le sculpteur le plus caractéristique de la tendance est Alfred Laliberté (1878-1953). Tout le monde connaît son monument à *Dollard des Ormeaux* (1920) au Parc Lafontaine à Montréal, où une figure symbolique couronne le « héros » du Long-Sault. Laliberté avait étudié en 1898 sous Thomas et Injalbert à Paris et les Salons de la Société des artistes français exposeront certaines de ses oeuvres en 1905 et 1912. Une sculpture représentant des *Jeunes Indiens chassant* le fera remarquer. De retour au Canada, il poursuivra sa carrière, menant en parallèle une oeuvre de sculpteur officiel et une oeuvre personnelle souvent beaucoup plus audacieuse.

Le projet collectif qui montre le mieux comment les grandes entreprises architecturales de la période créent des ouvertures pour les peintres et les sculpteurs canadiens-français est probablement le programme de décoration du Palais législatif de Québec, amorcé dès 1883 et qui s'étendra au delà de la première guerre mondiale. Comme l'a très bien montré Robert Derome, ce projet touche d'une manière ou d'une autre tous les artistes canadiens-français de quelque conséquence durant cette période. Dû à l'architecte nationaliste Eugène-Étienne Taché — à qui on attribue par ailleurs la devise du Québec: « Je me souviens » — le Palais législatif de Québec fut d'abord orné en façade, comme nous l'avons vu, par une dizaine de sculptures de Louis-Philippe Hébert. La décoration intérieure posa plus de problèmes. Pratiquement tous les peintres de quelqu'importance présentent des projets, depuis Napoléon Bourassa (1827-1916), qui tente en vain d'y refiler son énorme *Apothéose de Christophe Colomb*, jusqu'à Charles Huot (1855-1930), qui finit par décrocher en 1910 le contrat de trois murales, en passant par Joseph Arthur, Eugène Hamel (1845-1932), Marc-Aurèle de Foy Suzor-Coté (1869-1937), Henri Beau (1863-1949) et Joseph Saint-Charles (1868-1956).

Le projet retenu, celui de Charles Huot, comporte trois éléments: deux grands tableaux et un décor pour le plafond. On peut voir encore dans la salle de l'ancien Conseil législatif, à l'Assemblée nationale, son interprétation du *Conseil Souverain* (1926-1931) et, dans la salle de l'Assemblée législative, celle du *Débat sur les langues: séance de l'Assemblée législative du Bas-Canada, le 21 janvier 1793* (1910-1913). Le plafond de cette dernière salle est occupé par une grande toile marouflée sur le thème patriotique *Je me souviens* (1914-1920). C'est dire que la commission honorée par Charles Huot avait dû se plier à l'idéologie nationaliste de ses commanditaires. Sous ce rapport, il

Alfred Laliberté, 1878-1953: le monument à Dollard, au parc Lafontaine, à Montréal.

n'était pas dans une position différente de celle d'un peintre du temps travaillant pour l'Église. Comme lui, il était soumis à un programme iconographique précis et pouvait bénéficier de grandes surfaces pour exercer son talent.

On peut vérifier, dans ce cas, comment s'exerçait la pression idéologique sur le peintre en notant, toujours à la suite de Derome, les raisons qui amenèrent au rejet de certains projets. Celui de Bourassa, *L'Apothéose de Christophe Colomb*, était trop général et « somme toute assez peu

James Wilson Morrice, 1865-1924: *Les environs de Tanger*, vers 1911-1912. (Galerie nationale du Canada, 6108)

nationaliste ». Charles Alexander Smith se vit lui aussi refuser un projet, *L'Assemblée des six comtés* (1890), parce que le nouveau premier ministre, Charles Boucher de Boucherville, élu en 1891, le jugea « trop révolutionnaire ». Les sujets traités par Huot occupaient le juste milieu, ni trop à droite, ni trop à gauche, et parurent correspondre de plus près au conservatisme des politiciens.

Donc, pour porter un jugement équitable sur la fortune des artistes canadiens-français de l'époque, il faut prendre en considération les commandes de peintures religieuses et de peintures historiques. On est maintenant porté à juger sévèrement cette production académique, mais c'est voir avec nos yeux une production que l'on jugeait tout autrement à l'époque. Bien au contraire, ces grandes commandes étaient perçues comme l'occasion pour un artiste de donner la pleine mesure de son talent.

James Wilson Morrice

Peu après 1900, la peinture au Québec subit une mutation importante. La veine du paysage et celle des tableaux inspirés par l'école de Barbizon ou par l'école de La Haye s'épuisent et on cherche à s'ouvrir à une forme plus

Aurèle de Foy Suzor-Côté, 1869-1937: *Scène d'hiver*, 1909. (Galerie nationale du Canada, 4574)

moderne d'inspiration. James Wilson Morrice sera le grand peintre de la période. Mais Morrice n'aurait pas été ce qu'il a été sans une audience au Canada. Il existe à propos de Morrice un mythe tout aussi tenace que celui que nous dénoncions à propos de Leduc: Morrice, incompris dans son pays, n'aurait connu le succès que sur la scène internationale. En réalité, on a beaucoup exagéré ce succès international et, conséquemment, on n'a que très mal perçu l'appui qu'il reçut dans son propre pays. En fait, Morrice doit son succès à une institution qui apparaît peu après le tournant du siècle, le Canadian Art Club, fondé en 1907. Il est tout à fait symptomatique que ce soit Edmund M. Morris et Curtis Williamson, à savoir les deux disciples canadiens de l'école de La Haye, qui en eurent l'idée. Fondé pour encourager les artistes de tendance « subjective » et recrutant d'abord ses membres parmi les artistes et les collectionneurs torontois — dont le banquier D.R. Wilkie —, le Club se fera le champion de l'art d'avant-garde et constituera le forum le plus ouvert aux audaces picturales de Morrice.

Certes, dans les débuts, le Club était presqu'exclusivement torontois. Son premier président fut nul autre qu'Homer Watson. Mais ni Morris, ni Williamson n'entendaient que les choses en restent là. Ils tenaient à une représentation montréalaise. William Brymner (1855-1925) fut approché et se révéla une des recrues les plus importantes du Club. C'est lui qui assurera une forte représentation montréalaise en son sein. Maurice Cullen (1866-1934), un ami de Brymner, Clarence Gagnon (1881-1942) et W.H. Clapp (1879-1954), tous deux ex-étudiants de Brymner, y seront admis sous sa recommandation. La participation au Canadian Art Club ouvrira le marché torontois à ces peintres du Québec et contribuera certainement à leur succès. En retour, l'introduction des peintres montréalais dans le Canadian Art Club ouvrira les collectionneurs canadiens à une autre forme de peinture, moins dépendante de l'école de La Haye et plus ouverte à l'impressionnisme et au fauvisme. Suzor-Côté participera à une exposition du Club en 1913. Comme Maurice Cullen, Suzor-Côté avait été attiré lors de ses séjours en France par l'impressionnisme et en avait appliqué les formules à des sujets canadiens, comme son *Paysage d'hiver* (1909). Ce tableau dépeint au premier plan la petite rivière Nicolet, dans le comté d'Arthabaska, déjà dégagée de ses glaces. Dans le fond, on aperçoit les arcades d'un pont et quelques maisons à la lisière d'un bois. Peint en blanc, bleu pâle et or, ce tableau est un hymne aux forces de la vie triomphant sur les forces du gel et de la mort. Suzor-Côté ajoutait ainsi une dimension symbolique inattendue aux modèles impressionnistes qui l'avaient inspiré.

Mais le peintre montréalais le plus prisé des membres du Canadian Art Club fut James Wilson Morrice. Lié d'amitié avec Cullen, Brymner, Williamson et Morris, il sera l'idole de peintres plus jeunes, dont Clarence Gagnon, A.Y. Jackson (1882-1974) et Lawrence S. Harris (1885-1970), voire même de John G. Lyman (1886-1967) et de Paul-Émile Borduas (1905-1960). Sa carrière révèle une volonté soutenue d'assimiler les courants nouveaux de la peinture française de son temps. Peu après ses déboires dans les académies parisiennes — il quitte l'Académie Jullian après quelques semaines en 1891 —, Morrice cherche conseil auprès d'Henri Harpignies (1819-1916) à Bois-le-Roi. C'est dire qu'il va là où le goût de ses patrons montréalais l'avait amené, car Harpignies, c'était encore l'école de Barbizon. Ce choix est prudent. Ce qui faisait rage à Paris à l'époque, c'était le « mouvement esthétique » anglais: Oscar Wilde, Whistler, Beardsley... Morrice finit par le comprendre et s'entiche à son tour de Whistler. Cet engouement l'amène à Venise, qu'il visite en 1896 en compagnie de Maurice Cullen. Puis, de concert, les deux amis s'ouvrent à l'impressionnisme. Peignant sur la côte de Beaupré, durant l'hiver 1896—1897, l'un et l'autre éclaircissent leurs palettes et tentent de traiter des scènes d'hiver québécois en couleurs claires. *On Shipboard*, qu'on date de 1900-1903, montre comment Morrice en était arrivé à se détacher des atmosphères brumeuses à la Whistler pour leur préférer les couleurs brillantes de l'impressionnisme. En 1900, Morrice s'installe au 45 Quai des Grands-Augustins, à Paris; c'est le début d'une des meilleures périodes de sa production. Sujets parisiens et canadiens alternent dans sa production, révélant une compréhension de plus en plus profonde de la peinture pure. Le grand choc de la peinture de Matisse l'amène enfin à une dernière mutation. Il est possible que Morrice ait rencontré Matisse dès 1908, mais il connaissait déjà sa peinture avant cette date. L'oeuvre de Matisse l'intéresse tellement qu'il décide de suivre le maître à Tanger et passe peut-être l'hiver 1911-1912 (ou 1912-1913 ou les deux?) à ses côtés. *Les Environs de Tanger* (c. 1911-1912) révèle déjà l'impact de la peinture de Matisse sur lui. Dans ce paysage, la perspective est malmenée au profit d'une organisation décorative de la surface. La couleur est posée en grand aplat plutôt qu'en touches légères comme dans ses tableaux les plus impressionnistes de la période précédente. À partir de ce moment, Morrice se développera dans la même direction jusqu'à sa mort à Tunis, en 1924.

Résumée ainsi à grand trait, l'évolution de Morrice ne donne qu'une faible idée de son influence sur la peinture au Québec. Mais l'on peut dire que c'est grâce à Morrice que les peintres québécois se sont ouverts au langage pictural contemporain. Pour la première fois, le sujet à traiter passait au second plan et la peinture elle-même devenait son propre objet. La vogue du Groupe des Sept viendra brouiller cette prise de conscience, mais elle intéresse moins directement la scène artistique du Québec. John Lyman, qui lui consacrera un petit livre dans la collection « L'Art vivant », dirigée par Maurice Gagnon, rétablira l'importance de Morrice en en faisant le précurseur de l'art moderne au Québec.

Orientations bibliographiques

De Granpré, Pierre. *Histoire de la littérature française du Québec.* Tomes 1 et 2. Montréal, Beauchemin, 1971.

Harper, J.-R. *La peinture au Canada.* Québec, PUL, 1966. 442p.

Mailhot, Laurent. *La littérature québécoise.* Paris, PUF, 1974. Que Sais-je? no 1579, 127p.

Ostiguy, J.R. *Un siècle de peinture canadienne (1870-1970).* Québec, PUL, 1971. 206p.

Reid, Dennis. *A Concise History of Canadian Painting.* Toronto, Oxford University Press, 1973. 319p.

Robert, Guy. *La peinture au Québec depuis ses origines.* Ottawa, Iconia, 1978. 221p.

Simard, Sylvain. *L'image du Canada en France 1850-1914.* Thèse de doctorat (lettres), Université de Bordeaux III, 1975. 726p.

Bibliographie générale

Ne sont mentionnés ici que quelques ouvrages de base, de nature générale; on trouvera à la fin de chaque chapitre des titres plus spécialisés permettant d'approfondir une question particulière.

Les instruments de travail

Les gouvernements publient annuellement des recueils de données statistiques couvrant une gamme très variée de sujets et qui s'avèrent de précieux instruments de travail. Ce sont l'*Annuaire du Québec*, qui paraît depuis 1914, et l'*Annuaire du Canada*, publié depuis 1885. Par ailleurs, l'une des grandes sources d'information sur la population, l'économie et la société est constituée des résultats des *Recensements du Canada*, publiés en volumes, tous les dix ans depuis 1851. Il existe aussi un recueil présentant de grandes séries statistiques dans une perspective historique:

Urquhart, M.C. et K.A.H. Buckley, dir. *Historical Statistics of Canada.* Toronto, Macmillan, 1965. 672p.

Trois guides bibliographiques s'avèrent d'utiles compléments pour la période étudiée ici.

Beaulieu, André, Jean Hamelin et Benoit Bernier. *Guide d'histoire du Canada.* Québec, PUL, 1969. 540p.

Thibault, Claude. *Bibliographia Canadiana*. Don Mills, Longman, 1973. 795p.

Durocher, René et Paul-André Linteau. *Histoire du Québec. Bibliographie sélective (1867-1970)*. Montréal, Boréal Express, 1970. 189p.

Les deux premiers couvrent l'ensemble de l'histoire canadienne, alors que le troisième porte plus spécifiquement sur le Québec d'après la Confédération.

Mentionnons enfin un atlas historique:

Kerr, D.G.G. *Atlas historique du Canada*. Traduction de Pierre Tousignant. Montréal, Centre de psychologie et de pédagogie, 1967. 120p.

Ouvrages généraux

Il faut d'abord mentionner la monumentale *Histoire de la province de Québec* de Robert Rumilly, publiée chez divers éditeurs montréalais entre 1940 et 1969. Cette vaste chronique en 41 volumes est d'abord centrée sur la vie politique québécoise mais elle aborde aussi une foule d'autres aspects. Les 30 premiers volumes couvrent la période étudiée ici.

Le géographe Raoul Blanchard a réalisé sur le Québec une immense enquête de géographie humaine faisant une large place à l'histoire. Elle a été publiée en 5 volumes couvrant chacun une partie du territoire québécois. La connaissance de cette oeuvre est fondamentale pour quiconque veut étudier l'histoire du Québec contemporain.

Blanchard, Raoul. *L'est du Canada français*. 2 vol. Montréal, Beauchemin, 1935.

Blanchard, Raoul. *Le centre du Canada français*. Montréal, Beauchemin, 1948, 577p.

Blanchard, Raoul. *L'ouest du Canada français. Montréal et sa région*. Montréal, Beauchemin, 1953. 399p.

Blanchard, Raoul. *L'ouest du Canada français. Les pays de l'Ottawa. L'Abitibi-Témiscamingue*. Montréal, Beauchemin, 1954. 334p.

Pour replacer l'histoire québécoise dans son contexte canadien, la meilleure collection est certainement la « Canadian Centenary Series ». La période 1867-1929 est traitée dans trois ouvrages de cette collection:

Morton, W.L. *The Critical Years. The Union of British North America 1857-1873*. Toronto, McClelland and Stewart, 1964. 322p.

Waite, P.B. *Canada 1874-1896. Arduous Destiny*. Toronto, McClelland and Stewart, 1971. 340p.

Brown, Robert Craig et Ramsay Cook. *Canada 1896-1921. A Nation Transformed*. Toronto, McClelland and Stewart, 1974. 412p.

Enfin, il existe en français plusieurs grandes synthèses d'histoire du Canada ou du Québec. Nous en mentionnons trois à titre indicatif:

Vaugeois, Denis et Jacques Lacoursière, dir. *Canada-Québec. Synthèse historique*. Montréal, Renouveau pédagogique, 1969. 615p.

Robert, Jean-Claude. *Du Canada français au Québec libre. Histoire d'un mouvement indépendantiste*. Paris et Montréal, Flammarion, 1975. 323p.

Hamelin, Jean, dir. *Histoire du Québec*.Toulouse, Privat, 1976. 538p.

Index

A

B

C

D

E

F

G

H

I

JK

L

M

N

O

P

Q

R

S

T

U

VWZ

Table des matières

Première partie: ESPACE ET POPULATION, 1867-1929

Deuxième partie: LA PÉRIODE 1867-1896

Troisième partie: LA PÉRIODE 1896-1929

Dans la collection HISTOIRE ET SOCIÉTÉS
dirigée par Paul-André Linteau

Terry Copp, CLASSE OUVRIÈRE ET PAUVRETÉ — Les conditions de vie des travailleurs montréalais, 1897-1929. Les trois premières décennies du 20e siècle sont généralement considérées comme une période d'expansion et de prospérité pour le Canada. Pourtant au cours de cette même période, les conditions de vie de la classe ouvrière montréalaise ne dépassent pas le seuil de la pauvreté. Les rapports, les institutions de bienfaisance et les discours électoraux ne peuvent rien pour transformer la situation. Si l'on note, à la fin des années 1920, une certaine amélioration dans le domaine de la santé publique, les progrès sont peu perceptibles dans celui de l'éducation, du logement ou des revenus réels des travailleurs. Publiée d'abord en langue anglaise, l'étude de Terry Copp est considérée comme l'une des contributions les plus significatives à l'histoire sociale du Québec. Volume illustré, 224p., bibliographie, index. $9.75

Fernand Harvey, RÉVOLUTION INDUSTRIELLE ET TRAVAILLEURS — Une enquête sur les rapports entre le capital et le travail au Québec à la fin du 19e siècle. C'est au cours des années 1880 que le problème de l'industrialisation s'est posé dans toute son ampleur au Canada et au Québec. À l'approche des élections de 1887, le gouvernement conservateur de J.A. Macdonald crut trouver une solution en instituant une commission royale chargée d'enquêter sur « les relations entre le capital et le travail ». Les procès-verbaux recueillis constituent sans doute le plus important témoignage oral qui nous soit parvenu sur la condition ouvrière au moment où le Québec entre dans la révolution industrielle. La société québécoise connaît alors une véritable mutation qui se manifeste tant au niveau de la technique et de l'économie qu'à celui de l'organisation sociale et de la culture. Fernand Harvey analyse les diverses composantes de cette mutation en s'appuyant sur une étude fouillée des travaux de la Commision du travail et des conditions générales de l'époque. Volume illustré, 352p., bibliographie, index. $12.75

Jorge Niosi, LA BOURGEOISIE CANADIENNE. L'abondante littérature sur les investissements étrangers a contribué à créer une image simpliste du Canada-succursale des États-Unis et à faire oublier par le fait même le rôle d'une bourgeoisie proprement canadienne. Or, malgré les clivages ethniques et régionaux qui la traversent, cette classe présente toutes les caractéristiques d'une classe dominante par le contrôle qu'elle exerce sur les grandes sociétés tant publiques que privées. Tout en reconnaissant la dépendance commerciale, financière et technologique qui attache l'économie canadienne à celles des États-Unis, Jorge Niosi s'appuie sur une documentation rigoureuse pour remettre en question les interprétations les plus courantes, particulièrement en ce qui a trait au capitalisme régional et à la croissance des entreprises publiques. Vol. 248p. $10.95

1er tirage: septembre 1979
2e tirage: novembre 1979
3e tirage: juin 1980
4e tirage: décembre 1981

Achevé d'imprimer en décembre 1981
par les travailleurs des ateliers des Éditions Marquis
à Montmagny
pour le compte des Éditions du Boréal Express.